CYNNWRF CANRIF:

AGWEDDAU AR DDIWYLLIANT GWERIN

Huw Walters

Cyhoeddiadau Barddas
2004

I'm cyfaill amryddawn,
Lyn Lewis Dafis

Agraffiad cyntaf: 2004

ISBN 1 900437 67 8

Cyhoeddwyd gyda chymorth ariannol
Cyngor Llyfrau Cymru.

Cyhoeddwyd gan Gyhoeddiadau Barddas.
Argraffwyd gan Wasg Dinefwr, Llandybïe.

CYNNWYS

RHAGAIR

Yr Athro Hywel Teifi Edwards, wrth ei ddesg arferol yn Ystafell Eirina Morris yn Llyfrgell Genedlaethol Cymru, a'm cymhellodd i gyhoeddi'r gyfrol hon. Ar ei anogaeth ef y cesglais ynghyd ddetholiad o erthyglau a gyhoeddwyd o'r blaen, eu hailwampio ac, mewn rhai achosion, eu hail-ysgrifennu. 'Rwy'n ddyledus i Hywel am lunio gair o gyflwyniad i'r gwaith, ac am lawer o sgyrsiau difyr yn y Llyfrgell dros nifer o flynyddoedd. Ond y mae'n wir ddrwg gennyf ar yr un pryd imi fethu â'i argyhoeddi o rinweddau digamsyniol y dechnoleg newydd.

Diolchaf i nifer o gyfeillion am ganiatáu imi ddefnyddio gweithiau a ymddangosodd yn wreiddiol yn eu cyhoeddiadau hwy: Muriel Bowen Evans, golygydd *Trafodion Cymdeithas Hynafiaethau Sir Gaerfyrddin* (1); yr Athro Geraint H. Jenkins, golygydd *Cof Cenedl* (2); y Parchedig J. E. Wynne Davies, golygydd *Y Cylchgrawn Hanes [Eglwys Bresbyteraidd Cymru]* (3); Dr Christine James a Manon Rhys, golygyddion *Taliesin*, a Dr Brynley F. Roberts, golygydd *Y Traethodydd* (4); yr Athro Hywel Teifi Edwards, golygydd Cyfres y Cymoedd (5 ac 8); Andrew Green, golygydd *Cylchgrawn Llyfrgell Genedlaethol Cymru* (6); Alan Llwyd, golygydd *Barddas* (7).

Hoffwn ddiolch i nifer o'm cydweithwyr yn Llyfrgell Genedlaethol Cymru am eu cymorth, yn enwedig aelodau o staff Adran y Darluniau a'r Mapiau (fel yr adwaenid hi gynt), am gynorthwyo gyda dethol y lluniau. Atgynhyrchir y ffotograff o Edward Williams, mab Taliesin ab Iolo a Maer Middlesbrough, drwy garedigrwydd Gwasanaeth Archifau Glannau Tees, ac 'rwy'n ddyledus i Stuart Pacitto am fy nghynorthwyo i ddod o hyd i'r llun arbennig hwn. Diolchaf hefyd i'm cyfaill Brynmor Jones o'r Llyfrgell Ganolog, Caerdydd. Fe'i poenais droeon, drwy'r ffôn a thrwy lythyr, ac ni bu dim yn ormod o drafferth iddo dros y blynyddoedd. Yr wyf hefyd yn ddiolchgar i Mr John Dyer James, Dolgellau, am iddo fod mor barod i rannu ei wybodaeth am deulu'r Waun Lwyd â mi. Y mae Alan Llwyd yn fawr ei ofal am bopeth a gyhoeddir gan Gyhoeddiadau Barddas, a diolchaf iddo yntau am ei gyngor a'i gymorth wrth iddo lywio'r gwaith hwn drwy'r wasg.

Ni allaf fesur fy nyled i'm cydweithiwr Lyn Lewis Dafis, sydd bob amser mor barod â'i gymwynasau. Iddo ef y cyflwynir y gyfrol hon gyda diolch am ei gyngor a'i faith amynedd, ond yn bennaf oll am ei gyfeill-garwch.

GAIR O GYFLWYNIAD

Y mae hanner canrif wedi mynd heibio er imi ddechrau mynychu'r Llyfrgell Genedlaethol, ac un o'r rhesymau pam y mae'n dda gennyf gael dweud gair yma am y cyfaill Huw Walters, yw ei fod yn cadw'n fyw yr amser braf hwnnw pan oedd i geisio gwybodaeth wyneb a llais. Bellach, aeth ceisio gwybodaeth yn broses ddiflas i rywun sy'n filwaith gwell ganddo ymwneud â phobl wybodus na chyfrifiaduron, ac y mae Huw, diolch iddo, yn un o'r bodau prin erbyn hyn y gall dyn droi ato am gyfarwyddyd, cyngor a barn ar faes ei astudiaethau.

Brysiaf i ychwanegu ei fod hefyd yn ŵr hyfedr ei ymwneud â'r dechnoleg fodern sydd wedi tyfu'n drofannol wyllt ym mhob man y dyddiau hyn. Y mae ei lafur llyfryddol enfawr yn brawf o hynny. O'm blaen yn awr y mae dwy gyfrol o'i waith sy'n rhwym o wneud pawb a fyn astudio hanes a diwylliant y Gymru fodern yn ddyledwyr iddo, sef *Llyfryddiaeth Cylchgronau Cymreig, 1735-1850* a *Llyfryddiaeth Cylchgronau Cymreig, 1851-1900.* Y mae'n gyfraniad epig, yn ffrwyth blynyddoedd o lafur ystig sy'n destament i'w ymroddiad i oleuo a hwyluso astudio cyfnod toreithiog ei gynnyrch a fu'n rhy hir yn y cysgodion. Dywedaf fwy. Y mae'n orchest lyfryddol gwbl deilwng o draddodiad clodwiw Llyfrgell Genedlaethol Cymru.

Yn gymwynaswr mawr i ymchwilwyr o ran gallu, ac awydd i ddangos pa ddefnyddiau sydd ar gael iddynt, y mae Huw hefyd yn lladmerydd da iawn i'r wybodaeth y mae wedi ei chrynhoi. Yn ysgolhaig arfog, y mae'n ogystal yn llenor sy'n denu a chynnal darllenwyr gan mor olau a diwastraff yw'r arddull a ddatblygodd i gyflwyno a dehongli yr hyn a ŵyr. Gwnaeth ei farc pan gyhoeddodd *Canu'r Pwll a'r Pulpud: Portread o'r Diwylliant Barddol Cymraeg yn Nyffryn Aman* (Abertawe, 1987), cyfrol a gafodd groeso llawn gan y gynulleidfa sydd ar ôl i werthfawrogi llyfrau Cymraeg o sylwedd darllenadwy, ac y mae'n ddiau y caiff y casgliad hwn o erthyglau gwybodfawr yr un croeso.

Gan fod gwreiddyn mawr y cynnwys yn ddwfn ym mhridd y bedwaredd ganrif ar bymtheg, hawdd y gellid fy nghyhuddo i o ragfarn wrth glodfori'r gyfrol hon. Y gwir yw, na all y math hwn o ysgrifennu lai nag apelio at ddarllenwyr sy'n cael blas ar fynd i mewn i ddiwylliant trwy ymgydnabod â bwriadau amryfal unigolion, a gweld yr hyn a gyflawnwyd ganddynt yng ngoleuni'r bwriadau hynny. Gofod a ballai i sôn am y ddalfa o bobl drawiadol sydd i'w cael yn rhwyd y gyfrol hon, o awdur problematig *Sherlyn Benchwiban* (a roes dyrn o waith proffidiol i'r ditectif Huw Walters) hyd at Amanwy, sydd yntau'n haws ei adnabod o'i weld trwy lygaid ei gyd-ardalwr ymchwilgar.

Profiad cyfoethogol yw cyrraedd diwedd erthygl a lliw a llun cymdeithas a fu yn llenwi bryd dyn. Fe'i cefais yn arbennig wedi darllen 'William Morris, *Yr Athraw* a'r Llyfrau Gleision', '*Y Gwladgarwr* a'i Ohebwyr', a 'Pontypridd a'r Cylch: Gwlad Beirdd a Derwyddon'. Darllen, ymgolli a chlustymwrando â thrin a thrafod ein doeau streifus, am fod Huw wedi deall pwysigrwydd dyfynnu'n ddadlennol a rhoi i leisiau ddoe gyfle i siarad drostynt eu hunain unwaith eto. Fel llun i sgrin deledu yw dyfyniad gafaelgar i gyfrol o fath hon, ac y mae Huw yn ddyfynnwr hael ei barch i'w ddeunydd.

Tawaf. Yr wyf wrth fy modd yn croesawu'r gyfrol hon, ac yn llawen o feddwl fod cryn dipyn eto i ddod o ddwylo'r cymwynaswr hwn y gall Llyfrgell Genedlaethol Cymru ei ystyried yn gennad campus drosti. Wele ysgolhaig hygyrch ei ddoniau; gwnawn yn fawr ohono, fel y mae Cymdeithas Barddas, mawr ddiolch iddi, yn gwneud trwy gyhoeddi ei waith.

Hywel Teifi Edwards

SHERLYN BENCHWIBAN: UNIG ANTERLIWT SIR GÂR

Prinder ei gynnyrch, yn anad dim arall, yw un o brif nodweddion traddodiad llenyddol dyffryn Aman o'r cyfnod cynharaf hyd at ddiwedd y ddeunawfed ganrif a dechrau'r bedwaredd ganrif ar bymtheg. 'Ni ellir dweud i unrhyw fardd o fri drigiannu yma yn yr hen amser', medd Gomer M. Roberts, ac ni ellir canfod unrhyw fath o draddodiad llenyddol o fewn terfynau'r ardal cyn dechrau'r bedwaredd ganrif ar bymtheg.[1] 'Hyd y gwn i, ni chadwyd yr un awdl, na chywydd o waith bardd a drigai yn y fro yn y cyfnod canol', medd W. J. Phillips, a hyn mewn cyfnod pan gyrhaeddodd traddodiad y canu caeth ei anterth, a phan welwyd gweithgarwch mawr ar ran y beirdd yn yr ardaloedd cyfagos.[2]

Digon dilewyrch, felly, fu bywyd llenyddol y fro drwy gydol y cyfnod canol, a rhesymau cymdeithasol, yn bennaf, sydd i gyfrif am hyn. Yn yr Oesoedd Canol, cynhwysai'r ardal ddwy faenor, sef Maenor Caegyrwen a berthynai i Arglwyddiaeth Gŵyr, a Maenor Meddynfych yng Nghwmwd Is Cennen. Ffurfiodd y Normaniaid randir Seisnig a rhandir Cymreig yn Arglwyddiaeth Gŵyr, a golygai hyn fod yr estron a'i ddeiliaid yn byw yn ôl y gyfraith Normanaidd, tra goddefid i'r Cymry fyw yn ôl eu cyfraith hwy eu hunain, cyhyd ag y talent eu dyledion i'w harglwydd. Pan archwiliwyd yr Arglwyddiaeth ym 1610, disgrifiwyd trigolion Maenor Caegyrwen fel *customary holders*, sef disgynyddion y taeogion.[3] Dangosodd John Edward Lloyd mai olion hen faerdref Gymreig a welir yma, a thuedda enwau fel *Maerdy* a'r *Neuadd Wen*, sydd o fewn ffiniau'r ardal, i ategu'r farn hon.[4]

Taeogion yn trin tir bwrdd oedd y mwyafrif llethol o drigolion Maenor Meddynfych hefyd, a maerdy'r faenor yn ymyl eglwys y plwyf yn Llandybïe. Yma eto, yr oedd y gyfundrefn dir wedi cadw ei gwedd Gymreig hyd yn oed ar ôl dyfodiad y Normaniaid.[5] Yn ôl y gyfraith Gymreig, a weithredid yn y naill faenor a'r llall, ni chaniateid i blentyn taeog gymryd swydd bardd, a gan mai taeogion oedd y mwyafrif llethol o drigolion y maerdrefi hyn, nid yw'n syndod i'r traddodiad barddol Cymraeg fethu â chael troedle o fewn terfynau'r ardal yn y cyfnod canol. Cofiwn hefyd mai'r gyfathrach rhwng pencerdd a disgybl oedd sylfaen y gyfundrefn farddol, a gan mai dysgeidiaeth lafar oedd dysgeidiaeth y beirdd, yn wybodaeth rhwng beirdd a'i gilydd, yn hytrach na rhywbeth i'w ddatgelu i bawb, prin y gallai'r taeog fanteisio ar y ddysg hon a dod i wybod ei dirgelion. Ni chafodd y fro fawr o gyfle i dderbyn dylanwadau allanol chwaith, gan mai ardal anghysbell, yn weundir a mynydd-dir diffaith, ydoedd yn ystod y cyfnod cyn-ddiwydiannol. Yr oedd absenoldeb plasau o bwys, a allai weithredu fel canolfannau nawdd, hefyd yn fodd i lesteirio pob datblygiad llenyddol.

Er hynny, dengys y dystiolaeth sydd ar gael fod yr hen ddiwylliant gwerinol wedi parhau yn nyffryn Aman a'r cylch drwy'r canrifoedd. Dyna'r ffeiriau a'r wylfabsant, er enghraifft, ac er i'r cylch deimlo dylanwad crefyddol Ymneilltuaeth er yn gynnar, ceir tystiolaeth am chwarae anterliwt ar fuarth ffermdy Bryn-lloi yng Nghwmaman.[6] Awgrymwyd mai i siroedd y gogledd yn bennaf, – Môn, Arfon, Dinbych, Fflint a Maldwyn –

Ffermdy Bryn-lloi, Cwmaman, cyn ei ddymchwel ym 1906.

Thomas Edwards ('Twm o'r Nant').

y perthyn yr anterliwt Gymraeg,[7] ond bu Thomas Edwards ('Twm o'r Nant'), y pennaf o'r anterliwtiwyr, yn byw ar derfynau'r ardal, yn cadw tafarn a thollborth yn Llandeilo Fawr rhwng y blynyddoedd 1779 a 1786.[8] Ceir sôn amdano'n ymweld â thafarn y *Corner House* yn Llandybïe, a bu'n cario coed i'r Efail yn Llandyfân ac i Lanedi gerllaw, yn ogystal.[9] 'Y mae'n ddiau', medd Gomer M. Roberts, 'iddo ddylanwadu ar fywyd llenyddol yr ardal, oblegid nid yn unig yr oedd ef yn gampwr ar y mesurau caeth, ond yn gyfansoddwr anterliwtiau poblogaidd yn ogystal.'[10]

Cyfansoddodd Twm o'r Nant saith o anterliwtiau, ond ni luniwyd yr un o'r rhain yn ystod ei drigias ym mhlwyf Llandeilo Fawr. Yn wir, gellir dweud mai'r blynyddoedd a dreuliodd yn sir Gaerfyrddin oedd cyfnod mwyaf anghynhyrchiol Twm fel anterliwtiwr a bardd, a hyn, cofier, er gwaetha'r ffaith bod tref Caerfyrddin gerllaw yn ganolfan argraffu pwysig yn y de yn ystod ail hanner y ddeunawfed ganrif. Ond er ei bod yn anodd canfod dylanwad Twm o'r Nant ar lenyddiaeth y cylch yn y cyfnod hwn, mae'n ddigon posib, ar yr un pryd, iddo gyflwyno'r anterliwt fel ffurf lenyddol i'r ardal. Dichon, serch hynny, i'r cylch ddylanwadu ar yr anterliwtiwr ei hun. Yr oedd Twm yn ŵr 'effro ei gyneddfau wedi dyfod i'r ardal fwyaf effro ei chyneddfau yng Nghymru', medd Bobi Jones. Yr oedd ei fywyd wedi dwysáu a dyfod yn fwy cytbwys yn dilyn y chwe blynedd a dreuliodd yn sir Gâr, bro yr emynwyr Methodistaidd.[11] A gwelodd E. Wyn James wahaniaeth yn ansawdd ei gyfansoddiadau wedi i'r anterliwtiwr ddychwelyd i'r gogledd ac ailgydio yn yr anterliwt unwaith yn rhagor. 'O gymharu'r anterliwtiau a gyfansoddwyd wedi dychwelyd o'r de gyda'r rhai cynharach', medd ef, 'gwelir fod dylanwad crefydd yn llawer mwy amlwg ar waith Twm erbyn diwedd yr wythdegau . . . Mae'r iaith fras a'r cyfeiriadau anllad wedi lleihau erbyn anterliwtiau'r cyfnod hwn, a'r dadleuon moesol a'r anogaethau duwiolfrydig wedi cynyddu'.[12]

Ym 1802, ymddangosodd o wasg John Evans, Caerfyrddin, anterliwt yn dwyn y teitl *Sherlyn Benchwiban, neu Gasgliad o Ysgrifenadau ein Hen Deidiau, Wedi eu Gosod Mewn Ffordd o Enterlute ar Adnodau Prudoliaeth a Cherddoriaeth, gan Dr Lodwick William, Glanllwchwr, Llandybie, Na Fu Erioed yn Argraphedig o'r Blaen.* Ond pwy oedd y Dr Lodwick William hwn o Landybïe, awdur yr anterliwt? Tybiodd Robert Griffith mai gŵr o'r Bala ydoedd, ond ni wyddys ar ba sail y gwnaeth y gosodiad hwn.[13] Fodd bynnag, mae'n werth sylwi ar dystiolaeth Job Davies ('Rhydderch Farfgoch'), y gwehydd o Bentregwenlais amdano, mewn traethawd o'i eiddo ar 'Hanes Plwyf Llandybïe' a luniwyd ym 1864:

> Cwmllwchwr, neu Gelli Pentan fel y gelwir ef fynychaf, sydd amaethdy ychydig yn is i waered na'r Glynhir. Hynodir y tŷ hwn yn fawr ar gyfrif un Dr Lodwick Williams fu yn byw ynddo ychydig dros gan mlynedd yn ôl. Yr oedd, fel y dywedir, yn feddyg esgyrn, yn ddarllenwr dwfr, ac yn medru y gelfyddyd feddygol yn ei holl rannau. I goroni y cwbl, credai y bobl anwybodus ei fod yn swynwr, a'i fod fel Saul, yn uwch o'i ysgwyddau na'i frodyr yn y gelfyddyd ddu. Rhoddwn yma dalfyriad byr o draddodiad a geir am dano yn ei gysylltiad ag un Anthony William Rhys Dafydd, yr hwn oedd yn trigianu yn y Gelli-wastad ger Llandybïe. Yr oedd Anthony a Lodwick yn gyfeillion mynwesol ac ill dau yn ymarfer â'r gelfyddyd ddu. Cydberchenogent y llyfrau a chadwent ymlaen gyfeillach wresog.
>
> Un diwrnod danfonodd Lodwick ei was i gyrchu llyfr o'r Gelli, ac wrth ddychwelyd ar un o gaeau Penlan, cododd awydd ar y bachgen i agor y

llyfr. Ond gyda ei fod yn dechreu darllen, ac yn galw yr enwau rhyfedd oedd ynddo, wele haid o ddiafliaid yn neidio ymlaen, ac yn ceisio gwaith ganddo. Cafodd y bachgen, er yn ddychrynedig, ddigon o bresenoldeb meddwl i roddi gwaith i rai ohonynt dynu i lawr y gwrych o'r clawdd cyfagos, tra ar yr un pryd, rhoddodd waith i'r gweddill ohonynt i ddodi y gwrych yn ei hôl. Wedi gweled y gwas yn hir cyn dychwelyd, aeth Lodwick i edrych am dano, a pha le y cafodd hyd iddo ond ar gae Penlan yn trefnu yr ymwelwyr o bwll Annwn, y rhai erbyn hyn oeddent bron myned yn rhy galed iddo. Ar hyn, wele Lodwick yn rhedeg yn ei ôl i gyrchu dyrnaid o had llin, ac yn ei daflu ar led gan orchymyn yn awdurdodol iddynt ei bigo i fyny yn llwyr. Trwy'r ddyfais hon o'i eiddo, llwyddodd Lodwick i dynu'r gwas o'u canol yn gwbl ddidaro, ond rhybuddiodd ef ar ei berygl i ofalu na wnâi y fath beth byth mwyach. Dywedir bod milgi mawr yn cerdded o dan ei elor ar ddydd ei angladd bob cam i Landybïe.[14]

Sherlyn Benchwiban,

Neu Casgliad o Ysgrifenadau ein hen Deidiau,

WEDI EU GOSOD ALLAN MEWN FFORDD O

ENTERLUTE,

Ar Adnodau Prydoliaeth a Cherddoriaeth.

Gan Dr. LODWICK WILLIAM,

Glanllwchwr, Llandybie.

Na fu erioed yn argraphedig o'r blaen.

Mae y Llyfr hwn yn cynnwys fel y canlyn:

I. Ynghylch y Ffŵl a'r Celwydd a'r Gwirionedd yn ymddiddan â'u gilydd.
II. Enter Syr Howell Dda at Gelwydd a Gwirionedd.
III. Enter Flixton y Tafarnwr a'i Wraig Ffilio.
IV. Sottyn y Cwmpeiniwr attynt.
V. Enter Llawdrwm yr Eurych attynt.
VI. Enter Sherlin y Cybydd a'r Ffŵl at Sisli y Widw.

CAERFYRDDIN,

ARGRAPHWYD GAN IOAN EVANS.

M,DCCC,II.

[PRIS 6ch.]

'Sherlyn Benchwiban', Lodwick William (1802).

Ni ellir amau felly, mai gŵr o'r ardal oedd Lodwick William, ac ategir hyn gan y ffaith iddo dorri ei enw gyda'i gymydog Rees Powell o'r Glynhir yng Nghwmllwchwr, ar ewyllys Morgan John, ffermwr o blwyf Llandeilo Fawr ym 1743.[15] 'Ychydig dros gan mlynedd yn ôl', medd Rhydderch Farfgoch, y trigai Lodwick William yng Nghwmllwchwr, a dyry hynny inni'r blynyddoedd o gwmpas 1760. Mae'n rhesymol tybied felly, o dderbyn tystiolaeth ewyllys Morgan John, a'r hyn a ddywed Rhydderch Farfgoch, i Lodwick William fyw yn yr ardal tua chanol y ddeunawfed ganrif. Ac mae'n ddiddorol sylwi hefyd y ceir enw 'Mr Anthony Rees, Gelly-Wastad, Llandybiau' (sef Anthony William Rhys Dafydd, cyfaill Lodwick William), ymhlith y tanysgrifwyr i *Gardd o Gerddi*, Twm o'r Nant, a ymddangosodd o wasg Trefeca ym 1790. Y mae hyn ynddo'i hun yn awgrymu fod gan Dwm ei edmygwyr yn yr ardal, ac nid yw'n afresymol tybio iddo ddod i gysylltiad â Lodwick William o Gwmllwchwr.[16]

Cyhoeddwyd *Sherlyn Benchwiban* ym 1802, a cheir braslun o gynnwys yr anterliwt ar y wyneb-ddalen:

I Ynghylch y Ffŵl a'r Celwydd a'r Gwirionedd yn ymddiddan â'i gilydd.
II *Enter* Syr Hywel Dda at Gelwydd a Gwirionedd.
III *Enter* Fflixton y Tafarnwr a'i wraig Ffilio.
IV Sottyn y Cwmpeiniwr attynt.
V *Enter* Llawdrwm yr Eurych attynt.
VI *Enter* Sherlyn y Cybydd, a'r Ffŵl at Sisli y Widw.

Gellir rhannu'r anterliwt yn dair o adrannau, sef helyntion ynglŷn â Phabyddiaeth, miri'r dafarn, a phriodas y Cybydd, ac yn wahanol i drefn y mwyafrif o'r anterliwtiau Cymraeg, mae'r tair adran yn dilyn ei gilydd yn uniongyrchol a heb eu cymysgu.

Yn y rhan gyntaf, ceir ffrae ffyrnig rhwng Celwydd a Gwirionedd, a'r Ffŵl – Dr Mwdi – yn annog y ddau i ymladd. Yn y man, daw'r Ustus Howel Dda, a'i was Walter Denau i mewn i holi'r ddau, a dywed Celwydd mai ei swyddogaeth ef yw adrodd anwireddau ac amddiffyn Pabyddiaeth. Dedfrydir Celwydd i'w grogi gan Howel Dda, ac ymddiriedir y gorchwyl hwnnw i'r Ffŵl. Fodd bynnag, cais Celwydd ganiatâd y Crogwr i ymweld â'r Pab yn Rhufain i brynu maddeuant, a gan ei fod yn gobeithio cael maddeuant iddo ef ei hun, fe â'r Ffŵl gydag ef.

Moliant i'r dafarn a'r cwrw yw thema'r ail ran, a cheir darlun o'r digwyddiadau yn nhafarn Fflixton a'i wraig Ffilio. Un o brif gymeriadau'r adran hon yw Sottyn y Cwmpeiniwr a gaiff groeso mawr gan y tafarnwr, ac a wahoddir i eistedd ar lin Ffilio i ganu caneuon yfed. Wedi'r gyfeddach, gorwedd Sottyn yn feddw gaib, ac am nad oes ganddo arian i dalu am ei ddiod, fe'i curir yn ddidrugaredd gan Fflixton, ac fe'i teflir dros riniog y dafarn. Yna daw Llawdrwm yr Eurych i mewn, rhoddir fflagen iddo i'w thrwsio, ac wedi iddo orffen, trefnir cystadleuaeth yfed rhyngddo ef a Fflixton. Ond torrir ar draws y rhialtwch gan Sarrug y Tincer. Ceir ymladdfa rhwng yr Eurych a'r Tincer, ac yn y man try'r ddau i ymosod ar y tafarnwr a'i wraig.

Yn y drydedd ran, daw Sherlyn y Cybydd i'r dafarn. Nid diod a fyn ef, fodd bynnag, ond gwybodaeth am brisioedd y farchnad. Daw Peiswen y Llatai ato i'w hysbysu bod gŵr ifanc yn awyddus am law ei ferch Sugan, a chynigia Meri Andro y Ffŵl ei law i'r ferch hefyd. Wedi i'r Ffŵl ganu, daw'r Cybydd ato i ofyn a oes ganddo hanes gwraig iddo, a threfnir oed rhwng Sherlyn a'r Widw Sisli. Ceir darlun o briodas y ddau, gyda'r Cybydd yn achwyn am gost y wledd, a'r Ffŵl yn dynwared yr offeiriad (tt.42-3):

> Wele fy ngharedigion,
> Chwi welwch yr achosion,
> Mae i gyssylltu yma'n boeth,
> Y ddau ddyn doeth y daethom.
>   Ow! Mi anghofiais bob daioni,
> Dywedwch eich pader cyn priodi.

Edrydd Sherlyn ei bader a'i addunedau priodas:

> Yr wyf fi Sherlyn felun ffolach,
> Yn dy gymmeryd di Sisli'r Sittrach,
> At y fenter i gyd-gydio,
> O hyn allan, doed a ddelo.
>   I hyrddu dwy dîn, i chwareu dorr dorr,
> Ac i dîn rowtio'n dau'r hên fittor,
> Heb na pharch na rhagor yn y ffyrchau'n rhwygo,
> Dychryn hynod, mae'n dechreu heno.

Parodi cwrs a di-chwaeth ar wasanaeth yr eglwys a geir yma, ac wedi'r briodas ceir darlun o'r ddau yn cydorwedd. Wedi iddi sicrhau meddiannau'r Cybydd, dug Sisli ei gyfoeth at y Ffŵl. Genir nifer o blant iddi hi a'r Ffŵl, ac fe'i tadogir oll ar y Cybydd.

Dyma gynnwys yr anterliwt yn fras. Er bod trefn y digwyddiadau yn dilyn patrwm gwahanol i'r hyn a geir fel arfer yn anterliwtiau'r ddeunawfed ganrif, gwelir ynddi hanfodion deunydd traddodiadol yr anterliwt Gymraeg. Mae'r Ffŵl a'r Cybydd yn ymddangos bron yn ddieithriad ymhob anterliwt, ac mae ymryson a phriodi yn elfennau cyffredin yn neunydd y ddau ohonynt. Mae Sherlyn, fel cybydd pob anterliwt, yn hen, a'r ddau ffŵl yn defnyddio'i ariangarwch i'w dwyllo. Yn y diwedd, drwy ystryw a dichell a thwyll, daw eiddo'r cybydd i feddiant y ffŵl. Mae'r elfennau hyn i gyd yn gyffredin i nifer mawr o'r anterliwtiau, ond yr hyn sy'n nodedig yn *Sherlyn Benchwiban*, o'i chymharu ag anterliwtiau eraill y cyfnod, yw bod y tair adran sydd ynddi yn gwbl annibynnol ar ei gilydd. Ni ellir dweud bod unoliaeth cynllun yn perthyn i'r anterliwt hon. Yn wir, mewn gwirionedd, mae *Sherlyn Benchwiban* yn gymysgedd o wahanol ddefnyddiau, a'r adrannau, efallai, wedi eu cyfansoddi ar wahanol adegau, ac efallai gan wahanol awduron.[17]

Cyhoeddwyd *Sherlyn Benchwiban* gan Forgan Rees o'r Garreg-goch Ganol ym mhlwyf Llanarthne ym 1802, ac yn ei ragymadrodd i'r gwaith dywed:

> Yn gymmaint ag i mi gael yr anrhydedd o gael gafael yn yr ychydig Benhillion o waith ein henafgwyr, er coffadwriaeth parchus am danynt; mai yn fy mryd, os cenhada'r Mawredd, eu gosod hwynt yn y wasg mor ebrwydd ag y gallwyf, gan obeithio na fyddant yn dramgwydd i neb o'm cydwladwyr.
>
> Nid wyf fi ddim yn disgwyl i'r gwaith hwn, mwy nâg eraill o'r un natur, gael passio, yn ddiragfarn, o herwydd fod amrywiol o bobl wedi cymmeryd enw o fod a rhyw grefydd ganddynt; am hynny, mi fyddaf yn hyderu na fydd i bawb ei gofleidio ef mor gariadus; ond trwy ei bod hi yma yn cael ei galw yn wlad grist'nogol, mi fyddaf yn tybied na fydd i neb o'r cyfryw i farnu yn rhyfygus yn erbyn yr hyn na allant ei wneuthur eu hunain, nac i wella, gan ymffrostio, ymddyrchafu ac ymchwyddo fel y llyffant, pan yr oedd ef am wneuthur ei hunan yn o gymmaint â'r ŷch; ond y doeth a'r dysgedig, a'r di-falch a â heibio bob damweiniol feiau, gan ystyried fod ammherffeithrwydd ynglŷn â holl ddynolryw.
>
> Yn gymmaint a bod y casgliadau hyn wedi digwydd i'm llaw o dad i dad, tybiais yn addas ac yn ddyledswydd arnaf ei osod allan yn brintiedig, gan hyderu y bydd iddo gael cymeriad gyd â fy nghydwladwyr.

Mae'n debyg, felly, bod defnyddiau *Sherlyn Benchwiban* eisoes yn hen pan ddaethant i feddiant Morgan Rees o'r Garreg-goch Ganol. Crybwyllwyd eisoes bod Lodwick William yn byw yn yr ardal tua chanol y ddeunawfed ganrif, ond gellir dadlau bod rhannau o'r anterliwt yn hŷn hyd yn oed na hynny. Er enghraifft, yn y rhan gyntaf, dywed Celwydd wrth iddo ddadlau â Gwirionedd (tt.10-11):

> Celwydd yn eich dannedd, Syre,
> Ni cheisiaf fi ond barn Shiors Shieffre;
> Pa un gonesta gŵr mewn bri, ai tydi ai minne.
>   Pan fae fo'n mynd i grogi'r bobl,
> Byddwn fi'n tyngu, ac ynte'n fy nghanmol:
> Ni byddit ti ond Abo gwan
> Sy'n herwr ansynhwyrol.

Ceir yma gyfeiriad pendant at gymeriad hanesyddol, sef George Jeffreys, – 'Shiors Shieffre' yr anterliwt. Ganwyd Jeffreys yn Wrecsam ym 1645, dechreuodd ei yrfa gyfreithiol yn Llundain ym 1671, a gwnaed ef yn farchog ym 1677. Cafodd yrfa eithriadol ddisglair ym myd y gyfraith, a daeth yn Arglwydd Brif Farnwr ac yn Arglwydd Ganghellor erbyn 1685,

Yr Arglwydd Ganghellor George Jeffreys.

ond oherwydd iddo gefnogi'r Brenin Iago II fe'i carcharwyd yn Nhŵr Llundain lle bu farw ym 1689.[18] Eithr yr oedd Jeffreys yn ddiarhebol am ei dymer wyllt ac afreolus, ac enillodd gryn enwogrwydd iddo'i hun fel barnwr didrugaredd. Cyfeirir at un o'i lysoedd fel y *Bloody Assize*, ac yn yr anterliwt, tystia Celwydd iddo dyngu anudon yn un o lysoedd y barnwr. Mae'n ddigon posib mai cyfeiriad cyfamserol a geir yma, neu atgof o leiaf, am y barnwr ei hun.

Ceir rhai cyfeiriadau eraill yn rhan gyntaf *Sherlyn Benchwiban* at ddigwyddiadau hanesyddol. Er enghraifft, wrth iddo'i gyflwyno'i hun i Syr Howel Dda dywed Celwydd (tt.8-9):

Dyn wyf fi sy'n ennill bywyd
Wrth ddweud celwydd dibris dibryd;
Dyna'm crefft a'm swydd ddinam,
Coel fuddiol, a'm celfyddyd.
   Ym mh'lasau gwŷr boneddigion,
'Rwy'n cael cymmeriad ddigon;
Trwy'r holl amser wrth fy nysg,
Perthynu rw'i mysg rhai mawrion.
Bûm y llynedd mewn byd llawen
Yn y *White Hall* yn Llundain:
Myfi oedd un o ben y gamp,
Pan aned yno glamp o fachgen.
Mi glywais lais ei fam e'n gwaeddi,
Orchest gywraint wrth esgori:
Y Prins bach a'r wyneb llon,
Yr ydoedd hon i'w enwi,
   Wrth ochor y pared y ganed y gŵr,
Cyhyd ei wddwg â chlychau ar ddŵr:
Fe aeth yn rhyfelwr, nid llwfwr mo'r llangc,
At ei dad bedydd, f'ewyrth Lewis o Ffrainc.

Mae'r helyntion hanesyddol a groniclir yn y darn hwn yn perthyn i gyfnod teyrnasiad y Brenin Iago II. Am fod y brenin ei hun yn Babydd, ofnid y byddai iddo ddeddfu yn ffafr ei grefydd ei hun, ond gobeithid ar yr un pryd yr esgynnai Mary, ei ferch, a phriod William o Orange, a oedd yn Brotestant pybyr, i orsedd Lloegr ar ei ôl. Felly, pan anwyd mab i Iago a'i ail wraig Maria Beatrice o Modena ar 19 Mehefin 1688 – 'llynedd' yn

Maria Beatrice o Modena.

Y Brenin Iago II ym 1665.

ôl yr anterliwt – drylliwyd gobeithion y Protestaniaid, a chredai nifer o wŷr y cyfnod mai cynllwyn Pabyddol oedd yr hanes am yr enedigaeth. Gan mai Pabyddion yn unig a weinyddai ar Maria Beatrice o Modena ar y pryd, a gan i'r frenhines eisoes golli pum plentyn cyn 1684, lledodd y gred mai smyglio'r baban i Blas St James a wnaed (nid i Dŵr Llundain fel y dywedir yn yr anterliwt, gyda llaw), ac nad mab i'r brenin mohono o gwbl. Yr oedd etifedd y goron, felly, yn Babydd, a gan na fynnai'r wlad mohono, gwahoddwyd William o Orange i'r orsedd, a ffodd y fam a'i baban at Louis XIV, Brenin Ffrainc, ym mis Rhagfyr 1688, – sef 'f'ewyrth Lewis o Ffraingc' yr anterliwt. Ef a fu'n gyfrwng i drefnu priodas Iago a Maria Beatrice o Modena yn y lle cyntaf.[19]

Mae deunydd rhan gyntaf *Sherlyn Benchwiban* felly, yn seiliedig ar ddigwyddiadau hanesyddol ac yn perthyn i'r cyfnod tua'r blynyddoedd 1688-1689. Ac fel yr awgrymodd y Dr Geraint H. Jenkins, yr oedd llenyddiaeth Gymraeg y cyfnod yn ffyrnig wrth-Babyddol:

> Er bod yr Hen Ffydd yn trengi o brinder ymborth ysbrydol, yr oedd ofn y Pabydd yn parhau yn obsesiwn drwy'r cyfnod hwn, a hynny nid yn

> unig am fod Protestaniaid yn credu fod y ffydd Babyddol yn groes i bopeth daionus a santaidd, ond hefyd am eu bod yn ystyried fod Pabyddiaeth yn gyfystyr â gormes. Y mae rhan helaeth o lenyddiaeth Gymraeg y cyfnod hwn yn diferu o ragfarn wrth-Babyddol.[20]

Gellir dweud heb unrhyw amheuaeth, felly, mai i'r cyfnod 1688-1689 y perthyn rhan gyntaf *Sherlyn Benchwiban*, ac nad Lodwick William â'i cyfansoddodd o gwbl. Mae'n ffaith arwyddocaol iawn hefyd mai i'r rhan gyntaf hon y perthyn y mwyafrif o'r geiriau tafodieithol a'r ymadroddion gogleddol sydd yn yr anterliwt, geiriau dieithr i drigolion dyffryn Aman, megis *rwan*, *gwcha* ac *wllys*. Y mae'n fwy na thebyg, felly, mai gogleddwr a'i cyfansoddodd. Ategir y ddamcaniaeth hon gan honiad Morgan Rees o'r Garreg-goch Ganol pan ddywed yn ei ragymadrodd, i ddefnyddiau'r anterliwt ddod i'w law 'o dad i dad', a bod is-deitl y gwaith yn cynnwys y geiriau 'casgliad o ysgrifenadau ein hen deidiau'. Mae'n haws derbyn i Lodwick William gyfansoddi rhannau o'r anterliwt, a dichon i Forgan Rees ei hun ailwampio'r rhannau eraill, i'w cyhoeddi yn un cyfanwaith ym 1802, er mor ddigyswllt yw'r cyfanwaith hwnnw'n aml.

Er hyn oll, nid yw *Sherlyn Benchwiban* yn gwbl amddifad o fedr llenyddol; gŵyr ei hawdur sut i ddefnyddio mesurau'r triban, a'r cywydd ambell dro, ond efallai mai un o brif nodweddion yr anterliwt hon yw ei hiaith fras. Yn wir, hon yw'r frasaf ei hiaith o'r holl anterliwtiau Cymraeg, ac mae rhannau helaeth ohoni, megis y parodi ar wasanaeth yr eglwys, yn gableddus.[21] Ond hon yw'r unig anterliwt Gymraeg y gellir ei chysylltu ag un o ardaloedd de Cymru, ac yn y ffaith hon, ond odid, y gorwedd ei phwysigrwydd.

NODIADAU

1. Gomer M. Roberts, *Hanes Plwyf Llandybïe* (Caerdydd, 1939), 225.
2. W. J. Phillips, 'Beirdd Gwlad Dyffryn Aman', *Y Genhinen*, 12 (1962), 143.
3. C. A. Seyler, 'The Early Charters of Swansea and Gower', *Archaeologia Cambrensis*, 79 (1924), 314-15. Sylwodd G. H. Eaton yntau ar absenoldeb unrhyw drigolion rhydd yn y faenor. Gweler 'A Survey of the Manor in Seventeenth Century Gower'. Traethawd M.A. Prifysgol Cymru (Abertawe, 1936), 65.
4. John Edward Lloyd, *A History of Carmarthenshire, I* (Cardiff, 1935), 233. Gweler hefyd David Rees, 'Neuadd Wen: Changing Patterns of Tenure', yn Heather James, gol., *Sir Gâr: Studies in Carmarthenshire History* (Carmarthen, 1991), 43-51.
5. Gomer M. Roberts, *op. cit.*, 39-40.
6. Twm o'r Nant ei hun a fu'n gyfrifol am y chwarae hwnnw, yn ôl John Jenkyn Morgan ('Glanberach'), Glanaman. Gweler ei nodyn 'Ffermdy Bryn-lloi, Cwmaman, Sir Gaerfyrddin', *Tywysydd y Plant*, 117 (Mai 1953), 77. Eithr hanesydd rhamantaidd oedd John Jenkyn Morgan, a phrin bod unrhyw sail i'r hanes hwn. Ceir cofnod ar J. J. Morgan (1875-1961), yn E. D. Jones a Brynley F. Roberts, gol., *Y Bywgraffiadur Cymreig, 1951-1970* (Llundain, 1997), 142. Prin iawn yw'r dystiolaeth am berfformio anterliwtiau yn siroedd y de, ond mae'n ddiddorol sylwi i H. Elwyn Thomas, a oedd yn frodor o Landybïe, gynnwys disgrifiad o chwarae anterliwt yn y plwyf yn un o'i nofelau, sef *The Foreunner* (Port Talbot, d.d.), 123-5. Dichon, fodd bynnag, mai ffrwyth dychymyg y nofelydd yw'r cyfan, er ei bod yn arfer ganddo gynnwys disgrifiadau o arferion a thraddodiadau lleol yn ei nofelau a'i storïau. Gweler Huw Walters, 'Y Traddodiad Rhyddiaith yn Nyffryn Aman', *Cylchgrawn Llyfrgell Genedlaethol Cymru*, 26 (Gaeaf 1990), 431-6.
7. T. J. Rhys Jones, 'Yr Anterliwtiau', yn Dyfnallt Morgan, gol., *Gwŷr Llên y Ddeunawfed Ganrif* (Llandybïe, 1966), 147; G. G. Evans, 'Yr Anterliwt Gymraeg', *Llên Cymru*, 2 (1953), 225.
8. Glyn M. Ashton, gol., *Hunangofiant a Llythyrau Twm o'r Nant* (Caerdydd, 1948), 40-7; W. J. Harries, 'Shakespeare y Cymry a Sir Gaerfyrddin', *Carmarthenshire Historian*, 3 (1966), 40; Muriel Bowen Evans a Terrence James, 'An Interlude in Carmarthenshire', *The Carmarthenshire Antiquary*, 25 (1989), 83-7.
9. Glyn M. Ashton, gol., *op. cit.*, 46.
10. Gomer M. Roberts, *op. cit.*, 229.
11. Bobi Jones, 'Twm o'r Nant', yn *I'r Arch: Dau o Bob Rhyw* (Llandybïe, 1959), 61-2.
12. E. Wyn James, 'Rhai Methodistiaid a'r Anterliwt', *Taliesin*, 57 (Hydref 1986), 13.
13. Robert Griffith, 'Anterliwtiau Cymru', Llsgr. Llyfrgell Coleg Prifysgol Gogledd Cymru, Bangor, 1006, 48.
14. Dyfynnir gan J. Gwrhyd Lewis yn 'Hanes Anterliwtiau Cymru', Llsgr. Llyfrgell Genedlaethol Cymru, Eisteddfod Genedlaethol Cymru, 1904, Rhif 12, Rhan II, 33. Yn ôl J. Gwrhyd Lewis, yr oedd y traethawd hwn ym meddiant yr ysgolfeistr a'r emynydd Watkin Hezekiah Williams ('Watcyn Wyn'; 1844-1905), ym 1904. Ar Job Davies ('Rhydderch Farfgoch', 1821-1887), gweler Huw Walters, *Canu'r Pwll a'r*

Pulpud: Portread o'r Diwylliant Barddol Cymraeg yn Nyffryn Aman (Abertawe, 1987), 75-82.

15. Llyfrgell Genedlaethol Cymru. Ewyllysiau heb eu profi, rhif 448. Diolchaf i'm cyfaill D. Emrys Williams, Aberystwyth, am y cyfeiriad hwn.
16. Mae'n arwyddocaol hefyd i Gomer M. Roberts ddod o hyd i gopi o'r argraffiad hwn o *Gardd o Gerddi* yn un o gartrefi'r ardal ym 1938. Gweler *op. cit.*, 229.
17. Ceir dwy ymdriniaeth gynhwysfawr ar brif nodweddion yr anterliwt Gymraeg, sef eiddo G. G. Evans, 'Yr Anterliwt Gymraeg'. Traethawd M.A. Prifysgol Cymru (Bangor, 1938), a T. J. Rhys Jones, 'Yr Anterliwt Gymraeg: ei Ffynonellau, ei Chrefftwaith, a'i Gwerth fel Arwyddocâd o Ddiwylliant y Bobl'. Traethawd M.A. Prifysgol Cymru (Abertawe, 1939).
18. Ceir astudiaeth fanwl o fywyd a gwaith y barnwr yn G.W. Keeton, *Lord Chancellor Jeffreys* (London, 1965); Idem, 'George Jeffreys and His Friends', *Transactions of the Honourable Society of Cymmrodorion*, 1967, Part I, 39-56.
19. Adroddir yr hanes gan Meriol Trevor yn *The Shadow of a Crown: The Life Story of James II of England and VII of Scotland* (London, 1988), 195-7, 233-5.
20. Geraint H. Jenkins, 'Llenyddiaeth, Crefydd a'r Gymdeithas yng Nghymru, 1660-1730', *Efrydiau Athronyddol*, 41 (1978), 40-1; cyhoeddwyd hefyd yn W. J. Rees, gol., *Y Meddwl Cymreig* (Caerdydd, 1995), 127. Idem, 'Y Bwgan Pabyddol', yn *Hanes Cymru yn y Cyfnod Modern Cynnar, 1530-1760* (Caerdydd, 1983), 208-12; *Literature, Religion and Society in Wales, 1660-1730* (Cardiff, 1978), 47.
21. 'Yn hon, o'r anterliwtiau i gyd, y mae mwyaf o serthedd, serthedd ysmala iawn, y mae'n wir', medd G. G. Evans yn 'Yr Anterliwt Gymraeg', *Llên Cymru*, 1 (Gorffennaf 1950), 86. Ceir trafodaeth ar yr elfennau masweddus yn yr anterliwtiau, gan G. G. Evans yn 'Er Mwyniant i'r Cwmpeini Mwynion', *Taliesin*, 51 (Ebrill 1985), 31-43. Gweler hefyd A. Cynfael Lake, 'Puro'r Anterliwt', *ibid.*, 84 (Chwefror/Mawrth 1994), 30-9; Ffion Mair Jones, 'Traddodiad Modernrwydd, Moesoldeb a Miri: Yr Anterliwtiau Cynnar', yn Geraint Jenkins, gol., *Cof Cenedl: Ysgrifau ar Hanes Cymru, XIX* (Llandysul, 2004), 97-130.

DRYLLIO CAERAU BACCHUS: CENHADAETH DANIEL DAFYDD AMOS

Ar ddydd Iau, 3 Ionawr 1867, distawodd peiriannau gweithfeydd yr Allt-wen, Pontardawe, a'r pentrefi cyfagos, caewyd drysau'r masnachdai, a thynnwyd y llenni ar draws ffenestri'r siopau am y prynhawn. Yn ôl yr adroddiad a gyhoeddwyd yn un o'r newyddiaduron wythnosol, 'yr oedd ardaloedd yr Allt-wen a Phontardawe yn fyw drwyddynt, a gwelwyd lluoedd o ddynion o bob gradd yn ymgasglu tua'r lle o bob cyfeiriad'. Ond nid ymweliad y syrcas na'r ffair a'i gwnaeth yn ddydd gŵyl yng Nghwmtawe y dwthwn hwnnw; dod ynghyd a wnaeth yr ardalwyr i deyrngedu un o'u hynafgwyr a'i anrhegu â thysteb. Y gŵr hwnnw oedd y Parchedig Phylip Griffiths, gweinidog eglwys Annibynnol yr Allt-wen. Cafwyd nifer o anerchiadau yn y cyfarfod anrhegu, a hynny gan fonedd a gwreng fel ei gilydd. Siaradodd y Dr James Rogers, un o feddygon amlyca'r ardal, y Parchedig Thomas Rees, y gweinidog Annibynnol a'r hanesydd o Abertawe, a William Gilbertson, y diwydiannwr a pherchennog gweith-feydd haearn Pontardawe. Howell Gwyn, yr Aelod Seneddol a'r tirfeddiannwr o'r Dyffryn, Castell-nedd, oedd yr olaf i annerch y cyfarfod, ac iddo ef yr ymddiriedwyd y dasg o gyflwyno'r dysteb o £150 i Phylip Griffiths. Medd ef:

> Fel gweinidog, y mae eich llafur wedi ei goroni â llwyddiant mawr, nid yn unig yn yr ardal hon, ond hefyd yn y lleoedd cylchynol. Yr wyf wedi eistedd yng Nghastell Nedd fel Ynad Heddwch er ys llawer o flynydd-oedd, ac nis gallaf gofio i mi gael achos i wneud dim â neb o gymydog-aeth yr Alltwen mewn achos o feddwdod, yr hyn sydd i'w briodoli i'ch hyfforddiadau a'ch gweithgarwch chwi. Fel cymydog, yr ydych bob amser yn barod â'ch cynghorion da, y rhai ydynt o wir werth. Fel deiliad yr ydych wedi bod felly i mi bellach am 35 mlynedd. Yr ydwyf wedi eich cael bob amser yn ddyn cywir a gonest yn eich ymwneud.[1]

A chaniatáu bod gorganmol ac arfer gormodiaith yn gyffredin iawn mewn

Phylip Griffiths (1793-1882).

Howell Gwyn, Castell-nedd.

cyfarfodydd fel y rhain, y mae'n wir dweud, ar yr un pryd, i Phylip Griffiths ddylanwadu'n fawr ar y gymdeithas ddiwydiannol a ddatblygodd yng nghyrrau dwyreiniol sir Gaerfyrddin a gorllewin Morgannwg yn ystod hanner cyntaf y bedwaredd ganrif ar bymtheg, ac iddo chwarae rhan flaen-llaw gyda'r mudiad dirwest yn yr ardal.

Gŵr o Felin-cwrt yng Nghwm Nedd ydoedd. Fe'i ganwyd ym 1793, yn un o ddeg plentyn Griffith Griffiths a'i wraig Hannah. Ychydig o addysg ffurfiol a gafodd, ac fel y mwyafrif o'i gyfoedion, aeth i weithio'n llanc i un o lofeydd yr ardal. Yn ddiweddarach, aeth i'r ysgol a gedwid gan Thomas Phillips yn y Neuadd-lwyd yn sir Aberteifi, i'w gymhwyso ei hun at y weinidogaeth.[2] Yna, ym 1822 fe'i hurddwyd yn weinidog ar eglwys Annibynnol y Pant-teg, Ystalyfera, yng ngorllewin Morgannwg. Galwedigaeth ansefydlog oedd y weinidogaeth yn ystod y cyfnod hwnnw, yn enwedig felly i'r sawl nad oedd ganddo ffynhonnell arall o incwm i'w gynnal ef a'i deulu, ac o ganlyniad bu Phylip Griffiths yn bugeilio eglwysi Annibynnol yr Allt-wen a Gwauncaegurwen yn ogystal, a chyfrannai pob un o'r canghennau hyn tuag at ei gynhaliaeth. I'r hen do o bregethwyr y perthynai, yn pregethu ar y Suliau ac yn ffermio'i dyddyn weddill yr wythnos. Garw ydoedd o ran pryd a gwedd – yn chwe throedfedd o daldra, a'i wisg a'i osgo'n wladaidd. Un garw ydoedd hefyd o ran ei ymadrodd; yn ŵr heb fawr o addysg a llai fyth o'r grasusau cymdeithasol hynny a ddaeth yn gymaint rhan o'r diwylliant Ymneilltuol Cymraeg o ganol y bedwaredd ganrif ar bymtheg ymlaen. Gŵr anodd, serch hynny, fel y tystiodd nifer o'i gyd-weinidogion amdano, gan gynnwys y Dr John Thomas, Lerpwl, a fu'n gymydog iddo yng Nglyn Nedd gerllaw, yn ystod y pumdegau cynnar. Medd yntau:

> Efe yn ddiau oedd y pregethwr mwyaf poblogaidd drwy yr holl gylch; ac nid oedd neb yn cymeryd mwy o ddyddordeb yn llwyddiant yr holl eglwysi. Ond dyn croes, cecrus, pigog ydoedd, – sarhaus o bawb os gwelai ynddynt duedd myned i fyny; ac yr oedd yn boenus bod yn ei gwmni, gan mai am ei weithredoedd nerthol ei hun yn wastad y soniai. Dyn da

Phylip Griffiths ymhlith hoelion wyth yr Annibynwyr. Rhes flaen: Thomas Rees, Abertawe; William Rees ('Gwilym Hiraethog'); Phylip Griffiths; Robert Thomas ('Ap Vychan'); Rowland Williams ('Hwfa Môn'); Edward Stephen ('Tanymarian'). Y mae John Thomas, Lerpwl, yn sefyll y tu ôl i Thomas Rees.

> ydoedd, yn ddiau, pur ei gymeriad moesol; ond yr oedd ei dymher anhydrin yn ei wneyd yn gymydog digon poenus i bawb na byddent yn wasaidd iddo, ac nid oedd mewn un modd yn un dymunol i gydweithio ag ef.[3]

Ond nid gweinidog yn dehongli'r ysgrythurau ac yn esbonio'r ddiwinyddiaeth yn unig oedd Phylip Griffiths; yr oedd hefyd yn ysgolfeistr ac yn gyfreithiwr i'w braidd, yn arweinydd ac yn ddiwygiwr cymdeithasol yn ei ardal. Cymdogaeth gymharol wledig oedd hon pan ddaeth Phylip Griffiths yn weinidog ifanc iddi ym 1822, ond cymdogaeth ydoedd hefyd a oedd yn graddol newid gyda datblygu'r diwydiannau glo a haearn yn yr ardal. Yr oedd gan nifer o fân ffermwyr y fro gynlluniau pendant ac uchelgeisiol ar y gweill; gwyddent fod gwythiennau o lo carreg o'r ansawdd gorau yn gorwedd dan eu tiroedd, ac aeth rhai ohonynt ati i weithio'r gwythiennau hyn. Brigai'r mwyn haearn i'r wyneb yn yr ardal hefyd, ac agorwyd ffwrneisi blast i'w doddi yn Ynysgedwyn ger Ystalyfera yn ystod y tridegau. Agorwyd nifer o gamlesi yng ngorllewin Morgannwg yn unswydd i gludo glo a mwyn haearn o'r cymoedd cyfagos yn negawd olaf y ddeunawfed ganrif, ond hwyrach mai'r datblygiad pwysicaf a fu'n gyfrwng i hyrwyddo diwydiant yn yr ardal oedd dyfodiad y rheilffordd. Ac fel yn y rhelyw o gymoedd diwydiannol de Cymru, gwelwyd cynnydd yn y boblogaeth ar ddechrau'r bedwaredd ganrif ar bymtheg, ac nid oedd prinder gweithwyr i lafurio yn y glofeydd a'r pyllau newydd chwaith. Gan mai pyllau cymharol fychain, yn gweithio yn agos i'r wyneb, oedd y rhain, ni chymerai fawr o dro i'r gweithwyr mwyaf dibrofiad gyfarwyddo â'r gwaith o godi glo, ac nid oedd technegau cloddio glo yn y cyfnod hwn yn gofyn am fedrau na sgiliau arbennig, beth bynnag.[4]

Yr oedd y wasg gyfnodol Gymraeg yn araf ddatblygu yn ystod yr un cyfnod yn ogystal, a gwelwyd sefydlu nifer o gylchgronau i wasanaethu'r enwadau crefyddol. Sefydlwyd *Y Diwygiwr* gan David Rees, Llanelli, fel cylchgrawn i wasanaethu'r Annibynwyr ym 1835, a rhoes ei olygydd arweiniad pendant a sicr i'w ddarllenwyr ar bynciau gwleidyddol, crefyddol a chymdeithasol.[5] Yn ystod y pedwar a'r pumdegau, cyhoeddwyd cyfres o ysgrifau ar dudalennau'r *Diwygiwr* gan ŵr a'i galwai ei hun yn 'Daniel Dafydd Amos'. Gwyddys bellach mai Phylip Griffiths oedd awdur yr ysgrifau hyn sy'n rhoi darlun byw iawn inni o'r math o gymdeithas a ffynnai yng ngorllewin Morgannwg a dwyrain sir Gaerfyrddin yn ystod union gyfnod y trawsnewid hwn. Ymateb un o arweinwyr crefyddol y fro i'r newidiadau a welai yn digwydd yn natur a chymeriad ei gymdeithas a geir yn yr ysgrifau hyn. Nid nad oedd yna broblemau cymdeithasol cyn dyfod diwydiant chwaith, oherwydd gwyddys taw cymdeithas ofergoelus oedd hon, a'i thrigolion yn credu mewn ysbrydion, y tylwyth teg a bodau goruwchnaturiol eraill, ac yr oedd nifer o arferion gwerinol yn ffynnu yn yr ardal hefyd. Ac fe adlewyrchid y wedd amaethyddol ym mhatrwm y gymdeithas gan y ffeiriau a gynhelid ym mhlwyfi maes y glo carreg. Yr oedd i'r ffeiriau hyn ran allweddol ym mywyd economaidd yr ardal; yma y gwerthid cynnyrch y ffermydd a'r tyddynnod, ac yma y cyflogid gweision a morynion i wasanaethu ar ffermydd y fro.

Cynhelid tair ffair bob blwyddyn ym mhlwyf Llandybïe gerllaw: y gyntaf ar ddydd Mercher y Sulgwyn, yr ail ym mis Gorffennaf, a'r drydedd, sef y fwyaf poblogaidd o'r tair, drannoeth i'r Nadolig ac a adwaenid ar lafar gwlad fel 'Ffair Dybïe'. Yr oedd bri hefyd ar ffeiriau eraill yn y cylch, megis Ffair Castell-nedd a ffair wanwyn Brynaman, – 'Ffair y Gwter' fel y gelwid hi. Dichon, fodd bynnag, mai Ffair Llangyfelach oedd y fwyaf poblogaidd o holl ffeiriau'r fro. Tyrrai trigolion yr ardaloedd gwledig a diwydiannol fel ei gilydd i brynu a gwerthu nwyddau yn y ffair ddeuddydd hon a gynhelid bob blwyddyn ar y dydd Mawrth a'r dydd Mercher cyntaf ym mis Mawrth. Yr oedd yn ffair arbennig o boblogaidd gan wehyddion, brethynwyr a masnachwyr gwlân y de, oherwydd gwlân Cymru oedd un o'i phrif atyniadau. Dengys y dystiolaeth a gadwyd fod ymladd a goryfed yn ddigwyddiadau cyffredin yn y ffeiriau hyn. Yr oedd Ffair Dybïe, fel Ffair Castell-nedd, yn enwog am ei hymladdfeydd ffyrnig yn erbyn gwŷr o blwyfi cyfagos y Betws a Llanedi, a dichon mai atgof oedd hynny o hen ymrysonfeydd rhwng y naill blwyf a'r llall. Enillodd Ffair Dybïe enw drwg iddi ei hun yn sgîl yr ymladdfeydd cyson a ddaeth yn rhan mor amlwg o'i gweithgareddau, ac mae'n debyg i'r arfer ffynnu yn y plwyf hyd at ail hanner y bedwaredd ganrif ar bymtheg, fel y tystiodd T. H. Lewis:

> Er nad oedd fy hen dad-cu yn ŵr talgryf ac ymladdwr, eto fe ofalai fod ganddo bastwn arbennig ar gyfer y Ffair, a hoelion newydd yn ei esgidiau. Cicio oedd yr hen ddull o ymladd, ac yr oedd i bob mintai ei harwr

arbennig. Adnabyddid gwŷr y plwyf fel 'Y Cicwyr' mewn ambell ardal ddiwydiannol ym Morgannwg hyd yn ddiweddar iawn.[6]

Yr oedd nifer o'r baledwyr a'r cantorion pen ffair a fynychai'r gwyliau hyn yn wŷr a brofodd ddyddiau gwell. Dyna Ifan Nathaniel, er enghraifft, gŵr a fu'n godwr canu yng nghapel Phylip Griffiths yn yr Allt-wen, a oedd yn gantor ac yn arweinydd corawl mewn eisteddfodau, ond a droes yn gardotyn, gan grwydro'r ffeiriau yn canu a gwerthu baledi. Bu cryn achwyn ar ei ymddygiad yntau yn y ffeiriau, fel y gwnaeth un gohebydd yng ngholofnau'r *Gwladgarwr* mor ddiweddar â 1871 pan glywodd fod y baledwr 'mewn cyflwr isel yn Abertawe ac wedi hynny yn Ffair Llangyfelach'.[7] Ac yr oedd Ffair Llangyfelach yn enwog am ei rhialtwch, fel y tystiodd un gohebydd yn *Y Tyst a'r Dydd:*

> Am y ffair, fe ddichon mai ychydig o ddaioni a ellid dweyd amdani. Er bod ynddi lawer o fasnachu anifeiliaid, a llawer mwy o fasnachu gwlaneni, ac y mae y gangen hon braidd bob blwyddyn yn ehangu ei therfynau. Ond attolwg, ai nid yw annuwioldeb, y twyll a'r llygredigaethau eraill sydd ynddi yn gorbwyso y daioni a ddeillia trwy ei masnachaeth? Ydyw, medd pob moesol a duwiol ei anian. Fe geir ynddi y casgliad rhyfeddaf o hil Adda dan y nefoedd, o bob sefyllfa, o bob rhyw, o bob oed, o bob llun, o bob cythreuldeb; a phawb ar rhyw ysgogiad, blith draphlith drwy ei gilydd fel pysg mewn afon. Y mae ynddi gronfa o lygredigaethau i ddifwyno y meddwl, anurddo y corph, a damnio yr enaid. Pa bryd y gwêl pob crefyddwr yr ynfydrwydd, y ffolineb a'r anmhriodoldeb o bresenoli ei hun yn y fath le, a thrwy hyny ei ategu yn flynyddol?[8]

Ond erbyn blynyddoedd y Rhyfel Mawr, gallai un o drigolion Cwmbwrla gerllaw dystio mai edwino'n raddol yr oedd poblogrwydd Ffair Llangyfelach. 'Ar noson olaf y ffair', medd ef, 'mae Ymneillduwyr y cymydogaethau yn cynnal eu te a bara brith, cyfarfodydd llenyddol, cyngherddau a chymanfaoedd canu, er cadw bechgyn a merched ieuainc o'r Ffair, nes mae ei phoblogrwydd cyntefig wedi llwyr ddiflanu'.[9] Ceir darlun diddorol o ddigwyddiadau Ffair Llangyfelach mewn cerdd gan John Thomas ('Ifor Cwmgwŷs'), un o feirdd cylch Llandybïe, lle disgrifir rhai o ddigwyddiadau cyffrous y ffair a'i mynychwyr, – yn lladron, meddwon a Saint y Dyddiau Diwethaf:

Braidd gellir yng Nghymru gael ffair yn gyflawnach
O bob math o ddwli yn Ffair Llangyfelach;
O'r deau a'r dwyrain, gorllewin a gogledd –
I'r Ffair yr ymdyrrant, yn wŷr ac yn wragedd.
Daw dynion cyfrifol, cybyddion a phlantach,
Cribddeilwyr a lladron i Ffair Llangyfelach;
Bydd berw a ffwdan y lle ar ei gynnydd
A dynion fel morgrug yn gwau drwy ei gilydd.

Bu dirfawr galedi ar rywun o Glydach
Oherwydd ei fola yn Ffair Llangyfelach;
Ar gorff Lewis Anthony bu rhyw un o'r Seintiau
'Ddaeth yno o Ferthyr, yn dangos ei wyrthiau.
Ond llanc o Dreforys a redodd i'w fwrw,
A hynny'n dra heini; ond druan â hwnnw!
Oherwydd fe gwympodd, a cha'dd am ei gampau
I brofi o nerthol ddylanwad y gwyrthiau.

Yr hwyr – cyfarfyddais â Siôn yr oferddyn
Yn faw ac yn gwrw o'i wadn i'w gorun;
Ei drwyn oedd yn gwaedu a'i lygaid yn gleisiau,
A'i grys trwy ei drowsus hyd hanner ei goesau.
Ei wallt yn rheffynnau drysiedig a bawlyd,
A'i draed wedi myned yn hwy na'i ddwy esgid;
A'i foch fel dyfrffos gan hylif y myglys,
A hwnnw yn rhedeg i lawr dros ei wefus.

Pan oedd y tywyllwch yn dechrau mantellu
'Roedd llawer o guro, ond 'chydig o garu.
'Roedd yno dwyllodrus grib-ddeilwyr a lladron
Heb hidio gwneud tegwch ag eiddo'r cymdogion;
Wrth gysgu tu cefn i un o'r tai canfas –
Ysbeiliwyd Dai Beti gan rai o'i ddwy fotas;
A thrwy'i fod yn feddal a hefyd yn feddw,
Aeth rhywun lled gywrain â chot Dai Nantgarw![10]

Nid oes ryfedd, felly, fod Phylip Griffiths yn drwm ei lach ar y ffeiriau a gynhelid yn yr ardal. Soniodd fwy nag unwaith yn ei ysgrifau yn *Y Diwygiwr* am beryglon y gwyliau hyn, lle deuai bechgyn a merched ifainc ynghyd i ymuno mewn cyfeddach. Ym mis Mai 1851 cyfeiriodd at ganlyniadau anffodus yr arfer o *gwmnïa mewn ffeiriau*, fel y dywedid.

> Ceir y ddau ryw, meibion a merched yn blith draphlith ar arffedau ei gilydd, yn cyd-wrando, cyd-wenu, cyd-gellwair, cyd-yfed, cyd-gyffroi drwy effaith y ddiod feddwol, cyd-fyned adref, ac yn y diwedd yn cyd-syrthio i'r un ffos o buteindra.[11]

Cythruddwyd Phylip Griffiths gan arferion fel y *cwrwau bach* a'r *pasteiod* yn ogystal. Yr oedd gwedd ddyngarol i'r arferion hyn yn yr ystyr eu bod yn fodd i leddfu ychydig ar dlodi a chaledi'r trigolion. Pe digwyddai i weithiwr golli ei iechyd, yna cytunai'r ardal gyfan i'w gynorthwyo drwy gynnal cwrw bach neu bastai, a hynny ar ddydd Sul fel rheol. Âi'r trigolion ati gyda chryn frwdfrydedd i facsu cwrw a chrasu teisennau, ac yna eu gwerthu mewn gwledd, gan gyfrannu'r elw wedyn i'r dioddefydd a'i deulu. Cofiai Watcyn Wyn y bastai yn ardal ei febyd, ym Mrynaman:

> Wythnos y bastai byddai telyn yn cael ei chyflogi, a dyna'r lle cyntaf i mi weld a chlywed telyn fy ngwlad oedd yn y bastai. Yr oedd ambell un yn rhoi cân gyda'r delyn, ond y peth mwyaf poblogaidd o lawer oedd dawnsio

'Stepio' i gyfeiliant telyn.

> gyda'r delyn, neu *stepo,* un ar y tro. Yr oedd hi'n gystadleuaeth *stepo* gyda'r delyn yn y pasteiod. Yr oedd y bechgyn oedd â thuedd at ddawnsio yn tyru i ystafell y delyn ac yn edrych y naill a'r llall yn codi; a mynych iawn y clywsom hwy yn cymell ei gilydd – 'Cwn bachan, i roi tro gyda'r delyn'.[12]

Llai rhamantus, fodd bynnag, oedd disgrifiad Phylip Griffiths o'r bastai yn un o'i ysgrifau yn *Y Diwygiwr* ym 1839:

> O'r diwedd gwawriodd y Sabboth. Rhaid cael yr hen wraig fwyaf lawen a llawdde a adwaenir, er gwneyd a thori y bastai. Yn yr oedfa foreuol yn y tŷ cwrdd, ceir gweled y lle yn llawn o bobl ddyeithr o bob parth o'r wlad, a'r heolydd yn llawn o ynfydion yn rhodiana, ereill ar geffylau yn gyru ar draws dynion ac anifeiliaid, rhai yn syrthio ac yn cael dolur, ereill eu diwedd; ac os bydd gwŷr y dref yn dyfod, bydd yno *gigs, chaises* a phob math o gerbydau yn chwyrnellu trwy yr heolydd, gan yru y ceffylau benthyg yn arswydus. Ar ôl cyrhaedd y tŷ, dechreuir yfed, ac yna daw'r hen wraig gan wneyd ei moes a'u gwahodd at y bwrdd; yna ânt ymlaen yn wryw a benyw at y wledd ddarparedig, sef cig llwdn a thoes pupur a halen yn helaeth. Yna daw gŵr neu wraig y tŷ i dderbyn *swllt* gan bob un am y wledd; ac fel hyn y gwneir drwy'r Sabboth a llawer o'r nos, ac felly ddyddiau Llun a Mawrth. Ar ôl bwyta, eir i yfed a dawnsio, meddwi, canu, ymladd, – a *lladd* weithiau; ac os eir oddiyno nos Sabboth, bydd yn llawn bryd i bawb ofalu na byddo hwy na'u plant, na'u hanifeiliaid ar y ffyrdd, oblegid mae'r ynfydion yma yn curo, gyru ac yn distrywio ffordd y cerddont. Y dyddiau canlynol, ceir clywed rhai yn adrodd, ac ereill yn chwilio am lwyddiant y bastai, pa sawl ugain a fwytaodd; weithiau ceir fod ugain ugain wedi bwyta, – dyna £20 yn ennill yn mron i gyd. Cyn hir gwelir ambell fam yn teithio i ymofyn het, neu *watch* ei mab, ac ereill yn chwilio am *bwrs* gollodd y gŵr yn y bastai.[13]

Ac fel yr awgrymodd Phylip Griffiths, diweddai'r gwleddoedd hyn yn aml, fel y ffeiriau hwythau, mewn ymryson ac ymladd, a cheir digon o dystiolaeth i ategu hynny ar dudalennau cylchgronau'r cyfnod. Bu Morgan Phylip o Dirdeunaw yn feirniadol iawn o bobl ifainc Cwmtawe a fu'n cynnal cwrwau bach yn y gymdogaeth a phrotestiodd yn erbyn yr arfer yng ngholofnau *Seren Gomer*.[14] Cafwyd cwynion tebyg o gyfeiriad Llandybïe, ac ym mis Gorffennaf 1848, llosgwyd dau blentyn bychan i farwolaeth yn Llangyfelach tra oedd eu mam mewn cwrw bach mewn tŷ cyfagos.[15]

Yr oedd i'r ddiod gadarn le amlwg iawn yn y priodasau hefyd. Pa un ai priodas geffylau neu briodas ar droed fyddai, disgwylid iddi fod yn briodas â *thaith* ymhob man. Naill ai gyrrid y gwahoddwr o gwmpas yr ardal i wahodd pawb i'r briodas, neu gyrrid llythyr taith i bob tŷ yn y gymdogaeth yn gwahodd pawb i'r daith. Yna disgwylid i'r gwahoddedigion roddi anrheg, neu *dalu'r pwyth*, fel y dywedid, i'r pâr ifanc ar eu priodas, a disgwylid iddynt hwythau, yn eu tro, dalu'r pwyth yn ôl ar achlysur cyffelyb. Ceir darlun byw o'r arfer gan Ddafydd Henry ('Myrddin Wyllt'), un o brydyddion y fro:

'Nôl prynu eu rhyddid, hwy warient eu rhan
Ar gwrw 'mhob tafarn ym mhentref y Llan;
A rhoddid rhan hefyd i'r bechgyn tra gwych
Ar ddydd y briodas a ganent y clych.

'Nôl codi y llestri a'r llieiniau'r tu cefn,
I'r bwrdd dygid dysglau, tra destlus, mewn trefn,
Er rhoddi cyfleustra i bob un o'i fodd
'Ddod yno'n rheolaidd i offrwm ei rodd.

'R arferiad cyffredin bryd hynny'n y wlad
Oedd rhoddi diodydd mewn neithior yn rhad;
Ac wedi i'r diwrnod fynd heibio fel hyn
Fod yno rhai'n feddw nid ydyw yn syn.[16]

Blinid Phylip Griffiths, yntau, gan rialtwch y priodasau hyn, a tharanodd yn eu herbyn yn *Y Diwygiwr* ym 1841. 'Pa fodd y gellwch ddysgwyl bendith y nef ar eich undeb pan yn ymddwyn mor uffernol?' gofynnodd. 'Ieuenctyd crefyddol, gochelwch y dull hwn o fyned i'r sefyllfa briodasol'.[17]

Diddorol a phwysig eithriadol yw tystiolaeth ysgrifau Daniel Dafydd Amos am yr arferion gwerin a ffynnai yn nwyrain sir Gaerfyrddin a gorllewin Morgannwg yn ystod hanner cyntaf y bedwaredd ganrif ar bymtheg. Dyry inni ddarlun o'r dull a'r modd y cleddid y meirw yn yr ardal, a megis yr oedd i'r ddiod le amlwg yn y priodasau, felly hefyd yr oedd yng ngwylnosau'r angladdau:

Yma bydd y teulu yn eistedd mewn math o gynnadledd er sefydlu lle'r

> claddu, tymmor y claddu, a'r dull a'r modd i gladdu; penderfynir heblaw y pethau angenrheidiol, megys *coffin* ac amwisg, cael galar-wisgoedd a galar-arwyddion am eu hetiau, ac o gylch iddynt yn mhob man hefyd; penderfynir i gael brag er gwneyd diod, a defnyddiau bwyd er gwneyd gwledd wrth gladdu, ac nid oes fodd y gellir dyfod i ben â'r gorchwyl dan bedwar neu bump diwrnod . . . Wedi'r claddu, bydd yr holl dorf yn cychwyn tua'r dafarn, yn wryw ac yn fenyw, er treulio'r prydnawn yn llawen, wedi bod mewn tŷ galar, os gellir ei alw felly. Dechreuir yfed, siaredir, bydd yno lawer o gellwair, canu maswedd, ffraeo, ac ymladd gan y rhai oedd yn canu hymnau ychydig yn gynt yn yr angladd. Ond y peth mwyaf gwrthun yn fy ngolwg yw gweled perthynasau y marw yn myned i'r dafarn, a hwythau yn grefyddol, ac os bydd dau dafarn yno, aent i'r ddau, er gwario rhyw gymmaint o sylltau gyda phob un o honynt.[18]

Ond pryderai Phylip Griffiths hefyd ynghylch yr arferion hynny a oedd yn gysylltiedig â'r Nadolig a'r Calan, a chondemniodd yr arfer o addurno'r capeli, o gynnal gwasanaethau'r plygain, ac o ganu'r warsel:

> Ceir gweled rhai yn dod o bell i weled eu tylwyth, a'r tylwyth yn paratoi ac yn trwsio y tai â chelyn cochion, *box, laurel* etc., a'r pethau goreu a geir am arian tuag at y wledd fawr ganol Dydd Nadolig, oblegid mae pawb yn gwneyd ciniaw ardderchog y dydd hwn; – ac amcenir cael cig eidion, gwyddau, *puddings* o bob math a chwrw da, a sicr mai dyma wledd benaf y flwyddyn. Mae agos pawb yn cynyg cael *cwrw gwyliau*; gweithwyr yn ymofyn gan eu meistriaid *gwrw gwyliau,* rhai sydd yn prynu yn y siopau yn cael *cwrw gwyliau,* – pawb (ond y dirwestwyr) yn cael, a'r rhan fwyaf yn rhoi *cwrw gwyliau.*
>
> Aml y gwelir y tai addoliad wedi eu trwsio â dail *box, laurel, tyme,* celyn, rhosmari a chanwyllau o bob math o liwiau wedi eu haddurno â phapyrau, hyd nes yw yr holl hen wragedd yn ymholi 'Canwyll pwy yw hon, acw', etc. A bydd rhaid i'r pethau gael aros yn y capel neu'r eglwys dros y gwyliau, yspaid cylch tair wythnos, oblegid mae'r gwyliau yn para agos mis. Llawer o'r gweithwyr a allo, yn gweithio y peth nesaf i ddim, am mai *gwyliau* ydyw, ac mae yn rhaid gwneyd amser o honi hi, tra parhao y *gwyliau*; os na chânt lawenydd y *gwyliau,* pa bryd y caent ef?
>
> Mae mawr gyffro bore dydd Nadolig, er cadw plygain; bydd ystŵr mawr am o gylch tri o'r gloch, ac oddiyno i'r dydd, gan lawer un, nad yw yn myned i le o addoliad nemawr un amser arall trwy y flwyddyn. Bydd ereill yn cadw eu gwyliau trwy fyned o amgylch i dai y gymydogaeth wedi

> nos i ganu y *wasael.* Mae y dynion yn gwisgo, rhai fel menywod, ereill fel pe amcanent ddynwared y diafol; cymmerant esgyrn pen hen geffyl, a rhoddant ef ar ben un o honynt, a lliain wen dros ei gorff, ac un arall yn ei arwain – ânt oddiamgylch – gwnânt leisiau canu – cânt ddod i'r tai, rhoddir cwrw iddynt i'w cynnorthwyo i dreulio eu gwyliau yn llawen.
>
> Anwyl gyd-genedl, a gaf fi erfyn arnoch roi eich nerth allan, er tori i lawr yr arferiadau Pabyddol a choel-grefyddol ac annuwiol uchod, sydd yn warth i'n cenedl, yn ofid i benau teuluoedd, yn ddistryw i foesau yr ieuenctyd, yn ddychryn i ardaloedd, ac yn wrthglawdd yn erbyn achos y Gwaredwr.[19]

Fodd bynnag, yr oedd yr arferion hyn, y cwrwau bach a'r pasteiod, neithiorau'r priodasau a gwylnosau'r angladdau, bellach wedi hen wreiddio yn y fro, ac nid hawdd oedd y dasg i'w dileu. 'Gofynnais i rai beth oedd y rhesymau dros fyned i'r dafarn nos claddu', meddai Phylip Griffiths yn *Y Diwygiwr*. 'Yr ateb oedd mai arferiad ydyw. Dywedaf innau mai da fyddai rhoi arferiad newydd yn lle yr hen, a chladdu yr hen arferiad gyda'r cyrff yng ngwaelod bedd angof.'[20]

Cyfaill agosaf yr hen weinidog oedd ei gymydog a'i berthynas Daniel Griffiths, gweinidog eglwys Annibynnol Soar, Castell-nedd; codwyd y ddau ym Melin-cwrt, buont yn cydysgolia yn y Neuadd-lwyd, ac fe'u hordeiniwyd o fewn blwyddyn i'w gilydd, – Phylip ym 1822, a Daniel ym 1823. Pan fu farw Daniel Griffiths ym 1846, yr oedd galar Phylip ar ei ôl yn anaele, a rhoes fynegiant i'w deimladau yn y cofiant a luniodd i'w gyfaill, flwyddyn yn ddiweddarach:

> O fy mrawd, fy mrawd, pa beth a wnaf am frawd yn dy le? Paham y gadewaist ni mor gynar o'r dydd, a chymaint o waith heb ei wneyd? Gofid sydd arnaf am danat ti, fy mrawd Daniel; da iawn fuost genyf, a rhyfeddol oedd dy gariad tuag ataf – tuhwnt i gariad gwragedd.[21]

Er hynny, tystiodd pawb a'i hadwaenai mai gŵr anodd ymwneud ag ef oedd Griffiths yr Allt-wen, – yn llym ei dafod ac yn gwrs ei ymadrodd ar dro. 'Y mae pawb ofn gwg Mr Griffiths', medd un sylwebydd amdano. 'Y mae wedi bod mor llym ar hyd ei oes yn ceryddu pob peth a ystyrid ganddo yn bechod, ac y mae ei fywyd ef yn ddiargyhoedd, yr hyn sydd yn rhoddi nerth a llymder ofnadwy yn ei geryddon'.[22] Ond yr oedd ganddo wendidau eraill ar wahân i'w dymer ddrwg, – a balchder, y mae'n debyg, oedd yr amlycaf o'r rheini. Aeth John Thomas, Bwlchnewydd (Glyn Nedd a Lerpwl wedyn), a Joseph Evans, o'r Dre-fach, sir Gaerfyrddin, ar daith bregethu drwy ardal Cwmtawe ym 1847, a chroniclodd John Thomas un hanesyn diddorol am eu hymweliad â'r Allt-wen pan gyfarfuasant â William Thomas, yr hen weinidog o Glydach a oedd yn or-hoff o godi'r bys bach:

> Yr wythnos flaenorol yr oedd Cymanfa Castellnedd, a Griffiths, Alltwen, oedd yn ei threfnu, oblegid fod Daniel Griffiths wedi marw y gwanwyn blaenorol. Yr oedd Daniel Griffiths a Phylip Griffiths yn berthynasau, heblaw eu bod yn gyfeillion mawr; a Daniel oedd eilun Phylip. Dyn da oedd Griffiths, Alltwen. Ei wendid mawr ef oedd y gellid ei brynu drwy weniaith; cawsid unrhyw beth ganddo ond ei ganmol. Wedi cael te aethom i fyny at y capel er gweled y fynwent, a phwy welem yn dyfod i fyny atom, ond William Thomas, Clydach. Pan welodd Mr Griffiths ef, y gair cyntaf a ddywedodd wrthym oedd 'Beth mae Wil Thomas, yr hen fochyn meddw, yn mo'yn 'ma?' Meddwyn oedd William Thomas o ran hyny; felly y bu fyw, ac felly y bu farw. Ond creadur caredig iawn ydoedd, ac yr oedd o ddawn melys iawn, fel y maddeuid iddo eilwaith gan y rhai a lynent wrtho.
>
> Erbyn cyrhaedd, cyffyrddai ei het yn foesgar, a gofynai 'Shwd y'ch chi heddi Mr Griffiths?' 'Gweddol Wil', meddai Mr Griffiths yn swta, gan hercian yn mlaen yn gloff wrth ei ffon, fel un na fynai siarad ag ef. Ysgydwodd William Thomas law â Mr Evans a minau, ond galwai Mr Griffiths arnom i ddyfod yn mlaen, fel un na fynai i ni wneyd unrhyw gyfathrach â'r hwn a alwai yn 'hen fochyn meddw'. Ond deuai William Thomas ar ein lledol. 'Cymanfa dda yn Nghastellnedd, Mr Griffiths', meddai. 'O'dd Wil', atebai Mr Griffiths yn fyr. 'O! oedd, – *noted*', ychwanegai William Thomas, 'fu 'rio'd well', ac erbyn hyn yr oedd wedi dod i'w ymyl. 'Llawer o beth, Mr Griffiths, yw cael trefnwr iawn', ychwanegai drachefn. 'Ie, onte Wil', ebe Mr Griffiths, gan sefyll erbyn hyn i gael ei gosi. 'O, ie, Mr Griffiths, trefnu y rhai iawn gyda'i gilydd'. 'Ie, onte Wil'. 'O, ie, fu 'rio'd well trefnu'. Ac erbyn hyn yr oedd yr hen frawd fel clai yn llaw Wil. 'Dim ond un peth oedd yn eisie Mr Griffiths'. 'Beth oedd hyny, Wil?', meddai yntau yn lled gyffrous, gan ofni ei fod yn tynu oddiwrth y ganmoliaeth. 'O!' ebe Wil, gan ollwng ochenaid drom, – 'O, dim ond eisie Daniel yno a'i "Amen" gynes, i roi mynd yn y cwbl'. 'Ie, ond tawte fachgen', ebe Mr Griffiths, a'i ddagrau yn *burstio* o'i lygaid. Gwelodd Wil

ei fod wedi ei gwneyd hi, a thaflodd winciad direidus at Mr Evans a minau.

Erbyn hyn yr oedd y bobl yn dechreu dod yn nghyd, ac yn ymyl y drws clywem Mr Griffiths yn gofyn, 'Wil, ddechreui di y cwrdd?' Ac am hyny yr oedd Wil yn naddu. Ni wyddem pa un i'w ryfeddu fwyaf, ai cyfrwystra y naill, ai gwendid y llall; a dichon ei bod yn llawn mor anhawdd penderfynu pa un ai meddwdod y naill a'i hunanolrwydd y llall yw'r pechod mwyaf yn erbyn Duw, os oes, yn wir, fwy a llai am dani.[23]

Erbyn hyn, yr oedd pentrefi Cwmllynfell, Brynaman a Gwauncae-gurwen ar gwr dwyreiniol sir Gâr, fel pentrefi Ystalyfera, yr Allt-wen a Phontardawe, yng ngorllewin Morgannwg gerllaw, yn prysur ddatblygu'n ganolfannau diwydiannol o bwys gyda suddo'r glofeydd ac agor y gweith-feydd haearn. Newydd-ddyfodiaid o'r ardaloedd gwledig oedd y mwyafrif o drigolion y cymoedd hyn, a dichon i'r profiad o gael eu bwrw i ganol prysurdeb a chreulonderau'r gymdeithas ddiwydiannol fod yn ysgytwol i lawer ohonynt. Yn ystod yr un cyfnod y daeth yr arfer o *drampo* i fri ymhlith y glowyr. Yr oedd yn beth cyffredin i lowyr y cyfnod ar adeg streic a chyni deithio o'r naill ardal i'r llall i chwilio am waith a sicrhau cyflog, a bu cymoedd llewyrchus Morgannwg yn atyniadol iawn i'r glo-wyr di-waith. Cymdeithas symudol oedd hon i raddau helaeth felly, ac nid oes ryfedd fod iddi ei helfennau garw, o gofio bod cynifer o'i thrigol-ion yn ddiwreiddiau. Fel y tystiodd W. Rhys Lambert:

> The industrialization of south Wales fostered drunkeness by forcing migrants into a strange environment, and thereby weakening traditional sanctions of conduct. Most of the migrants came from the surrounding rural counties. Many migrated from valley to valley, providing the turbu-lent elements which were a disruptive force in local social life and in industrial relations. Most of them were unmarried, and they had little or no interest in the communities in which they lived because many of them had no intention of taking up permanent residence.[24]

Bu cynnydd mewn problemau cymdeithasol yn dilyn y twf diwyd-iannol a'r cynnydd ym mhoblogaeth yr ardal, ac mae digon o dystiolaeth ar gael sy'n awgrymu i'r problemau hynny ddwysáu yn sgîl y datblygiadau newydd. Ymhlith y drygau hyn yr oedd safonau byw isel, amodau gwaith anfoddhaol ac oriau hirion. Caled, a dweud y lleiaf, oedd bywyd y glöwr cyffredin drwy gydol y bedwaredd ganrif ar bymtheg. Dibynnai'r fasnach mewn glo yn gyfan gwbl ar alwadau'r farchnad, a thelid y gweithwyr yn aml yn ôl mympwyon perchnogion y gweithfeydd. Yr oedd pob glofa hefyd yn llawn peryglon, ac yr oedd damweiniau glofaol yn ddigwyddiadau cyffredin. Nid oes ryfedd, felly, i lawer droi o ganol anobaith eu bywyd bob dydd at y ddiod feddwol, a bod ymgolli mewn meddwdod, ar dro, yn fodd i liniaru undonedd a thlodi'r gymdeithas ddiwydiannol.

Gweddillion traddodiadau'r gymdeithas wledig oedd y ffeiriau a'r mabsantau, y cwrwau bach a'r pasteiod, a'r arferion a oedd yn gysylltiedig ag angladdau a phriodasau, y Nadolig a'r Calan, ond yn sgîl diwydiannu'r ardal cododd nifer o arferion newydd fel y *footings* a'r *fetchings*. Disgwylid i grwt roi swm o arian, sef y *footing*, cyflog diwrnod fel arfer, i'w gydweithwyr yn dâl am ei gyfarwyddo pan ddechreuai ar ei yrfa fel glöwr ifanc. Gwerid yr arian wedyn ar ddiod frag a gorfodid pob gweithiwr newydd i gydymffurfio â'r arfer.[25] Arfer tebyg oedd y *fetching* pan anfonid un o'r gweithwyr o'r lofa i brynu cwrw i'w gyd-lowyr, ac yna eid i fan dirgel o fewn terfynau'r gwaith i'w yfed. Bu trychineb yn Ystradgynlais ym mis Tachwedd 1859, pan aeth rhai o fechgyn gwaith haearn Ynysgedwyn â *fetching* i'w yfed ger odynau'r gwaith. Ymhellach:

> Ymaflodd un o'r enw Thomas Evans, llanc ieuanc ugain oed, yn yr ystên a'r cwrw, a chymerodd arno redeg i ffwrdd â hi, a cheisiodd groesi yr odyn i'r ochr arall, fel y bydd dynion rhyfygus yn gwneyd weithiau. Yr oeddynt wedi bod yn tynu allan o'r odyn yn y gwaelod drwy y dydd. Ymddangosai y wyneb yn llawn ac yn dân coch drosti, ond yr oedd yn wag oddi mewn. A phan redodd y bachgen anffodus drosti, torodd bwlch yn y wyneb tanllyd a syrthiodd i lawr, tua deuddeg troedfedd. Taniodd ei ddillad a'i wallt yn y fan. Daeth lluaws o ddynion yno yn fuan; estynwyd bachau i lawr, ond er ei fod ef yn ymaflyd ynddynt, methent ei godi. Daeth llanc o'r enw John Williams ag ysgol yno, a heb foment o betrusder, anturiodd i lawr i'r ogof danllyd a pheryglus at y truan oedd yno yn ochain mewn arteithiau anesgrifiadwy. Ymaflodd yn y llaw oedd yn rhydd iddo, a daeth y croen a'r cnawd i ffwrdd lonaid ei ddwylaw. Y trydydd cynyg, dyblwyd y rhaff, ac yr oedd pump neu chwech yn tynu â'u holl nerth wrthi, ac o'r diwedd rhyddhawyd ef a daeth i fyny. Nid oedd eto wedi marw, er iddo fod dros haner awr yn y fath gyflwr. Bu fyw am fynyd neu ddwy wedi ei godi, ond ni ddywedodd air. Mae y trychineb

hwn eto, fel y rhan fwyaf o'r un natur, yn gysylltiedig â'r diodydd meddwol. Yr oedd y bachgen ar fin priodi. Trodd y *fetching* allan yn ddrud ofnadwy i'r bachgen, ac i'w dad a'i fam, a'i gyfeillion.[26]

Ond yr arfer, neu'r *cwstwm*, ym maes y glo carreg a barai'r gofid mwyaf i arweinwyr crefyddol yr ardal oedd cynnal *tyrn slwdjo*, fel y'i gelwid, a hynny fel arfer, ar ddydd Llun cyntaf bob mis. Ceir disgrifiad diddorol o'r arfer ym mhentref Brynaman gan un o'r trigolion:

> Byddai yn arferiad yn hen Bwll y Gwter i neillduo'r dydd Llun cyntaf yn mhob mis i'r gorchwyl o lanhau'r priffyrdd a'r mân ffyrdd dan y ddaear. *Tyrn slwdjo* y gelwid ef. Nid oedd y gwaith yn galed nac yn hir, – fel rheol byddai drosodd erbyn dau neu dri o'r gloch yn y prynhawn. Ni chawsai neb dâl mewn arian am gymeryd rhan yn y gwaith, ond cawsai pawb gymaint a fynnai o gwrw yn y *Farmers* ar ôl gorffen. Oherwydd hynny, nid oedd prinder dwylo at *y tyrn slwdjo* un amser.[27]

Parhaodd yr arfer yng nglofeydd y fro hyd at wythdegau'r bedwaredd ganrif ar bymtheg, pan gondemniwyd rhai o lowyr y Garnant am dderbyn *cwrw lwans* gan gyfarfod o swyddogion glowyr Dosbarth y Glo Carreg ym mis Awst 1886.[28]

Peth arall yr arswydai Phylip Griffiths rhagddo oedd yr arfer cyffredin ymhlith aelodau eglwysig o fynychu'r tafarnau yn dilyn yr oedfaon ar y Sul:

> Y drefn a arferir yw, fel y canlyn: – Os mewn tref y bydd cwrdd gweddi am 7 y boreu, ceir gweled yr addolwyr yn galw pob un ei *bint* wrth fyned i gael boreufwyd; eilwaith ar ôl cwrdd deg, ceir gweled agos pawb mewn rhai ardaloedd yn troi i'r dafarn, yn enwedig os bydd wedi bod yn Sabboth cymundeb; yr hen bobl yn rhoi rhan o gwart i ryw ddyeithrddyn, neu berthynas, neu gyd-weithiwr; a'r bobl ieuainc, yn cymhell ac yn ymaflyd, ac yn llusgo'r merched, (pe byddai gwaith llusgo wrthynt), wrth y degau, nes byddo'r tŷ, ie'r tai, wedi eu llenwi, fel pe byddech yn nghanol un o ffeiriau mwyaf lliosog y siroedd; yna dechreuir yfed cwrw a gwirod, yn wryw a benyw, ac eir o dafarn i'r llall trwy'r holl brydnawn. Weithiau daw rhai o'r bobl ieuainc i'r ysgol mewn cyflwr rhy wael i'w enwi, neu i'r cyfarfod tri, os bydd cyfarfod i'w gael, a hawdd yw barnu eu hanaddas-rwydd i'r fath le â gwaith santaidd.

> Ond erbyn yr oedfa chwech, ceir gweled yr holl bobl ieuainc oedd gartref y boreu (oblegid anhawdd yw codi y rhain i'r cwrdd deg a thri), yn tynu tua'r oedfa o bob cwr i'r ardal, ac ereill yn dechreu symud o'r tafarndeiau, rhai yn siglo, ereill yn cwympo, a'r rhan fwyaf yn llawen, a hawdd yw adnabod wrth y merched eu bod wedi yfed diod, os nad gwirod. Yna derfydd yr oedfa, a chyda'r Amen olaf, gwelir yr holl dorf yn dyfod allan, a'r meibion yn dechreu dewis eu cariadau, a ffwrdd â hwy gan mwyaf oll i'r dafarn eilwaith, nes llenwi llofft a llawr; yna yfir, siaradir am grefydd a chrefyddwyr, eu gwaelderau, a'u beiau, a phwysant yr holl fyd crefyddol; yna dechreuant erlid, gwawdio, chwarddant hefyd, canant faswedd, ffraeant, ymladdant, a bydd yno y stŵr mwyaf mewn rhai manau, ar rai amserau, hyd un neu ddau o'r gloch y boreu ac yn mhellach.[29]

Ystyriai Phylip Griffiths yr arferion hyn yn andwyol i grefydd a moes y fro, ac ar 29 Rhagfyr 1846, cynhaliwyd cyfarfod arbennig o benteuluoedd rhannau uchaf Cwmtawe yng nghapel yr Allt-wen, i drafod ymddygiad ieuenctid yr ardal:

> Yr hyn a achlysurodd y cyfarfod hwn oedd y dull a'r modd y treulir prydnawnau Sabothau gan ieuenctyd swydd Forganwg, ac yn eu plith pobl ieuainc ardal yr Alltwen, y rhai a wnânt ddiwedd dydd yr Arglwydd yn *ffair, marchnad* (diodydd a gwirodydd a phethau felly), *gwleddoedd, chwareuyddiaethau, cyfeddach a diota, carwriaeth, mabsantau, terfysgoedd, ymladdau etc.,* a defnyddir yr oedfa tri a chwech at gyfarfod a'u gilydd er dechreu y *daplas.*
>
> Mae eglwys yr Alltwen a'i gweinidog gwedi teimlo cryn ofid, fod dynion yn gwneyd mor eofn ar dŷ eu Duw, am eu bod yn ei gymeryd fel man i gyfarfod â'u gilydd er myned i gynal pob afreolaeth mewn tafarndai, a hyny ar ddiwedd y Saboth sanctaidd. Wedi siarad a theimlo llawer yn ein cyfeillachau neillduol, penderfynwyd i gyhoeddi cyfarfod a chymell holl benau-teuluoedd y wlad i ddyfod yn nghyd er trefnu a chwilio pa fodd oedd y ffordd fwyaf effeithiol i atal annuwioldeb y wlad, ac achub ieuenctyd ein hardal o afael y llygredigaethau hyn.[30]

Rhagwelai Phylip Griffiths gynnydd yn y 'llygredigaethau hyn', yn enwedig yn sgîl dyfodiad 'yr holl *navigators* i weithio ar y rheilffyrdd newyddion'.[31] Cafwyd nifer o gynigion yn y cyfarfod hwnnw, gan gynnwys yr awgrym y dylid sicrhau mwy o blismyn i'r cylch, a phwyso ar wragedd a mamau'r gynullfeidfa i ddylanwadu ar eu gwŷr a'u plant.

Un ffordd o ddileu'r arferion hyn, wrth gwrs, oedd cael gan drigolion y fro ymuno â'r cymdeithasau cyfeillgar fel yr Odyddion a'r Iforiaid. Drwy ymuno â'r cymdeithasau hyn, a chyfrannu'n ariannol tuag at eu cronfeydd, gallai'r gweithwyr cyffredin ddarparu ar gyfer y dyddiau blin – afiechyd, diweithdra a marwolaeth. Oes ansicr oedd hon wedi'r cyfan, ac afiechydon o bob math a damweiniau glofaol yn ddigwyddiadau cyffredin. Nid yw'n syndod, felly, i Phylip Griffiths, fel eraill o weinidogion y fro, annog aelodau o'i gynulleidfa i ymuno â chyfrinfeydd lleol y cymdeithasau hyn, yn hytrach na gorfod dibynnu ar yr elw a ddeilliai o gynnal cwrwau bach a phasteiod. Yn wir, dyna oedd un o benderfyniadau trydedd Gymanfa Ddirwestol De Cymru a gynhaliwyd ym Merthyr Tudful ym mis Gorffennaf 1840, sef bod 'y Gymmanfa hon yn annog ei haelodau i ymuno â Chymdeithasau Llesaol *(Benefit Societies)* er cael cynnaliaeth cysurus mewn cystudd etc'.[32]

Yn ystod yr union gyfnod hwn y lledodd y mudiad dirwest ei weithgarwch drwy wledydd Prydain. Yn y Taleithiau Unedig y cychwynnodd y mudiad yn nauddegau'r ganrif, ond treiddiodd ei ddylanwad drwy Iwerddon a'r Alban i ogledd-orllewin Lloegr. Gwyddys bod dirwest yn boblogaidd ymhlith rhai o Gymry Lerpwl ym 1837, a chyhoeddwyd llun diddorol o rai ohonynt yn gorymdeithio drwy'r ddinas yn *The Preston*

Gorymdaith Ddirwestol yn Lerpwl ym 1837, a Chymdeithas y Cymry yn amlwg ynddi.

Temperance Advocate ym mis Hydref y flwyddyn honno. Erbyn diwedd y tridegau, gwelwyd sefydlu nifer o gymdeithasau cymedroldeb yn ne a gogledd Cymru, ond daethpwyd i goleddu'r syniad yn raddol mai llwyr-ymwrthod â diodydd meddwol o bob math oedd fwyaf ymarferol.[33]

Prin fod angen olrhain hanes a datblygiad y mudiad dirwest yn y fan hon, oblegid gwnaed hynny'n effeithiol eisoes gan haneswyr fel John Thomas, Lerpwl, ac yn fwy diweddar gan W. Rhys Lambert, Islwyn Jones a David J. V. Jones.[34] Ond ni ellir amau pwysigrwydd y mudiad yng Nghymru yn ystod hanner cyntaf y bedwaredd ganrif ar bymtheg. Yr oedd iddo rai agweddau negyddol, mae'n wir; dywedwyd pethau dwl ac eithafol o'i blaid ac yn ei erbyn, ond yr oedd iddo ei agweddau cadarn-haol ac adeiladol yn ogystal. 'Prin y mae unrhyw fudiad wedi gorfod dioddef y fath gwymp oddi wrth boblogrwydd mewn amser byr â hwn', medd R. Tudur Jones. 'A phrin y mae unrhyw fudiad dyngarol wedi gorfod dioddef cymaint o gyhoeddusrwydd anffafriol – onid maleisus – ag ef'.[35] Ac mae i'r mudiad dirwest le pwysig ac anrhydeddus iawn yn hanes llenyddiaeth Gymraeg y bedwaredd ganrif ar bymtheg, o gymryd 'llenyddiaeth' yn yr ystyr letaf. Cyhoeddwyd llu o gylchgronau, pregethau, pamffledi, tractiau, llawlyfrau, nofelau cyfres a dramâu, i hyrwyddo amcanion y mudiad drwy gydol y ganrif. Cyfansoddwyd cannoedd o gerddi a chaneuon, dadleuon ac ymddiddanion hefyd, a'r rheini ar gyfer eu perfformio gan yr amryfal gymdeithasau dirwestol a sefydlwyd yn ne a gogledd Cymru fel ei gilydd.[36] Ni thâl i'r hanesydd cymdeithasol na'r beirniad llên anwybyddu'r cyhoeddiadau na'r cyfansoddiadau hyn, gan iddynt chwarae rhan amlwg wrth ffurfio'r farn gyhoeddus yn y Gymru Gymraeg; a'r sêl ddirwestol hon, yn y pen draw, a sicrhaodd Ddeddf Cau Tafarnau ar y Sul yng Nghymru ym 1881.[37] Hwyrach ei bod yn werth nodi hefyd y cyhoeddwyd un cylchgrawn gwrth-ddirwestol yn Gymraeg yn ogystal, sef *Yr Adolygydd* dan olygyddiaeth William Williams ('Caled-fryn'), a oedd yn ffyrnig ei wrthwynebiad i'r egwyddor o lwyrymwrthod, a'i amcan ef oedd hyrwyddo cymedroldeb, drwy ymosod ar lwyrymwrth-odwyr yn gyffredinol. Chwerw ac eithafol yw natur cynnwys *Yr Adolygydd*, a manteisiodd ei olygydd ar bob cyfle i ddifrïo a difenwi pawb a oedd yn gysylltiedig â'r arfer. Ond yr oedd yr egwyddor o lwyrymwrthod yn graddol ennill tir yn niwedd y tridegau, ac ni chafodd *Yr Adolygydd* fawr o gefnogaeth ar waethaf honiad ei olygydd bod 'titotaliaeth ar drengi'.[38]

Y mae'n berthnasol sylwi yn y cyswllt hwn mai yn siroedd gogledd Cymru, ac yn Fflint a Dinbych yn fwyaf arbennig, y gwreiddiodd y mudiad dirwest gyntaf, ac araf, ar y cyfan, fu siroedd y de cyn ymateb i'r mudiad. Yr oedd agwedd trigolion y de tuag at ddiodydd meddwol yn wahanol i agwedd trigolion y gogledd, ac ategir y farn hon gan John Thomas, a gafodd gryn ysgytwad pan symudodd o'r gogledd i weinidogaethu yn y de:

> Yr oedd nerth a chyffredinolrwydd yr arferiad o yfed y fath, fel mae digalon iawn oedd cynyg myned yn ei herbyn, ac ychydig a geid yn barod i ardystio. Yr oedd gwahaniaeth yn syniad y bobl am y ddiod feddwol, a'r defnyddiad cyffredin ohoni. Nis gallasai unrhyw ogleddwr a aethai i'r de, lai na chael ei daro â syndod at gyffredinolrwydd yr yfed. Nid eu bod yn meddwi, ac nid oedd y ddiod a yfid yn aml yn ddigon cryf i feddwi, heb yfed llawer ohoni; ond yr oedd yr yfed cyffredin a wneid, a chysylltiad yfed â holl amgylchiadau bywyd, yn pylu eu syniadau am niwed yr arferiad a drygedd y fasnach, ac yn gwneyd nad oedd meddwi yn cael edrych arno yn rhyw bechod gwaradwyddus, os nad elai dyn yn afreolus ac i arfer iaith anweddus.
>
> Gwelid dynion crefyddol yn eistedd mewn tafarnau ar ddyddiau ffeiriau a marchnadoedd i yfed nes yr enynai y ddiod gref hwy, ac y byddai eu gwynebau yn cochi a'u llygaid yn pylu, ac yr oedd yr olwg arnynt yn dychwelyd yr hwyr yn wahanol iawn i'r hyn fyddai arnynt yn myned y boreu . . . Pan euthum i lawr i'r de yn nechreu 1841, ymddangosai pethau yn ddyeithr imi, ac yr oedd y syniad am yfed, a myned i dafarnau yn hollol wahanol i bopeth a welswn.[39]

Y mae'n wir dweud hefyd bod cysylltiadau agos rhwng y capel a'r dafarn yn ystod yr un cyfnod. 'Aeth yfed cwrw yn rhan annatod o'r bywyd cymdeithasol', medd R. Tudur Jones.[40] Cofiwn hefyd mai mewn tafarnau y sefydlwyd nifer o achosion crefyddol canol y bedwaredd ganrif ar bymtheg, ac mewn tafarnau hefyd y lletyai gweinidogion y cyfnod pan fyddent ar eu teithiau pregethu. 'Cewch heddyw ym Morgannwg a Mynwy a siroedd eraill, fwy nag un eglwys gref, blodeuog a anwyd ac a fagwyd mewn tŷ tafarn', ebe Beriah Gwynfe Evans yn ei atgofion am ddirwest, gan ychwanegu mai 'yn *long room* y dafarn y cynhelid yr Ysgol Sul, ac y gweinyddid y Cymun Sanctaidd ar y Su1.'[41] Yr oedd ymlyniad ambell weinidog wrth y ddiod feddwol hefyd yn fodd i lesteirio twf a datblygiad y mudiad yn siroedd y de, a thystiodd John Thomas, Lerpwl, bod nifer o'i gyd-weinidogion yn ddigon difater yn eu hagweddau tuag at ddirwest. Gwrthododd David Davies, Pant-teg, gefnogi'r mudiad o gwbl; yr oedd John Breeze, Caerfyrddin, yn or-hoff o frandi, ac er i Joseph Evans, Capel Seion, Drefach, fod yn ddirwestwr ffyddlon am dair blynedd ar ddeg, 'hudwyd ef i yfed er anghofio ei ofid', pan fu farw ei wraig ym 1850.[42] Cwynodd William Harry, un o ddirwestwyr selog tref Merthyr Tudful, ym mis Awst 1837, bod achos dirwest yn 'wan a nychlyd' yn y dref, a nododd nad oedd yr un o'r tri offeiriad yn y lle, nac unrhyw un o weinidogion y deunaw capel lleol yn frwd tros y mudiad.[43] 'Nid oedd hyd yn hyn fawr ddim stigma cymdeithasol yn perthyn i feddwi, a dim oll i yfed cwrw', medd Brynley F. Roberts yn ei drafodaeth ddifyr ar yrfa gynnar David Davies (1799-1874), a ddaeth yn weinidog ar eglwys Fedyddiedig Bethania, Clydach, ym 1844.[44] Yr oedd William Thomas, olynydd Michael D. Jones fel gweinidog eglwysi Annibynnol Elim a'r Bwlchnewydd, ger Caerfyrddin, yntau'n gaeth i'r ddiod, fel y cofiai T. Esger James:

Y DIRWESTYDD.

"Ffrwyth yr Ysbryd yw—DIRWEST."

Rhif. 13.] GORPHENHAF, 1837. [Pris 1c.

ARDYSTIAD CYMMANFA DDIRPRWYOL DIRWEST GWYNEDD,

Y GWPAN FEDDWOL A'I CHYNWYS DINYSTRIOL.

'Y Dirwestydd', un o gylchronau dirwestol y 1830au.

> Yr oedd yn arferiad gan eglwys Bwlchnewydd i wneud yr hyn a elwid yn 'gadw'r mis' ar gylch. Pan fyddai William Thomas yn mynd i ginio neu i de gyda rhai o'r aelodau, gofelid yn wastad am roddi rhywbeth cryfach na chwpanaid o ddwfr oer neu ddishgled o de twym iddo. Byddai gwraig y fferm wedi prynu potelaid fechan o frandi, neu whisci, neu *rum,* a rhoi dogn da ohono i Mr Thomas, gan gymaint parch oedd iddo a'u caredigrwydd tuag ato.
>
> Y siarad cyffredin ar yr aelwydydd oedd: 'Mae Mr Thomas yn dod i ginio gyda ni Sul nesaf, ac y mae'n rhaid i ni gael diferyn bach iddo'.

> O dipyn i beth, aeth Mr Thomas i hoffi'r diferyn bach – ac nid oedd diferyn bach yn ei ddiwallu mwyach: yr oedd yn rhaid iddo gael diferyn go fawr i'w ddisychedu. Cofiaf 'nhad yn dychwelyd o wylnos hen wraig yn Nhraws-mawr, ac yn dweud wrth mam fod Mr Thomas o dan ddylanwad y ddiod feddwol yn yr wylnos, ac iddo ddarllen dwy bennod fawr i ddechrau'r gwasanaeth – naill ai mewn camgymeriad, neu er mwyn ei gynorthwyo i ddod ato'i hun; a bod pawb wedi sylwi arno, er na wnaed sylw pellach o'r peth.
>
> Hen arferiad wael yw'r un o gynnig diodydd meddwol i weinidogion yr Efengyl. Gwir mai mewn caredigrwydd y gwneid hyn, ond trodd y caredigrwydd hwn yn angharedigrwydd â Mr Thomas. Yn y diwedd, y rhai oedd wedi ei ddiodi oedd y rhai parotaf i'w esgymuno wedi iddo syrthio yn ysglyfaeth i'r diodydd meddwol. Gofidus wyf heddiw wrth feddwl am gwymp William Thomas. 'A'i gwymp a fu fawr'. Ni all neb wadu nad oedd yn euog o feddwdod, a gwrthgiliad mawr. Gwelais ef lawer gwaith ar ei ffordd adref i Barc-glas o'r dref, ac arwyddion amlwg arno ei fod wedi yfed yn drwm iawn. Gwn hefyd am y dafarn yr arferai ei mynychu yn y dref, ar sail tystiolaeth cyd-efrydydd â mi yn Athrofa Parc-yfelfed, yr hwn hefyd oedd yn orhoff o ddiota.
>
> Ond glynodd eglwys Elim wrtho am rai blynyddoedd wedi i eglwys Bwlchnewydd dorri ei chysylltiad ag ef – a hynny yn fwy, efallai, o barch i Mrs Thomas ei briod, nag iddo ef. Wedi rhoi Elim i fyny ar gymhellion ei ffrindiau anwylaf, pellhaodd yn raddol, a bu farw heb fod yn aelod crefyddol yn unlle. Pellhaodd ei frodyr yn y weinidogaeth oddi wrtho. Hyd eithaf fy ngwybodaeth, ni wnaeth ei frodyr unrhyw ymdrech i achub ei enaid; ac yr oedd llawer o honynt y dyddiau hynny, yn orhoff, fel yntau, o'r ddiod feddwol.[45]

Araf fu twf a datblygiad y mudiad dirwest yn y de o'i gymharu â'r gogledd, felly. Er hynny, yr oedd yn ardaloedd diwydiannol dwyrain sir Gâr a gorllewin Morgannwg nifer o weinidogion a fu'n weithgar gyda'r mudiad er yn gynnar. Yng ngodre dyffryn Aman, yr oedd Thomas Jenkins o Ben-y-groes, a Benjamin Thomas o Gapel Hendre yn gefnogwyr brwd-frydig, ac ym mhen ucha'r ardal, yr oedd Rhys Pryse, Cwmllynfell, yr un mor weithgar.[46] Ac fel y gellid ei ddisgwyl, ymfwriodd Phylip Griffiths i gefnogi'r mudiad gyda brwdfrydedd mawr, ym Mlaenau Cwmtawe, fel y gwnaeth Thomas Levi yntau.[47] Gwyddai Thomas Levi, o brofiad per-sonol, am effeithiau meddwdod ar y teulu. Yr oedd ei dad, John Levi, yn llymeitiwr a ganodd nifer o faledi masweddus eu natur gan gynnwys *Cân y Stwmpyn Pengoch* a *Chân Tafarn y Rhos*. 'Treuliodd ef ran fwyaf a goreu ei oes i ddilyn oferedd', meddai'r mab am ei dad.[48]

Sefydlwyd un o'r cymdeithasau dirwestol cyntaf yn y de yng Nghwmtawe ar 13 Ebrill 1837. 'Yr oedd cryn nifer o ddirwestwyr yn wasgaredig trwy yr holl gwm o Abertawy i fyny hyd Ystradgynlais', medd hanesydd y mudiad.[49] Yna, ar 17-18 o Orffennaf 1838, cynhaliwyd Cymanfa Ddirwestol De Cymru yn Abertawe. Hon oedd y gyntaf o nifer o wyliau dirwestol i'w cynnal ar raddfa fawr yn nhrefi Merthyr Tudful, Caerfyrddin, Llanelli a Llandeilo yn ystod y tridegau a'r pedwardegau cynnar.[50] Ymhlith y prif ffigurau a fu'n traddodi areithiau yn y Gymanfa hon yr oedd gweinidogion cylchoedd Cwmtawe a dyffryn Aman. Penderfynwyd yn y cyfarfod hwn y dylid rhannu cymdeithasau dirwestol y de yn nifer o adrannau bychain, a golygai hyn y gallai'r gwahanol gymdeithasau gyd-weithio â'i gilydd i hyrwyddo dirwest.

Dichon mai'r Gobeithlu – y *Band of Hope* – oedd yr amlycaf o'r amryfal sefydliadau yr esgorodd y mudiad dirwest arnynt. Mae dau enw yn gysylltiedig â sefydlu'r mudiad arbennig hwn, sef y Parchedig Jabez Tunnicliff, gweinidog gyda'r Bedyddwyr yn Leeds, ac Anne Jane Carlile, a fu'n cyn-

Jabez Tunnicliff.

Anne Jane Carlile.

orthwyo Elizabeth Fry, un o brif ddiwygwyr y carchardai yn ystod hanner cyntaf y bedwaredd ganrif ar bymtheg. Anne Carlile, yn ôl yr hanes, a ddefnyddiodd yr ymadrodd *Band of Hope* am y tro cyntaf, a hynny pan fu'n annerch cynulleidfa o blant mewn gŵyl ddirwestol a drefnwyd gan Tunnicliff yn Leeds ym mis Medi 1847.[51] Blagurodd y Gobeithlu yn ardaloedd Cwmtawe a dyffryn Aman yn gynnar yn ystod pumdegau'r ganrif, a Thomas Levi ymhlith prif hyrwyddwyr y mudiad. Yr oedd y sefydliad yn rhychwantu cwmpas eang o weithgareddau, rhai yn addysgol, ar y naill law, ac eraill yn adloniadol, ar y llaw arall. A sylweddolai gwŷr fel Phylip Griffiths a Thomas Levi fod yn rhaid i'r mudiad newydd, os oedd i lwyddo o gwbl, ddarparu rhyw fath o weithgaredd adeiladol ac adloniadol, a fyddai at ddant pawb, ac yn enwedig plant ac ieuenctid.[52] Sylweddolent ei bod yn haws codi to o lwyrymwrthodwyr ymhlith plant a phobl ifainc na cheisio'n ddiweddarach ddiwygio arferion yfed a oedd eisoes wedi dod yn rhan annatod o'u ffordd o fyw. Rhaid oedd eu hargyhoeddi o beryglon y ddiod cyn iddynt gael cyfle i lymeitian yn y ffeiriau a'r gweithfeydd. Fel y dangosodd R. Tudur Jones:

> At ei gilydd, mudiad hwyliog a siriol ydoedd, a cheid cwynion ambell dro mai adloniant yn unig a geid mewn cyfarfodydd dirwest. Wrth gwrs, yr oedd gan y mudiad ei ffanaticiaid, y bobl y gellid dweud mai 'dirwest oedd eu crefydd'. Ond yr oedd llawer mwy o bobl yn cael hwyl fawr yng ngwahanol weithgareddau'r mudiad, a bu'n foddion diymwad i ryddhau miloedd o lyffetheiriau alcoholiaeth.[53]

Yr oedd i'r gair printiedig ei bwysigrwydd yn ogystal. Bu David Rees, gweinidog dylanwadol eglwys Capel Als, Llanelli, yn arbennig o weithgar gyda'r mudiad, a sefydlodd ddau gylchgrawn i hybu amcanion dirwest, sef *Y Dirwestwr Deheuol* (1838-1839), ac *Y Dirwestydd Deheuol* (1840-1841).[54] I gyfnod ychydig yn ddiweddarach y perthyn *Telyn y Plant*, misolyn a olygwyd ar y cyd gan Thomas Levi a John Roberts ('Ieuan Gwyllt'), a'i gyhoeddi gan Rees Lewis ym Merthyr Tudful, gyda'r bwriad o wasanaethu'r Gobeithluoedd. Amlinellodd y golygyddion amcanion y cyhoeddiad yn y rhifyn cyntaf:

> Er mai amcan blaenaf, a mwyaf uniongyrchol y *Band of Hope* ydyw sobri y byd, nid ydym yn foddlawn i orphwys ar hyny. Yn wir, y mae hyny yn

Thomas Levi.

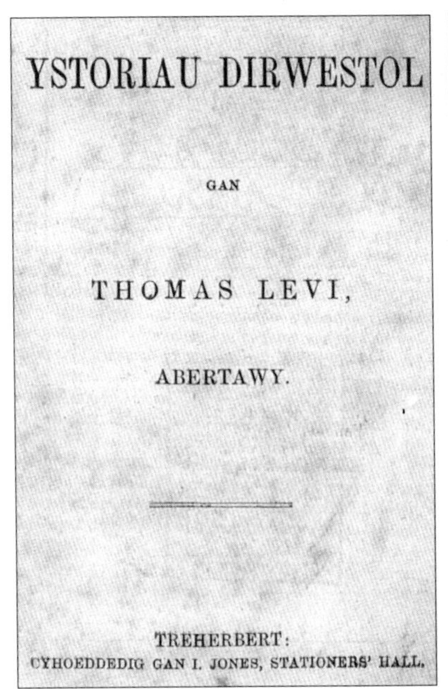

YSTORIAU DIRWESTOL

GAN

THOMAS LEVI,

ABERTAWY.

TREHERBERT:
CYHOEDDEDIG GAN I. JONES, STATIONERS' HALL.

'Ystorïau Dirwestol', Thomas Levi.

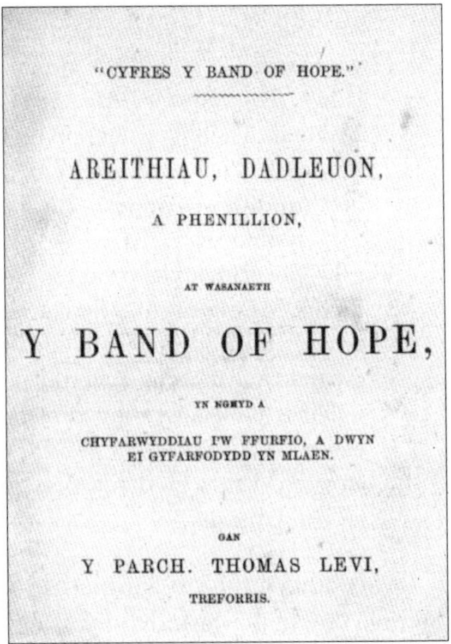

"CYFRES Y BAND OF HOPE."

AREITHIAU, DADLEUON,

A PHENILLION,

AT WASANAETH

Y BAND OF HOPE,

YN NGHYD A

CHYFARWYDDIAU I'W FFURFIO, A DWYN
EI GYFARFODYDD YN MLAEN.

GAN

Y PARCH. THOMAS LEVI,

TREFORRIS.

'Areithiau, Dadleuon a Phenillion at Wasanaeth y Band of Hope', Thomas Levi.

anmhosibl. Y mae yn natur diwygiad gwirioneddol a thrwyadl mewn un peth i greu ymdrech i ddiwygio yr hyn sydd wallus yn mhob peth. Felly, mewn cysylltiad â sobrwydd y mae cynildeb, rhagddarbodaeth, iawn drefn, gonestrwydd, geirwiredd, caredigrwydd, cyfeillgarwch, cydymdeimlad, tosturi – y rhinweddau hyny ag ydynt, fel clysdwr, yn tarddu oddiar yr un bywyd, yn ffynu, yn blaguro, ac yn blodeuo yn yr un goleuni, ac yn hanfodol i gymeriad gwir ddefnyddiol a hawddgar.

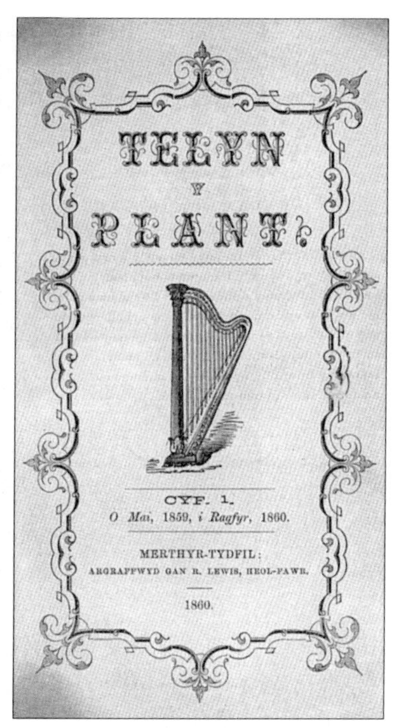
TELYN
Y
PLANT.

CYF. 1.
O Mai, 1859, i Ragfyr, 1860.

MERTHYR-TYDFIL:
ARGRAFFWYD GAN R. LEWIS, HEOL-FAWR.

1860.

'*Telyn y plant*'.

Y mae yn ngolwg y *Band of Hope,* gan hyny, i dywys ac addysgu y plant yn y rhinweddau hyn oll, ac felly eu cymhwyso 'i wneyd y goreu o'r ddau fyd'. Offeryn bychan at wasanaeth y symudiad anmhrisiadwy hwn ydyw *Telyn y Plant.* Bydd tant ynddi ar gyfer pob un o'r rhinweddau uchod, er efallai na byddwn yn cyffwrdd a phob un o honynt bob tro; a chyweirnodau ein graddfa fydd cadw y plant sydd yn codi, rhag syrthio yn ysglyfaeth i feddwdod a llygredigaethau yr oes. Tra yn galw ein plant i ymwrthod â gwag-bleserau y tafarndŷ, ac i ymatal rhag rhoddi meithriniaeth i flysiau a nwydau llygredig eu natur, ymdrechwn arwain eu meddyliau at ffynonau grisialaidd gwir bleser a hyfrydwch – y gwrthddrychau hyny a ffordddiant wir fwynhad heb foddi y synwyrau: a wellhânt y meddwl tra yn ei sirioli, a goethant y galon tra yn ei llawenhau, a wnant y plentyn yn well plentyn, yn well brawd, yn well chwaer, yn well cyfaill, a gwybodaeth o ba rai a'i cymhwysant i fod yn well dyn, ac yn well Cristion.[55]

Cyhoeddwyd nifer o anogaethau a chyfarwyddiadau ynghylch sefydlu, trefnu a chynnal cyfarfodydd y Gobeithluoedd yn y cylchgrawn yn gyson, ac yn ei ail rifyn, a ymddangosodd ym mis Mehefin 1859, cyhoeddwyd 'Rheolau i Gymdeithas y *Band of Hope*':

1. Fod y gymdeithas yma i'w galw yn Gymdeithas y *Band of Hope.*
2. Fod y gymdeithas yma i gynwys meibion a merched, a fyddont gyda chydsyniad eu rhieni, wedi arwyddo yr ardystiad canlynol:
   Yr wyf yn wirfoddol yn addaw peidio yfed cwrw, porter, gwin, gwirodydd poethion, nac unrhyw ddiodydd meddwol eraill, na pheidio eu rhoddi na'u cynyg i eraill.
   (Gall y cymdeithasau roi y dybaco i mewn hefyd, os byddant yn dewis).
3. Y gall unrhyw aelod ymadael â'r gymdeithas, os bydd yn dewis, trwy hysbysu yr ysgrifenydd; ac os tyr un o'r aelodau ei ardystiad, ymwelir ag ef gan un neu ychwaneg o'r pwyllgor, a gwneir yr achos yn hysbys yn y pwyllgor nesaf.
4. Fod trafodaeth y gymdeithas yma i gael ei ddwyn yn mlaen dan lywodraeth pwyllgor o bersonau, yn nghyda llywydd, trysorydd ac ysgrifenydd, wedi eu dewis gan y pwyllgor.
5. Fod cyfarfodydd cyhoeddus y gymdeithas yma i gael eu cadw yn fisol, neu yn amlach os barna y pwyllgor yn briodol; a bod y llywydd i gymeryd y gadair, neu os bydd yn absenol, fod y pwyllgor i ddewis cadeirydd am y cyfarfod hwnw.
6. Fod y pwyllgor i wneyd pob trefniadau ar gyfer y cyfarfodydd cyhoeddus, apwyntio areithwyr, dewis darnau i'w canu, ac edrych dros a chymeradwyo pob dadleuon ac adroddiadau fyddo gan y plant.
7. Fod holl aelodau y pwyllgor i fod yn bresenol hyd y gallont yn y cyfarfodydd cyhoeddus, er cynorthwyo i gadw trefn, a gweled fod y plant mor lân a chryno ag y goddef amgylchiadau y teuluoedd iddynt fod, a phob peth arall o fewn eu cyrhaedd, er gwneyd y cyfarfodydd yn drefnus ac effeithiol.
8. Fod y pwyllgor yn awr ac eilwaith, er mwyn cadw i fyny ddyddordeb y cyfarfodydd, i gynyg gwobrau bychain i'r aelodau, megys i'r hwn ddygo fwyaf o blant i ymuno â'r gymdeithas, i'r gorau a adroddo ddarnau bychain a roddir allan, neu i'r un a ysgrifeno draethawd bychan oreu, a'r cyffelyb.
9. Fod cyfarfod blynyddol i'w gynal i'r holl aelodau i ail ddewis y pwyllgor a'r swyddogion; ac i wneyd unrhyw gyfnewidiadau at y rheolau.[56]

Cyhoeddwyd darnau adrodd, dadleuon, storïau, caneuon a thonau yn y cylchgrawn yn ogystal, a sicrhaodd y golygyddion nifer o engrafiadau trawiadol i'w cynnwys ynddo. Cyhoeddwyd dau engrafiad gwrthgyferbyniol yn y *Delyn* o bryd i'w gilydd, megis y rhai a geir yn rhifynnau misoedd Hydref a Thachwedd 1860. Yn y naill, *Nadolig y Meddwyn*, darlunnir gŵr

Nadolig y Meddwyn, 'Telyn y Plant', Hydref 1860.

Nadolig y Dirwestwr, 'Telyn y Plant', Tachwedd 1860.

meddw yn curo'i wraig sydd ar lawr, a'r bwrdd cinio gerllaw yn wag. Yn y llall, *Nadolig y Dirwestwr*, ceir darlun o'r teulu dedwydd, – y gŵr, ei wraig a'u plant yn eistedd wrth fwrdd a arlwywyd â phob math o ddanteithion. Cyhoeddwyd cyfanswm o ddeuddeg ar hugain o rifynnau *Telyn y Plant* rhwng mis Mai 1859 a mis Rhagfyr 1861, ac mae'n ffynhonnell werthfawr o wybodaeth am dwf a datblygiad y gobeithluoedd yng nghymoedd de Cymru yn ystod y cyfnod hwn.[57]

Daeth y ddarlith boblogaidd i fri yr adeg hon hefyd, ac fe'i mabwysiadwyd gan y mudiad dirwest fel cyfrwng i ddenu aelodau. 'It was the temperance movement which made the fullest use of the itinerant lecturer', ebe prif hanesydd y mudiad dirwest yn Lloegr.[58] Dichon mai Robert Parry ('Robyn Ddu Eryri'), y cymeriad lliwgar os amheus hwnnw o dref Caernarfon, oedd y mwyaf poblogaidd o'r areithwyr dirwestol hyn, a thramwyodd yntau Gymru benbaladr yn annerch cynulleidfaoedd drwy gydol ail hanner y ganrif. Bu yng Nghwmaman ym mis Mai 1860, ac ym Mrynaman ym mis Rhagfyr 1871 pan ardystiodd dros ddau gant o ieuenctid y cylch.[59] Bu John Hockings, y gof a'r cynforwr o Birmingham, a oedd yn eithriadol o boblogaidd gan weithwyr cyffredin, ar daith drwy'r ardal ym 1839.[60] Yna, ym 1857 ymwelodd H. Gratton Guiness â'r cylch yn ystod taith ddarlithio trwy dde Cymru, ac yr oedd yntau hefyd ymhlith yr amlycaf o weithwyr y mudiad dirwest yn Lloegr.[61] I lawer o deuluoedd y dosbarth gweithiol, yr un oedd amcanion y mudiad dirwest ag amcanion traddodiadol hyrwyddwyr hunan-gymorth fel Samuel Smiles, er enghraifft. Yr un hefyd oedd eu pwyslais cyson ar rinweddau fel gonestrwydd, gwirionedd, glendid a chariad tuag at Dduw yn ogystal ag at ddyn, ac ystyrid yr hunan-ddisgyblaeth y disgwylid i'r llwyrymwrthodwr ei ymarfer yn ei fywyd bob dydd fod o ddefnydd pellach iddo ar ei daith drwy anialwch y byd hwn. Yr oedd diota a goryfed, wedi'r cyfan, yn effeithio ar bawb yn y

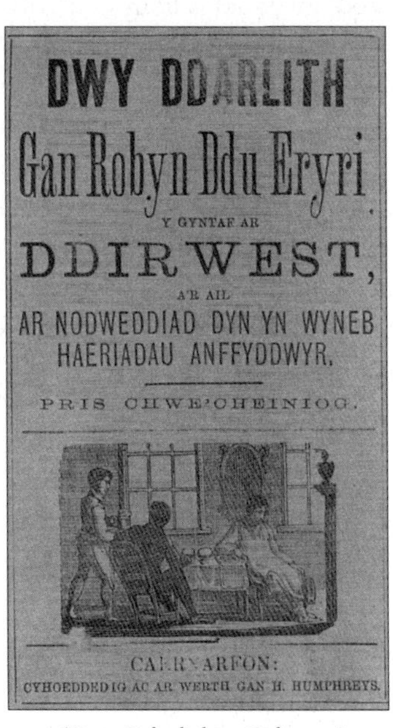

DWY DDARLITH
Gan Robyn Ddu Eryri
Y GYNTAF AR
DDIRWEST,
A'R AIL
AR NODWEDDIAD DYN YN WYNEB
HAERIADAU ANFFYDDWYR.
PRIS CHWE'CHEINIOG.

CAERNARFON:
CYHOEDDEDIG AC AR WERTH GAN H. HUMPHREYS.

'Dwy Ddarlith ar Ddirwest' gan Robyn Ddu Eryri.

gymdeithas, – ar berchnogion y gweithfeydd a'r gweithwyr fel ei gilydd, ond yn bennaf oll ar deulu'r gweithiwr ei hun. Arweiniai i ddyled, afiechyd, anniweirdeb, torcyfraith a thlodi.

Nid oes ryfedd, felly, y rhoddid lle mor ganolog i weithgarwch y Gobeithlu yn ymdrech arweinwyr crefyddol y fro, ac nid yw'n ormod dweud i'r mudiad osod sylfaen newydd i batrwm diwylliannol yr ardal. Er bod gwŷr fel Phylip Griffiths a Thomas Levi yn llwyrymwrthodwyr o argyhoeddiad dwfn, yr oedd, serch hynny, apêl ehangach o lawer i'w gweithgarwch. Drwy geisio meithrin ymwybyddiaeth ddiwylliannol newydd ym meddyliau'r aelodau ifainc, yr oeddynt, ar yr un pryd, yn lledaenu gwerthoedd uwch a pharchusrwydd ymddangosiadol y dosbarth canol ymhlith y dosbarth gweithiol. Ac mae'n berthnasol sylwi mai o blith y dosbarth gweithiol ei hun y cododd arweinwyr a hyrwyddwyr y Gobeithlu yn yr ardal. Gwyddys hefyd bod y mwyafrif llethol o weithwyr dros ddirwest yng ngwledydd Prydain yng nghanol y bedwaredd ganrif ar bymtheg yn wŷr ac yn wragedd a gododd o rengoedd y mudiad ei hun.

Dyma'r adeg y daeth nifer o ieuenctid y gymdogaeth yn aelodau blaenllaw o'r Gobeithluoedd, ac aeth y rhain ati i gynnal darlleniadau ceiniog a chyfarfodydd llenyddol er hyrwyddo amcanion y mudiad. Yn y man, ffurfiodd gobeithluoedd y fro eu hunain yn un gymdeithas fawr, gan gynnal eu cyfarfodydd llenyddol ymhob un o bentrefi'r gymdogaeth yn eu tro. Gallai rhaglen waith y darlleniadau ceiniog amrywio'n fawr. Cymerai ffurf cyngerdd ar dro, a phawb o'r aelodau'n gwneud ei ran, rhai yn darllen storïau dirwestol, rhai yn cynnal dadleuon, ac eraill yn canu, yn adrodd neu'n areithio. Bryd arall cynhelid cyfarfodydd cystadleuol, a rhoddai hyn gyfle i egin feirdd y cylch ymarfer eu doniau fel prydyddion. 'Oes y *Penny Readings* yw hi yn awr', meddai gohebydd Gwauncaergurwen yng ngholofnau un o newyddiaduron y cyfnod, ac yr oedd llewyrch arbennig ar ddarlleniadau ceiniog y Gobeithluoedd erbyn canol y chwedegau.[62] Lledodd y mudiad i Gwm-twrch erbyn mis Mai 1865, a chanwyd ei glodydd gan John Jones ('Cyllin'), un o brydyddion y pentref, yng ngholofnau'r *Gwladgarwr:*

> Buddioldeb sy'n deillio o'r *Geiniog Ddarllenfa*
> Trwy roddi datblygiad o dalent yr oes,
> I ddarllen a chanu mae hon yn gyfleustra,
> Oddi wrth yr hyn bethau ni ddigwydd un loes;

Mae'n fuddiol er annog a meithrin ieuenctid
Yr ardal mewn pethau sydd foesol a da,
Sef arfer eu doniau, arddangos celfyddyd
I bob rhyw seguryd mae'n benyd a phla.

Hi egyr ei dorau i gelloedd gwybodaeth,
Dwg allan i'r cyhoedd beth newydd a hen,
I'r llesg a'r dilafur mae'n wir feddyginiaeth,
Groesawa pob ymdrech yn siriol ei gwên;
Hi geidw ei deiliaid rhag myned i'r dafarn,
I'r meddwl myfyrgar adloniant hi rydd;
Alltudio diffrwythder o'r byd yw ei hamcan
A dwyn i'r goleuni gyfrolau oedd gudd.[63]

Esgorodd y cyfarfodydd llenyddol a chystadleuol hyn yn y pen draw ar yr eisteddfodau mawreddog a ddaeth yn gymaint rhan o ddiwylliant cymoedd de Cymru yn ystod ail hanner y bedwaredd ganrif ar bymtheg. A ffrwyth yr holl weithgarwch hwn, y llenydda a'r cystadlu yn yr eisteddfodau, oedd y llu llyfrynnau a gyhoeddwyd gan brydyddion yr ardal. Cafwyd cnwd toreithiog o flodeugerddi o waith beirdd yr ardal yn ystod chwarter olaf y ganrif pan sefydlodd Ebenezer Rees ei wasg argraffu yn Ystalyfera. Yn eu plith yr oedd *Cell yr Adroddwr: Sef Detholion Barddonol Cyfaddas at Wasanaeth yr Ysgolion Sabbothol a Chyfarfodydd Llenyddol*, ac *Athrofa'r Beirdd: Sef Detholiad o Weithiau Barddonol Nifer o Feirdd at Wasanaeth Cyfarfodydd Llenyddol, a Chyfarfodydd yr Ysgolion Sabbothol.* Dengys is-deitlau'r llyfrynnau hyn mai ar gyfer cyf-

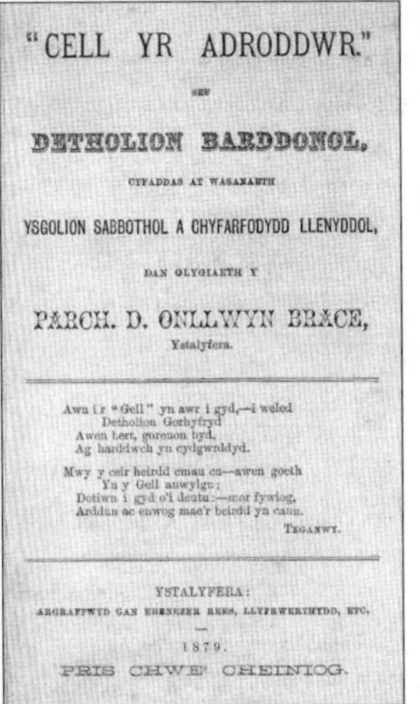
"CELL YR ADRODDWR."
SEF
DETHOLION BARDDONOL,
CYFADDAS AT WASANAETH
YSGOLION SABBOTHOL A CHYFARFODYDD LLENYDDOL,
DAN OLYGIAETH Y
PARCH. D. ONLLWYN BRACE,
Ystalyfera.

Awn i'r "Gell" yn awr i gyd,—i weled
Detholion Gorhyfryd
Awen Lert, goreuon byd,
Ag harddwch yn cydgwrddyd.

Mwy y ceir heirdd emau cu—awen goeth
Yn y Gell anwylgu;
Dotiwn i gyd o'i deutu:—mor fywiog,
Arddun ac enwog mae'r beirdd yn canu.
TEGANWY.

YSTALYFERA:
ARGRAFFWYD GAN EBENEZER REES, LLYFRWERTHYDD, ETC.
1879.
PRIS CHWE' CHEINIOG.

'Cell yr Adroddwr' (Ystalyfera, 1879).

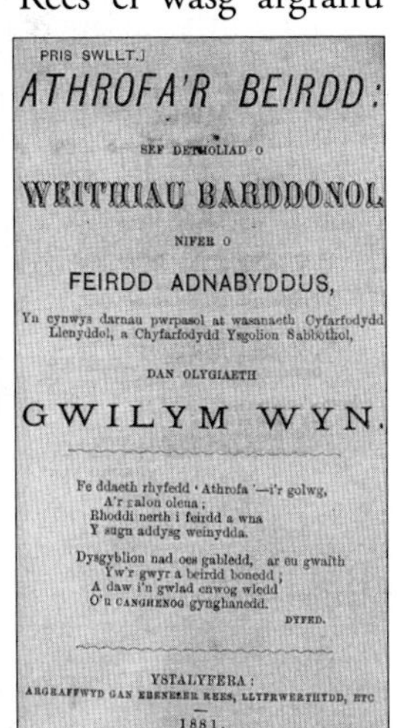
PRIS SWLLT.]
ATHROFA'R BEIRDD:
SEF DETHOLIAD O
WEITHIAU BARDDONOL
NIFER O
FEIRDD ADNABYDDUS,
Yn cynwys darnau pwrpasol at wasanaeth Cyfarfodydd Llenyddol, a Chyfarfodydd Ysgolion Sabbothol,
DAN OLYGIAETH
GWILYM WYN.

Fe ddaeth rhyfedd 'Athrofa'—i'r golwg,
A'r galon olena;
Rhoddi nerth i feirdd a wna
Y sugn addysg weinydda.

Dysgyblion nad oes gabledd, ar eu gwaith
Yw'r gwyr a beirdd bonedd;
A daw i'n gwlad enwog wledd
O'u CANGHENOG gynghanedd.
DYFED.

YSTALYFERA:
ARGRAFFWYD GAN EBENEZER REES, LLYFRWERTHYDD, ETC.
1881.

'Athrofa'r Beirdd' (Ystalyfera, 1881).

arfodydd crefyddol a llenyddol y Gobeithluoedd a'r enwadau Ymneilltuol y bwriadwyd hwy, ac adlewyrchir hynny yn eu cynnwys yn ogystal. Brithir y cyfrolau hyn â chaneuon a cherddi sy'n rhoi mynegiant croyw i rinweddau'r bywyd dirwestol, drwy annog y gweithiwr cyffredin a'i deulu i ymwrthod â diodydd meddwol, gan ymroi i gynildeb drwy ymuno â'r cymdeithasau cyfeillgar, bod yn ddiwyd a gweithgar, a byw bywyd sobr, parchus a chyfrifol. Yr oedd diwydrwydd, wedi'r cwbl, yn un o rinweddau'r teulu dedwydd, fel yr eglurodd y Parchedig Jonah Morgan:

> Er cael teulu yn ddedwydd, rhaid ydyw fod pob aelod ohono yn ngafael â rhyw waith, a hwnnw yn waith cyfreithlawn, a rhaid ei fod ar ei eithaf gydag ef. Rhaid ydyw bod nôd gan bob un i gyrchu ato, a'i fod yn gwneuthur a allo yn feunyddiol er cyrhaedd y cyfryw nod; yna bydd pob aelod o'r teulu yn teimlo yn ddedwydd yn ei waith. Ni all dyn segur fod yn ddedwydd; ni fwriadwyd iddo fod felly. Gwelir llawer o ddynion yn tybied mai rhagorfraint werthfawr ydyw cael bod yn segur a pheidio

Aelwyd Ddedwydd, 'Telyn y Plant', Medi 1860.

Treialon y teulu annedwydd.

> gweithio dim; pan gwympodd cyfoeth iddynt ar ôl eu perthynasau, rhoddasant bob gwaith i fyny ar unwaith, a'r canlyniad fu, iddynt syrthio i afiechyd ac annedwyddwch, fel y gwelwyd rhai teuluoedd yn pydru mewn diogi, yn ddiles mewn cymdeithas, yn tlodi eu llinach, yn rwgnachwyr yn eu teuluoedd, ac yn gyru eu hunain i'r bedd yn anamserol . . . Byw annedwydd ydyw byw yn *retired*, fel y gall miloedd dystio o'r sawl sydd wedi rhoddi eu gwaith i fyny, pan y gallasent eu cario yn mlaen.[64]

Megis yr oedd gwaith a diwydrwydd yn fodd i feithrin cymeriadau gloywon a sicrhau parch ac 'enw da' yn y gymdeithas, felly hefyd yr oedd addysg yn allwedd i iechyd meddyliol ac i ddyrchafiad cymdeithasol. 'Un o'r prif elfenau at gael y teulu yn ddedwydd', meddai Jonah Morgan, 'ydyw rhoddi addysg dda i'r plant.'[65] Credai amryw o'r arweinwyr dirwestol mewn addysg fel meddyginiaeth ar gyfer drygau cymdeithasol, ac yr oedd y gred mai anwybodaeth oedd gwreiddyn drygau'r gweithwyr yn gyffredin yn ystod y cyfnod hwnnw. Mae'n ddiddorol sylwi mai'r ochr faterol i addysg a bwysleisid dro ar ôl tro gan gynifer o arweinwyr dirwestol a chrefyddol y cyfnod. Yr oedd addysg i'r rhain yn gyfrwng i alluogi plant y gweithiwr cyffredin i godi yn y byd a gwella eu hystâd, ond ychydig iawn o sylw, mewn cymhariaeth, a roddid i'r syniad fod addysg ynddi ei hun yn fodd i gyfoethogi bywyd yr unigolyn. Rhoddwyd hwb i'r math yma o feddwl, wrth gwrs, mor gynnar â 1847, gyda chyhoeddi adroddiad y comisiynwyr a benodwyd i archwilio cyflwr addysg Cymru.

Jonah Morgan, awdur 'Elfenau Teulu Dedwydd'.

Yn hyn o beth, gellir dweud bod tebygrwydd rhwng gweithgarwch y mudiad dirwest a gweithgarwch yr ysgolion Sul. Yr oedd y ddau sefydliad yn gwasanaethu'r un dosbarth o blant, a'r un gweithwyr yn aml oedd arweinwyr y naill sefydliad fel y llall. Yr un hefyd oedd amcanion y ddau, sef ceisio diwygio arferion a moesau plant y gweithiwr, a thrwy hynny greu dinasyddion cyfrifol, a'r gwerthoedd uchaf yn flaenaf yn eu bywydau. I John Rees ('Glan Garnant'), yr oedd y mudiad dirwest yn llafurio ochr yn ochr â'r eglwys:

> Mae crefydd a moesoldeb yn galw pawb i'r gad
> Yn erbyn rhengoedd meddwdod sy'n difa hedd ein gwlad.
> Arfogwn! Codwn faner, mae'r nefoedd wen o'n tu,
> Cyhoeddwn fuddugoliaeth ar lwch y gelyn du.
> Effeithiau'r fasnach erchyll fodolant ym mhob parth,
> Gall bys y grocbren bwyntio at lwybr coch ei gwarth,
> Y tlotai a'r ysbytai, ar holl garchardai 'nghyd
> Gyhoeddant mewn eglurder mai hon sy'n damnio'r byd.[66]

Traethodd Phylip Griffiths droeon ar greulonderau meddwon tuag at eu gwragedd a'u plant, megis y gwnaeth yn 'Hanes Gwraig y Meddwyn', un o ysgrifau Daniel Dafydd Amos a gyhoeddwyd yn *Y Diwygiwr* ym 1845. Edrydd yno hanes merch ifanc 'yr hon oedd yn aelod hardd gyda phlaid o bobl ymneillduedig yn neheubarth Cymru; aml a diwyd oedd ei rhieni yn cyrchu i foddion gras, ac yn myned â'u plant gyda hwynt i'r oedfaon'. Ond ymserchodd mewn 'rhyw ddyn ifanc gwyllt, annuwiol' a'i denodd i'r dafarn. Beichiogodd a phriododd, a chafodd gyfle i edifarhau ganwaith am hynny. Y dafarn oedd cartref ei gŵr, yno y treuliai ei amser ac yr afradai ei arian:

> Pan ddelai adref, curai hi a'r plant yn ddidrugaredd, *demandai* fwyd, heb ddim i'w gael, bygythiai eu llabyddio, taflai yr ychydig ddodrefn ar hyd y tŷ, taflai hi a'r plant allan, a chauai y drws ar eu hôl, tyngai a rhegai, nes byddai arswyd ar bawb ei glywed. O'r diwedd, yr hyn a ofnodd a ddaeth iddo; pan yn dychwelyd o dafarn yn feddw iawn, syrthiodd i bwll glo, a bu yno am wythnos cyn ei gael; dywedir iddo fod yn feddw o nos Sadwrn hyd ddydd Iau, gwariodd ei holl gyfrif, bu yn ymladd, a bu yn nghyfeillach merched drwg, a syrthiodd i'r pwll a boddodd, heb fodd i'w gladdu ar ei ôl; yr oedd wedi ei dori allan o'r clwb, ac yn yr agwedd hon yr aeth i dragywyddoldeb at ei Farnwr, a'r wedd dlawd hon gadawodd ei weddw a'i bedwar plentyn bach llwm, tlawd! Bellach nid oes ganddi un ffordd i gael tamaid ond myned i'r *Workhouse* a chael ei hysgaru oddiwrth ei rhai anwyl. Wele, druan anwyl, trwm a thrwm iawn oedd dy aflwydd fyned gyda'r fath anghenfil o ddyn.[67]

Yr oedd goryfed yn peri caledi a dioddefaint, ac yn fwy na dim yn chwalu teuluoedd, a chan mai'r teulu oedd ffynhonnell pob rhinwedd, yr oedd yn anodd gan wŷr y cyfnod faddau i'r sawl a chwalai'r uned honno. Ac yr oedd dylanwad a chyfrifoldeb y fam yn anhraethol fawr; hi oedd 'brenhines yr aelwyd', wedi'r cyfan, yn gofalu am ei gŵr a'i phlant fel ei gilydd. Prin bod ganddi'r hamdden, na'r awydd chwaith, i hel straeon a chlecs ar hyd y tai ymhlith ei chymdogion. Medd Jonah Morgan eto:

> Yn y teulu hwn y gwelir y fam yn coginio ymborth, ac yn gwasanaethu ar ei heithaf er cadw y lleill yn gysurus. Nid ar draws tai y gymdogaeth yn chwilio am newyddion y mae gwraig y teulu dedwydd, ond ar ei heithaf ar ei haelwyd ei hun yn dedwyddu ei phriod a'i phlant. Dywedir y gwna gwraig ddrwg, afradus, daflu mwy allan â llwy de trwy y ffenestr, nag a all y gŵr goreu daflu i mewn â rhaw trwy y drws . . .Os myn y mab ieuanc

> gael teulu dedwydd yn y dyfodol, rhaid iddo chwilio am gymhares dda, yn llawn o elfenau y wraig uchod, yna gall obeithio gweled ganddo yntau deulu dedwydd.[68]

Yr un pwyslais a welir yn *Y Gymraes*, y misolyn a sefydlwyd gan Evan Jones ('Ieuan Gwynedd'), yn arbennig ar gyfer merched. Credai yntau fod angen addysgu merched i gyfrannu'n gymdeithasol fel mamau a gwragedd, a chyhoeddwyd yn ei gylchgrawn gyfarwyddiadau manwl ar gadw tŷ a choginio.[69] Y cartref wedi'r cwbl, lle teyrnasai'r fam, oedd ffynhonnell pob daioni.

> Y cartref ydyw y sefydliad pwysicaf yn yr holl fyd. Yno y derbynia y meddwl dynol yr argraffiadau cyntaf a dyfnaf, ac y dodir sylfaen y cymeriad i lawr. Cartrefi Cymru, i raddau helaeth, sydd yn gyfrifol am gymeriad cenedl y Cymry; os cartrefi digysur a llygredig, gostyngir safon purdeb yn meddwl y genedl, cynefinir ei chwaeth â'r hyn sydd annheilwng a diraddiol, gwneir hi yn egwan a llwfr i wynebu temtasiynau ac anhawsderau, ac yn ddiegni i gymeryd gafael ar yr hyn sydd fawr a da mewn bywyd. O'r ochr arall, os cartrefi dedwydd a da, lle y plenir ac y meithrinir egwyddorion rhinwedd a moes, bydd y dynion a'r merched sydd yn troi allan o honynt i lenwi y gwahanol sefyllfaoedd mewn cymdeithas, yn ddynion a merched cywir a da, teilwng o ymddiried a pharch, yn eofn dros y gwir a'r sylweddol, yn llafurus a diwyd i ragori yn yr hyn sydd wir dda a gwir fawr, a'u bywydau yn lles a bendith i'r byd.[70]

Dyletswydd y fam a'r wraig oedd darparu ar gyfer anghenion ei theulu a hyrwyddo'r gwerthoedd a'r rhinweddau hynny a fyddai'n fodd i sicrhau dedwyddwch teuluol. Y felltith fwyaf, wrth gwrs, oedd gwraig feddw. 'Chwith gweled geneth ieuanc ddiymgeledd yn dyoddef oblegyd tad meddw; chwith gweled gwraig anwyl a ffyddlon yn cael ei dyrnodio a'i throedio gan ŵr meddw; chwith gweled mam dyner, ofalus a duwiol, yn cael ei rhegu a'i mhelldithio gan ei phlentyn meddw; ond cant gwaeth na'r un, yw gweled merch, gwraig, neu fam wedi gwerthu ei hunan yn gaethes waradwyddus i feddwdod, a gwneyd ei hunan yn bla i'w theulu, yn warth i'w chymydogion ac yn llygredigaeth i'r byd', medd un o ohebwyr *Telyn y Plant* ym mis Mai 1861.[71] Delfrydwyd y teulu dirwestol gan nifer o feirdd y fro yn ystod y cyfnod hwn, ac amryw ohonynt, fel

Dynes Feddw, 'Telyn y Plant', Mai 1861.

Evan Gethin o Wauncaegurwen, yn aelodau blaenllaw o'r mudiad dirwest. Cerdd o'i eiddo ef ar y testun 'Dedwyddwch y Teulu Dirwestol' a farnwyd yn orau mewn cyfarfod llenyddol a gynhaliwyd ar y Waun ym mis Mawrth 1860:

Hardd Deulu Dirwestol! Disgrifio ei rin
  Sydd ormod o gamp i awenydd,
'Does neb ynddo'n yfed na gwirod na gwin,
  Nac un alcoholaidd ddiodydd;
Y ddiod ga'dd Adda gan Grëwr y byd
  Pan yn y Baradwys ddaearol
Yw'r ddiod iachusol a yfir bob pryd
  Gan bawb yn y teulu dirwestol.

Hardd Deulu Dirwestol! Pwy ddywed pa faint
  O gysur sydd ynddo yn ffynnu?

Ni faidd annedwyddwch, afiechyd na haint
Y gwirod byth ato ddynesu;
Mae'n llannerch sy'n rhy gysegredig i sawr
Afiachus hen *Bacchus* ddinistriol –
Ni faidd ef anadlu ar fychan na mawr
A drig dan y gronglwyd ddirwestol.

Hardd Deulu Dirwestol! Mor swynol yw sôn
Am rin ei gysuron afrifed.
Rhyw fywyd trydanol a dreiddia trwy'r dôn
Mai da ydyw dwfwr i'w yfed;
Tra'r meddwyn yn gwario ei arian a'i aur
A'i deulu yn dlawd a gresynol,
Gweld cyflym gynyddiad ei gyfoeth a bair
Ddedwyddwch i'r teulu dirwestol.

Hardd Deulu Dirwestol! Pa deulu a fedd
Elfennau dedwyddwch mor gyflawn?
Lle sobrwydd a rhinwedd, duwioldeb a hedd
Wnânt drigo'n un cwlwm cariadlon.
Parhaed ymdrechion gwiw dirwest o hyd
Nes gwawrio y bore dymunol
Pan fydd teuluoedd pedryfan y byd
I gyd yn deuluoedd dirwestol.[72]

Yr oedd darparu adloniant o bob math yn bolisi pendant a bwriadol gan arweinwyr y Gobeithluoedd, oherwydd drwy gynnig mathau gwahanol o ddifyrrwch diniwed, gellid denu plant ac ieuenctid o wahanol dueddiadau a diddordebau. 'Mae plant yn gyffredin, yn wresog gyda rhywbeth yr ymaflont yn galonog ynddo, ac y mae ganddynt fanteision a medr i ddylanwadu ar ei gilydd', medd Evan Griffiths, y gweinidog Annibynnol a'r argraffydd o Abertawe, wrth iddo annerch Cymanfa Ddirwestol Gwent a Morganwg yn Nhreforys ym mis Gorffennaf 1864.[73] Mae'n bwysig cofio, felly, nad mudiad negyddol mohono. Yr oedd iddo wedd gadarnhaol a phositif, a esgorodd, yn ei dro, ar bob math o weithgarwch diwylliannol. Os oedd y mudiad i lwyddo o gwbl, yr oedd yn rhaid iddo ddarparu ar gyfer pawb er denu'r lluoedd i'w rengoedd. Prin y gellid disgwyl i'r areithiau a'r dadleuon dirwestol yn unig gadw'r dychweledigion o fewn y gorlan ddirwestol, ac fel y sylweddolai'r arweinwyr eu hunain, nid y blys am gwrw, o angenrheidrwydd, a ddenai'r yfwr i'r dafarn, yn gymaint â'i awydd i gymdeithasu â'i gyd-weithwyr wedi diwrnod o galedwaith. Yn ogystal â galluogi'r dyn cyffredin i gynilo ac i fyw'n ddarbodus, yr oedd y mudiad dirwest hefyd yn ei alluogi i weithredu'n gymdeithasol. Daeth gweithgareddau seremonïol a gorymdeithiau gwahanol gymdeithasau'r Gobeithluoedd â mesur o drefn a lliw i fywyd undonog y gweithiwr.

O ganlyniad, daeth cynnal gwyliau dirwestol ar raddfa fawr i fri yn y cylch. Bu dyfodiad y rheilffordd a'r *navigators* afreolus i'r ardal yn achos pryder i Phylip Griffiths, ond prin y gwireddwyd ei ofnau, oherwydd drwy gyfrwng y rheilffordd, daeth yn bosib i'r mudiad dirwest gynnal cyfarfodydd ar raddfa eang, a'i alluogi i lwyfannu gwyliau a chymanfa-oedd mawreddog. Fel arfer, gorymdeithiai aelodau'r gobeithluoedd drwy'r ardal dan ganu, gan gyfeirio'u camre tuag at un o gapeli'r fro lle y tradd-odid anerchiadau ar rinwedd dirwest; cenid caneuon dirwestol ac eitemau amrywiol gan y gwahanol gymdeithasau. Nid digwyddiadau syber a difrifol oedd y rhain bob amser, felly, gan fod i'r gwyliau hyn eu defodau a'u seremonïau eu hunain, a braidd y gellir dweud bod i lawer ohonynt drefn filitaraidd bendant gyda'u baneri a'u gorymdeithiau. Er hynny, ni chroesawyd y gwyliau hyn gan bawb. Pan orymdeithiodd mintai o ddir-westwyr Llanelli drwy'r dref ar 20 Gorffennaf 1838, ymhlith y dyrfa a ddaeth i'w gwylio yr oedd gŵr â pheint o gwrw yn ei law, a phlacard o gwmpas ei wddf ac arno'r geiriau *Brandy, Rum and Gin For Me.* 'Ie', medd gohebydd *Y Dirwestwr Deheuol*, 'a dylasit ychwanegu dau air arall – *Poverty and Prison*, ac nid anmhriodol fuasai ychwanegu *Tân Anniffodd-adwy!*'[74]

Aeth dros chwe chant o blant Cymdeithas Ddirwestol Cwmaman ar wibdaith i Landeilo Fawr ym mis Medi 1859, ond nid oedd eu nifer i'w gymharu â'r tair mil a ddaeth ynghyd i'r cyfarfod awyr agored a gynhal-iwyd yn Ystradgynlais y mis Mehefin cynt i wrando ar areithiau dirwestol gan rai o weinidogion yr ardal. Yn ôl yr adroddiad a gyhoeddwyd yn *Telyn y Plant*:

> Cynaliwyd Cymanfa i'r *Bands of Hope* yn Ystradgynlais a'i chyffiniau, dydd Llun, Mehefin 27ain, ar gae Dr Price Glantwrch. Yr oedd deg *band* wedi ymgynull, a'r rheiny yn rhifo yn agos i dair mil. Yr oedd baner fawr

> yn blaenori pob *band*, ac ugeiniau lawer o faneri bychain yn chwifio bob dwy lath neu dair, dros holl linell faith yr orymdaith. Y mae y cae cyfleus yma wedi ei roddi at wasanaeth y *Bands of Hope*, ac esgynlawr gyfleus a pharhaus wedi ei godi arno. Wedi i'r linell hirfaith ddirwyn i mewn dan ganu, ac i'r plant cael lle i eistedd ac ymdreiglo ar y glâs hyfryd, cymerodd Dr Price y gadair ac anerchwyd y cyfarfod gan y cadeirydd a'r gweinidogion. Ar ôl treulio dwy awr ddedwydd ar y cae, gorymdeithiodd y gwahanol gymdeithasau tua'u lleoedd eu hunain i gynal cyfarfodydd yn yr hwyr. Y mae y *Band of Hope* wedi dwyn i mewn gyfnod newydd yn y cwm hwn.[75]

Yr oedd gan gerddoriaeth a chanu corawl yr un swyddogaeth â llenydda a chystadlu ym mhatrwm diwylliannol y mudiad dirwest hefyd. Medd un sylwebydd:

> Y mae cerddoriaeth yn llawforwyn dda i bob diwygiad; ond nid i un yn fwy nag i'r diwygiad dirwestol. Yn y gwyliau dirwestol y blynyddau a aethant heibio yr oedd y corau o wasanaeth dirfawr. Y mae dylanwad gan ganu, nid yn unig i swyno a denu dynion i wrando ar unrhyw beth yn cael ei drin, ond hefyd i beri i'r hyn a ddywedir i gael mwy o argraff ar y meddwl.[76]

Heb unrhyw amheuaeth, William Ivander Griffiths (1830-1910), oedd y gŵr a wnaeth fwyaf i hyrwyddo canu corawl ymhlith dirwestwyr Cwmtawe a rhannau uchaf dyffryn Aman yn ystod y cyfnod hwn. Brodor o Aberafan oedd ef a ddaeth yn gyfrifydd i waith alcan William Parsons ym Mhontardawe, yn niwedd mis Ionawr 1850.[77] Yr oedd eisoes yn adnabyddus fel athro cerdd, ac aeth ati i sefydlu ysgol gân yng nghapel y Methodistiaid Calfinaidd ar Graig Trebannws yn fuan wedi iddo symud i'r cylch. I ŵr fel Ivander Griffiths, a gredai mai ei genhadaeth bwysicaf oedd denu'r tyrfaoedd at gerddoriaeth, un o'r rhwystrau pennaf a'i hwynebai oedd yr anhawster technegol o ddysgu cerddoriaeth. Dyma'r pryd y dyfeisiwyd sawl cyfundrefn a alluogai'r cantorion i ddarllen cerddoriaeth drwy ddefnyddio cyfresi o symbolau a gynrychiolai seiniau'r raddfa. Un o'r arloeswyr cynharaf oedd John Pyke Hullah (1812-1884), awdur *Grammar of Vocal Music* (1843), y gwyddys iddo dreulio cyfnod o rai misoedd yn cynnal dosbarthiadau cerddorol yn Abertawe, a hynny ar gais y diwydiannwr

William Ivander Griffiths.

John Pyke Hullah.

John Henry Vivian.[78] Ni wyddys pa mor gyfarwydd oedd Ivander â '*system* Hullah', fel yr adwaenid hi, ond ceir tystiolaeth bendant iddo fynychu dosbarthiadau cerddoriaeth J. J. Waite, y pregethwr dall, yng nghapel Mount Pleasant, Abertawe, ym 1857. 'Hoffais y drefn', medd ef, 'a mabwysiedais hi am dymor, a chefais ei bod yn hyrwyddiant'.[79] Pregethwr a gweinidog oedd John Curwen (1816-1880) hefyd, a'r gyfundrefn a sefydlwyd ganddo ef, sef y *tonic sol-ffa*, a fu'n gyfrwng i alluogi miloedd lawer o Gymry'r bedwaredd ganrif ar bymtheg i ddarllen cerddoriaeth.[80]

Sefydlodd Ivander Griffiths gôr dirwestol yng Nghwmtawe, a daeth yn gyfeillgar â rhai o brif gerddorion y cyfnod, megis Rosser Beynon o Ferthyr Tudful a John Roberts ('Ieuan Gwyllt'). Ef hefyd a sefydlodd un o'r Gobeithluoedd cyntaf yn yr ardal ym 1853. Yn fuan wedyn, ym 1855, daeth i gyswllt â'r arlunydd a'r cartŵnydd dirwestol enwog George Cruikshank, sef y gŵr a'i cynghorodd ynghylch cynllun baner

Hunanbortread gan George Cruikshank.

fawr sidan swyddogol y côr. Yr oedd George Cruikshank (1792-1878), ymhlith yr amlycaf o ddylunwyr Lloegr yn ystod y bedwaredd ganrif ar bymtheg. Ef oedd William Hogarth ei gyfnod, a cheir darluniau o'i waith ym mhrif gylchgronau Saesneg yr oes, megis *The Scourge*, *The Meteor*, *The Humorist*, *The Comic Almanack*, ac *Ainsworth's Magazine*, heb enwi ond ychydig. Paratôdd gyfres o ysgythriadau ar gyfer *Sketches by Boz*, gan Charles Dickens ym 1836 a 1837, ond ei weithiau enwocaf yw'r cyfresi dirwestol *The Bottle*, 1847, a *The Drunkard's Children*, 1848, ynghyd â'r cartŵn *The Worship of Bacchus: or, the Drinking Customs of Society*, 1862.[81]

Daeth côr Ivander Griffiths i gryn enwogrwydd yn fuan, a phenderfynodd ei arweinydd fentro i'r maes cystadleuol, gan ennill clod mewn eisteddfodau a gwyliau corawl yn siroedd Caerfyrddin a Morgannwg. Caneuon cysegredig a darnau oratorio a genid gan yr aelodau yn ddieithriad, ond dygwyd cyhuddiad difrifol yn eu herbyn gan ohebydd yn dwyn y ffugenw 'Harold' yn *Yr Haul*, y cylchgrawn eglwysig a olygid gan David Owen ('Brutus'), ym 1859:

> Er bod Cymru wedi bod yn yr oesau sydd wedi myned heibio, yn dra difater o'r ddawn canu, erbyn heddyw y mae wedi cyfnewid i raddau helaeth; mae bach a mawr, gwreng a boneddig ar y maes â'u holl egni am berffeithio y ddawn a'r ddysg hon. Nid oes dim braidd i'w glywed mewn tref a gwlad, y bwthyn a'r palas, ond sôn am *system Hullah,* ac yn mhlith manau ereill, mae yr Alltwen mor frwd ag unrhyw le; ac ar ddydd Llun y Pasc diweddaf, cymmerodd y Côr hwn orymdaith tuag Abertawe, i'r dyben o ddangos ychydig *ddisplay* mewn canu. Ac wedi iddynt dreulio'r dydd yn y dref, dygwyddodd iddynt ddychwelyd adref rhwng nos Lun a boreu dydd Mawrth; a blin yw yr hanes, yr oeddent yn debygach i nifer o watwarwyr ar ddydd Gŵyl Sant Antwn Abad nag i broffeswyr crefydd, yn cadw Gŵyl y Pasc – yn debygach i ddosbarth o wallgofiaid, neu *theatricals* yn dyfod adref o rhyw chwareudy, nag i bobl yn eu hiawn bwyll, ar ddydd Gŵyl mor gyssegredig, Gŵyl ag mae yr holl wyliau braidd yn ymostwng er talu gwrogaeth iddi. Aflonyddent breswylwyr y gwestai ar fin y ffordd; bloeddient 'Hosannah i Fab Dafydd', heb na rheol na threfn; yna byddent yn canu math o *response* tra chyssegredig ar y geiriau canlynol: *Wait for the waggon and I'll take a ride.* Syndod i'r ddaiar, gwrided holl Gristionogion y byd, a'r nefoedd a waredo holl gantorion y cread rhag syrthio i'r unrhyw amryfusedd ofnadwy. Mae yn syn meddwl fod y fath haid o dylluanod y nos yn llochesu yn awyrgylch hen batriarch

> defosiynol yr Alltwen – ac yn enw rheswm a chrefydd, dymunir ar y côr hwn a'u tebyg ddysgu ychydig o foeswersi *behaviour from home*, neu gadw allan o glywed pobl o synnwyr cyffredin.[82]

Ond gwadu'r cyhuddiad yn bendant a wnaeth Phylip Griffiths, 'patriarch yr Allt-wen', a phrotestiodd mai 'celwydd noeth heb un iot o naws gwir ynddo' oedd eiddo gohebydd *Yr Haul.* Er i'r gohebydd a Brutus, y golygydd, a oedd, y mae'n amlwg, wrth ei fodd o gael cyfle i bardduo Ymneilltuaeth, barhau i gondemnio Côr yr Allt-wen ar dudalennau'r cylchgrawn am rai misoedd, bu'n rhaid i 'Harold' syrthio ar ei fai, a chyfaddef rai misoedd yn ddiweddarach, nad oedd gronyn o sail i'w gyhuddiadau yn erbyn aelodau o'r côr, ac mai celwydd oedd pob gair o'i adroddiad.[83]

Bu galw mawr am wasanaeth côr Ivander Griffiths mewn gwyliau dirwestol yng Nghwmtawe ac mewn mannau eraill yn ystod y pumdegau, ond dichon mai'r cyfarfod mwyaf a fu o fewn terfynau'r fro, oedd hwnnw a gynhaliwyd ar Fynydd Gellionnen, uwchben Pontardawe, ym mis Medi 1860, pan anerchwyd torf o saith mil o drigolion y cylch, gan Phylip Griffiths, Robyn Ddu Eryri ac eraill. Ac mae'n arwyddocaol iawn mai gwrth-atyniad i Ffair Castell-nedd oedd yr ŵyl ddirwestol hon, megis yr oedd Cymanfa Ganu Flynyddol Annibynwyr rhannau isaf Cwmtawe yn wrth-atyniad i Ffair Llangyfelach yn ddiweddarach.[84]

Ym mis Ebrill 1862 y sefydlodd Ivander Griffiths Gymdeithas Gorawl Dyffryn Tawe, a hynny'n bennaf ar gyfer cystadlu mewn eisteddfod a gynhelid yng Nghaerfyrddin ym mis Gorffennaf y flwyddyn honno. Deuai aelodau'r côr o bentrefi rhannau uchaf Cwmtawe gan fwyaf, – o Gwmgïedd ac Ystalyfera, Cwmllynfell, yr Allt-wen a Phontardawe, ond ehangwyd ei derfynau ychydig yn ddiweddarach i gynnwys pentrefi rhannau isaf y Cwm – Treforys, Glandŵr a Llansamlet, gan chwyddo nifer yr aelodau i bedwar cant. Yn ystod yr union gyfnod hwn y daeth cerddoriaeth Handel i benllanw ei boblogrwydd. Trefnwyd gwyliau cerddorol arbennig yn y Palas Grisial yn Llundain rhwng 1857 a 1868 pan berfformiwyd rhai o brif weithiau'r cyfansoddwr, ac mae'r ffaith i'r rhain ddenu tros chwarter miliwn o wrandawyr yn arwydd diamheuol o boblogrwydd gweithiau Handel ymhlith pobl o bob gradd. Yr oedd yn anochel, felly, y buasai Ivander a Chôr Undebol Dyffryn Tawe yn dod dan ddylanwad y symudiadau newydd hyn, ac y ceid perfformiadau o rai o weithiau Handel yng Nghwmtawe yn y man. Yn dilyn llwyddiant y Côr yn Eisteddfod Caerfyrddin ym 1862, felly, mynegodd nifer o'r aelodau ddiddordeb mewn perfformio oratorio, a dewiswyd *Messiah*, Handel. Aethpwyd ati â chryn frwdfrydedd i gynnal ymarferiadau cyson yn ystod haf 1862, gyda'r arweinydd yn ymweld â gwahanol adrannau o'r Côr led-led Cwmtawe. Cafwyd y perfformiad cyntaf yng nghapel y Pant-teg, Ystalyfera, ym mis Ionawr 1863, ac fe'i dilynwyd wedyn gan berfformiadau yng Nghlydach ac yn Abertawe.[85]

Aeth Cymdeithas Gorawl Dyffryn Tawe o nerth i nerth yn dilyn y perfformiadau hyn, ac fe'i hystyrid yn un o'r lluosocaf a'r mwyaf grymus o'i bath yn ne Cymru. Yr oedd i'r mudiad ei oblygiadau cymdeithasol hefyd, oherwydd bu'n fodd i ddwyn cantorion gwahanol bentrefi'r ardal at ei gilydd i gyfnewid syniadau a datblygu doniau. Ac er gwaetha'r llwyddiant a ddaeth i ran y Gymdeithas yn y cyfnod hwn, ni chaniataodd Ivander i'r aelodau anghofio mai mudiad crefyddol ydoedd yn y bôn. Yr oedd yn bolisi ganddo eu hatgoffa o bryd i'w gilydd mai fel côr dirwestol y cychwynnodd y Gymdeithas ym mhumdegau'r ganrif. I Ivander, yr oedd perfformio gweithiau cysegredig fel y rhain yn estyniad o amcanion y mudiad dirwest. Yr oedd yn fodd i hyrwyddo duwioldeb ymhlith trigolion cymdeithas ddifreintiedig, a chyfaddefodd yr arweinydd ei hun, yn sgîl y perfformiad cyntaf o'r *Messiah* yn yr ardal ym 1863, y 'rhoddai testun y gân fawredd annileadwy ar y gwaith, ac nid anghofir fyth yr argraff gysegredig a gafodd y draethgan anghydmarol hon ar y sawl a fu'n ymwneud â hi'.[86] At hynny, yr oedd y meistri glo a haearn, fel J. Palmer Budd o Ystalyfera, a William Parsons o Bontardawe, yn fwy na pharod i estyn eu nawdd i unrhyw beth a ddyrchafai chwaeth y dosbarth gweithiol. Yr oedd bod yn aelod o gôr yn fodd i feithrin a chynnal ymdeimlad o hunan-barch, a rhoddai gyfle i'r unigolyn a'r gymdeithas fel ei gilydd roi mynegiant i'w delfrydau a'i gobeithion.

Ymadawodd Ivander Griffiths â Chwmtawe ym 1867 pan symuodd i weithio yng ngwaith haearn Francis Crawshay yn Nhrefforest. Yna prynodd waith haearn ac alcan Derwent, ger Workington, yng ngogledd-orllewin Lloegr ym 1869. Megis y digwyddodd yn ardaloedd Middlesbrough a Stockton-on-Tees yn ystod yr un cyfnod, mudodd cannoedd o Gymry cymoedd Morgannwg i Workington, ac yno ym 1872 y sefydlodd Ivander Eisteddfod flynyddol lwyddiannus. Bu dylanwad Ivander Griffiths yn fawr yng Nghwmtawe. Bu ei gymhelliad i ddefnyddio talentau lleol yn gyfrwng i feithrin traddodiad cerddorol anrhydeddus yn y cylch, a daeth bri ar ddosbarthiadau tonic sol-ffa, y gymanfa ganu a'r gyngerdd gysegredig. Ef a fu'n bennaf cyfrifol am feithrin cantorion fel Hopkin Hopkin o Wauncaegurwen a Lewis Anthony o Gwmaman, dau ŵr a fu'n brif hyrwyddwyr corau dirwestol yn ardal dyffryn Aman. Daeth Lewis Anthony, yn ddiweddarach, yn arweinydd y gân yng nghapel Ebenezer, Abertawe, cyn iddo ymfudo i Hubbard, Ohio, ym 1867, ac yna i Wilkesbarre, Pennsylvania, lle sefydlodd gôr llwyddiannus.[87] Yr oedd Hopkin Hopkin yn gerddor o gryn fedr hefyd, ac yn ei gartref ar WaunCaegurwen yr arferai rhai o feirdd y cylch gyfarfod i drafod llên a chân. Canodd Evan Gethin gân i Hopkin Hopkin, a disgrifir ynddi brif nodweddion yr arweinydd dirwestol canol y bedwaredd ganrif ar bymtheg:

Os ydyw'r ymdrechgar yn deilwng o glod,
  Os dylid cydnabod y dyfal,
I Hopkin, Waunleision, yn deilwng mae'n dod
  Ar gyfrif ei lafur dihafal.
Mae hwn yn cysegru ei amser a'i ddawn
  Yn hollol er lles ei gymdogaeth,
Gan ffyddlon ymroddi o fore hyd nawn
  I goethi ei phlant mewn cerddoriaeth.

Mae pawb o'r cantorion, yn fawr ac yn fân
  Yn rhoddi i Hopkin flaenoriaeth,
A'i gymeradwyo fel blaenor y gân
  Yn deilwng o uchel ganmoliaeth;
A phlant y Gobeithlu yn un a chytun
  A'i hurddent yn deyrn y cantorion,
Gan faint eu hanwyldeb a'u cariad pur, cun,
  At flaenor eu byddin gariadlon.[88]

Ym mis Gorffennaf 1902, ddeugain mlynedd wedi sefydlu Cymdeithas Gorawl Dyffryn Tawe, trefnwyd cyfres o gyfarfodydd i ddathlu'r achlysur ym Mhontardawe, a chafwyd aduniad mawr o'r gwŷr a'r gwragedd a oedd yn weddill o aelodau'r côr. Gwahoddwyd Ivander Griffiths i'r cyfarfodydd hyn a chyflwynwyd cyfarchiad goliwiedig iddo gan ei hen gantorion.[89]

Y cyfarchiad goliwiedig a gyflwynwyd i
Ivander Griffiths ym Mhontardawe ym 1902.

Aduniad aelodau Cymdeithas Gorawl Dyffryn Tawe, 1902.

Etifeddion y traddodiad a gychwynnwyd gan Ivander Griffiths oedd cerddorion fel D. W. Lewis, Brynaman, a oedd ymhlith arloeswyr cyfundrefn y tonic sol-ffa yn ne Cymru, Gwilym R. Jones, arweinydd Cymdeithas Gorawl Rhydaman, a W. D. Clee, arweinydd Côr Mawr Ystalyfera, ynghyd â chantorion fel John David Smith (Barry Lindon) a Ben Davies o Bont-ardawe, – y ddau yn berfformwyr o gryn enwogrwydd y tu allan i'w cylchoedd cyfyng hwy eu hunain. Esgorodd y bywiogrwydd hwn ar fath arbennig o ddiwylliant a oedd yn unigryw Gymreig a Chymraeg, – y corau mawr, y cymanfaoedd canu a'r eisteddfodau; yr oedd yn ddiwylliant cyfoethog, yn ddeinamig ac yn egnïol. Diwylliant torfol a phoblogaidd ydoedd yn yr ystyr taw gweithwyr cyffredin oedd ei brif gynheiliaid. Ond yr oedd hefyd yn ddiwylliant cenedlaethol yn yr ystyr bod gan ardaloedd eraill Cymru eu harweinwyr dirwestol fel Phylip Griffiths, Thomas Levi ac Ivander Griffiths. Ffurfiwyd Cymanfa Gerddorol Ddirwestol Gwent a Morgannwg ym 1853, ac Undeb Gerddorol Dirwestwyr Ardudwy ym 1867, a bu gwŷr fel Rosser Beynon, Merthyr Tudful, John Mills, Llanid-loes, a Chadwaladr Jones, Trawsfynydd, yr un mor frwd a dylanwadol yn eu cenhadaeth tros ddirwest yn eu hardaloedd hwy.

'Da fyddai rhoi arferiad newydd yn lle yr hen', medd Phylip Griffiths yn *Y Diwygiwr*, wrth drafod un o arferion gwerin y fro ym 1840. Erbyn 1857, fodd bynnag, yr oedd amryfal weithgareddau'r Gobeithluoedd yn graddol ddisodli'r cwrwau bach a'r pasteiod. Ym mis Ebrill y flwyddyn honno, cyhoeddwyd llythyr ar dudalennau *Y Cenhadwr Americanaidd* (cylchgrawn misol yr Annibynwyr Cymraeg yn America), sy'n awgrymu bod cryn newid wedi digwydd ym moesau ac arferion trigolion cwr dwyreiniol maes y glo carreg. Llythyr ydyw a anfonwyd at y Parchedig Thomas Edwards, brodor o ddyffryn Aman a fu'n weinidog yn Pitts-burgh, Pennsylvania er 1834, a'i awdur oedd neb llai na Phylip Griffiths ei hun, ac meddai:

> Mae'r boblogaeth gwedi cynyddu mor fawr, ac o ganlyniad mae yma fwy o waith; mae'r Efengyl wedi gwastadhau llawer ar y wlad, – a rhaid cael pregeth mewn angladd, bedydd a phriodas yn awr, ac mae yma areithio ar ddirwest, darlithiau, *concerts* gyda'r corau a chyfarfodydd cystadleuol, – yn wir, llawer o bethau nad oeddynt yn bod pan oeddech chwi yn byw yma. Mae'r gwaith yn bleser ac yn talu ei ffordd yn dda.[90]

'Yr oedd yn ddyn pur, a chadwodd ei gymeriad yn lân mewn oes lygredig', medd John Thomas, Lerpwl, am Phylip Griffiths. 'Pan ddaeth dirwest i'r wlad yr oedd yn un o'r rhai cyntaf i gymeryd â hi, ac yr oedd ganddo fedr i drin drygau ac arferion drwg yr oes'.[91] Fe'i cyfrifid hefyd yn bregethwr gwreiddiol, a bu galw mynych arno yn nyddiau cynnar ei weinidogaeth, i bregethu yn uchelwyliau'r Annibynwyr yn ne a gogledd Cymru fel ei gilydd.[92] Yr oedd hefyd yn fwy na chyfarwydd â rhai o hoelion wyth yr Annibynwyr, a gwyddys bod gan William Rees ('Gwilym Hiraethog'), John Thomas, Lerpwl a Thomas Rees, Abertawe, feddwl mawr ohono. Treuliodd drigain mlynedd ar yr Allt-wen, a bu farw ddechrau mis Ionawr 1882 yn 89 oed.

Wrth iddo anrhegu Phylip Griffiths â thysteb ym 1867, honnodd Howell Gwyn na ddaeth yr un achos o feddwdod o'r Allt-wen ger ei fron ef tra bu'n eistedd ar fainc yr ynadon yng Nghastell-nedd. Y mae'n anodd iawn llyncu'r gosodiad hwn, ond mae'n honiad arwyddocaol iawn, serch hynny. Yr oedd Phylip Griffiths yn ŵr o argyhoeddiadau cryfion, a chanddo bersonoliaeth rymus. Credai fod ganddo genhadaeth i ddiwyllio'i ardal yn ystyr lythrennol y gair, ac yr oedd ymosod ar ddrygau'r oes, condemnio anghymedroldeb a chanmol rhinweddau'r bywyd dirwestol, yn ogystal ag annog ei gynulleidfa i ymuno â'r cymdeithasau cyfeillgar, yn rhan annatod o'i swyddogaeth fel gweinidog. Ac ar un ystyr, yr oedd ymhlith diwygwyr cymdeithasol cyntaf ei ardal.

NODIADAU

1. Dafydd Gibbs ('Carn Alun'), 'Cyflwyniad Tysteb i'r Parch. P. Griffiths, Alltwen', *Y Gwladgarwr*, 19 Ionawr 1867. Cyhoeddwyd hefyd yn *Y Diwygiwr*, 32 (Chwefror 1867), 58-60.
2. Am fanylion bywgraffyddol, gweler: Samuel Thomas, 'Atgofion am yr Hybarch Phylip Griffiths, Alltwen', *Y Dysgedydd*, 74 (Mawrth 1895), 111-15; (Awst 1895), 317-19; (Medi 1895), 341-4. Idem, *Cofiant y Parch. Phylip Griffiths, Alltwen* (Treffynnon, 1902). Edrydd Gwilym Evans beth o'i hanes yn Ysgol Y Neuadd-lwyd yn 'Trem yn Ôl', *Y Tyst*, 10 Rhagfyr 1936.
3. Owen Thomas a J. Machreth Rees, *Cofiant y Parchedig John Thomas D.D., Liverpool* (Llundain, 1898), 156-7.
4. Ar dwf diwydiannol yr ardal, gweler Roger Thomas, *Traethawd ar Ddechreuad a Chynydd Gweithiau Haearn a Glo Ynyscedwyn ac Ystalyfera* (Abertawe, 1857); John H.

Davies, *History of Pontardawe and District* (Llandybïe, 1967); D. Hugh Thomas, 'The Industrialisation of a Glamorgan Parish', *Cylchgrawn Llyfrgell Genedlaethol Cymru*, 19 (Gaeaf 1975), 194-208; (Haf 1976), 227-42; (Gaeaf 1976), 345-61; Huw Walters, 'Cyrchfan Pobloedd', yn *Canu'r Pwll a'r Pulpud: Portread o'r Diwylliant Barddol Cymraeg yn Nyffryn Aman* (Abertawe, 1987), 19-38.

5. Ceir disgrifiad llyfryddol manwl o'r *Diwygiwr* gan Huw Walters yn *Llyfryddiaeth Cylchgronau Cymreig, 1735-1850* (Aberystwyth, 1993), 25-6. Gweler hefyd y bennod '*Y Diwygiwr* a'i Gynnwys', yn Iorwerth Jones, *David Rees, Y Cynhyrfwr* (Abertawe, 1971), 76-87.
6. T. H. Lewis, 'Atgofion Teuluol: Fy Mam-gu a'i Thad', *Y Dysgedydd*, 155 (Ionawr 1935), 12-13.
7. 'Cymro Diegwyddor', *Y Gwladgarwr*, 25 Mawrth 1871. Croniclir rhai o'i fuddugoliaethau eisteddfodol yn 'Eisteddfod Pontardawe', *ibid.*, 3 Ionawr 1863; 'Eisteddfod Llandybïe', *Y Byd Cymreig*, 26 Mai 1864. Lladdwyd Ifan Nathaniel gan drên yng ngorsaf reilffordd Glanaman, yn hwyr nos Sadwrn, 4 Chwefror 1905. Gweler 'Damwain Angeuol yn Glanaman', *Y Celt*, 10 Chwefror 1905; Watcyn Wyn, 'Diwedd Hen Gerddor', *Y Diwygiwr*, 69 (Mawrth 1905), 98.
8. 'Meillionog', 'Llangyfelach', *Y Tyst a'r Dydd*, 22 Mawrth 1872. Yr un oedd tystiolaeth gohebydd arall am y Ffair, saith mlynedd ar hugain yn ddiweddarach: 'Cymanfa ffigys a gwlenyn ydoedd, ac ydyw i raddau eto, ac nid oedd ail iddi drwy yr holl wlad am boblogrwydd. Pe gofynasid i hen drigolion y plwyf a'r cylchoedd flynyddau yn ôl, beth byddai byd heb Ffair Llangyfelach, atebasent mai salw iawn fuasai. Y fath gyffro a dyddordeb a greai hi y dyddiau hyny. Atelid gweithfaoedd am y dydd, cauid yr ysgolion, gadawai y wraig y tŷ a'r gŵr ei orchwyl er mwyn bod yn brydlon yno. Carlamai meirch gyda'u llwythi tua'r lle, a mawr berygl bywyd oedd ymdeithio ar y ffordd pan ddeuai amser dychwelyd. Profai y gyrwr fod rhywbeth heblaw gwlenyn a ffigys yn y Ffair, ac ni fuasai ei ofal yn fawr am beth a wnâi â bywydau fforddolion ar ei wibdaith yn ôl. Nis gellir rhoddi yma syniad prin am ofereddd yr ŵyl wagedd hon'. Gweler: 'Cymanfa Ganu' [sef adroddiad am Gymanfa Ganu Eglwysi Annibynnol Godre Cwmtawe], *Y Cerddor*, 11 (Mehefin 1899), 67.
9. Gwilym H. Thomas, 'Ffair Llangyfelach', *Cymru*, 19 (Tachwedd 1900), 329-30.
10. Ifor Cwm Gwŷs, 'Ffair Llangyfelach', *Difyrion Meddyliol* (Pontypridd, 1866), 18-21.
11. Daniel Dafydd Amos, 'Anlladrwydd, Neu Buteindra', *Y Diwygiwr*, 16 (Mehefin 1851), 172. Cymharer sylwadau Thomas Rees, yr hanesydd o Abertawe, mewn darlith a draddodwyd ganddo yn Eisteddfod Abertawe ym mis Medi 1863: 'Detained at the fairs to a late hour by company, amusements, and other temptations, many half intoxicated young men on their return home venture to take such liberties with their female companions as their consciences and sense of propriety would not have permitted them to take at other times. The fairs have proved occasions of disgrace and ruin to thousands of our young people'. Gweler 'The Alleged Unchastity of Wales', yn *Miscellaneous Papers on Subjects Relating to Wales* (London 1867), 34. Gweler hefyd Trefor M. Owen, 'Caru yn y Ffeiriau yn y Ganrif Ddiwethaf', *Medel*, 2 (1985), 27-31. Ceir y disgrifiad gorau, a'r bywiocaf o ddigon, o un o ffeiriau Cymru yng nghanol

y bedwaredd ganrif ar bymtheg, gan 'Hen Ffeiriwr', sef John Beynon o Ferthyr Tudful, un o frodyr y cerddor Rosser Beynon ('Asaph Glan Taf'). Dyfarnwyd ei draethawd ar 'Hanes Ffair y Cefn', sef Cefncoedycymer, yn orau yn un o eisteddfodau Merthyr Tudful, ac fe'i cyhoeddwyd yn *Y Diwygiwr*, 22 (Gorffennaf 1858), 200-6. Fe'i cymeradwywyd yn frwd gan y beirniad, a awgrymodd 'y dylai arolygwyr holl Ysgolion Sabothol Merthyr a'r cylchoedd, feddwl am ryw gynllun er ei roddi yn nwylaw cynifer ag sydd yn ddichonadwy. Bydd cyfeillion crefydd a moesoldeb dan rwymau mawr i'r "Hen Ffeiriwr"'. Gweler *ibid.*, 200.

12. Watcyn Wyn, 'Rhai o Hen Arferion Dyffryn Aman', *Y Geninen*, 20 (Ebrill 1902), 144. Trafodir yr arferion hyn mewn rhannau eraill o Forgannwg gan Allan James, 'Arferion Elusennol', *Diwylliant Gwerin Morgannwg* (Llandysul, 2002), 257-74.
13. Daniel Dafydd Amos, 'Pasteiod', *Y Diwygiwr*, 4 (Awst 1839) 231-2. Llawenhau bod yr arfer o gynnal pasteiod yn edwino yn yr ardal oedd byrdwn ei neges ddwy flynedd yn ddiweddarach yn 'Pasteiod yn y Darfodedigaeth', *ibid.*, 6 (Mai 1841), 146-7. Bu Watcyn Wyn mewn cwrw bach ym Mrynaman fwy nag unwaith, a'r tro cyntaf pan oedd yn grwt saith mlwydd oed. Gweler *op. cit.*, 143-4; J. Gwili Jenkins, gol., *Adgofion Watcyn Wyn* (Caerdydd, 1907), 6.
14. Morgan Philip, 'Cwrw Bach', *Seren Gomer*, 19 (Mai 1836), 137.
15. 'Dyfais Ddieflig', *ibid.*, 18 (Ebrill 1835), 126; 31 (Gorffennaf 1848), 221.
16. Dafydd Henry ('Myrddin Wyllt'), *Pryddest, Neu Hanesgerdd ar Ddull Dygiad Priodasau Ymlaen yn y Ddwy Ganrif Ddiweddaf* (Llanidloes, 1859). Un o gerddi arobryn Eisteddfod Ystradgynlais, 1859, oedd hon. Brodor o Langyndeyrn yn sir Gaerfyrddin, oedd Dafydd Henry, ei hawdur; bu'n weinidog yn y Cymer a Glyncorrwg cyn iddo symud i Ben-y-groes ym mhlwyf Llanfihangel Aberbythych ym 1859. Gweler George Brynmor Thomas, *Llwybrau Llafur: Hanes Eglwys Annibynnol Milo, Llanfihangel Aberbythych* (Abertawe, 1968), 41-3.
17. Daniel Dafydd Amos, 'Annuwioldeb y Priodasau', *Y Diwygiwr*, 6 (Mawrth 1841), 78-80.
18. Idem, 'Claddu y Marw', *ibid.*, 5 (Mehefin 1840), 176-8. 'Cof genym glywed hen bobl yn dweyd eu bod hwy yn cofio cludo cyrff o Rhosamman, Gwterfawr, Cwmllynfell a Chwmtwrch, ac wedi cyrhaedd a gosod y marw yn y bedd, i'r Maendy â hwy i yfed llonaid bola o'r dwfr coch, a chyn gwasgaru, mynych y cawsid pwt o *fattle*', medd Joshua Lewis, yn ei ymdriniaeth â hen eglwys y plwyf, Llangïwg. Gweler *Hanes y Gwrhyd* (Ystalyfera, 1897), 50. Ceir nifer o astudiaethau gan Catrin Stevens ar arferion claddu'r bedwaredd ganrif ar bymtheg yn: 'The Funeral Wake in Wales', *Folk Life*, 14 (1976), 27-45; *Cligieth, C'nebrwn ac Angladd* (Llanrwst, 1987); 'Yr Hen Ffordd Gymreig o Farw a Chladdu', yn Geraint H. Jenkins, gol., *Cof Cenedl: Ysgrifau ar Hanes Cymru, IX* (Llandysul, 1994), 97-128; 'The Funeral Made the Attraction': The Social and Economic Functions of Funerals in Nineteenth Century Wales', yn Katie Gramich ac Andrew Hiscock, gol., *Dangerous Diversity: The Changing Faces of Wales* (Cardiff, 1998), 83-104.
19. Daniel Dafydd Amos, 'Y Gwyliau yn Morganwg', *Y Diwygiwr*, 10 (Chwefror 1845), 51-2.
20. Idem, 'Claddu y Marw', *ibid.*, 5 (Mehefin 1840), 177.

21. Idem, *Cofiant y Diweddar Barch. Daniel Griffiths, Soar, Castellnedd, Swydd Forganwg* (Llanelli, 1847), 38-9. Bu terfysg yn angladd Daniel Griffiths pan ddylifodd miloedd lawer o drigolion Morgannwg i dref Castell-nedd brynhawn ei arwyl. Ataliwyd yr angladd rhag cyrraedd capel Soar gan y dyrfa enfawr a ddaeth ynghyd, a sylweddolwyd bod nifer o'r galarwyr mewn perygl, gan gymaint oedd gwasgfa'r dorf. Bu'n rhaid i'r mwyafrif o'r saith gweinidog ar hugain a oedd yn bresennol fynd i mewn i'r capel drwy'r ffenestri, ond adferwyd trefn pan apeliwyd ar y dyrfa gan un o'r gweinidogion a maer y dref, i agor llwybr i'r corff a'r galarwyr gael mynediad i'r capel. Gweler *ibid.*, 36.
22. E. R. Lewis ('Iorwerth Callestr'), 'Ymweliad â'r Alltwen, Cwmtawe, Cartref y Parch. Philip Griffiths', *Y Cenhadwr Americanaidd*, 26 (Tachwedd 1865), 319-21.
23. Owen Thomas a J. Machreth Rees, *op. cit.*, 118-19.
24. W. Rhys Lambert, 'Drink and Work-Discipline in Industrial South Wales c.1800-1870', *Cylchgrawn Hanes Cymru*, 7 (1975), 289-306.
25. Cafwyd trafodaeth ar yr arferion hyn gan Thomas Davies, Treforys yn 'Effeithiau Niweidiol Diota yn Fwyaf Neillduol yn Ngweithfeydd Cymru, Buddugol yn Eisteddfod Abertawe, 1863', *Yr Eisteddfod*, 2 (Ebrill 1865), 1-13. Gweler hefyd J. Dyfnallt Owen, 'Yr Hen Ardal: Coel ac Arfer', yn *Rhamant a Rhyddid* (Llundain, 1952), 11-14; Lynn Davies, 'Aspects of Mining Folklore in Wales', *Folklife*, 9 (1979), 79-107.
26. 'Rhostio Dyn yn Fyw yn Ystradgynlais: *Fetching* Ddrud', *Y Gwladgarwr*, 26 Tachwedd 1859.
27. 'Trem Tros Ysgwydd', *The Amman Valley Chronicle*, 8 Ionawr 1914. Nid oedd yr arfer hwn yn gyfyngedig i faes glo'r de yn unig, oblegid yr oedd 'St Monday', fel y gelwid dydd Llun cynta'r mis yn ardaloedd gogledd Lloegr, yn achlysur o bwys yng nghalendr y gweithwyr yno. Gweler James Walvin, *Leisure and Society, 1830-1850* (London, 1978), 33-5.
28. 'Y mae y cyfarfod hwn yn anghymeradwyo yn y modd mwyaf pendant, ymddygiad y rhan hono o weithwyr glofa y *Raven*, Cwmaman, y rhai sydd wedi caniatau ail-godi yr hen arferiad iselwael o *slwdjo* tyrn dechreu y mis yn ddi-dâl arianol, dim ond cael boled o gwrw ar ddiwedd y dydd'. Gweler Enoch Rees, 'Cyfarfod Dosparth y Glo Carreg', *Tarian y Gweithiwr*, 5 Awst 1886.
29. Daniel Dafydd Amos, 'Myned o'r Addoliad i'r Dafarn ar y Sabboth', *Y Diwygiwr*, 4 (Tachwedd 1839), 323-5.
30. 'Cyfarfod Neillduol yn yr Alltwen', *ibid.*, 13 (Chwefror 1847), 50-1.
31. *Ibid.*, 50.
32. 'Adroddiad Trydedd Gymmanfa Ddirwestol Deheubarth Cymru', *Y Dirwestydd Deheuol*, 1 (Medi 1840), 7-11.
33. Ceir trafodaeth ar yr helynt rhwng y cymedrolwyr a'r llwyrymwrthodwyr, gan Glyn M. Ashton, 'Dirwest Ynteu Llwyrymwrthod?', *Y Traethodydd*, 123 (Gorffennaf 1968), 128-35.
34. John Thomas, *Jubili y Diwygiad Dirwestol yn Nghymru* (Merthyr Tydfil, 1888); W. Rhys Lambert, *Drink and Sobriety in Victorian Wales c.1820-1895* (Cardiff, 1983); Islwyn Jones, *'Gwell yw Dŵr i Gylla Dyn': Bras-olwg ar Hanes Dirwest yng Nghymru yn y Bedwaredd Ganrif ar Bymtheg* (Caerdydd, 1986); David J. V. Jones, *Crime in Nine-*

teenth-Century Wales (Cardiff 1992), 89-94. Gweler hefyd Brian Harrison, *Drink and the Victorians: The Temperance Question in England, 1815-1872* (London, 1971).

35. R. Tudur Jones, *Yr Undeb: Hanes Undeb yr Annibynwyr Cymraeg, 1872-1972* (Abertawe, 1975), 166.
36. Trafodir cylchgronau dirwestol y cyfnod gan Huw Walters, 'Y Wasg Gyfnodol Gymraeg a'r Mudiad Dirwest, 1835-1850', *Cylchgrawn Llyfrgell Genedlaethol Cymru*, 28 (1993-1994), [153]-95.
37. 'It would be wrong to treat this literature merely as an entertaining by-way; as yet another absurdity born of "Victorian" moral earnestness. For here is one of the many "publics" which made up mid and late-Victorian public opinion. By the 1860's the temperance world had become one of the social forces with which politicians had to reckon when shaping their legislation'. Brian Harrison, '"A World of Which We Had No Conception": Liberalism and the English Temperance Press, 1830-1872', *Victorian Studies*, 13 (December 1969), 125-58.
38. Ceir disgrifiad llyfryddol manwl o *Yr Adolygydd* gan Huw Walters yn *op. cit.*, 1.
39. John Thomas, *op. cit.*, 174-5.
40. R. Tudur Jones, *Hanes Annibynwyr Cymru* (Abertawe, 1966), 215.
41. Beriah Gwynfe Evans, 'Rhamant Brwydr Dirwest Gynt: Yr Eglwysi, y Gweinidogion a Dirwest', *Y Tyst*, 29 Hydref 1925. Cofiai'r Parchedig Dafydd Bowen, Llandeilo, gŵr a godwyd i'r weinidogaeth yn eglwys Annibynnol Gellimanwydd, Rhydaman, mai swllt a pheint o gwrw oedd y tâl a roddid i bregethwr anurddedig, eithr rhoddid deuswllt a chwart o gwrw i'r pregethwr a oedd wedi ei urddo. Gweler ei atgofion 'Drwy Sbectol Atgof', yn D. Tegfan Davies, gol., *Llawlyfr Undeb yr Annibynwyr Cymraeg: Cyfarfodydd Rhydaman, 1927* (Rhydaman, 1927), 92.
42. Gweler Owen Thomas a J. Machreth Rees, *op. cit.*, 90-4.
43. 'Cwyn Dirwestwyr Merthyr Tydfil', *Yr Athraw: Sef Cylchgrawn Llenyddol a Dirwestol*, 2 (Mehefin 1837), 122.
44. Ceir trafodaeth fywiog a dadlennol ar yrfa drofáus David Davies, ac ar agweddau trigolion pentrefi godre Cwmtawe a'r cylch tuag at y ddiod, gan Dr Roberts yn 'Davies y Binder', *Trafodion Anrhydeddus Gymdeithas y Cymmrodorion*, 1985, 187-229. Gweler hefyd Idem, 'Diwylliant y Ffin,' yn Hywel Teifi Edwards, *Cwm Tawe* (Llandysul, 1993), 45-80.
45. T. Esger James, 'Y Parch. William Thomas, Bwlchnewydd', *Y Tyst*, 3 Tachwedd 1938. Bu llythyru cyson yng ngholofnau'r *Tyst* rhwng J. Bodfan Anwyl, olynydd William Thomas yn eglwys y Bwlchnewydd, a T. Esger James, yn ystod misoedd Medi, Tachwedd a Rhagfyr 1938 ynghylch mynych wendid William Thomas. Fodd bynnag, ni sonnir yr un gair am yr helyntion hyn yn yr adran ar William Thomas, yng nghronicl swyddogol yr eglwys gan Glyn Davies, *Hanes Eglwys Annibynnol Bwlchnewydd* (Bwlchnewydd, 1996), 52-3.
46. Yr oedd gan Rhys Pryse, Cwmllynfell, wybodaeth arbenigol am y corff dynol, ac fel llysieuydd o gryn allu, cyfrannodd nifer o erthyglau ac ysgrifau i'r wasg gyfnodol yn trafod llwyrymwrthod â diodydd meddwol. Gweler, er enghraifft y cyfraniadau a ganlyn: 'Dirwest', *Y Diwygiwr*, 12 (Mai 1847), 133-9; 'Iechyd', *ibid.*, 13 (Mawrth

1848), 76-81; 'Llysieuaeth', *ibid.*, 13 (Gorffennaf 1848), 208-211; 17 (Mehefin 1852), 173-5; 17 (Awst 1852), 238-40; 17 (Medi 1852), 269-72. 'Gair at y Cleifion', *Y Drysorfa Gynnulleidfaol*, 1 (Tachwedd 1843), 218-21; 'Llysieuaeth', *ibid.*, 3 (Mai 1845), 103-5; 3 (Mehefin 1845), 128-9; 3 (Gorffennaf 1845), 174-5; 3 (Medi 1845), 203-4; 3 (Tachwedd 1845), 227-8; 3 (Rhagfyr 1845), 277-8. Ysgrifennodd *Y Llysieulyfr Teuluaidd* ar y cyd ag Evan Griffiths, Abertawe, a chafwyd sawl argraffiad o'r gwaith rhwng 1849 a 1890.

47. Am weithgarwch rhai o'r gweinidogion hyn ynglŷn â'r mudiad dirwest, gweler y gweithiau a ganlyn: Thomas Davies, *Cofiant y Diweddar Barch. T. Jenkins, Penygroes* (Llandeilo, 1857); William Thomas, *Cofiant y Parch. Rhys Pryse, Cwmllynfell* (Llanelli, 1872), 71-7.
48. Gweler Thomas Levi, 'Cwm Tawy: IV, Prydyddion a Rhigymwyr', *Y Traethodydd*, 24 (Ionawr 1869), 31. Cyfrannodd Thomas Levi gyfres o erthyglau i'r *Traethodydd* rhwng 1865 a 1869 lle y croniclodd nifer o arferion gwerinol yr ardal, ynghyd â chynnyrch prydyddol rhai o rigymwyr a baledwyr Blaenau Cwmtawe. Yr astudiaeth orau a chyflawnaf o fywyd a gwaith Thomas Levi yw eiddo Dafydd Arthur Jones, *Thomas Levi* (Caernarfon, 1996).
49. John Thomas, *op. cit.*, 123. Ffurfiwyd undeb o gymdeithasau dirwestol Cwmaman, Gwauncaegurwen a Brynaman ym mis Tachwedd 1859. Gweler *Y Gwladgarwr*, 19 Tachwedd 1859.
50. 'Cymmanfa Ddirwestol Deheudir Cymru', *Y Dirwestwr Deheuol*, 6 (Gorffennaf 1838), 46-7; John Thomas, *op. cit.*, 125.
51. Adroddir yr hanes yn y gweithiau a ganlyn: R. Tayler, *The Hope of the Race* (London, 1946); Brian Harrison, *op. cit.*, 178-9; Norman Longmate, 'The Band of Hope', yn *The Water Drinkers: A History of Temperance* (London, 1968), 121-33; Lilian Lewis Shiman, 'Come All Ye Children', yn *Crusade Against Drink in Victorian England* (London, 1988), 134-55.
52. Ceir ymdriniaeth ag ethos y mudiad gan Lilian Lewis Shiman, 'The Band of Hope Movement: Respectable Recreation For Working-class Children', *Victorian Studies*, 17 (September 1973), 49-74. Gweler hefyd Peter Bailey, '"A Mingled Mass of Perfectly Legitimate Pleasures": The Victorian Middle Class and the Problem of Leisure', *ibid.*, 21 (Autumn 1977), 7-28.
53. R. Tudur Jones, *Ffydd ac Argyfwng Cenedl. Cristionogaeth a Diwylliant yng Nghymru, 1890-1914. Cyfrol 2: Dryswch a Diwygiad* (Abertawe, 1982), 258.
54. Disgrifir y ddau gylchgrawn hyn yn Huw Walters, *Llyfryddiaeth Cylchgronau Cymreig, 1735-1850* (Aberystwyth, 1993), 24-5. Mae'r ddau deitl, fel ei gilydd, yn gloddfeydd gwerthfawr o wybodaeth am dwf a datblygiad dirwest yng nghymoedd y de yn niwedd tridegau a dechrau pedwardegau'r bedwaredd ganrif ar bymtheg. Ceir ymdriniaeth â gweithgarwch Rees tros ddirwest ym mhennod Iorwerth Jones, 'Dirwestwr', yn *David Rees Y Cynhyrfwr* (Abertawe, 1971), 287-97.
55. 'Anerchiad', *Telyn y Plant*, 1 (Mai 1859), 7-8. Ceir disgrifiad llyfryddol llawn o'r cylchgrawn yn Huw Walters, *Llyfryddiaeth Cylchgronau Cymreig, 1851-1900* (Aberystwyth, 2003), 298-9. Parhaodd Thomas Levi i baratoi defnyddiau ar gyfer y cyfarfodydd hyn drwy gydol ail hanner y bedwaredd ganrif ar bymtheg. Cyhoeddodd ei

Areithiau, Dadleuon a Phenillion at Wasanaeth y Band of Hope yn ystod y pumdegau, ac ymddangosodd *Y Dirwestwr Bach* mor ddiweddar â 1902.

56. 'Rheolau i Gymdeithas y Band of Hope', *ibid.*, 1 (Mehefin 1859), 29-30.
57. Dilynwyd *Telyn y Plant* gan gylchgrawn misol arall, sef *Trysorfa y Plant*, ond odid y cyfnodolyn ehangaf ei gylchrediad a gyhoeddwyd yn Gymraeg erioed. Bu Thomas Levi yn olygydd iddo am gyfnod o hanner can mlynedd. Gweler Dafydd Arthur Jones, 'Hen Swynwr y "'Sorfa Fach": Thomas Levi (1825-1916)', yn Geraint H. Jenkins, gol., *Cof Cenedl: Ysgrifau ar Hanes Cymru, XI* (Llandysul, 1996), 89-116; Huw Walters, *Llyfryddiaeth Cylchgronau Cymreig, 1851-1900 . . .*, 306-8.
58. Brian Harrison. 'Religion and Recreation in Nineteenth Century Engand', *Past and Present*, 38 (December 1967), 101.
59. Adroddiadau yn *Y Gwladgarwr*, 8 Mehefin 1860; 13 Ionawr 1872.
60. 'Hockings yn Neheudir Cymru', *Y Dirwestwr Deheuol*, 15 (Ebrill 1839), 41; 'Cross Inn', *Seren Cymru*, 17 Hydref 1857, 398. Ar Hockings, gweler Brian Harrison, *Dictionary of British Temperance Biography* (Warwick, 1973), 64.
61. Bu damwain ddifrifol pan ymgynullodd torf o ddeng mil i wrando ar Gratton Guiness yn pregethu yn yr awyr agored yn Aberdâr ar 9 Awst 1857. 'Darfu yr esgynlawr ag oedd wedi cael ei godi gogyfer â'r amgylchiad, a'r hwn a orchuddid â gweinidogion, dorri ar ganol y bregeth. Yr oedd y dychryn a'r gwaeddi a ganlynodd yn fawr anghyffredin', medd yr adroddiad a gyhoeddwyd yn *Seren Cymru*, 5 Medi 1857, 238. Nid anafwyd neb yn ddifrifol, ar wahân i un llanc ifanc a dorrodd ei goes.
62. 'Mae Cwmaman yn mudo gyda'r amserau, ac nid yw yn ôl mewn dim er ceisio arwain meddyliau'r ieuenctid i gyrraedd gwybodaeth. Mae y Darlleniadau Ceiniog wedi eu cychwyn yma, ac y maent eisoes wedi tynu sylw cyffredinol, ac yn cael presenoldeb pob dosbarth yn eu cyfarfodydd. Mae yma ganu da, darllen cywir, ac adrodd synhwyrol, fel y mae pobl o wahanol chwaeth yn cael eu difyru a'u bodloni yn fawr'. Gweler 'Cwmaman, ger Llanelli', *Y Gwladgarwr*, 18 Mawrth, 1865.
63. 'Cwmtwrch', *ibid.*, 13 Mai 1865.
64. Jonah Morgan, *Elfenau Teulu Dedwydd* (Aberdâr, 1865), 8-9, 11. Magwyd Jonah Morgan (1814-1888), yng Nghwmaman, a bu'n cynorthwyo ei dad fel crydd cyn iddo ddechrau pregethu yn Rhydaman. Ni chafodd addysg coleg, ond derbyniodd alwad i fugeilio eglwys Annibynnol Saron, Llangeler ym 1853. Symudodd oddi yno i Gwm-bach, Aberdâr, dair blynedd yn ddiweddarach, ac ymddeolodd o'i ofalaeth ym 1887. Gweler John Thomas, *Hanes Eglwysi Annibynol Cymru, V* (Dolgellau, 1891), 207-8.
65. Jonah Morgan, *op. cit.*, 10.
66. William Jones ('Gwilym Wyn'), gol., *Y Pigion, II: Sef Detholion Barddonol o Weithiau Amryw o Brif Feirdd Cymru ac America at Wasanaeth Adroddwyr &c* (Ystalyfera, c.1895), 99.
67. Daniel Dafydd Amos, 'Hanes Gwraig y Meddwyn', *Y Diwygiwr*, 10 (Ebrill 1845), 111-12.
68. Jonah Morgan, *op cit.*, 10. 'Ei fam fu yn achos i lawer bachgen deunaw a phedair ar bymtheg oed i droi allan bob prydnawn i lymeitan cwrw a dod yn feddwyn rhonc cyn

bod yn ugain', medd David Rees mewn darlith ar 'Gwraig y Gweithiwr' a draddododd yn yr *Athenaeum*, Llanelli ar 15 Chwefror 1859. Fe'i cyhoeddwyd yn *Y Diwygiwr*, 24 (Mai 1859), 141-50. Traethodd David Rees hefyd ar 'Y Teulu Dedwydd' yn *Y Beirniad*, 1 (Hydref 1859), 140-58. Medd un hanesydd: 'The Victorians looked on woman as the softening, refining, civilising influence in society; it was in the home that her influence was predominant, hence the emphasis upon the home as a bastion of morality and repectability against the tides which threatened to submerge them. The aim of the wife should be to promote domestic efficiency, to make home so attractive that it surpassed the charms of its rivals, the club and the public house'. Gweler J. F. C. Harrison, 'The Victorian Gospel of Success', *Victorian Studies*, 1 (December 1957), 160. Am ymdriniaethau eraill ar agweddau'r cyfnod tuag at ferched, gweler yn arbennig, gyfrol Jane Aaron, *Pur Fel y Dur: Y Gymraes yn Llên Menywod y Bedwaredd Ganrif ar Bymtheg* (Caerdydd, 1998); Eadem, 'Darllen yn Groes i'r Drefn', yn John Rowlands, gol., *Sglefrio ar Eiriau: Erthyglau ar Lenyddiaeth a Beirniadaeth* (Llandysul, 1992), 63-83. Gweler hefyd: R. Tudur Jones, *Coroni'r Fam Frenhines: Y Ferch a'r Fam yn Llenyddiaeth Oes Fictoria, 1835-60* (Dinbych, 1976); Idem, 'Daearu'r Angylion: Sylwadau ar Ferched Mewn Llenyddiaeth', yn J. E. Caerwyn Williams, gol., *Ysgrifau Beirniadol, XI* (Dinbych, 1979), 191-226; Russell Davies, 'Sexuality and Tension', yn *Secret Sins: Sex, Violence and Society in Carmarthenshire, 1870-1920* (Cardiff, 1996), 156-85; Rosemary Jones, 'Sffêrau ar Wahân?: Menywod, Iaith a Pharchusrwydd yng Nghymru Oes Victoria', yn Geraint H. Jenkins, gol., *'Gwnewch Bopeth yn Gymraeg': Yr Iaith Gymraeg a'i Pheuoedd, 1801-1911* (Caerdydd, 1999), 175-205.

69. Sian Rhiannon Williams, 'Y Frythones: Portread Cyfnodolion Merched y Bedwaredd Ganrif ar Bymtheg o Gymraes yr Oes', *Llafur*, 4 (1984-1987), 43-56.
70. 'Anna Ionawr', 'Cyfran y Merched yn Ffurfiad Cymeriad Cenedl y Cymry', *Y Frythones*, 11 (Hydref 1889), 302-3. Gweler hefyd [Daniel Brythonfryn Griffiths], 'Y Fantais Sydd Gan Ferched i Ddarostwng Meddwdod', *Y Beirniad*, 10 (Gorffennaf 1868), 17-24. Yr un oedd byrdwn neges Samuel Smiles: 'Y cartref sydd yn ffurfio cnewyllyn cymeriad y genedl, ac o'r ffynhonnell hon, pa un bynnag ai pur ai amhur fydd, y tardd y syniadau, yr arferion a'r egwyddorion a lywodraethant fywyd cyhoeddus a dirgelaidd dynion'. Gweler *Hunan-Gymhorth, Gydag Arddanghosiadau o Ymddygiad a Dyfalbarhad gan Dr Samuel Smiles*, cyfieithiad J. Gwrhyd Lewis (Tonypandy, 1898), 189.
71. 'Dynes Feddw', *Telyn y Plant*, 2 (Mai 1861), 69. Gweler hefyd 'Y Felldith Fawr o Feddu Gwraig Feddw!', *Y Dirwestwr Deheuol*, 7 (Awst 1838), 49-50; 8 (Medi 1838), 56-7; 'Bad Wives: Drunkeness and Other Provocations', yn Martin J. Wiener, *Men of Blood: Violence, Manliness, and Criminal Justice in Victorian England* (Cambridge, 2004), 170-200.
72. Evan Gethin, 'Dedwyddwch Teulu Dirwestol', *Telyn y Plant*, 2 (Ionawr 1861), 11-12. Trafodir y math yma o ganu gan E. G. Millward yn 'Canu'r Byd i'w Le', *Y Traethodydd*, 136 (Ionawr 1981), 4-26; cyhoeddwyd hefyd yn *Cenedl o Bobl Ddewrion: Agweddau ar Lenyddiaeth Oes Victoria* (Llandysul, 1991, 12-41. Gweler hefyd y

'Rhagymadrodd', yn Idem, *Ceinion y Gân: Detholiad o Ganeuon Poblogaidd Oes Victoria* (Llandysul, 1983), xiii-xxxi. Canodd Evan Gethin gyfres o englynion hefyd ar 'Effeithiau Dymunol Dirwest', *Telyn y Plant*, 1 (Rhagfyr 1859), 120. Ymfudodd i Hubbard, Ohio, yn ddiweddarach. Cyfarfu Watcyn Wyn ag ef pan fu yntau'n ymweld â'r Taleithiau Unedig, ond yr oedd y prydydd o Wauncaegurwen wedi colli ei Gymraeg erbyn hynny. Gweler Jonah Evans, *Traethawd ar Hen Gymeriadau Cwmgors a'r Waun o'r Flwyddyn 1840* (Brynaman, *c.*1910), 33-5.

73. Evan Griffiths, 'Y Priodoldeb o Ymdrechu i Ffurfio Gobaith-Luoedd yn Ein Gwlad, yn Nghyd â Rhai Cyfarwyddiadau er Cyrhaedd yr Amcan Mewn Golwg', *Y Diwygiwr*, 29 (Medi 1864), 267.
74. 'Gŵyl Llanelli', *Y Dirwestwr Deheuol*, 6 (Gorffennaf 1838), 47.
75. 'Cymanfa y Band of Hope', *Telyn y Plant*, 1 (Gorffennaf 1859), 47.
76. 'Sylwedydd Tanddaearol', 'Traethawd ar y Modd Effeithiolaf er Dyrchafu Dirwest i Fwy o Sylw yn y Gweithfeydd. (Un o Destynau Cymrodorion Dirwestol Merthyr Tydfil, Nadolig 1850)', *Y Diwygiwr*, 17 (Ionawr 1852), 14-19. Yr un oedd byrdwn neges David Lloyd, o'r Bryn, Cwmafan, yn ei draethawd arobryn 'Y Dull Gorau i'r Gweithiwr Dreulio ei Oriau Hamddenol', yn Eisteddfod Ystalyfera ym 1860. Medd yntau: 'Mae cerddoriaeth yn foddion difyrrwch i'r meddwl, ond nid pob math o gerddoriaeth a wna y tro, megis rhai llygredig, ond eiddo Mozart, Haydn, Handel a'r cyffelyb. O dan swynion y cyfryw gerddoriaeth mae y teimladau mwyaf anghoeth yn cael eu coethi, ac mae y naturiaethau mwyaf afreolaidd yn cael eu dofi. Wrth wrando cerddoriaeth swynol, byddai y gweithiwr yn teimlo ei flinder meddyliol yn cilio, a'i enaid yn ymlonyddu mewn dedwydd fwynhad'. Gweler *Gardd y Gweithiwr; Sef y Cyfansoddiadau Gwobrwyedig yn Eisteddfod Ystalyfera, 1860* (Abertawe, 1861), 101. Diddorol yn y cyswllt hwn yw sylwadau T. J. Morgan, 'Nodiad ar "Ddirwest a Diwylliant"', yn *Diwylliant Gwerin ac Ysgrifau Eraill* (Llandysul, 1972), 76-8.
77. Ysgrifennodd Ivander Griffiths fath o hunangofiant a gyhoeddwyd yn un ar ddeg o benodau wrth y teitl 'Fy Adgofion', yn *Y Cerddor*, rhwng mis Hydref 1901 a mis Rhagfyr 1902. Gweler hefyd T. J. Morgan, 'Cymdeithas Gorawl Dyffryn Tawe', *Y Traethodydd*, 127 (Hydref 1972), 223-9; Idem, 'Peasant Culture of the Swansea Valley', yn Stewart Williams, gol., *Glamorgan Historian, Volume 9* (Barry, 1973), 105-22; Huw Williams, 'William Griffiths (Ifander)', *Cerddoriaeth Cymru*, 7 (Hydref 1984/Gaeaf 1985), 40-6, cyhoeddwyd hefyd yn *Taro Tant: Detholiad o Ysgrifau ac Erthyglau* (Dinbych, 1994), 74-80; W. Rhidian Griffiths, 'Dau Gôr', yn Hywel Teifi Edwards, gol., *Cwm Tawe* (Llandysul, 1993), 188-210; *Gareth Williams, Valleys of Song: Music and Society in Wales, 1840-1914* (Cardiff, 1998), 16-19.
78. Percy A. Scholes, 'The Sight-Singing Movement: The Hullah Movement', yn *The Mirror of Music, 1844-1944, Volume I* (Oxford, 1947), 11-13. Am ei ymweliad ag Abertawe, gweler W. Samlet Williams, *Hanes a Hynafiaethau Llansamlet* (Dolgellau, 1908), 135-6, 144-5. 'The Hullah classes were the single most decisive factor in the development of music in Swansea in the nineteenth century', yw tystiolaeth John Hugh Thomas. Gweler ei bennod 'The Cultural Tradition: Music', yn Ralph A. Griffiths, gol., *The City of Swansea: Challenges and Change* (Stroud, 1990), 221.

79. W. Ivander Griffiths, 'Fy Adgofion, V', *Y Cerddor*, 14 (Ebrill 1902), 39-40.
80. Barnarr Rainbow, *John Curwen: A Short Critical Biography* (Sevenoaks, 1980).
81. Y mae'r llyfryddiaeth ar Cruikshank yn gynhwysfawr, ond gweler yn arbennig: Louis James, 'George Cruikshank and Early Victorian Caricature', *History Workshop*, 6 (Autumn 1978), 107-20, a dwy gyfrol fawr Robert L. Patten, *George Cruikshank's Life, Times and Art* (London, 1992, 1996).
82. Harold, 'Côr Canu yr Alltwen', *Yr Haul*, C.N. 3 (Mehefin 1859), 190-1.
83. Phylip Griffiths, 'Côr Canu yr Alltwen', *ibid.*, C.N. 3 (Gorffennaf 1859), 222-3; [Brutus], 'Y Ddadl yn Nghylch y Côr: Mr Griffiths, Alltwen *versus* Harold', *ibid.*, (Awst 1859), 252-3; Harold, 'Côr Alltwen', *ibid.*, (Rhagfyr 1859), 380.
84. W. Ivander Griffiths, 'Fy Adgofion, VII', *op. cit.*, 14 (Mehefin 1902), 73. 'Cymanfa Ganu' [sef adroddiad am Chweched Gymanfa Ganu Eglwysi Annibynnol godre Cwmtawe], *ibid.*, 11 (Mehefin 1899), 67.
85. W. Ivander Griffiths, 'Fy Adgofion, VIII', *op. cit.*, 14 (Medi 1902), 96-7.
86. *Ibid.*, 96.
87. Thomas Edwards ('Cynonfardd'), Marwolaeth Lewis Anthony', *Y Celt*, 6 Ionawr 1899. Ceir adroddiad am godi cofeb iddo ym mynwent Hollenback yn 'Y Diweddar Lewis Anthony', *Llais Llafur*, 29 Rhagfyr 1900.
88. Evan Gethin, 'Penillion o Glod i Hopkin Hopkin am ei Ymdrechion Gyda'r Ysgol Gân a'r *Band of Hope*', yn *Y Diwygiwr*, 30 (Awst 1860), 250. Ceir bywgraffiad ohono gan Jonah Evans, *op. cit.*, 30-32. Gweler hefyd D. W. Lewis. 'Hen Gerddorion Dyffryn Aman', *The Amman Valley Chronicle*, 28 Rhagfyr 1916. Ymfudodd Hopkin Hopkin, ei wraig a'u naw plentyn i Texas ym 1879. Adroddir hynt a helynt y teulu yno gan Bill Jones a Huw Walters, 'On the American Frontier: Amman Valley Emigrants in Texas, 1879-1880', *The Carmarthenshire Antiquary*, 38 (2001), 73-8.
89. Adroddir yr hanes yn llawn yn [W. Ivander Griffiths], *Record of Over 50 Years Music, Temperance, Eisteddfod, and Other Mission Work, in Wales and Cumberland, 1850-1903* (Workington, 1903).
90. 'Gohebiaeth o Gymru', *Y Cenhadwr Americanaidd*, 18 (Ebrill 1857), 159.
91. John Thomas, 'Cofnodiad Bywgraffyddol: Phylip Griffiths', *Hanes Eglwysi Annibynol Cymru, V* (Dolgellau, 1891), 142.
92. Gwnaeth argraff fawr ar John Roberts, Conwy, golygydd *Cronicl y Cymdeithasau Crefyddol*, pan fu'n pregethu mewn cymanfa a gynhaliwyd ar Gae Dôl-lydan yn Llanbryn-Mair, ar ddechrau ei yrfa yn nauddegau'r ganrif. Medd ef: 'Da yr ydym yn cofio, 45 mlynedd yn ôl, pryd yr adeiladwyd y waith olaf gapel presenol Llan-brynmair, pregethid ar y maes. Cafwyd cyhoeddiad dau weinidog o'r de i fod yno ar nos Sul. Nid ydym yn cofio pwy oedd un o ohonynt. Cyfododd yr olaf, darllenodd ei destun 'Wele fwy na Solomon yma', yn hanner bloesg, – Griffiths, Alltwen, oedd hwnw; ac nid anghofir byth mo hono ef, ei destun na'i bregeth, gan gannoedd oeddynt yno. Gelwir ef gan y rhai sydd yn fyw yn "Bregethwr Cae Dôlydan". Byddwn yn hoffi cenadwr fedr ag un bregeth wneud argraff annileadwy ar ardal'. Gweler J[ohn] R[oberts], 'Tysteb y Parch P. Griffiths, Alltwen', *Cronicl y Cymdeithasau Crefyddol*, 24 (Mawrth 1866), 86.

WILLIAM MORRIS, *YR ATHRAW* A'R 'LLYFRAU GLEISION'

Y mae'n digwydd, o bryd i'w gilydd, bod rhai cymeriadau a fu ar un adeg yn flaenllaw ddigon ym mywyd llenyddol a chenedlaethol Cymru yn diflannu'n ddiarwybod, heb na sylw na rhybudd. Cawsant fwynhau am ychydig gyhoeddusrwydd colofnau'r wasg gyfnodol a newyddiadurol, ond diflanasant yn y man, ac anghofiwyd y cwbl amdanynt ymhen fawr o dro. A thasg anodd, yn aml, yw eiddo'r ymchwilydd a fyn olrhain hanes bywyd rhai o'r cymeriadau anghofiedig hyn. Tasg felly a ddaeth i ran y Dr Thomas Richards, prif hanesydd y Piwritaniaid yng Nghymru, a llyfrgellydd y casgliad Cymraeg yn Llyfrgell Coleg Prifysgol Gogledd Cymru, Bangor. Gwahoddwyd Dr Richards i lunio cofnod am William Morris,

William Morris.

un o gynorthwywyr y dirprwywyr a benodwyd i archwilio cyflwr addysg Cymru ym 1846, ar gyfer *Y Bywgraffiadur Cymreig 1941-1950, Gydag Atodiad i'r Bywgraffiadur Cymreig Hyd 1940.* Llwyddodd i ddod o hyd i beth gwybodaeth amdano, ond ni wyddai ddyddiadau ei eni na'i farw, ac ni wyddai ddim am ei gefndir teuluol. O ganlyniad, bylchog yw ein gwybodaeth am William Morris.

'Nid oes air o farwgoffa iddo ar dudalennau'r *Drysorfa*', medd Thomas Richards.[1] Anaml iawn y bydd Homer yn hepian, ac y mae'n rhyfedd meddwl i ymchwiliwr mor ddyfal a manwl â Thomas Richards fethu â sylwi ar y nodyn a gyhoeddwyd i goffáu William Morris ym misolyn ei enwad ym mis Medi 1882. Dywedir yno i Morris farw ar 2 Awst y flwyddyn honno, ac yntau'n henwr pedwar ugain a thair blwydd oed. Dywedir, ymhellach, mai brodor o sir Benfro ydoedd ac iddo symud i gadw ysgol yn Nant-ddu, ym mhlwyf Penderyn, rhwng Aberhonddu a Merthyr Tudful, pan oedd tuag ugain oed.[2] Eithr yn ôl y Parchedig D. Hughes, Llanelli, mewn ysgrif goffa arall i William Morris a gyhoeddwyd yn *Y Cylchgrawn*, misolyn Methodistiaid Calfinaidd y de, dywedir mai brodor o Lanwinio yn sir Gaerfyrddin ydoedd.[3] Ategir hyn gan yr adroddiad am ei farwolaeth a ymddangosodd yn newyddiadur wythnosol Merthyr Tudful a'r cylch.[4]

Yr oedd William Morris eisoes wedi symud o Nant-ddu yng Nghwm-taf Fawr i gadw ysgol ar Gefncoedycymer erbyn 1824, oblegid ym mis Hydref y flwyddyn honno y daeth y William Rowlands ifanc o Langeitho i'w gynorthwyo fel athro yn ei ysgol. Bu Rowlands yno am gyfnod o wyth mis cyn symud ohono drachefn i gynorthwyo'r Parchedig Evan Evans, tad y newyddiadurwr Beriah Gwynfe Evans, yn Nant-y-glo.[5] Ac yn ystod y cyfnod a dreuliodd William Rowlands ar Gefncoedycymer y datblygodd ei gyfeillgarwch â William Morris, fel y ceisir dangos ymhellach, yn y man. Gwyddys hefyd bod Morris yn ŵr blaenllaw gydag ysgolion Sul y Methodistiaid Calfinaidd, ac ymddangosodd llyfryn bychan yn cynnwys 16 o dudalennau o'i waith, yn dwyn y teitl *Cyfarwyddwr i Athrawon yr Ysgolion Sabbothol yn Nghymru*, o wasg John Jenkins ym Merthyr Tudful ym 1826. Bu hefyd yn gohebu ag Ebenezer Richard, un o lunwyr Cyffes Ffydd y Methodistiaid, ynghylch cyfarfodydd dau-fisol cynrychiolwyr yr ysgolion Sul yn y de ym 1829 a 1830.[6]

Dengys y dystiolaeth a gadwyd i William Morris gael cryn lwyddiant fel ysgolfeistr ar Gefncoedycymer. 'Lluosogodd ei ddisgyblion yn gyflym yn y lle hwn', meddai William Rowlands yn ei ysgrif goffa iddo. 'Anfonwyd i'w ysgol blant y teuluoedd mwyaf parchus yn yr ardaloedd, y rhai sydd erbyn heddyw yn oruchwylwyr ac yn berchnogion gweithfaoedd glo'.[7] Yna, ym mis Ionawr 1827 ymddangosodd rhifyn cyntaf *Yr Athraw Crefyddol, Hanesyddol, Eglwysig a Gwladol: Sef Trysorfa Fisol i Blant ac Athrawon yr Ysgolion Sabbothol*, a hynny, y mae'n debyg, dan olygyddiaeth William Morris a Dafydd Williams, er nad yw enwau'r naill na'r llall yn ymddangos ar y cyhoeddiad ei hun.[8] Y mae copïau o'r *Athraw* erbyn hyn yn eithriadol brin, a thasg anodd bellach yw ceisio olrhain ei hanes. Methwyd â dod o hyd i gopi o'r un rhifyn am y flwyddyn 1827 hyd yn hyn, a'r rhifynnau cynharaf y gwyddys amdanynt yw'r deg rhifyn a gyhoeddwyd rhwng mis Chwefror a mis Tachwedd 1828, sy'n perthyn i gasgliad Cymraeg llyfrgell Coleg y Brifysgol, Abertawe. Prynwyd y rhifynnau hyn o gasgliad Bob Owen, Croesor, yn y chwedegau cynnar.

Ni wyddys pwy a gymerodd y cyfrifoldeb am argraffu rhifynnau cynharaf *Yr Athraw*, ond digwydd yr argraffnod 'Jenkins a'i Gyf.' ar rifynnau misoedd Chwefror a Mawrth 1828. Gweinidog gyda'r Bedyddwyr, esboniwr Beiblaidd a diwinydd oedd John Jenkins. Yn frodor o Langynidr yn sir Frycheiniog, prynodd wasg argraffu Zecharias Morris, argraffydd o dref Caerfyrddin, ym 1819, agorodd ei swyddfa ei hun ym Merthyr Tudful, a bu mewn partneriaeth am gyfnod â Thomas Williams ('Gwilym Morganwg') o Bontypridd. Yn ddiweddarach ym 1827, agorodd swyddfa argraffu ym Maesycwmwr, ond ni thorrodd ei gysylltiad â Merthyr oblegid flwyddyn yn ddiweddarach ym 1828, ymunodd mewn partneriaeth â Richard Jones a Gwilym Morganwg. Ym mis Ionawr y flwyddyn honno y symudodd Richard Jones, brodor o Ddolgellau, ei swyddfa argraffu o

YR ATHRAW,

&c., &c., &c.

RHIF. 42. MEHEFIN, 1830. CYF. IV.

AWDURDOD GWIRIONEDD;

Neu hanes tröedigaeth hynod y Parch. Thomas Scott, o Aston Sandford.

Parhad o tu dalen 134.

Er hyn i gyd ni leihäwyd ond ychydig ar fy hunan-hyder, ac ni chynyddais ddim mewn gwybodaeth o'r gwirionedd. Wedi hyny mi a ddarllenais Bregethau Tillotson ac Ysgrifeniadau Jortin, y rhai a ysgrifenais, gydag ychydig gyfnewidiadau, i'w pregethu i'm cynulleidfa. Dygodd y dull dilafur yma fi i esgeuluso chwilio yr Ysgrythyrau, ac i fenthycio fy nghredo gan ereill. Fy mhregethau yn gyffredin oeddynt ryw gymysgedd esmwyth o ddeddf ac efengyl, yr hwn sydd yn llygru y naill a'r llall, gan ddangos yr efengyl fel *cyfraith dyner*, yn cymeradwyo *ufudd-dod difrifol* yn lle *un perffaith*. Mae y gyfundraeth hon, trwy wenieithio i falchder dyn, a suo i'w gydwybod, yn boddio y pechadur diofal a'r hunan-gyfiawn, ond heb wneuthur lles i neb; ac mewn gwirionedd nid yw ddim amgen na math guddiedig o Antinomiaeth.

Tua'r amser hwn mi a ymroddais i ymddifyru mwy nag arferol yn arferion cyffredin yr oes. Annghymwysodd hyn fi at weddi ddirgel a myfyrdod, a gwnaeth yr Ysgrythyrau, a phob dyledswydd grefyddol, yn fwy o boen na hyfrydwch, yr hyn yw canlyniad gwastadol pob cydymffurfiad â'r byd hwn. Fodd bynag, ni chefais fy ngollwng yn hollol i esgeuluso fy ymarferiadau crefyddol; yr oedd yn rheol gyffredinol genyf ddarllen rhyw gyfran o'r Ysgryth-

L

'Yr Athraw'.

Bont-y-pŵl i'r Stryd Fawr ym Merthyr Tudful, ac yma yr argraffwyd *Yr Athraw* yn ystod misoedd Chwefror a Mawrth 1828.[9]

Ond enw argraffydd arall o Ferthyr, Benjamin Morgan, a welir ar rifyn mis Ebrill 1828 o'r *Athraw*, a pharhaodd yntau i argraffu'r cylchgrawn hyd o leiaf fis Tachwedd y flwyddyn honno. Ni lwyddwyd hyd yn hyn i ddod o hyd i rifyn mis Rhagfyr 1828, ond enw Richard Jones o'r Stryd Fawr, Merthyr Tudful, a welir ar y chwe rhifyn a gyhoeddwyd rhwng mis Ionawr a mis Mehefin 1829. Ddeufis cyn hynny, ym mis Mawrth 1829, gwerthodd Richard Jones ei wasg i William Rowlands o Bont-y-pŵl, sef y gŵr a fu'n cynorthwyo William Morris yn ei ysgol ar Gefncoedycymer, bedair blynedd yn gynharach ym 1825.[10] Symudwyd y wasg a'r offer argraffu i Bont-y-pŵl yn ystod misoedd yr haf 1829, a dechreuodd William Rowlands ar ei yrfa fel argraffydd ym mis Awst. O ganlyniad i'r symud hwn, bu peth oedi yn ymddangosiad *Yr Athraw*, a rhifyn dwbl yw'r seithfed a'r wythfed, am fisoedd Gorffennaf ac Awst 1829. William Rowlands a fu'n gyfrifol am argraffu pob un o rifynnau'r cylchgrawn wedyn, hyd at y rhifyn olaf a ymddangosodd ym mis Tachwedd 1830.[11]

Cyhoeddwyd cyfanswm o 47 o rifynnau o'r *Athraw* rhwng 1827 a 1830, ac mae'n debyg i William Morris a Dafydd Williams gyd-olygu'r deg rhifyn ar hugain cyntaf a ymddangosodd rhwng misoedd Ionawr 1827 a Mehefin 1830. Brodor o Lanwrtyd yn sir Frycheiniog oedd ei gyd-olygydd, Dafydd Williams. Ganwyd ef ym 1768, ond symudodd yn ifanc gyda'i deulu i ardal Cil-y-cwm yn sir Gaerfyrddin, a bu'n gweithio am gyfnod yng ngweithfeydd mwyn Rhandirmwyn. Yno yr ymunodd â'r Methodistiaid, a bu'n teithio i Langeitho i gymuno yng nghyfnod gweinidogaeth Daniel Rowland. Symudodd i Ferthyr Tudful ym 1789 a phenodwyd ef yn is-oruchwyliwr yn un o weithfeydd haearn y cylch. Bu'n aelod blaenllaw o'r eglwys a gyfarfyddai i addoli ym Mhontmorlais ar gyrion y dref, a dechreuodd bregethu tua'r flwyddyn 1806. Yr oedd Dafydd Williams yn un o'r saith gŵr a neilltuwyd i'r weinidogaeth Fethodistaidd pan gynhaliwyd yr ail ordeiniad yn y de yn Llandeilo ym 1813.[12] Yn ŵr o gryn allu meddyliol, cyhoeddodd nifer o gyfieithiadau o rai o brif weithiau John Owen y Piwritan i'r Gymraeg.[13] Ac fel gŵr o argyhoeddiadau cryfion – fe'i disgrifir fel 'dyn o ewyllys gref ac yn dra phenderfynol am ei ffordd', gan ddau hanesydd Annibynia, – bu Dafydd Williams mewn sawl sgarmes ddiwinyddol.[14]

Er iddo fod ymhlith yr amlycaf o Fethodistiaid Calfinaidd Morgannwg yn ei ddydd, ofer y chwilia'r hanesydd am air o goffa i Ddafydd Williams yn nhair cyfrol John Hughes – *Methodistiaeth Cymru*, a hynny, mae'n debyg, oblegid yr anghydfod y cymerodd ran mor flaenllaw ynddo ac a barodd gymaint o flinder i eglwys Pontmorlais a'r Corff yn gyffredinol. Ymddengys mai yn nechrau haf 1829 y daeth un o brif bregethwyr y Methodistiaid i bregethu ym Mhontmorlais, pan aeth yn ddadl boeth rhyngddo a Dafydd Williams ynglŷn ag athrawiaeth yr Iawn. Parodd golygiadau Dafydd Williams anghytundeb mawr ym Mhontmorlais a chyflwynwyd y mater i sylw Cyfarfod Misol Merthyr Tudful ym mis Mawrth 1830. Bu'n fater trafodaeth yng Nghymdeithasfa Woodstock yn sir Benfro, ychydig yn ddiweddarach, a phenderfynwyd yno y dylid anfon deuddeg o genhadon i'r eglwys ym Mhontmorlais ym mis Rhagfyr 1830 i geisio cymod rhwng y pleidiau. Medd un sylwebydd:

> Yr oedd y cenadon hyn mewn llawn awdurdod i weithredu fel y barnent yn oreu er lles yr achos yn y lle. Aeth y ddirprwyaeth bwysig i Ferthyr dydd Mercher, yr 22ain o Ragfyr. Nid ydym yn gwybod a oedd yr holl genadon yn bresenol, ond y mae genym sicrwydd fod Mr William Evans yno, a hefyd Mr William Morris, ac y mae yn dra thebyg fod y mwyafrif, os nad yr oll o'r lleill yn bresenol. Cynaliwyd dau gyfarfod – un yn y prydnawn a'r llall yn yr hwyr. Y penderfyniad y daethpwyd iddo ydoedd, nad oedd dim i'w wneuthur ond dadgorphori yr eglwys, a diarddel yr holl aelodau, a chymeryd meddiant o'r capel gan y cenadon.[15]

Felly y gweithredwyd ac, o ganlyniad i'r helynt hwn, cododd Dafydd Williams a'i gefnogwyr achos sblit ym Merthyr Tudful gan gynnal eu cyfarfodydd yn nhafarn y *Bush* yn y dref. Yr oedd yr achos newydd eisoes wedi ei gydnabod fel un rheolaidd gan yr Annibynwyr yn eu Cymanfa a gynhaliwyd yn Nhretŵr, sir Frycheiniog, ym mis Mehefin 1831, ac ychydig yn ddiweddarach prynwyd darn o dir, codwyd capel newydd arno a'i alw, yn addas iawn, yn 'Adulam'.[16]

Y mae'n fwy na thebyg mai yn ystod y cyfnod hwn, pan ddaeth yr helynt rhwng Dafydd Williams a'r Corff i'w anterth, y darfu am y bartneriaeth rhyngddo a William Morris fel cyd-olygydd *Yr Athraw*. Rhwng misoedd Mehefin ac Awst 1829 y bu hynny, yr union gyfnod y prynodd William Rowlands ei wasg gan Richard Jones, a phan symudwyd y swyddfa o Ferthyr i Bont-y-pŵl. Dyma reswm arall dros ohirio cyhoeddi rhifyn mis Gorffennaf o'r cylchgrawn y flwyddyn honno, a dichon mai'r helynt hwn a roes daw ar bartneriaeth y ddau olygydd, oblegid William Rowlands ei hun a gymerth at y cyfrifoldeb o olygu a chyhoeddi'r *Athraw*, yn ogystal â'i argraffu, o fis Awst 1829 ymlaen.

Cafwyd cnwd toreithiog o gylchgronau tebyg i'r *Athraw* ar gyfer plant ac ieuenctid yr ysgolion Sul yn ystod y bedwaredd ganrif ar bymtheg. Byrhoedlog fu'r mwyafrif llethol ohonynt, y mae'n wir, er i brif deitlau yr enwadau crefyddol, fel *Tywysydd y Plant, Y Winllan, Athraw i Blentyn* a *Trysorfa y Plant* barhau am ganrif neu fwy. Rhaid cofio bod manteision masnachol pendant i'r cyhoeddiadau hyn, gan mai'r enwadau crefyddol oedd eu prif noddwyr, a'i bod yn gymharol hawdd eu dosbarthu a'u marchnata yn yr ysgolion Sul eu hunain. Nid yw'n annisgwyl efallai, o gofio am chwaeth yr oes, nad yw cynnwys cylchgronau plant fel *Yr Athraw* mor wahanol i gynnwys cylchgronau'r oedolion. Amcan y cyhoeddiadau hyn, wedi'r cyfan, oedd bod yn llawforynion i foesoldeb a chrefydd, a'r gwerthoedd hynny a fawrygid gymaint yng nghymdeithas oes Victoria. Ystyrid mai'r dull gorau o ddiogelu plant rhag temtasiynau'r byd oedd drwy beri ofn yn eu calonnau a'u cael i roi eu bywyd i wasanaethu Duw. Dyna a geir, er enghraifft, yn yr ysgrifau hyn a gyhoeddwyd yn *Yr Athraw:* 'Y Daith Olaf Neu Sylwadau ar Farw', 'Am Uffern', a 'Truenus Gyflwr y Gwrthgiliwr'.[17] Cyffredin hefyd yw'r hanesion am farwolaethau plant rhinweddol.[18] Y mae'n ddiddorol sylwi mai cyfieithiadau o draethodau a godwyd o gyfnodolion a newyddiaduron Saesneg ac Americanaidd yw nifer o'r cyfraniadau hyn, megis 'Cofiant John Dunstan' a godwyd o *The Child's Magazine and Sunday School's Companion*, a 'Tom Paine a'r Beibl' a gyfieithwyd o'r *New York Observer.*[19] Ac er bod y mwyafrif o'r prif gyfraniadau hyn yn ddienw, gellir mentro ag awgrymu mai Dafydd Williams a luniodd y gyfres faith o ysgrifau ar 'Hanes John Owen', a gyhoeddwyd ar dudalennau'r cylchgrawn dros gyfnod o rai misoedd.[20]

Adlewyrchir diddordeb ysol William Morris yn yr ysgolion Sul ar dudalennau'r *Athraw* hefyd, a brithir y cyhoeddiad gan adroddiadau a chyfeiriadau at weithgarwch yr ysgolion ym Merthyr Tudful a'r gymdogaeth. Ef oedd ysgrifennydd dosbarth Merthyr o Undeb Ysgolion Sul y Methodistiaid Calfinaidd ym Morgannwg, a bu'n weithgar iawn yn sicrhau llyfrau addas ar eu cyfer. Bu ganddo ran mewn sefydlu cynllun arbennig i gyflenwi deunydd darllen ar gyfer ysgolion Sul Merthyr a'r cylch ym mis Rhagfyr 1827, a dengys yr adroddiad hwn, a gyhoeddwyd yn *Yr Athraw* ym mis Mawrth 1828, mai ef oedd trysorydd y mudiad hwnnw:

> Nos Fawrth y 4ydd o Ragfyr diweddaf sefydlwyd Trysordy yn Merthyr Tydfil, er mwyn cadw digon o lyfrau addas i'r Ysgolion Sabbothol, gan Gynrychiolwyr o Ysgolion Sabbothol Pontmorlais, Dowlais, Coed-y-cymmer, Hirwain, Aberdare, Rhymney a Thredegar. Cymmeradwywyd a mabwysiadwyd addysgiadau a rheolau Cymdeithas Unol Ysgolion Sabbothol Llundain a sefydlu trysordai; ac ymdrechir cadw digon o lyfrau yn y trysordy at wasanaeth yr ysgolion am brisoedd tra isel. Enwyd amryw o bob ysgol fel Cyfeisteddwyr (*Committee*) i gyfarfod â'i gilydd bob Chwarter i drefnu achosion y Trysordy. Yr oedd pawb oedd yn bresennol y noson honno yn cyd-weled fod y manteision yn aml. Yr ydym yn crybwyll am y trysordy, er mwyn i'n cyfeillion yn y wlad gael llyfrau i'w hysgolion.
>
> Wm Harry, ysgrifennydd.
> Wm Morris, trysorydd.
>
> Gan yr hwn y gellir cael llyfrau am arian parod, yn ôl penderfyniad y Cyfeisteddwyr.[21]

Ni cheir rhagor o wybodaeth am y mudiad hwn na'i weithgareddau ar dudalennau'r *Athraw*, ac ni wyddys a fu'n llwyddiannus yn ei amcanion ai peidio. Gwyddys, fodd bynnag, bod William Morris yn weithgar gyda phob math o gymdeithasau a mudiadau dyngarol ym Merthyr Tudful a'r cylch yng nghanol y bedwaredd ganrif ar bymtheg. Pan ledodd y mudiad dirwest ei weithgarwch drwy dde Cymru yng nghanol tridegau'r ganrif, yr oedd William Morris yn un o'i brif gefnogwyr, a bu'n flaenllaw gyda sefydlu cymdeithasau dirwestol ym Merthyr a'r gymdogaeth. Pan sefydlwyd Undeb Dirwestol Gweithfeydd Gwent a Morgannwg yng nghapel Hermon, Dowlais, ar 18 Mai 1848, penodwyd ef yn gyd-ysgrifennydd yr Undeb gyda John Davies ('Brychan'), y prydydd o Dredegyr.[22] Yr oedd hefyd yn gyd-ysgrifennydd Undeb Cymanfa Ddirwestol De Cymru gyda Rees Lewis, yr argraffydd o dref Merthyr, ym 1840, a bu'n aelod o'r pwyllgor a sefydlwyd i oruchwylio'r gwaith o adeiladu'r Neuadd Ddirwestol ym Merthyr Tudful ym 1841.[23] Y mae tudalennau cylchgronau dirwestol y cyfnod yn llawn adroddiadau o'i eiddo am weithgareddau'r amryfal gymdeithasau hyn yng nghyfnod anterth y mudiad. Gwyddys hefyd ei fod yn frwd ei gefnogaeth i'r cymdeithasau cyfeillgar, a'i fod yn gynrychiolydd i nifer o gwmnïau siwrin ym Merthyr. Yn ôl y deyrnged a gyhoeddwyd i'w goffa yn *The Merthyr Express* ym mis Awst 1882:

> When the *Dissenters and General Insurance Company* was established, Mr Morris became one of its first and most successful agents. The amount of business he did is almost incredible. He found the word *Dissenters* a stumbling block in his way, and was compelled to trace agencies for other offices. He had the *Church of England* for the Churchman, the *Star* for the Wesleyan, the *Clerical and Medical* for the professions, the *Temperance Provident* for the teetotallers, – in short, he had an office to suit the peculiarities of every individual. He not only insured the lives of people, he made their wills also, and when they died, he proved their wills, much to the annoyance of the lawyers. There has scarcely been a funeral at Merthyr for the last 30 years, of any man or woman who left property, at which he did not assist.[24]

Y mae'n amlwg, felly, bod William Morris yn ddyn o ddylanwad yn ei gymdogaeth, ac yn ŵr y gellid ymgynghori ag ef ynglŷn â materion byd ac eglwys fel ei gilydd. Rhoes dystiolaeth gerbron y dirprwywyr a benodwyd i ymchwilio i gyflogaeth plant yng ngweithfeydd haearn a glofeydd gwledydd Prydain ym 1842, ac mae'n werth ei dyfynnu am yr wybodaeth a geir ynddi am yr ysgolfeistr ac am gymdogaeth Cefncoedycymer ym 1842:

> I am from Carmarthenshire, and have been resident here since 1819. I superintend the Calvinistic Methodists' Sunday-school and keep a day school of my own. There are three day-schools in this village and the two adjoining hamlets of Caecefenisa and Cefenucha. The population is 2000 altogether, out of which we reckon 1500. Reading, writing and arithmetic are generally taught at our schools, and the fees payable, vary from 4s. 6d. to 8s. per quarter. My scholars are about 60, sometimes about 80. The children of this village are principally employed at the iron works. They go to work as early as seven, and seldom stay at school so late as nine years of age. When labour begins, education generally stops. We have no night schools, except occasionally in winter, and those who attend are very few indeed. The Sunday-schools in the village are of the

> Established Church, the Calvinistic Methodists, the Wesleyans, Independents and Baptists. We have no schools for female children unfortunately. The Calvinistic Methodists of this village consists entirely of teetotallers; no others are allowed to join the congregation: amongst them we number a great many miners and colliers.
>
> The morals of the population are at a very low ebb. The domestic knowledge of the girls employed at the works is very deficient, but not so deficient as their moral condition for the discharge of their duties as wives and mothers. Cleanliness is, however, very general with them: they take great pride in their homes. They are very loose in morality: there is a girl not far off who is now with child for the fourth time: they very frequently have children before marriage.
>
> We have not less than 13 or 14 licensed public-houses for the sale of spirits and beer. I have known people kept drinking all Saturday night at some of these, and on the Sunday morning I have often heard the fighting and brawling in the streets of drunken men. They do pretty nearly as they like, no one interferes. The people are very honest. It would be very desirable if those who move in the higher sphere of life about this quarter would show a good example to those who are placed by Providence under them.
>
> I do not know how the condition of the labouring population here can be improved, except by education. Children should not, in my opinion, be allowed to go into the works before 12 or 14, but the prices of provisions should be reduced to enable parents to spare their children's labour. In 1839 the number of Sunday schools in Merthyr parish was 27; the number of teachers 750, and of scholars 3795: but Sunday schools are of little use for the purposes of education, they teach only the great truths of religion. The people are very ignorant indeed.[25]

Nid yw'n annisgwyl, chwaith, bod iaith ac arddull y darn hwn yn eithriadol o debyg i iaith ac ieithwedd adroddiadau'r Llyfrau Gleision, fel y cawn sylwi ymhellach, yn y man.

Yn ôl tystiolaeth Evan Evans, Nant-y-glo, 'rhifyddiaeth a threfn masnachaeth, a ffurfiau i drin gwahanol bethau yn fwy nac ieithyddiaeth', oedd arbenigedd a phrif hoffter William Morris fel athro.[26] Ategir hyn gan y gyfres ddiddorol o ymarferion mathemategol a luniodd, i'w defnyddio yn yr ysgolion dyddiol a'u cyhoeddi'n llyfryn wrth y teitl *The Art of Ready Reckoning.* Ni lwyddwyd i ddod o hyd i gopi o'r gwaith hwn hyd yn hyn, ond fe'i hailgyhoeddwyd dan deitl gwahanol ym 1836, sef *Arithmetic Worked by Steam! The Merchant, Tradesman, Workman and Scholar's Accounts Worked by Portable 'Engines' of 12, 20, 144 & 240 'Horse Power'; to which are Prefixed New Tables of Money, Together with Copious Exercises for Beginners.* Cyflwynwyd y llyfryn i Josiah Guest, meistr gweithfeydd haearn a glo Dowlais, ac fe'i hargraffwyd gan Thomas Price ym Merthyr Tudful ym 1836, a'i bris yn swllt y copi.[27]

ARITHMETIC WORKED BY STEAM!

THE

MERCHANT, TRADESMAN,

FARMER, WORKMAN, & SCHOLAR'S

ACCOUNTS,

WORKED BY PORTABLE "ENGINES,"

OF 12, 20, 144, & 240 "HORSE POWER;"

TO WHICH ARE PREFIXED

NEW TABLES OF MONEY,

Together with copious Exercises for Beginners.

SECOND EDITION,

CONSIDERABLY ENLARGED, AND CAREFULLY REVISED.

BY WM. MORRIS, TEACHER OF YOUTH.

"A quick Arithmetician is generally capable of forming a prompt and wise decision on important affairs through life."
JOHN SMITH, LIVERPOOL.

MERTHYR:

PRINTED FOR THE AUTHOR, BY T. PRICE, HIGH-STREET;

AND SOLD BY

Richard Groombridge, Paternoster Row, London.

Price 1s.

'Arithmetic Worked by Steam', William Morris, 1836.

Dwg hyn ni at gysylltiad William Morris â Llyfrau Gleision enwog 1847. Ym mis Gorffennaf 1846, cytunodd y llywodraeth ymchwilio i gyflwr addysg yng Nghymru, a dewiswyd R. R. W. Lingen, Jellynger C. Symons a H. R. Vaughan Johnson i ymgymryd â'r gwaith. Rhoddwyd i bob un o'r tri ei ranbarth penodol: R. R. W. Lingen i ofalu am siroedd Caerfyrddin, Penfro a Morgannwg; Jellynger Symons am siroedd Brycheiniog, Aberteifi a Maesyfed ynghyd â rhan o sir Fynwy, ac H. R. Vaughan Johnson i ofalu am siroedd y gogledd. Dibynnai'r dirprwywyr hyn, yn eu tro, ar weithgarwch eu cynorthwywyr, a phenodwyd David Lewis a David Williams, dau fyfyriwr o Goleg Llanbedr-Pont-Steffan, ynghyd â William Morris 'formerly a schoolmaster at Merthyr Tydfil', yn ôl tystiolaeth yr adroddiad amdano, i gynorthwyo Lingen.[28]

Cyfarfu Morris â Lingen yn Llanymddyfri ar 19 Hydref, 1846, a bu'r is-ddirprwywr yn crwydro siroedd Penfro, Caerfyrddin a Morgannwg, yn ymweld ag ysgolion, ac yn holi athrawon a phlant yn ystod y misoedd dilynol. Daeth y gorchwyl o gasglu tystiolaeth ac ystadegau i ben erbyn 3 Ebrill 1847, a chyflwynodd Lingen ei adroddiad i'r Llywodraeth ar 1 Gorffennaf y flwyddyn honno. Fel y gwyddys, parodd yr adroddiad, a gyhoeddwyd yn dair o gyfrolau sylweddol ym 1847, gynnwrf mawr, a hynny'n bennaf am iddo ddarlunio'r Cymry fel cenedl anwybodus, ofergoelus a meddw, gan roddi'r bai am hyn oll ar Ymneilltuaeth a'r iaith Gymraeg. O ganlyniad, bu 'Brad y Llyfrau Gleision', fel y daethpwyd i adnabod yr helynt, yn drobwynt yn hanes addysgol a llenyddol Cymru.[29] Bu cynnydd eithriadol yn y math o lenyddiaeth a ystyrid yn fuddiol ac yn adeiladol yn ystod y blynyddoedd yn dilyn cyhoeddi'r adroddiad, a daethpwyd i goleddu'r syniad yn y man mai drwy addysg a gwybodaeth gyffredinol y gallai'r Cymro cyffredin ddringo'n gymdeithasol. Athroniaeth Samuel Smiles a gariai'r dydd bellach, – byddai addysg yn gyfrwng i alluogi'r Cymro distatlaf i godi yn y byd a gwella'i ystâd.

Ond cystwywyd y tri dirprwywr o Sais gan olygyddion y prif gyfnodolion Cymraeg, gan gynnwys Lewis Edwards yn *Y Traethodydd*, ac Evan Jones ('Ieuan Gwynedd') yn *The Principality*. Daeth William Morris ei hun dan ordd David Rees, gweinidog awdurdodol eglwys Annibynnol Capel Als, Llanelli, yn *Y Diwygiwr*, y cylchgrawn y bu'n gyfrifol am ei sefydlu a'i olygu. 'Mae W. Morris yn cablu yn aruthrol, ac yn dweyd ei ddewis-chwedlau am drigolion y Brynmawr', meddai. 'O ba le y cododd y *scweier* hwn, a phwy yw W. Morris Ysw., nis gwyddom, ond eglur yw ei fod yn llwfryn difoesau pan feiddiai ddiraddio gwragedd a merched y Brynmawr fel hyn.'[30] Fe'i fflangellwyd hefyd gan Ieuan Gwynedd yn ei gerdd 'Hanes yr Ysbïwyr', ond ni lwyddwyd i ddod o hyd i gyfeiriadau mwy pendant ato yn y prif weithiau a luniodd Ieuan Gwynedd yn amddiffyn y Cymry rhag ensyniadau'r Llyfrau Gleision.[31] Er hynny, dengys yr adroddiadau a luniodd William Morris ar yr ysgolion yr ymwelodd ef â hwy gryn fanylder a gofal. O'r holl is-ddirprwywyr, ef oedd â'r baich a'r cyfrifoldeb trymaf o ddigon. Ymwelodd â deugain ac un o ysgolion yng nghymdogaeth Abertawe mewn pum diwrnod ym mis Chwefror 1847, yn ogystal â

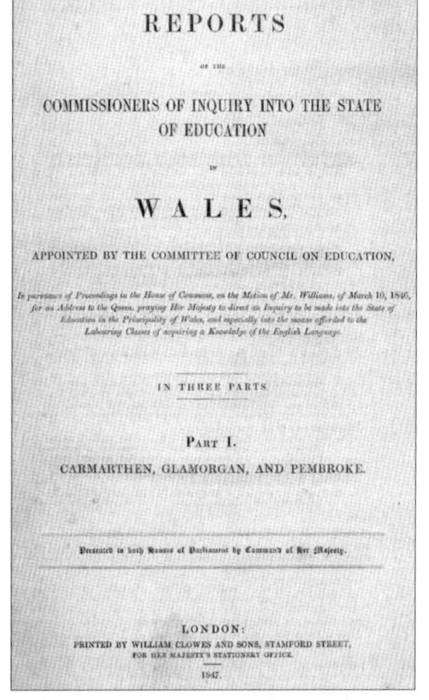
REPORTS

OF THE

COMMISSIONERS OF INQUIRY INTO THE STATE
OF EDUCATION

IN

WALES,

APPOINTED BY THE COMMITTEE OF COUNCIL ON EDUCATION,

In pursuance of Proceedings in the House of Commons, on the Motion of Mr. Williams, of March 10, 1846, for an Address to the Queen, praying Her Majesty to direct an Inquiry to be made into the State of Education in the Principality of Wales, and especially into the means afforded to the Labouring Classes of acquiring a Knowledge of the English Language.

IN THREE PARTS.

PART I.
CARMARTHEN, GLAMORGAN, AND PEMBROKE.

Presented to both Houses of Parliament by Command of Her Majesty.

LONDON:
PRINTED BY WILLIAM CLOWES AND SONS, STAMFORD STREET,
FOR HER MAJESTY'S STATIONERY OFFICE.

1847.

Cyfrol gyntaf y 'Llyfrau Gleision', 1847.

Cartŵn gan Hugh Hughes o un o'r is-ddirprwywyr yn galw mewn ysgol.

pharatoi nodiadau manwl ar bob ysgol gyda'r nosau. Yn wir, tystiodd Dr Thomas Richards, Bangor, mai ef oedd y gorau o'r cynorthwywyr – 'cryno, deallus, amhartïol', meddai, gan ychwanegu bod ansawdd ei adroddiadau 'yn blaen, siarp, a di-dderbyn-wyneb'.[32]

Ychydig iawn o sôn a fu am William Morris ar ôl 1847 a'r helynt a ddilynodd cyhoeddi'r Llyfrau Gleision. Digwydd rhai cyfeiriadau ato fel gweithiwr diflino dros Fethodistiaeth a dirwest ym Merthyr Tudful a'r cylch, ac fel un o gynheiliaid yr achos yn eglwys Bethlehem, y Cae-pant-tywyll.[33] Ceir rhai cyfraniadau ganddo hefyd ar dudalennau gwasg gyfnodol ei enwad.[34] Ond diflannodd yn raddol o'r bywyd addysgol y bu'n gymaint rhan ohono yn ystod hanner cyntaf y bedwaredd ganrif ar bymtheg. Erbyn ei farw ym 1882, anghofiwyd am y rhan a chwaraeodd fel is-ddirprwywr y comisiwn addysg, – o leiaf dyna'r argraff a gawn o ddarllen y teyrngedau a gyhoeddwyd i'w goffa.

Soniwyd eisoes am gyfeillgarwch William Morris â William Rowlands, y gŵr ifanc a symudodd o Langeitho i'w gynorthwyo fel athro yn yr ysgol a gadwai ar Gefncoedycymer ym 1824. Crybwyllwyd hefyd mai Rowlands a gymerth at y cyfrifoldeb o gyhoeddi, golygu ac argraffu *Yr Athraw* yn ystod haf 1829, a hynny pan brynodd wasg argraffu Richard Jones, Merthyr Tudful, a'i symud i Bont-y-pŵl. Gwerthodd Rowlands ei wasg yn nechrau 1831 a phrynodd bwll glo yn y Coed-duon gan gadw siop yn yr ardal yn ogystal. Ond bu'r mentrau hyn i gyd yn aflwyddiannus, a'r

William Rowlands, Efrog Newydd.

diwedd fu i Rowlands fynd yn fethdalwr ym mis Tachwedd 1833.[35] Yr oedd eisoes wedi dechrau pregethu gyda'r Methodistiaid ym 1826, a bu'n llafurio fel cenhadwr ar ororau siroedd Henffordd a Mynwy cyn ei ordeinio'n weinidog ym mis Awst 1832. Ymfudodd i Efrog Newydd ym 1836 a bu'n weinidog gyda'r Methodistiaid yn Utica, yn nhalaith Efrog Newydd, ac yn Scranton, Pennsylvania, eithr ei lafur fel llenor a golygydd oedd ei gyfraniad mwyaf. Bu ymfudo cyson o Gymru i America yn ystod y cyfnod hwn, ac erbyn diwedd y tridegau yr oedd nifer o gymunedau Cymreig yn y Taleithiau Unedig. Aeth y Cymry hyn ati gyda chryn frwdfrydedd i sefydlu cymdeithasau a chapeli Cymraeg, ac yr oedd i'r wasg Gymraeg hithau le amlwg yn y patrwm hwn, drwy fod yn gyfrwng i gysylltu'r cymunedau Cymreig â'i gilydd, a darparu newyddion ar eu cyfer.

Erbyn 1838, yr oedd William Rowlands wedi sefydlu ei gylchgrawn misol ef ei hun, – *Y Cyfaill o'r Hen Wlad yn America*, cyfnodolyn a ddatblygodd yn fuan yn gyhoeddiad swyddogol i'r Methodistiaid Calfinaidd Cymraeg yn y Taleithiau Unedig, ac a barhaodd i ymddangos tan 1933. William Rowlands ei hun a fu'n golygu, yn cyhoeddi ac yn argraffu'r cylchgrawn hyd ei farw ym 1866, ac ar gais Rowlands, y mae'n fwy na thebyg, y dechreuodd William Morris ar ei yrfa fel gohebydd cyson i'r *Cyfaill*, a hynny yn ystod y pedwardegau cynnar. Prif gyfrifoldeb Morris oedd casglu a llunio adroddiadau newyddion o ardaloedd Cymru, ac fel 'Gohebydd sefydlog Tywysogaeth Cymru' y cyfeiriwyd ato'n ddieithriad gan olygydd *Y Cyfaill*. Yr hyn a geir yn y colofnau achlysurol hyn yw pytiau a dyfyniadau o'r newyddiaduron cenedlaethol Cymraeg, megis *Baner ac Amserau Cymru*, a rhai o'r cylchgronau enwadol, fel *Y Drysorfa*, *Y Cylchgrawn*, *Y Diwygiwr* a *Seren Gomer*. Fel y gellid ei ddisgwyl, rhoddai William Morris le amlwg i faterion crefyddol yn ei golofn, a materion yn ymwneud â Methodistiaeth yn fwyaf arbennig. Trafodai bynciau gwleidyddol o bryd i'w gilydd yn ogystal. Ond yn rhyfedd iawn, pan oedd prif gylchgronau a newyddiaduron Cymru yn ferw gan yr hanes am sen a thraha y dirprwywyr addysg, tawedog iawn fu William Morris ei hun. Yr unig gyfeiriad pendant a wnaeth at yr adroddiad oedd ym mis Mehefin 1848 pan soniodd am y cyfarfodydd cyhoeddus a gynhaliwyd led-led Cymru i wrthdystio yn ei erbyn:

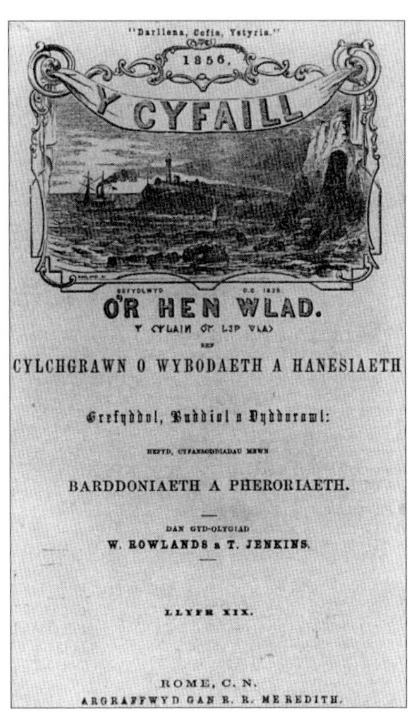
"Darllena, Cofia, Ystyria."

1856.

Y CYFAILL

O'R HEN WLAD.

CYLCHGRAWN O WYBODAETH A HANESIAETH

Crefyddol, Buddiol a Dyddorawl:

HEFYD, CYFANSODDIADAU MEWN

BARDDONIAETH A PHERORIAETH.

DAN GYD-OLYGIAD

W. ROWLANDS a T. JENKINS.

LLYFR XIX.

ROME, C. N.

ARGRAFFWYD GAN R. R. MEREDITH.

'Y Cyfaill o'r Hen Wlad yn America'.

> Mae adroddiad y Dirprwywyr yn Nghymru wedi achosi sŵn aruthrol – nis gellir gwadu nad oes rhinweddau aneirif yn perthyn i'r genedl, dylasent gael eu cofnodi. Beth ydyw'r holl gapelydd a godwyd i gyhoeddi Gair y Bywyd – yr ysgolion Sabbothol a sefydlwyd er addysgu yr ieuenctyd ac ereill, ond rhinweddau? Onid oes ymdrechion diflino yn cael eu gwneyd er's can mlynedd er taenu gwybodaeth? Paham na wnawd onestrwydd yn hyn? Mae beiau a drygau lawer hefyd; yr oedd eisiau cyhoeddi y rhai'n er diwygio oddiwrthynt. Nid gwiw credu'r cwbl o un ochr. Mae canol yn bod; hwnw ydyw'r goreu.[36]

Dyna'r cyfan, ac ni welwyd yr un cyfeiriad arall yn ei gyfraniadau i'r wasg i William Morris ei hun chwarae rhan mor amlwg yn cynorthwyo R. R. W. Lingen gyda pharatoi'r adroddiad am ysgolion Morgannwg a rhannau o siroedd Penfro a Chaerfyrddin.

Trafodai William Morris faterion personol yn ei golofn, o bryd i'w gilydd, a cheir peth gwybodaeth amdano ef ei hun a'i deulu yn y nodiadau hyn. Gallwn gasglu, o'r nodyn a ysgrifennodd ym mis Tachwedd 1879, ac a gyhoeddwyd yn rhifyn mis Ionawr 1880, er enghraifft, mai ar 1 Tachwedd 1798 y ganwyd ef.[37] Ceir hanes marwolaeth ei unig ferch, Miriam, yn chwech ar hugain oed yn rhifyn mis Ebrill 1855, a chyhoeddwyd ysgrif goffa o'i eiddo i'w wraig, Mary, a fu farw ym mis Tachwedd 1865, yn rhifyn mis Chwefror 1866.[38] Y mae'n berthnasol sylwi hefyd i William Morris gyflwyno tŷ yn rhodd at wasanaeth eglwys Bethlehem, Cae-pant-tywyll, er cof am ei wraig ym mis Ionawr 1867.[39] Erbyn mis Chwefror 1868 yr oedd wedi ailbriodi â Mrs Amelia James o Fryn-mawr, gwraig a chanddi gysylltiadau â thref Aberhonddu lle'r oedd ei brawd, Mordecai Jones, yn Ynad Heddwch ac yn ŵr o gryn gyfoeth a dylanwad.[40] Methwyd â dod o hyd i gofnod yng ngholofnau Morris yn *Y Cyfaill* yn coffáu ei fab, David, er y gwyddys iddo ragflaenu ei dad. Ganwyd y mab ar 16 Rhagfyr 1827 ac fe'i bedyddiwyd gan Ddafydd Williams ar 10 Chwefror 1828.[41] Ef, y mae'n debyg, yw'r David William Morris, Cae-pantowilth', a oedd yn gyfreithiwr a'i swyddfa yn 4, Castle Street, Merthyr, ym 1865.[42]

Bu William Morris yn ohebydd i'r *Cyfaill o'r Hen Wlad* am ddeugain mlynedd ac fel 'Cyfaill i'r *Cyfaill*', y ffugenw a ddefnyddiodd gyntaf yn y pedwardegau, y daeth Methodistiaid Cymraeg America i'w adnabod. Yn ôl tystiolaeth Morgan Ellis, olynydd William Rowlands fel golygydd y cylchgrawn:

> O'n holl ohebwyr, y mwyaf ffyddlon ydyw 'Cyfaill i'r *Cyfaill*', sef Mr William Morris, Merthyr, De Cymru. Nid yw wedi methu anfon llythyr i'r *Cyfaill* nemawr fis ers dros 25 mlynedd. Yr ydym am iddo barhau i anfon ei 'Amledd' i'r *Cyfaill* hyd angeu.[43]

A pharhaodd William Morris yn ffyddlon i'r cylchgrawn hyd y diwedd. Ysgrifennodd ei gyfraniad olaf ar 10 Gorffennaf 1882, ac fe'i cyhoeddwyd fis yn ddiweddarach, yn rhifyn mis Medi yr un flwyddyn. Erbyn hynny yr oedd ei awdur eisoes wedi marw a'i gladdu ym mynwent eglwys Cae-pant-tywyll.

NODIADAU

1. R. T. Jenkins, E. D. Jones, gol, *Y Bywgraffiadur Cymreig 1941-1950, Gydag Atodiad i'r Bywgraffiadur Cymreig hyd 1940* (Llundain, 1970), 137-8.
2. 'Marwolaethau Blaenoriaid', *Y Drysorfa*, 52 (Medi 1882), 355.
3. D. Hughes, 'Adgofion Byrion Mewn Hiraeth am y Diweddar Mr William Morris, Cefncoedycymer', *Y Cylchgrawn*, 22 (Ionawr 1883), 8-11.
4. 'The Late Mr William Morris', *The Merthyr Express*, 12 Awst 1882, 5.
5. Howell Powell, *Cofiant y Diweddar Barch. William Rowlands D.D., Utica, Efrog Newydd* (Utica, 1873), 44-5.
6. Argreffir llythyrau Ebenezer Richard ato yn E.W. Richard a H. Richard, *Bywyd y Parch. Ebenezer Richard* (Llundain, 1839), 121-3, 156-7.
7. [William Rowlands], 'Marwolaeth Mr William Morris, Pant-Tywyll', *Y Cyfaill*, 45 (Hydref 1882), 400.
8. Cysylltir enwau'r ddau â'r *Athraw* gan Howell Powell, *op. cit.* Gweler hefyd J. Ifano Jones, *A History of Printing and Printers in Wales to 1810, and of Successive and Related Printers to 1923. Also, a History of Printing and Printers in Monmouthshire to 1923* (Cardiff, 1925), 219. Yn ôl cywaith William Davies ac Evan Lloyd Jones, 'The Periodical Literature of Wales During the Present Century', a gyhoeddwyd yn *Transactions of the Royal National Eisteddfod of Wales, 1883* (Cardiff, 1884), 221, dywedir mai ym 1829 y sefydlwyd *Yr Athraw.* Mae'n fwy na thebyg mai'r sylw hwn a gamarweiniodd lyfryddwyr eraill gwasg gyfnodol Gymraeg y bedwaredd ganrif ar bymtheg, megis T. M. Jones ('Gwenallt'), er enghraifft, yn ei *Llenyddiaeth fy Ngwlad* (Treffynnon, 1893), 136.
9. John a Llewelyn Jenkins, *Hanes Buchedd a Gweithiau Awdurol y Diweddar John Jenkins, D.D., Hengoed* (Caerdydd, 1859), 102-3. J. Ifano Jones, *op. cit.*, 155, 265-6.
10. Howell Powell, *op. cit*, 159.
11. Ni ellir derbyn honiad J. Ifano Jones, *op. cit.*, 219, i'r *Athraw* barhau i ymddangos tan fis Rhagfyr 1830, oblegid dengys y geiriau 'DIWEDD LLYFR IV' a argraffwyd ar odre tudalen 345 o rifyn mis Tachwedd 1830, mai hwn, mewn gwirionedd, oedd yr olaf. Gweler Huw Walters, *Llyfryddiaeth Cylchgronau Cymreig, 1735-1850* (Aberystwyth, 1993), 6.
12. Josiah Thomas Jones, *Geiriadur Bywgraffyddol o Enwogion Cymru, II* (Aberdâr, 1879), 632; Gomer M. Roberts, gol., *Hanes Methodistiaeth Galfinaidd Cymru. Cyfrol II: Cynnydd y Corff* (Caernarfon, 1978), 340.

13. Ceir rhestr o'r cyfieithiadau hyn gan John Ballinger a J. Ifano Jones yn *Cardiff Free Libraries: Catalogue of Printed Literature in the Welsh Department* (Cardiff, 1898), 515.
14. John Thomas, Thomas Rees, *Hanes Eglwysi Annibynol Cymru, II* (Lerpwl, 1871), 293.
15. Ceir yr hanes gan William Evans yn *Cofiant y Parchedig William Evans, Tonyrefail* (Newport, 1892), 116-8. Gweler hefyd Charles Wilkins, *The History of Merthyr Tydfil* (Merthyr Tydfil, 1867), 226-7.
16. I Samuel, XXII, 1: 'A Dafydd a aeth oddi yno, ac a ddihangodd i ogof Adulam'. Cyhoeddwyd adroddiadau byrion am agor y capel yn *Yr Efangylydd*, 2 (Mawrth 1832), 93; (Awst 1832), 157. Fodd bynnag, bu farw Dafydd Williams ychydig yn ddiweddarach ar 8 Mehefin 1832. Gweler *ibid.*, 2 (Awst 1832), 260.
17. *Athraw*, 2 (Mai 1829), 58; 3 (Mawrth 1829), 19, 33-7.
18. Er enghraifft 'Plentyn Chwech Mlwydd Oed yn Marw yn Ddedwydd', *ibid*, 2 (Ionawr 1828), 14-15; 'Hanes Marwolaeth Ann James a Thomas Richards', 3 (Mai 1829), 65-6.
19. *Ibid.*, 3 (Ebrill 1829), 49-52; 4 (Mehefin 1830), 182-3.
20. Am ymdriniaethau cyffredinol â natur y wasg gylchgronol i blant yn ystod y bedwaredd ganrif ar bymtheg, gweler: Gwilym Hughes, 'O *Yr Addysgydd* i *Hwyl.* Cipolwg ar Rai o'r Prif Ddatblygiadau yn Hanes Llenyddiaeth Gyfnodol Cymraeg i Blant a Phobl Ifanc Hyd at 1950', yn Mairwen a Gwynn Jones, gol., *Dewiniaid Difyr: Llenorion Plant Cymru Hyd Tua 1950* (Llandysul, 1983), [74]-86; R. Tudur Jones, 'Darganfod Plant Bach: Sylwadau ar Lenyddiaeth Plant Oes Victoria', yn J. E. Caerwyn Williams, gol., *Ysgrifau Beriniadol, VIII* (Dinbych, 1974), 160-204; D. Tecwyn Lloyd, 'Cylchgrawn i'r Hen Blant', *Y Casglwr*, 45 (Nadolig 1991), 7.
21. 'Trysordy Llyfrau'r Ysgolion Sabbothol', *Yr Athraw*, 2 (Mawrth 1828), 39.
22. 'Undeb Dirwestol Gweithfeydd Gwent a Morganwg', *Yr Athraw; Sef Cylchgrawn Llenyddol a Dirwestol*, [Llanidloes], 3 (Awst 1838), 181-3.
23. 'Adroddiad Trydedd Cymmanfa Ddirwestol Deheubarth Cymru', *Yr Athraw*, 5 (Medi 1840), 205-7; 'Temperance Hall, Merthyr', *ibid.*, 6 (Hydref 1841), 226. Fe'i rhestrir ymhlith y pum lleygwr amlycaf a blediai ddirwest ym Merthyr Tudful gan John Thomas yn ei *Jubili y Diwygiad Dirwestol yn Nghymru* (Merthyr Tydfil, 1885), 141.
24. 'The Late Mr William Morris', *The Merthyr Express*, 12 Awst 1882, 5. Ceir rhestr o'r cwmnïau y bu'n gweithredu trostynt yn T. E. Clarke, *A Guide to Merthyr Tydfil* (Merthyr Tydfil, 1894), 79-80.
25. *Children's Employment Commission. Appendix to First Report of Commissioners. Mines. Part II: Reports and Evidence from Sub-commissioners* (London, 1842), 507. Ni cheir yr un gair am yr ysgol a gadwodd William Morris yng Nghwmtaf Fawr yng nghyfrol David Davies ('Dewi Cynon'), *Hanes Plwyf Penderyn* (Aberdâr, 1905), nac ychwaith am yr ysgol a gadwodd ar Gefncoedycymer, yn llyfr T. J. Harris a Jack Evans, *School and Play in the Parish of Vaynor, South Wales, From 1650 to the Present* (Merthyr Tydfil, 1983).
26. Dyfynnir yn Howell Powell, *op. cit.*, 45.
27. Cedwir copi yn Llyfrgell Genedlaethol Cymru. [Rhif silff QA 101 M87].
28. Ar y dirprwywyr a'r is-ddirprwywyr, gweler Gwyneth Tyson Roberts, 'The Commis-

sioner's Assistants', yn *The Language of the Blue Books: The Perfect Instrument of Empire* (Caerdydd, 1998), 93-104.

29. Frank Price Jones, 'Effaith Brad y Llyfrau Gleision', yn Alun Llywelyn-Williams ac Elfed ap Nefydd Roberts, gol., *Radicaliaeth a'r Werin Gymreig yn y Bedwaredd Ganrif ar Bymtheg* (Caerdydd, 1977), 48-64; Prys Morgan gol., *Brad y Llyfrau Gleision: Ysgrifau ar Hanes Cymru* (Llandysul, 1991); Gwyneth Tyson Roberts, *op. cit.*
30. [David Rees], 'Gwladiadaeth', *Y Diwygiwr*, 13 (Mawrth 1848), 95.
31. 'Hanes yr Ysbïwyr gan Ysbryd Twm o'r Nant', yn T. Roberts, gol., *Gweithiau Barddonol Ieuan Gwynedd* (Dolgellau, d.d.), 55-8.
32. Thomas Richards, *Sir Gaerfyrddin a'r Llyfrau Gleision* (Caerfyrddin, 1953), 3, 23.
33. Cyfeirir ato fel yr 'henadur adnabyddus, yr hwn y mae ei aidd a'i ffyddlondeb gyda phob achos yn eglur i bawb', gan John Hughes yn *Hanes Methodistiaeth Cymru, III* (Gwrecsam, 1856), 82.
34. Gweler er enghraifft ysgrif goffa o'i eiddo 'Dyddiau Diweddaf a Chladdedigaeth y Parch. Morgan Howell', *Y Drysorfa*, 22 (Mai 1852), 172-3.
35. Adroddir yr hanes yn Howell Powell, *op. cit.*, 173-94.
36. 'Tywysogaeth Cymru', *Y Cyfaill*, 19 (Mehefin 1848), 190.
37. Medd ef: 'Er fy mod yn 81 oed er y cyntaf o'r mis hwn . . .', *ibid*, 43 (Ionawr 1880), 43.
38. *Ibid.*, 18 (Ebrill 1855), 164-5; 29 (Chwefror 1866), 70-71.
39. Cyhoeddwyd llythyr gan swyddogion yr eglwys at Gyfarfod Misol y Methodistiaid ym Morgannwg yn egluro amgylchiadau'r rhodd mewn adroddiad sy'n dwyn y teitl 'Mrs Morris, Pant-tywyll, Merthyr', yn *Y Cylchgrawn*, 6 (Chwefror 1867), 80.
40. Gweler 'Eglwys Bethlehem, Panttywyll, Merthyr a'i Rhagorfreintiau', *ibid.*, 7 (Chwefror 1868), 75-76. Yr oedd Mordecai Jones (1813-1880), yn un o arloeswyr y diwydiant glo yn ne Cymru, ac ef a fu'n bennaf cyfrifol am ddatblygu Pwll Nantmelyn yng Nghwmdâr ym 1866. Yn ddiweddarach, prynodd dir y Maerdy yng Nghwm Rhondda gan Crawshay Bailey, a hynny am gyfanswm o £122,000. Ef ynghyd â Wheatley Cobb o Aberhonddu, a ddatblygodd y diwydiant glo yno. Gweler Charles Wilkins, *The South Wales Coal Trade and its Allied Industries* (Cardiff, 1888), 120-1; Elizabeth Phillips, *A History of the Pioneers of the South Wales Coalfield* (Cardiff, 1925), 205-7; Dewi Davies, *Some Interesting People of Breconshire* (S. l., 1971), 25-6.
41. Non Parochial Registers, RG4/3888, Pontmorlais, Merthyr-Tydfil. Diolchaf i'm cyfaill D. Emrys Williams, Aberystwyth, am fy nhywys at yr wybodaeth hon.
42. *Webster and Co's Postal and Commercial Directory of the City of Bristol and County of Glamorganshire* (London, 1865), 501, 509.
43. 'Tywysogaeth Cymru', *Y Cyfaill*, 35 (Hydref 1872), 326.

Y GWLADGARWR A'I OHEBWYR

Ystrydeb bellach yw sôn am y bedwaredd ganrif ar bymtheg fel oes aur cyhoeddi yng Nghymru, a'r cyfnod mwyaf cynhyrchiol yn holl hanes ein llenyddiaeth, ac mae rhai ysgolheigion o'r farn mai myth yw'r mynych sôn am oes aur, beth bynnag.[1] Eto i gyd, hon yw'r 'ganrif fawr' o safbwynt maint y cynnyrch, beth bynnag a ddywedir am ei ansawdd, a'r hyn sy'n syfrdanol yw bod cenedl fechan fel y Cymry wedi gallu cynnal cynifer o gyhoeddiadau cyfnodol drwy gydol y ganrif. Ac mae anferthedd cynnyrch gwasg Gymraeg y ganrif yn nodedig, o gofio am ddiffyg cyfleusterau addysgol ac amgylchiadau economaidd y cyfnod, ac amlygir yr helaethrwydd hwn gan amrywiaeth y cylchgronau a'r newyddiaduron a gyhoeddwyd. Bu chwyldro cymdeithasol eithriadol ym mywyd Cymru yn ystod y cyfnod hwn: yr oedd newydd brofi o gyfres o ddiwygiadau crefyddol grymus iawn yn ystod y ddeunawfed ganrif; cafwyd twf aruthrol yn ei phoblogaeth, a thrawsnewidiwyd economi'r wlad, o ganlyniad i'r datblygiadau diwydiannol newydd yn ardaloedd chwarelyddol y gogledd a chymoedd glofaol y de, fel ei gilydd. A'r elfennau hyn, yn anad dim arall, a greodd y radicaliaeth a ddaeth, yn y man, yn gymaint rhan o ymwybyddiaeth wleidyddol y genedl. Gellir ystyried twf a datblygiad y wasg gyfnodol a newyddiadurol yng Nghymru, felly, fel ymateb uniongyrchol i'r chwyldro cymdeithasol hwn, drwy fod yn gyfrwng i addysgu a chreu barn wleidyddol ymhlith pobl gyffredin nad oeddynt wedi ymboeni rhyw lawer ynghylch materion o'r fath erioed o'r blaen. Ac y mae'n amlwg, o ddarllen llenyddiaeth y cyfnod, fod Cymry'r bedwaredd ganrif ar bymtheg yn ymwybodol o ddylanwad cynyddol y wasg ar eu bywydau. 'Y mae'r oes bresenol yn neillduol, yn oes o gynydd mawr ac ymchwilio difrifol', medd Lewis Edwards mor gynnar â 1848. 'Y mae gorthrwm, cyfoeth, twyll a rhagfarn yn colli eu goruchafiaeth, a gwybodaeth yn raddol ennill tir'.[2]

Y mae'r cyfan yn tystio i weithgarwch llenyddol aruthrol ymhlith pobl gyffredin. Gweithwyr at ei gilydd oedd prif gynheiliaid y wasg hon, ac yr

Y GWLADGARWR.

Cofnodydd Llenyddiaeth, Gwleidyddiaeth, Newyddion Cyffredinol, &c., &c.

SADWRN, MAI 7, 1864.

'Y Gwladgarwr. Cofnodydd Llenyddiaeth, Gwleidyddiaeth, Newyddion Cyffredinol', Aberdâr, 1858-1884.

oedd cyfran helaeth o olygyddion y cylchgronau a'r newyddiaduron Cymraeg yn perthyn i'r un cefndir cymdeithasol â'u darllenwyr. 'Pan edrychwn ar lenyddiaeth Gymraeg, gellir ei galw yn llenyddiaeth y gweithwyr', medd un o ohebwyr *Yr Eurgrawn Wesleyaidd* ym 1865. 'Y mae yn hollol yn nwylaw y gweithwyr a gweinidogion yr Efengyl, a'r gweinidogion hynny, gan mwyaf, wedi bod unwaith yn weithwyr llengar'.[3] Ein llenyddiaeth gyfnodol, yn gylchgronau a newyddiaduron, yw'r ffynonellau pwysicaf o ddigon sydd ar gael i'n cynorthwyo i ddeall Cymru a Chymry'r bedwaredd ganrif ar bymtheg, eu problemau a'u cymhlethdodau, eu gobeithion a'u dyheadau. Eto i gyd bu'n ffasiwn tan yn gymharol ddiweddar i ddilorni'r cynnyrch hwn, neu ei anwybyddu'n gyfan gwbl. Ac fel y dadleuodd yr Athro Hywel Teifi Edwards, ni thâl inni fod yn euog o'r naill na'r llall:

> Canrif i'w chymryd o ddifrif ac i geisio ei deall yng nghyd-destun ei hymgyrraedd hi ei hun yw'r bedwaredd ganrif ar bymtheg – fel unrhyw ganrif arall yn hanes ein llên wrth gwrs. Ond hyd yn hyn, os yw prinder ymchwil academaidd yn y maes i'w gymryd yn ffon fesur, y mae diwylliant Cymraeg oes Victoria, y diwylliant sy'n cyfrif i gymaint graddau ein bod fel yr ydym heddiw, yn cael ei weld o hyd yn faes digynnig, anniddorol na ddylid disgwyl fawr ddim da i ddod ohono. A dyma'r cyfnod a welodd godi arfau yn y frwydr sydd i benderfynu tynged y Gymraeg, y frwydr honno yn y meddwl y petrusai pob sylwebydd sobr heddiw rhag proffwydo diwedd buddugoliaethus iddi gan mor fyw o hyd yw'r agweddau negyddol a ddifaodd hyder cynifer o Gymry oes Victoria yn eu hiaith a'u diwylliant. Yn nannedd yr agweddau hynny y ceisiodd beirdd a llenorion yr oes honno ddal ati i lenydda, i gadw chwedl y genedl yn fyw yn yr iaith a fuasai'n dafod iddi am y rhan orau o ddwy fil o flynyddoedd. Gan amlaf yn brin eu haddysg, heb sefydliadau ac eithrio'r eisteddfod i gynnig iddynt sylw a statws, heb nawdd pendefigion, ac ar drugaredd israddolder gwlad a fynnai ei gweld ei hun yn deg yn nrych cydnabyddiaeth Lloegr, ymroesant i lenydda.[4]

'Ymroesant i lenydda', ac mae'r darlun cyfarwydd o'r 'gwerinwr' diwylliedig o Gymro – y darlun rhamantaidd, a grewyd i raddau helaeth gan wŷr fel Owen M. Edwards, ac eraill o ysgrifenwyr a gwleidyddion Cymru ddiwedd y bedwaredd ganrif ar bymtheg a dechrau'r ganrif ddiwethaf, bellach yn gyfarwydd i bawb. Darlun yw hwn o gymdeithas ddemocrataidd y crefftwr gwlad capelgar, y gŵr a ymhyfrydai mewn llenydda a phrydyddu, ac a oedd yn ymgorfforiad o werthoedd gorau y Gymru Gymraeg ryddfrydol ac Ymneilltuol. Fel cenedlaetholwr diwylliannol, amcan Owen Edwards oedd trwytho'r Cymry yn hanes a diwylliant eu gwlad, gan roi pwyslais arbennig ar hanes ei harwyr, ei beirdd a'i llenorion. Mae cyfrolau *Cymru* (1891-1927), ond odid un o'r cyfnodolion mwyaf llwyddiannus yn Gymraeg, yn llwythog o ysgrifau ac erthyglau sy'n trafod rhinweddau'r genedl ddiwyllgar, yr ymhyfrydai'r golygydd ynddi, ac yr hoffai sôn gymaint amdani. Ac efallai nad yw'n syndod ein bod wedi ein cyflyru i gysylltu gweithgarwch llenyddol neu ddiwylliannol ag ardaloedd arbennig, fel yr ardaloedd gwledig, er enghraifft, neu ardaloedd y chwareli yn enwedig.

Ond y mae'n wir dweud bod undod diwylliannol pendant i'w ganfod yng nghymoedd diwydiannol y de yn ogystal, a chafwyd cryn weithgarwch llenyddol ymhlith gweithwyr cymoedd glofaol Mynwy, Morgannwg a dwyrain sir Gaerfyrddin yn ystod ail hanner y bedwaredd ganrif ar bymtheg. Yn sgîl diwydiannu'r cymoedd hyn, a'r cynnydd aruthrol a ddigwyddodd yn eu poblogaeth, y profwyd gweithgarwch llenyddol mawr y cyfnod. Bu'r dylanwadau diwydiannol yn fodd ynddynt eu hunain i hyrwyddo newidiadau sylfaenol ym mhatrwm diwylliannol y cymdeithasau glofaol, ac mae'r gweithgarwch hwn o ddiddordeb neilltuol i'r hanesydd lleol yn ogystal ag i'r hanesydd llên – a hynny am ei fod yn cynnwys sylwebaeth uniongyrchol a chyfoes ar fywyd bob dydd y cymoedd a'u trigolion. Mae hefyd yn fodd i ddangos beth yn union oedd agweddau'r cymunedau hyn tuag at y problemau hynny a'u poenai yn ystod cyfnod eu prifiant, yn ogystal ag egluro llawer o'r anawsterau a gododd yn sgîl y dylanwadau a'r bywyd economaidd newydd. Cymdeithasau symudol oedd y rhain i raddau helaeth. Tyrrodd y Cymry i'r cymoedd diwydiannol yn eu miloedd, i weithio yn y glofeydd a'r gweithfeydd haearn. Fel y chwyddodd y boblogaeth, felly hefyd yr amlhaodd y gweithgarwch diwylliannol, ac awgrymwyd fwy nag unwaith fod y mudo o'r ardaloedd gwledig wedi bod yn gyfrwng i alluogi'r Cymry i gadw eu hiaith yn ystod y bedwaredd ganrif ar bymtheg.[5]

Sefydlwyd nifer o weithfeydd haearn ym Mlaenau Gwent a Morgannwg, a thyfodd cymunedau Rhymni, Sirhywi, Nant-y-glo a Blaenafon, megis dros nos. Yr oedd cryn lewyrch ar Gymreictod yr ardaloedd hyn; Cymraeg oedd iaith y mwyafrif llethol o'u trigolion, a sefydlwyd yma nifer o gymdeithasau Cymreigyddol, gyda'r amcan o noddi llên a barddas. Yr oedd John Davies ('Brychan') ymhlith yr amlycaf o arweinwyr diwylliannol y cylch, a bu nifer o bregethwyr mwyaf poblogaidd y cyfnod, fel Edward Roberts ('Iorwerth Glan Aled'), Evan Jones ('Ieuan Gwynedd'), William Roberts ('Nefydd'), Robert Ellis ('Cynddelw'), a William Thomas ('Islwyn'), yn gweinidogaethu yn y cylch. Bu cryn weithgarwch ymhlith argraffwyr yr ardal yn ogystal, a sefydlwyd nifer o weisg yn y mwyafrif o'r prif drefi, – ym Mhont-y-pŵl, y Blaenau, Bryn-mawr a Thredegyr.[6] Yr oedd yr holl gylch hwn hefyd o fewn cyrraedd nawdd Arglwyddes Llanofer, y wraig a wnaeth gymaint i hyrwyddo'r diwylliant Cymraeg yn y fro yn ystod ail chwarter y bedwaredd ganrif ar bymtheg. Drwy ei gweithgarwch hi, yn bennaf, y sefydlwyd Cymdeithas Cymreigyddion y Fenni yng ngwesty'r Haul yn y dref ym 1833, gyda'r bwriad o hyrwyddo'r iaith Gymraeg a'i diwylliant, drwy gyhoeddi ac argraffu'r llawysgrifau Cymraeg, cynnal eisteddfod flynyddol, a meithrin diddordeb mewn canu gwerin ac yn y delyn deires. Ac yr oedd gan y Gymdeithas ei harweinwyr ar wahân i Arglwyddes Llanofer, – gwŷr fel Thomas Price ('Carnhuanawc'), William Jones ('Gwilym Ilid'), ac Aneurin Jones ('Aneurin Fardd'), sef athro barddol Islwyn.[7]

Bu cynnydd aruthrol ym mhoblogaeth Merthyr Tudful hefyd, a ddatblygodd yn brif dref Cymru erbyn canol y ganrif. Gwelwyd bri ar y diwylliant Cymraeg yma yn ogystal, a ffynnodd cymdeithasau fel y Cymmrodorion Dirwestol, y Cymreigyddion, y Brythoniaid a'r Gomeriaid yn y dref a'r pentrefi a dyfodd o'i chwmpas, yn Nowlais, Penydarren, Heolgerrig, Clwydyfagwyr a Thwyn-yr-Odyn. Bu Taliesin Williams, mab Iolo Morganwg, yn cadw ysgol yma, a dylanwadodd yntau, yn ei dro, ar nifer o brydyddion a llenorion y cylch, fel Jonathan Reynolds ('Nathan Dyfed'), William Moses ('Gwilym Tew o Lan Taf'), William Morgan ('Gwilym Gelli-deg') ac eraill. Ac yr oedd ysgolheictod ym Merthyr hefyd, oblegid yma, yn siop fferyllydd y dre, yr enillai Thomas Stephens, awdur *The Literature of the Kymry,* ei fywoliaeth.[8]

Daeth Cwm Rhondda yn un o brif ganolfannau'r diwydiant glo yn Ewrop, a ffynnodd y Gymraeg a'i diwylliant yma, ac ym Mhontypridd gerllaw, hyd at gyfnod y dirwasgiad yn nauddegau'r ganrif ddiwethaf. Ac nid oedd enwau beirdd a llenorion y Cwm – Thomas Williams ('Brynfab'), Evan Davies ('Myfyr Morganwg'), William Thomas ('Glanffrwd'), Daniel Davies o'r Ton, Ben Bowen a William Morris ('Rhosynnog'), yn ddieithr i eisteddfodwyr y cyfnod.[9] A'r un patrwm diwylliannol a welwyd yng nghymoedd eraill Morgannwg, yn ystod yr un cyfnod, – yn Ogwr a Garw, Llynfi ac Afan. Yn Llangynwyd y trigai Richard Pendrill Llewelyn a'i wraig Mary, dau o hynafiaethwyr yr ardal, ynghyd â Thomas Christopher Evans ('Cadrawd'), yr amlycaf o groniclwyr llên-gwerin Morgannwg. Ym Maesteg gerllaw y gweinidogaethai John Williams ('Ceulanydd'), un o brifeirdd anghofiedig ei gyfnod, a bu Richard Morgan ('Rhydderch ap Morgan') a Thomas Morgan ('Llyfnwy'), yn flaenllaw ym mywyd eisteddfodol Cwmafan a Chwm Llynfi.[10]

Yn sgîl diwydiannu Cwm Cynon gan berchnogion glofeydd fel Richard Fothergill, Matthew Wayne, Thomas Powell, David Williams ('Alaw Goch'), Thomas Nixon, David Davies ac eraill, tyfodd poblogaeth Aberdâr o 1,486 ym 1801 i 40,305 ym 1871, a'r mwyafrfif llethol o'i drigolion yn Gymry Cymraeg, a fudodd i'r ardal o siroedd gorllewin Cymru. Yma hefyd y tra arglwyddiaethai'r Parchedig Thomas Price, gweinidog dylanwadol eglwys Fedyddiedig Calfaria, pregethwr a darlithydd, addysgwr a gwleidydd, ac un o brif amddiffynwyr trigolion y dref rhag ensyniadau'r comisiynwyr a benodwyd i archwilio i gyflwr addysg Cymru ym 1847.[11] Datblygodd tref Aberdâr yn ganolfan masnachol i'r Cwm yn fuan, a ffynnodd yma eto, fel yng nghymoedd eraill Morgannwg, fath o ddiwylliant Cymraeg a oedd yn gyfoethog, yn ddeinamig ac yn egnïol. Nid gwamalu yr oedd yr Athro Bobi Jones pan ddatganodd mai:

> Aberdâr oedd, o bosib, y dref ddosbarth-gweithiol, o'i maint, fwyaf diwylliedig yn y byd. Yr oedd yn ferw o ddiwylliant; gweisg a'u cynnyrch, llenorion, corau, diwinyddion praff, cyfarfodydd diwylliannol, cartrefi lle yr oedd trafodaethau deallol praff . . . Caed pentwr hefyd o Gymreigyddion yno – canghennau'r *Swan,* Brynhyfryd a'r Carw Coch, bob un yn cynnal eisteddfodau. Caed papurau megis *Y Gwron* a'r *Gwladgarwr;* dau bapur bro wythnosol, yr olaf yn cynnwys Colofn y Bywgraffydd, Congl y Llenor a'r Golofn Farddol anochel; a'r ddau bapur yn dadlau yn erbyn ei gilydd. Ond *Tarian y Gweithiwr (Y Darian),* ymddengys i mi, oedd y prif gynnyrch o'r math hwnnw. Ond caed eraill megis *Gwreichion.* Ac wrth gwrs, llu o lenorion fel Iago ab Dewi, Caerwyson, Cymro Gwyllt, Llew Llwyfo, Thomas Price, J. T. Jones, Alaw Goch, Ieuan Gwyllt, Joseph Harry, Ab Hefin, Iwan Goch, Ben Morris a llu o rai eraill. 'Roedd y lle'n ferw.[12]

Drwy gydol y bedwaredd ganrif ar bymtheg, felly, hyd at ddechrau'r ugeinfed ganrif, trawsnewidiwyd y cymoedd hyn, o gyrion Gwent hyd at faes y glo carreg yng ngorllewin Morgannwg a dwyrain sir Gaerfyrddin. Ymgynullodd yma boblogaeth helaeth a ffurfiai uned a allai gynnal gwyliau diwylliannol sylweddol, yn ogystal â chreu cynulleidfa barod ar gyfer y wasg gyfnodol, yn gylchgronau a newyddiaduron, yn lleol a chenedlaethol. A datblygodd Aberdâr yn brif ganolfan argraffu ym Morgannwg yn ystod y bedwaredd ganrif ar bymtheg. Josiah Thomas Jones, gweinidog gyda'r Annibynwyr, oedd un o arloeswyr y wasg newyddiadurol yn y dref. Daeth ef i Aberdâr o Gaerfyrddin ym 1854, lle yr oedd eisoes wedi sefydlu *Y Gwron Cymreig* fel pythefnosolyn ddwy flynedd ynghynt. Cynhwysai newyddion tramor a chartref, yn ogystal ag adroddiadau seneddol, ac fe'i cyfrifid yn newyddiadur a oedd yn amlwg wrth-Dorïaidd a gwrth-Eglwysig, gan ddewis ochri â'r gweithwyr yn ddieithriad, yn hytrach nag â'r meistri glo a haearn. Ar Fawrth 6 1858, ymddangosodd adroddiad manwl ar dudalen blaen *Y Gwron,* yn sôn bod y wasg mewn gwewyr esgor, a bod '*Gwladgarwr* i gael ei eni'. Soniai'r adroddiad ymhellach am gyfarfod arbennig a gynhaliwyd yn Aberdâr yn ystod y mis Chwefror cynt, i drafod y bwriad o sefydlu papur newydd yn y dref, ac ymhlith y siaradwyr yno yr oedd David Williams ('Alaw Goch'), a Lewis William Lewis ('Llew Llwyfo'). Bu'n gyfarfod tanllyd, a dweud y lleiaf, ac ymhlith y prif wrthwynebwyr i'r fenter newydd yr oedd Thomas Price, golygydd *Y Gwron.* Yn ôl Price, nid oedd y trefnwyr ond '*clique* bychan, crebachlyd, ceintachlyd, hunan grëedig', sef Alaw Goch, William Morgan ('Y Bardd'), Jenkin Griffith, William Williams ('Carw Coch') ac Abraham Mason.[13] Ond sefydlwyd y papur ar waethaf pob gwrthwynebiad, ac ymddangosodd y rhifyn cyntaf o *Y Gwladgarwr; Cofnodydd Llenyddiaeth, Gwleidyddiaeth, Newyddion Tramor a Chartrefol* ar 22 Mai 1858.[14]

Bu pethau'n ddrwg iawn rhwng *Y Gwladgarwr* a'r *Gwron* am gyfnod, ac nid oes ryfedd am hynny, o gofio i berchnogion y blaenaf wahodd un o olygyddion yr olaf i weithio yn eu swyddfa hwy. Yr oedd angen cynorthwywr ar Thomas Price ym 1857 i olygu'r *Gwron,* a gwahoddwyd Llew Llwyfo gan Josiah Thomas Jones i ymgymryd â'r gwaith, pan oedd hwnnw ar un o'i deithiau canu ym Morgannwg. Derbyniodd y Llew y gwahoddiad yn llawen, ond ni bu fawr o dro cyn iddo groesi cleddyfau â'i gyflogwr, a hynny, y mae'n debyg, ar bwnc y streic fawr ymhlith glowyr Aberdâr a'r cylch. O ganlyniad, ymadawodd Llew Llwyfo â swyddfa *Y Gwron* gan ddechrau ar yrfa newydd fel golygydd *Y Gwladgarwr.*[15] Ychydig fisoedd yn ddiweddarach, sefydlodd J. T. Jones bapur newydd arall – *Y Gweithiwr,* fel newyddiadur ysgafn a phoblogaidd i gystadlu â'r *Gwladgarwr.* Unwyd *Y Gwron* â'r *Gweithiwr* ym mis Mai 1860, ond byr fu ei yrfa gan i'r cyhoeddwr ildio'r maes Cymraeg yn gyfan gwbl i'r *Gwladgarwr* ychydig fisoedd wedyn a sefydlu newyddiadur arall ac iddo'r teitl *The Aberdare Times,* fel fersiwn Saesneg o'r *Gwron a'r Gweithiwr.*

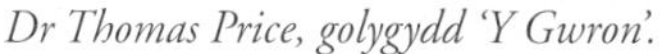

Dr Thomas Price, golygydd 'Y Gwron'.

David Williams ('Alaw Goch').

Ni pharhaodd cysylltiad Llew Llwyfo â'r *Gwladgarwr* yn hir, oblegid mae'n debyg i'r cerddor John Roberts ('Ieuan Gwyllt') gymryd at olygyddiaeth y papur ym mis Ionawr 1859, a phan symudodd yntau i Ferthyr Tudful yn ddiweddarach, fe'i dilynwyd, yn eu tro, gan y Parchedigion John Davies, Aberaman, David Saunders a William Edwards, Aberdâr, gydag Alaw Goch yn gofalu am y golofn farddol. Daeth y papur i feddiant Walter Lloyd, brodor o dref Caerfyrddin ym 1859, ac ef a fu'n gyfrifol am ei gyhoeddi a'i argraffu fyth wedyn.[16] Dywedir mai dwy fil o gopïau o'r *Gwladgarwr* a werthwyd yn wythnosol pan sefydlwyd y papur ym mis Mai 1858, ond yr oedd iddo naw mil o dderbynwyr yng nghymoedd diwydiannol Mynwy, Morgannwg a dwyrain sir Gaerfyrddin erbyn mis Rhagfyr 1865. Fe'i helaethwyd ym mis Mai 1868 drwy ychwanegu deg o golofnau ato. Er mai papur rhyddfrydol oedd *Y Gwladgarwr,* ac er iddo bledio achos y dosbarth gweithiol drwy gydol ei yrfa, prin y gellir dweud iddo gael llawer o ddylanwad gwleidyddol. Y mae'n wir fod ynddo adroddiadau am weithgareddau cyfrinfeydd y glowyr, a chyhoeddwyd ynddo newyddion cenedlaethol a thramor, ond fel newyddiadur llenyddol y daeth i fri yn anad dim arall, a hynny ar gorn ei golofn farddol fywiog, ei nofelau cyfres a'i adroddiadau manwl am yr eisteddfodau a'r cyfarfodydd llenyddol a ddaeth yn gymaint rhan o fywyd diwylliannol y cymoedd yn ystod ail hanner y bedwaredd ganrif ar bymtheg. Yr oedd cryn weithgarwch llenyddol ym maes glo'r de yn ystod y cyfnod hwn, a rhoes *Y Gwladgarwr* gyfle i ddegau lawer o brydyddion a llenorion o blith y dosbarth gweithiol gyhoeddi eu cyfansoddiadau am y tro cyntaf.

Yr oedd Alaw Goch, un o sefydlwyr y papur, yn hoff o brydyddu. Bu ei gartref yn Ynyscynon yn gyrchfan beirdd a llenorion am flynyddoedd, a bu'r Alaw yn gefnogwr selog i eisteddfodau ei gyfnod. Daeth i'r amlwg fel diwydiannwr a agorodd lofeydd yng Nghwm-bach, Treaman ac Aberpennar, gan ddod yn ŵr o gryn gyfoeth yn sgîl hynny. Ei enw ef a welir yn 'Nhrealaw', y pentref glofaol a godwyd ar diroedd ffermydd y Brithweunydd yng Nghwm Rhondda Fawr, ac mae'n berthnasol sylwi iddo chwarae rhan flaenllaw yn y weithred o sefydlu papur dyddiol cyntaf Cymru, sef *The Cambrian Daily Leader*, yn Abertawe, fel newyddiadur Rhyddfrydol ym 1861.[17] Mab iddo oedd y Barnwr Gwilym Williams o Feisgyn, a'i or-ŵyr oedd Syr Brandon Rhys Williams, yr Aelod Seneddol Torïaidd tros etholaeth Kensington, a fu farw ym 1988. Dechreuodd Alaw Goch ar ei yrfa fel golygydd colofn farddol *Y Gwladgarwr* ym 1859, ond prin y gellir dweud i feirdd a phrydyddion y golofn elwa rhyw lawer o'i sylwadau ef ar eu cynhyrchion. Cyhoeddai'r Alaw bron bopeth a ddeuai i'w golofn, heb na sylw beirniadol na gair o ganmoliaeth, ond pan fu farw ym mis Chwefror 1863, penodwyd William Williams ('Caledfryn'), gweinidog eglwys Annibynnol y Groes-wen, ger Caerffili, yn olynydd iddo. Ac ni fu colofn farddol *Y Gwladgarwr* fyth yr un fath wedyn. Yn wahanol i Alaw Goch, yr oedd Caledfryn yn feirniad didrugaredd; yn wir, ef, heb unrhyw amheuaeth, oedd beirniad llenyddol llymaf Cymru'r bedwaredd ganrif ar bymtheg.[18] Medd un o'i gofianwyr amdano:

> Beirniad gonest, didderbynwyneb i bawb, nid adwaenai neb yn ôl y cnawd mewn cystadleuaeth, yr oedd yn berffaith ddall i ffafr ac yn fyddar i bob dylanwad er mwyn elw. Dywedai yn llym yn erbyn gwallau mewn cynghanedd ac iselder mewn ffigyrau ymadroddion. Teimlai bob un bwysau ei ddyrnod wrth drin ei waith; yr oedd ef yn ysgythrwr heb ei ail, torai y canghenau diffrwyth ymaith, ac ysgymunai y geiriau llanw o bob llinell, ac ni oddefai i freichiau gweinion, gwael, diawen anharddu gwaith heb

> iddo ddangos colliadau a'u condemnio yn ddiarbed. Pan y byddai ef yn taro, teimlid grymusder ei fraich, ac os archolli wnâi, gwelid ôl awch min ei gyllell i'r byw.[19]

Rhoes Caledfryn fynegiant croyw i'w ddaliadau ynghylch swyddogaeth barddoniaeth mor gynnar â 1839, pan gyhoeddwyd ei gyfrol *Y Drych Barddonol,* a chafodd gyfle pellach i ledaenu'r syniadau hyn wrth feirniadu yn Eisteddfod Aberystwyth ym 1853. Dair blynedd yn ddiweddarach, ym 1856, cyhoeddodd draethawd ar farddoniaeth fel atodiad i'w gyfrol o gerddi, *Caniadau Caledfryn,* ac ymddangosodd nifer o erthyglau o'i waith ar yr un testun yn *Y Traethodydd.* Er hynny, nid oes amheuaeth mai ar dudalennau'r *Gwladgarwr* y cafodd ugeiniau o feirdd y de y cyfle cyntaf i ymgydnabod â'r syniadau hyn, a hynny yng ngholofn farddol Caledfryn. Gosododd safonau uchel i'w golofn o'r dechrau, ac yr oedd bob amser yn barod i addysgu a hyfforddi'r beirdd ifainc gan eu hannog i ofalu bod ganddynt farddoniaeth ac nid sothach i'w chynnig i'r golofn. Amlinellodd ei bolisi fel athro beirdd ar 31 Rhagfyr 1864:

> Dichon fod ambell un yn barod i synu atom am gymeryd y drafferth o olygu barddoniaeth *Y Gwladgarwr,* a chymaint o hono yn ffaelu dyfod i fyny â'r safon. Gallwn sicrhau y cyfryw mai nid cael yr hyfrydwch o nodi gwallau sydd yn ein cymell, ond yn un peth yr ydym yn gwneuthur hyny am ein bod yn cael rhoi help llaw i ambell fachgenyn o athrylith nad oes ganddo fanteision yn y gymydogaeth ac y mae yn byw i gyraedd unrhyw wybodaeth yn y gangen hon; ac nid ydym heb dderbyn cydnabyddiaeth barhaus oddiwrth amryw sydd wedi bod hyd yn nod dan yr 'ysgrafell'.

Cymerodd drafferth i ddysgu'r beirdd sut i baratoi eu cerddi ar gyfer eu cyhoeddi, gan eu cynghori hyd yn oed ynglŷn â'r math o bapur y dylent ei ddefnyddio, yn ogystal ag ansawdd yr inc. Rhoes y cyngor hwn i feirdd y golofn ym mis Medi 1867:

> Ysgrifenwch eich geiriau yn eglur, heb fod yn rhy fân, a pheidiwch dodi y llinellau yn rhy agos i'w gilydd. Gofelwch am ddechreu ar frig y ddalen, ac nid ar ei hochr, a chedwch y papur yn lân heb ei ddifwyno â dwylaw budron nac a sug tybaco . . . Gofelwch, wrth selio eich llythyrau, am i'r glud beidio cyffwrdd â'r darlleniad oddifewn. Os bydd gennych lythyr

> cyfrinachol, neu un na chwenychoch ei weled yn argraffedig, dodwch ef ar len ar ei ben ei hun, ac nid ar ddalen a fyddo yn cynwys cyfansoddiadau barddonol.

Yr oedd eisoes wedi mynegi'r farn fod barddoniaeth 'bellach yn destun gwawd, a phob crwtyn ffôl yn meddwl ei hun yn fardd', mor gynnar â mis Chwefror 1865, ond bu'n drwm ei lach ar feirniaid anwybodus yr eisteddfodau yn ogystal. Gallai fod yn grafog wrth gloriannu'r cyfansoddiadau hefyd. 'Y mae'r englyn i'r "Cusan" yn rhy ffiaidd i'w gyhoeddi' oedd ei sylw ar gyfansoddiad Daniel James ('Gwalch Ebrill'), un o brydyddion Brynaman, ym mis Gorffennaf 1865, a chyfeiriodd at gerdd un arall o feirdd y fro fel 'rhyw ganig fach wirion dros ben', ym mis Tachwedd y flwyddyn cynt. Un o brif bechodau beirdd yr oes oedd llên-ladrad, a bu'n rhaid i Galedfryn weithredu'n bendant yn erbyn y lladron ym 1867. Gwnaeth y datganiad hwn yn ei golofn ym mis Chwefror y flwyddyn honno:

> Yr ydym am osod rheol na dderbyniwn ddim oddi wrth feirdd anadnabyddus i ni eisoes, heb enw priodol, a'i lythyr wedi arwyddo yn gyfrinachol gan weinidog yr eglwys neu'r capel y byddo yr anfonwr yn arfer myned iddo. Y mae cynifer o fân feirdd wedi dyfod i'r golwg, a chynifer o fân lyfrau wedi eu cyhoeddi yn ddiweddar, fel nad oes dim modd i ni wybod pwy mewn gwirionedd fydd yn anfon, nac o ba le y bydd ef wedi cael y cyfansoddiad, os na fyddwn yn gydnabyddus â'r awdwr a'r gwaith o'r blaen.

Gallai Caledfryn fod yn ŵr eithriadol o anodd ymwneud ag ef; yn un pendant ei farn, yn ddiwyro a di-droi'n ôl, onid yn wir yn gwbl ystyfnig – '*hot-headed and uncompromising*' yn ôl un sylwebydd. 'Yr oedd rhyw surni neu wydnwch cynhenid yn perthyn iddo', medd Gwilym Rees Hughes amdano. 'Ymddengys, er enghraifft, nad ydoedd yn rhy hoff o ysgwyd llaw â neb, oblegid dywedodd unwaith, os oedd ar bobl eisiau ysgwyd llaw, y dylai pawb ysgwyd ei law ei hun. Tyfodd hyn yn raddol yn hunaniaeth ystyfnig, a'i wneud yn ŵr cas, llym ei dafod, a fynnai er popeth gael ei ffordd ei hun'.[20] Gan mor grafog y gallai Caledfryn fod fel beirniad, nid yw'n syndod gweld y beirdd yn achwyn am y driniaeth a gawsent ganddo. Canodd William Evans ('Gwilym Cyrwen'), un o brydyddion dyffryn Aman, sir Gaerfyrddin, yr englyn hwn iddo:

Caledfryn, adyn arswydawl – ei wedd
Gyda'i arf ysgythrawl;
Nid dyn na beirniad, ond diawl
Yn lladd awen gall dduwiawl.[21]

Nid oes ryfedd chwaith i un o ohebwyr y cylchgrawn deifiol hwnnw, *Y Punch Cymraeg,* fynegi ei gydymdeimlad â beirdd *Y Gwladgarwr* ym mis Chwefror 1864, a datgan ei bod yn ofid ganddo 'weled prydyddion ieuainc yn fychod dihangol gan yr hen ŵr Caledfryn i ddwyn holl bechodau y byd i anialwch y cenhedloedd'. Ond bychod dihangol neu beidio, daeth colofn farddol *Y Gwladgarwr* yn boblogaidd gan feirdd a phryddion y cymoedd megis dros nos; mor boblogaidd, yn wir, fel y bu'n rhaid i'r golygydd gyfyngu ar nifer y cyfansoddiadau a gyhoeddwyd ynddi. Erbyn 4 Ionawr 1868, yr oedd niferoedd y beirdd wedi cynyddu gymaint, fel y gorfodwyd i'r golygydd osod treth o ddau stamp ceiniog ar bob cyfansoddiad:

> Y mae y trafferthion sydd yng nghlŷn â golygu y farddoniaeth mor luosog, a'r cynhyrchion yn amlhau cymaint mewn rhifedi, yn barhaus, fel yr ydis wedi penderfynu dodi pob un a fyddo yn chwenych anfon atom, i dalu dau stamp; nid *am* ei lythyr ond *yn* ei lythyr . . .Yn y dull presenol pan y mae pob math o gyfansoddiadau yn cael eu hanfon, drwg a da, a'r rhai hyny i gael eu darllen oll, y mae gormod o amser yn cael ei dreulio am ddim. Dealler nad ydis trwy dderbyniad y stampiau yn sicrhau y caiff y cyfansoddiad gymeradwyaeth heb deilyngdod. Gwasgwyd ni i'r penderfyniad yma wrth feddwl fod rhai yn anfon atom heb un amcan ond i'n trafferthu. Hyderwn y bydd y ddau stamp yn dipyn o atalfa, oblegyd nid ydym ni yn gweld unrhyw foddion mor debyg o ddwyn dyn i'w iawn bwyll nag ydyw gwneuthur iddo dalu am ei ddigrifwch. Os na welwn y bydd y ddau stamp yn ddigon, fe ddodwn y pris yn uwch yn mhen ychydig.

Arferai Caledfryn osod tasg i'r beirdd o bryd i'w gilydd hefyd. Ym 1867, er enghraifft, cynigiodd gopi o *Caniadau Iago Emlyn* yn wobr am y cyfieithiad gorau o 'Follies and Crimes of War', gan J. Harris, ac ym 1865 cynigiodd gopi o'i gyfrol ef ei hun, *Caniadau Caledfryn,* yn wobr am gyfieithiad o un o gerddi Jenner. Eiddo John Jones Davies ('Ieuan Ddu

Allt-wen'), a orfu yn y gystadleuaeth honno, ac ymatebodd Ieuan Ddu mewn llythyr a gyhoeddwyd yn rhifyn 7 Tachwedd y flwyddyn honno:

> Mil gwell genyf enill deg neu bump swllt o dan eich beirniadaeth chwi, na dwy neu dair punt o dan eiddo mân feirniaid anwybodus ein heisteddfodau. Y mae eich syniadau barddol chwi yn llesoli y cystadleuwyr, – nid eu chwyddo â gwynt a'u seboni â gweniaith. Y mae yn llon genyf feddwl mai o dan eich golygyddiaeth chwi y daethum allan gyntaf fel cyfansoddydd barddoniaeth a rhyddiaith hefyd, ac felly ystyriwyf chwi fel fy nhad llenyddol. Credwyf eich bod wedi gwneyd mwy tuag at buro barddoniaeth a llenyddiaeth Gymraeg nag un o feirdd ein Tywysogaeth. Ewch rhagoch yn galonog, a bydd bendith yn canlyn eich llafur.

Gwyddys hefyd bod prydyddion fel Evan Rees ('Dyfed'), Watkin Hezekiah Williams ('Watcyn Wyn'), Evan Jones ('Gurnos') a Richard Williams ('Gwydderig'), yn drwm iawn eu dyled iddo. Pan fu farw Caledfryn ym mis Mawrth 1869, penodwyd William Thomas ('Islwyn') yn olynydd iddo fel golygydd y golofn farddol, ac yr oedd ei ddull ef o farnu ymdrechion y beirdd yn dra gwahanol i eiddo'i ragflaenydd. Gallai ef gywiro a hyfforddi gyda thynerwch, ac er iddo ddylanwadu ar egin feirdd fel Elfed a Ben Davies, prin y gellir dweud iddo gael cymaint o ddylanwad â Chaledfryn. 'Yr oedd ef yn rhy farddonol ac yn rhy ddifater i fod yn olygydd poblogaidd', oedd sylw Watcyn Wyn amdano. 'Ychydig ddywedai am ddim dderbyniai; ond yr oedd y beirdd yn credu cryn dipyn mewn gair o ganmoliaeth ganddo hefyd'.[22] Mae lle i gredu i nifer y cyfansoddiadau ostwng ychydig yng nghyfnod golygyddiaeth Islwyn, a hwyrach bod hynny'n esbonio paham y dewisodd y golygydd gyhoeddi cymaint o'i waith ef ei hun yn y golofn. Er hynny, bu'n rhaid i Islwyn, fel ei ragflaenydd Caledfryn, gwyno o bryd i'w gilydd bod gormod o ddeunydd yn dod i golofn farddol *Y Gwladgarwr.* Medd ef yn rhifyn 29 Tachwedd, 1873:

> Y mae John Parry, y llythyr-gariwr o Pontllanfraith i'r Glyn, yn barnu y dylai Beirdd *Y Gwladgarwr* gofio am dano ef mewn ffordd sylweddol y Nadolig nesaf. Y mae ysgwyddau Parry yn ddolurus wrth gario baich trwm y farddoniaeth dair milldir o ffordd bob bore. Fe allai mai gwell i'r Beirdd barchu yr awgrym llednais hwn, rhag ofn i Parry daflu eu

llythyrau cynwysfawr dros Bont y Garn i'r afon, a thaflu ei hunan yno ar eu hôl.

Cyhoeddwyd nofelau cyfres yn *Y Gwladgarwr,* o bryd i'w gilydd hefyd, a'r rheini fel arfer o natur foesol ac adeiladol, yn ôl chwaeth yr oes. Mae'r elfennau hyn yn amlwg yn nofel Ossian Dyfed o Ferthyr Tudful, er enghraifft – 'Y Cenadwr Cymreig', a gyhoeddwyd yn y papur yn ystod misoedd olaf 1873. Mewn rhagymadrodd byr i'r bennod gyntaf dywedir: 'Mae yr awdwr yn cadw yn hollol at y moesol yn y chwedl hon, gan alltudio ohoni bob cyfeiriad at ornestau, ymladdau, llofruddiaethau, cyllyll etc., sydd, ysywaeth yn rhy boblogaidd gan nofelwyr yr oes hon. Gellir bod yn *sensational* heb saethu a thrywanu a llofruddio'. Y mae'n debyg taw cyfieithiadau ac efelychiadau o storïau Saesneg ac American-aidd oedd nifer sylweddol o'r nofelau hyn, ond mae'n ddiddorol sylwi bod rhai ohonynt yn trafod problemau'r cymunedau diwydiannol yng nghyfnod eu prifiant, ac mae nofelau o'r fath yn brin eithriadol yn Gymraeg. Dyna 'Evan Pugh y Pydler, neu Merthyr Tydfil Driugain Mlynedd yn Ôl' a ymddangosodd yng ngholofnau'r newyddiadur ym 1874 er enghraifft, a 'Dafydd Wiliam, neu Amrywiaethau Bywyd y Glöwr' a gyhoeddwyd ym 1875. Mae'r holl gynnyrch creadigol hwn yn dangos yn eglur bod ffuglen yn boblogaidd gan lenorion a darllenwyr y wasg gyfnodol Gymraeg yn ystod y bedwaredd ganrif ar bymtheg, ac nad oedd Daniel Owen, mewn gwirionedd, yn gymaint o arloeswr ag y tybid gynt. Fel y dangosodd Dr E. G. Millward mewn astudiaeth ddiweddar o'i eiddo, mae'r llu nofelau cyfres hyn 'yn rhybudd arall mai camarweiniol iawn yw'r ddelwedd (sydd heb lwyr ddiflannu hyd yn oed heddiw) o Gymry Oes Victoria fel pobl yr oedd cylch eu darllen yn druenus o gul, a'i bod yn well ganddynt ddarllen cofiannau a hunangofiannau cewri crefyddol a llyfrau defosiynol na ffuglen'.[23]

Y Gwladgarwr a roes y cyfle cyntaf i un o ysgrifenwyr rhamantau amlyca'r Gymraeg, sef Isaac Craigfryn Hughes, glöwr o Fynwent y Crynwyr ger Merthyr Tudful. Dyfarnwyd ei ramant 'Sarah Williams, Etifeddes y Gelli' yn ail mewn cystadleuaeth yn Eisteddfod Gadeiriol Deheudir Cymru ym 1879, ac fe'i cyhoeddwyd yng ngholofnau'r papur y flwyddyn ganlynol. Yr oedd Craigfryn yn gyfarwydd, yn ystyr gwreiddiol y gair, yn ŵr a chanddo stôr o straeon gwerin Morgannwg ar ei gof, a bu o gryn

Isaac Craigfryn Hughes.

gymorth i Syr John Rhŷs, pan fu yntau wrthi'n casglu storïau a chwedlau ar gyfer ei ddwy gyfrol fawr *Celtic Folklore: Welsh and Manx* (Rhydychen, 1901). Gan ei dad, Daniel Hughes, crydd ym Mynwent y Crynwyr, a'i fam-gu, Rachel Hughes, gwraig a hanoedd yn wreiddiol o Bandy Pontycymer, ger Pont-y-pŵl, y cafodd Craigfryn nifer o'r chwedlau gwerin hyn. Yr oedd gan Rachel Hughes gof plentyn am Edmund Jones ('Yr Hen Broffwyd') o'r Transh ym mhlwyf Abersychan, awdur y gyfrol ddifyr *A Relation of Apparitions of Spirits in the Principality of Wales* (Trefeca, 1780). Bu'r hen wraig farw yn 91 mlwydd oed, ym 1864, ac yr oedd Daniel, ei mab, o'r un anian â hi, fel y tystiodd Craigfryn ei hun mewn llythyr at John Rhŷs ym mis Chwefror 1899:

> Mewn cysylltiad â phethau o'r natur, cefais golled fawr yn marwolaeth fy nhad yr hyn a ddigwyddodd Mawrth 6ed 1889 – ddeng mlynedd yn ôl. Yr oedd ef yn berffaith hyddysg yn holl draddodiadau y wlad a'r gymydogaeth – ac wedi cyfeillachu a holi henafiaid yn ngylch hyn a'r llall. Yr oedd yn 76 mlwydd oed ac wedi bod yn siarad ag hen ŵr ag oedd ei dad yn cofio Cromwell ar ei daith drwy y lle hwn pan ddinystrodd waith haiarn Pantygwaith, lle y toddwyd y fagnel cyntaf ag y ceir hanes am dano – er ymladd o blaid y brenin Siarl ym Mrwydr St Ffagan – a hwnw oedd yr adeg y trowyd Eglwys Merthyr Tydfil yn ystabl i geffylau milwyr Cromwell.[24]

Straeon gwerin gwlad fel y rhain oedd wrth fodd Craigfryn; aeth ati i'w cofnodi a chyhoeddwyd nifer ohonynt ar ffurf rhamantau dros y blynyddoedd. Dichon mai'r enwocaf o'r rhain yw *Y Ferch o Gefn Ydfa: Chwedl Hanesyddol o'r Ddeunawfed Ganrif,* a gyhoeddwyd gyntaf ym 1881. Cafwyd saith argraffiad arall ohoni rhwng 1881 a 1918, a chafwyd deg ar hugain o argraffiadau o'r cyfieithiad Saesneg, *The Maid of Cefn Ydfa,* rhwng 1881 a 1927. Dichon mai llwyddiant y rhamantau hyn a fu'n gymhelliad i Graigfryn fynd ati i lunio nofelau eraill, a chyhoeddwyd y rhamantau a ganlyn o'i waith yn ystod y blynyddoedd dilynol: *Gwenhwyfar* (Ystalyfera, c.1890); *Y Llofruddiaeth yng Nghoed y Gelli* (Aberdâr, 1893); *Elen Deg o'r Cwm* (Ferndale, c.1895); *O'r Crud i'r Amdo: neu Hunan-hanes Ephraim Llwyd* (Aberdâr, 1903). Er hynny, ni chafodd fawr o gydnabyddiaeth am ei waith, a dywedir na dderbyniodd yr un ddimai goch am ei lafur wedi iddo werthu hawlfraint *Y Ferch o Gefn Ydfa* tua 1882. Yn wir, pan gollodd ei iechyd ym 1911, dygwyd Craigfryn i lys y mân-ddyledion ym Merthyr, a bu yng ngharchar am gyfnod yn Aberhonddu cyn i nifer o'i gyfeillion a'i gydnabod dalu ei ddyledion drosto.[25] Bu farw yn hen ŵr dall, tlodaidd ei fyd, ar 28 Rhagfyr, 1928.[26] Un arall o nofelwyr poblogaidd *Y Gwladgarwr* oedd Thomas Evans ('Wedros'). Brodor o ardal Caerwedros ger y Ceinewydd yng Ngheredigion oedd ef, a bu'n fyfyriwr am gyfnod yn y Coleg Normal ym Mangor, cyn iddo ddechrau ar ei yrfa fel athro ysgol ym Mlaenannerch ym 1873. Ymhen dwy flynedd, symudodd i'r Crwys ger Abertawe, ond bregus fu ei iechyd erioed a bu farw'n llanc dwy ar hugain oed ym mis Medi 1876. Gwobrwywyd ei nofel 'Gomer Jones, neu yr Ymgyrch Garwriaethol' gan Fynyddog mewn eisteddfod a gynhaliwyd yn Aberpennar ym 1873, a chyhoeddwyd hi yng ngholofnau'r *Gwladgarwr* rhwng misoedd Ionawr ac Ebrill 1875. Fe'i cyhoeddwyd yn llyfryn, ynghyd â detholion o brydyddiaeth yr awdur yn *Wedrosia: Sef Gweithiau a Chofiant y Diweddar Mr Thomas Wedros Evans, Ysgolfeistr,* gan Swyddfa'r 'Observer', yn Aberteifi ym 1877.[27]

Crybwyllwyd enw John Jones Davies ('Ieuan Ddu Allt-wen') eisoes. Ef oedd y prydydd ifanc a ganodd glodydd Caledfryn ym 1865 gan gyfeirio ato fel ei 'dad llenyddol'. Mab Theophilus Davies, o blwyf Llandybïe, oedd Ieuan Ddu. Bu ei dad, un o frodyr Job Davies ('Rhydderch Farfgoch'), y gwehydd llengar o Bentregwenlais, Llandybïe, yn gweithio am gyfnod yng ngweithfeydd haearn Penydarren ger Merthyr Tudful, ond symudodd i fyw gyda'i deulu i'r Allt-wen, yng Nghwmtawe yn ddiweddarach, lle dilynodd ei grefft fel gwehydd. Yn brydydd gwlad o gryn fedr, cyhoeddwyd nifer o'i ganeuon ar dudalennau *Seren Gomer* yn ystod y tridegau, ond bu farw'n ŵr ifanc pedair ar ddeg ar hugain oed ym mis Mai 1848, ac fe'i claddwyd ym mynwent capel Undodaidd Gellionnen uwchben Cwmtawe.[28] Gwehydd oedd Ieuan Ddu hefyd, ac etifeddodd ddiddordebau llenyddol ei dad a'i ewythr, a chyhoeddwyd ei gynhyrchion cynharaf mewn cylchgronau fel *Y Bedyddiwr*, *Y Diwygiwr* a *Seren Gomer*. Mae'n debyg mai ym 1873, y penodwyd ef gan Jane Thomas, gweddw yr argraffydd W. O. Thomas, Aberteifi, yn olygydd *Almanac y Cymro*, ac ef a fu'n gyfrifol am lywio'r cyhoeddiad hwn drwy'r wasg yn flynyddol am ddeugain namyn un o flynyddoedd.[29]

Eithr nid bardd nac almanaciwr yn unig mohono, oblegid lluniodd dair o nofelau cyfres ar gyfer *Y Gwladgarwr* yn ogystal, sef 'Helyntion Milwrol a Charwriaethol Arthur Morgan', 'Madog Llwyd', a 'Helyntion y Teulu Gorthrymedig'.[30] Yr oedd Ieuan Ddu yn ohebydd cyson i'r wasg gyfnodol a newyddiadurol Gymraeg a chyhoeddwyd cyfres o ysgrifau o'i eiddo ar lenyddiaeth Gymraeg yn dwyn y teitl 'Gwinllan y Cymro' yn *Y Gweithiwr* ym 1859. Ond ymfudodd ef a'i deulu i'r Taleithiau Unedig yn niwedd 1876, gan gartrefu yn Provo, ger Dinas y Llyn Halen yn nhalaith Utah. Yr oedd erbyn hynny wedi ymuno ag Eglwys Iesu Grist o Saint y Dyddiau Diwethaf, ac fel miloedd o'i gyd-Gymry, ymfudodd gyda'i wraig Anne, a'i feibion Taliesin ac Ifor, i chwilio am fyd a bywyd gwell ymhlith y Mormoniaid. Fel gwehydd, cafodd waith mewn ffatri wlân yn Wasatch, tua phum milltir o Ddinas y Llyn Halen, ond wyth mlynedd yn ddiweddarach cafodd swydd fel clerc gyda chwmni glofeydd Pleasant Valley. Yn y man, daeth Ieuan yn ffigur amlwg ymhlith y Saint Cymreig; ef a drefnai'r eisteddfodau yn Provo bob blwyddyn, a bu'n aelod blaenllaw o'r Gymdeithas Gymraeg yno. Bu ef a'i deulu yn ffyddlon i'r Gymraeg drwy gydol y cyfnod hwn, fel y dengys nodyn o'i eiddo yn *Tarian y Gweithiwr*, ym mis Chwefror 1885:

> Yr ydym ni fel teulu yn meddwl parhau i siarad Cymraeg cyhyd ag y byddo ynom anadl einioes. Y mae fy nau fab, Ifor a Thaliesin, yn parablu yr hen Omeraeg mor groyw heddiw ag erioed, er yn medru siarad Saesneg fel unrhyw *Yankee*. Ffolineb meddwl fod y Gymraeg yn marw yn America. Credaf fod mwy o berygl iddi farw yn gyntaf yn Nghymru.

Ieuan Ddu, hefyd, oedd gohebydd y dalaith i'r *Drych*, newyddiadur wythnosol Cymry America, ond parhaodd i gyfrannu i wythnosolion Cymru yn ogystal, yn enwedig i'r *Gwladgarwr*, *Tarian y Gweithiwr* ac i'r *Llais Llafur*, papur Cwmtawe pan sefydlwyd hwnnw gan Ebenezer Rees

Thomas Morgan ('Llyfnwy').

yn Ystalyfera, ym 1898. Cyhoeddwyd cyfres o erthyglau o'i waith yn dwyn y teitl 'Cofnodion o'm Dyddlyfr Americanaidd' yn *Y Gwladgarwr* ym 1876, a dilynwyd hon gan gyfres arall – 'Yr Hyn a Welais yn America' rhwng 1877 a 1882. Ymddangosodd cyfres arall ar 'Utah a'r Mormoniaid' yn *Tarian y Gweithiwr* ym 1878-1879, ac ym 1885 dechreuodd gyfrannu colofn o 'Nodion Americanaidd' i'r un newyddiadur. Y mae'r cyfraniadau hyn yn ffynonellau gwerthfawr i'r sawl sydd am olrhain hynt a helynt y Cymry yn Utah yn ystod ail hanner y bedwaredd ganrif ar bymtheg. Parhaodd Ieuan Ddu i gyfrannu colofnau i'r *Drych* ac i brif wythnosolion y de, yn ogystal â golygu *Almanac y Cymro* hyd ei farw ym mis Mawrth 1912, ac yntau bryd hynny'n cadw siop lyfrau yn Provo.[31]

Ond odid mai un o ohebwyr mwyaf poblogaidd *Y Gwladgarwr* oedd Thomas Morgan ('Llyfnwy'), y cyhoeddwyd ei golofn 'Teithiau yr Hen Bacman' yn y newyddiadur yn gyson.[32] Fe'i ganwyd yn yr As Fawr ym Mro Morgannwg, ym mis Mai 1831, a threuliodd gyfnod o brentisiaeth fel teiliwr cyn iddo symud i fyw i Faesteg ym mhlwyf Llangynwyd ym 1850.[33] Yno y bu'n ennill ei damaid yn un o weithfeydd haearn yr ardal, ond ni bu fawr o dro cyn sylweddoli nad oedd y gorchwyl hwnnw wrth ei fodd. Dychwelodd at y nodwydd a'r gwniadur yn fuan wedyn, a threuliodd gyfnod o ryw ugain mlynedd fel teiliwr teithiol yn tramwyo pentrefi gwledig y Fro, a chymoedd diwydiannol y Blaenau yn teilwra ac yn gwerthu brethynnau a gwlanenni. Priodwyd ef â Gwenllïan, un o ferched Llywelyn Bevan o Flaen Caerau, Llangynwyd, gan y Parchedig R. Pendrill Llewelyn yn eglwys y plwyf, ym 1851. Yr oedd yr hynafiaethydd Thomas Christopher Evans ('Cadrawd'), yn gyfyrder i Wenllïan, a thrwy'r berthynas hon a'i gyfeillgarwch â Phendrill Llewelyn a'i wraig Mary y daeth Llyfnwy yntau i ymhyfrydu mewn croniclo manylion am hanesion a hynafiaethau'r ardal. Daeth i'r amlwg gyntaf fel cystadleuydd eisteddfodol, ac fe'i hurddwyd yn aelod o Orsedd y Maen Chwŷf ym Mhontypridd gan Evan Davies ('Myfyr Morganwg'), a dyna'r pryd, y mae'n debyg, y dechreuodd arddel y ffugenw 'Llyfnwy'. Cynhaliwyd un o eisteddfodau 'mawreddog' cyntaf Dyffryn Llynfi, dan nawdd eglwys Fedyddiedig Salem, Maesteg, ym 1856, ac yno y dyfarnwyd traethawd o eiddo Llyfnwy ar 'Hanes Dechreuad a Chynydd Gweithiau y Maesteg' yn fuddugol. Argraffwyd y traethawd yn llyfryn flwyddyn yn ddiweddarach ynghyd â detholion o gyfansoddiadau arobryn yr eisteddfod.[34] Flwyddyn wedyn, enillodd wobr am draethawd ar hanes a hynafiaethau Cynffig, a dilynwyd y fuddugoliaeth hon gan draethodau eraill ar Gestyll Sain Dunwyd, y Coety, Dwnrhefn ac Aberafan. Cyhoeddwyd ei draethawd arobryn ar *Yr Angenrheidrwydd o Gael Neuadd y Gweithwyr (Workmen's Hall) yn Mhontypridd* ym 1866, a chydolygodd y *Dyddiadur Llenyddol, Neu Lawlyfr yr Eisteddfodwyr* â J. Spinther James a Llewelyn Griffiths, a gyhoeddwyd gan Griffiths a'i Frodyr yng Nghwmafan ym 1873.[35] Llyfnwy hefyd oedd un o brif sefydlwyr Cymdeithas Cymrodorion Dyffryn Llynfnwy ym Maesteg ym 1864, cymdeithas a fu'n gyfrwng i feithrin doniau ifainc yr ardal mewn darlleniadau ceiniog a chyfarfodydd cystadleuol, fel y tystiodd Cadrawd ei hun:

> Bu y sefydliad hwn yn un blodeuog a llesol i'r holl le, a chafwyd nifer o eisteddfodau llewyrchus o dan nawdd y Gymdeithas, heblaw cyfres o ddarlleniadau ceiniog dros amryw aeafau oeddynt y cyfarfodydd adloniadol gorau y bûm ynddynt erioed. Un o'r eisteddfodau olaf dan nawdd y Cymrodorion oedd yr un a gynhaliwyd yng Ngharmel yn 1869, ac yn hon y derbyniais i y wobr gyntaf o bwys mewn eisteddfod.[36]

Arferai nifer o gyfranwyr ffyddlonaf *Y Gwladgarwr* gyhoeddi eu colofnau dan ffugenwau, a daeth trigolion cymoedd y de yn gyfarwydd ag enwau gohebwyr fel 'Yr Hen Bydler', 'Yr Hen Fasgedwr', 'Yr Hen Loffwr', 'Yr Hen Domos' a'r 'Hen Deithiwr'. Blinodd rhai o ddarllenwyr *Y Gwladgarwr* ar yr arfer hwn, a phan dderbyniodd y golygydd gyfraniad gan ohebydd a'i galwai ei hun yn 'Hen Hwrdd' yn nechrau 1861, bu'n rhaid iddo brotestio yn rhifyn 2 Chwefror y flwyddyn honno, a datgan: 'Wel, wel, dyma hi o'r diwedd. *Hen* beth fydd y gohebydd nesaf? Mae y dull hwn wedi ei gario yn rhy bell, ac yn lle yr *hen, hen, hen,* mae eisiau rhyw beth *newydd* bellach'. Ymddangosodd y gyntaf o golofnau Llyfnwy wrth y teitl 'Teithiau'r Hen Bacman' yn y papur, ar 27 Hydref 1860. Hanes ei deithiau drwy bentrefi'r Fro a'r Blaenau a gafwyd yn y golofn, ynghyd â manylion am ei ymweliadau â'r eisteddfodau a'r cyfarfodydd llenyddol a ddaeth yn gymaint rhan o fywyd diwylliannol yr ardaloedd hyn yn ystod ail hanner y bedwaredd ganrif ar bymtheg. Cwynodd fwy nag unwaith am gyflwr isel ac anwybodus ardal ei febyd ym Mro Morgannwg. Medd ef ym mis Ebrill 1862: 'Dyna bedwar plwyf nesaf i'w gilydd heb un capel Ymneillduol o un enwad crefyddol ynddynt – Sain Dunwyd, Marcroes, Yr As Fawr a Llandŵ. Yma y mae torri Sabbothau, yr ofergoelion, ysbrydion, canwyllau cyrff, a chanu o flaen angladdau. Y gwir yw, y mae sefyllfa Bro Morganwg yn llawn o drigfanau trawsder'. Ymwelodd â'r un ardal, unwaith yn rhagor, ddwy flynedd yn ddiweddarach, ym mis Gorffennaf 1864, a'r hyn oedd yn dristwch mawr iddo'r tro hwn oedd tuedd y trigolion i siarad Saesneg â'i gilydd. Yr oedd y Gymraeg ar drai yn y Fro, bellach. 'Nid wyf yn tybied', meddai 'y gall un o bob deg o'r preswylyddion ddarllen iaith eu mamau', a phriodolodd hyn oll i lwyr absenoldeb ysgolion Sul yr Ymneilltuwyr yn y cylch.[37]

Yr oedd cylch teilwra Llyfnwy yn eang, ac edrydd hanes ei deithiau i Aberafan a Glyncorrwg, Castell-nedd a Chwmtawe, a threuliodd rai dyddiau yn nhueddau Cwmaman, yn nwyrain sir Gaerfyrddin, fwy nag unwaith. Cyfarfyddai â thrigolion yr ardaloedd hyn ar ei deithiau, a byddai yn ei elfen yn sôn am y cymeriadau hynny y deuai ar eu traws wrth iddo grwydro o'r naill bentref i'r llall. Cymerth daith i fynwent eglwys y Groeswen ym mis Ionawr 1870, lle y gwelodd gofebau Evan Jones ('Ieuan Gwynedd'), a William Williams ('Caledfryn'), ac ymwelodd â chartref y Dr William Price yn Llantrisant rai wythnosau'n ddiweddarach, a hynny yng nghwmni ei gyfaill David Evans ('Dewi Haran'), yr arwerthwr o Bontypridd. Fel hyn yr edrydd Yr Hen Bacman hanes y cyfarfyddiad hwnnw:

> Dyna ni wrth ei ddôr yn curo; wele ddynes ieuanc, dwt, a sirioldeb, dedwyddwch a hapusrwydd wedi cymeryd meddiant o orsedd ei llygaid a'i gruddiau, yn agor y ddôr; ac wedi hysbysu ein bwriad i gael golwg ar y meddyg clodfawr, gwahoddwyd ni i fewn ac i'r *sitting room,* ac mewn ychydig wele y Dr yn gwneyd ei ymddangosiad. Wel, wel, meddwn, dyma fi ym mhresenoldeb Arch Dderwydd er's 2,000 o flynyddau yn ôl.

> Gwisgai gap blewog, mawr, a hwnw yn disgyn dros ei ysgwyddau – *trousers* gwyrdd, a *scallops* yn ei waelod; gwasgod goch a botymau melynion arni, a llun yr afr ar bob un, – *scallops* yn ei wasgod a'i grys, ac yn wir yn mhob peth a wisgai. Y mae'n cadw ei wallt a'i farf yn hir, pa rai sydd yn awr yn wynion. Y mae tua phump ac wyth o daldra, ac yn 70 oed; ond gwnelai gywilydd i lawer crwt 16 oed, canys y mae'n sefyll fel ei ffon, a'i feddwl mor gyflym â phan oedd yn 25 oed. Adroddodd i ni ganoedd o linellau o weithiau Taliesin Ben Beirdd, Aneurin a Llywarch Hen. Yn wir, ni chlywsom ail iddo erioed ar y pwnc hwn. Y mae llafar Morganwg yn ei barabliad, canys cafodd ei eni a'i fagu yn mhlwyf y Rhydri. Y mae y talcen llawn, uchel, sydd yn pwyso dros ei aeliau yn brawf o benderfyniad ac annibynolrwydd meddwl. Yr oedd Gweniolen, Iarlles Morganwg, yr hon a nodwyd genym yn barod, â'i holl egni yn gweini arnom o deisen y Nadolig a chwrw gwyliau. Merch y Dr yw Gweniolen. Bedyddiwyd hi ganddo ef ei hun ar y Comin, ger y Maen Chwŷf, tra yr oedd cyfaill iddo yn dal cleddyf uwch ei phen, yn y flwyddyn 1844. Felly, chwi welwch ei bod yn awr yn 26 oed. Rhywfodd, yr oedd yn rhy wylaidd i roddi tôn Gymreig ar ei thelyn brydferth i ni. Wedi treulio ychydig oriau fel hyn wrth ein bodd i gael golwg ar y person y clywsom gymaint o sôn am dano, ymadawsom mewn serch gan addaw galw eto tua'r Groglith.

Hwyrach mai ei gyfeillgarwch â'r Parchedig Pendrill Llewelyn a'i briod a enynnodd ddiddordeb Llyfnwy yn nhraddodiadau Tir Iarll. Gwyddys bod gan Mary Pendrill Llewelyn ddiddordeb mawr yn llên-gwerin Llangynwyd a'r cylch, ac yn enwedig yn chwedl Ann Thomas, y ferch o Gefn Ydfa, a'i charwriaeth honedig â'r prydydd a'r tribannwr Wil Hopcyn.[38] Yn wir, hi oedd y gyntaf i gyplysu enw Wil Hopcyn â'r rhamant, a hynny mewn cyfres o lythyrau a gyhoeddwyd yn *The Cambrian,* newyddiadur wythnosol cyntaf Cymru, ym 1845.[39] Adroddodd Llyfnwy hanes y garwriaeth droeon yng ngholofnau'r Hen Bacman, fel y gwnaeth hefyd â'r chwedl am y ferch o'r Sgêr, ac ym 1869 cyhoeddwyd ei gyfrol *The Cupid: Being the Histories of the Maid of Cefn Ydfa and the Maid of Sker,* o wasg David Griffiths yng Nghwmafan.[40] Y mae i'r gwaith bychan hwn, yn ôl yr Athro Griffith John Williams, 'le pwysig yn hanes datblygiad y stori', a Llyfnwy, yn anad neb arall, drwy ei ymchwil i gefndir teuluol Ann Thomas, ynghyd â rhamant Isaac Craigfryn Hughes, a fu'n bennaf cyfrifol am boblogeiddio'r chwedl a'i dwyn i sylw'r cyhoedd yn ystod ail hanner y bedwaredd ganrif ar bymtheg.[41]

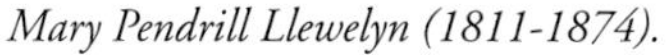

Mary Pendrill Llewelyn (1811-1874).

Ann Thomas, y Ferch o Gefn Ydfa.

Byddai'r Hen Bacman wrth ei fodd mewn eisteddfod, a chynnwys ei golofn yn *Y Gwladgarwr,* hanesion lu am ei ymweliadau mynych â phrif wyliau'r cymoedd drwy gydol y cyfnod hwn. Yr hyn â'i cythruddai yn aml, fodd bynnag, oedd natur cynnwys areithiau llywyddion yr eisteddfodau. Saeson oedd y rhain fel rheol; diwydianwyr a pherchnogion y gweithfeydd, nad oedd ganddynt fawr o ddiddordeb yn hanes Cymru, ei hiaith na'i llên. Ond ystyrid y gwyliau achlysurol hyn gan y diwydianwyr fel cyfryngau cyfleus i ddyrchafu'r dosbarth gweithiol a'i wareiddio, ac yr oedd cefnogi sefydliadau fel y mudiad dirwest, yr eisteddfodau, y cyfarfodydd llenyddol a'r cyngherddau yn bolisi bwriadol ganddynt. Os oedd y cyflogwyr am gael y gorau gan eu gweithwyr, yr oedd yn ofynnol iddynt hefyd gefnogi ac ymddiddori yn eu diwylliant, hyd yn oed os na ddeallent eu hiaith. Gŵr o'r enw Curnew, swyddog yn un o lofeydd Merthyr Tudful, oedd llywydd anrhydeddus eisteddfod Pontypridd a gynhaliwyd ar ddydd Nadolig 1869. Yr oedd Yr Hen Bacman yno, a rhoes adroddiad llawn am araith y llywydd yn ei golofn yn rhifyn 9 Ionawr 1869:

> Pan welais ei enw yn argraffedig, penderfynais mai Sais ydoedd, ac yr oeddwn yn barod i wrando ar ei anerchiad i'r Eisteddfod, a oedd yn debyg i hyn: 'Ladies and gentleman, I am today presiding in an Eisteddfod for the first time in my life. I am very sorry I cannot speak your ancient and noble language, but it will be a great pleasure for you to know that I am a descendant of the Cymry. I can trace the pedigree of my mother as far back as Dyfnwal Moelmud, three hundred years before Christ'. Gwyddoch chwi yn dda Mr Golygydd, am areithiau Saeson yn ein heisteddfodau. Maent yn canmol ein hiaith, ein llenyddiaeth a'n cenedl, ac y maent, y pryd hynny, yn perthyn yn agos inni, meddent. Ydynt, ond pa bryd arall, gofynnaf?

Bu hefyd yn Eisteddfod Treforys a gynhaliwyd chwe mis yn ddiweddarach, ac yr oedd areithiau Cymraeg Syr John Morris a'i fab, y llywyddion anrhydeddus yno, wrth ei fodd.

Ond yr oedd Seisnigrwydd cynyddol yr eisteddfodau yn destun poen a gofid i Lyfnwy, fel yr oedd, yn wir, i nifer o'i gyfoedion. Dan ddylanwad 'Cyngor yr Eisteddfod' o 1861 ymlaen, datblygodd yr Eisteddfod Genedlaethol yn sioe fawr Seisnig, a bu Llywydd y Cyngor, y Rheithor John Griffiths, Castell-nedd, yn fawr ei frwdfrydedd yn hyrwyddo'r defnydd o'r Saesneg yn ei chystadlaethau a'i chyfarfodydd. Medd un o ohebwyr *Y Gwladgarwr* yn rhifyn 5 Awst, 1865: 'Yn ôl ein barn ni, y mae gormod o'r elfen Ddic-Shôn-Dafyddol yn nhestynau, pwyllgorau, a chyfarfodydd yr Eisteddfod Genedlaethol, ac nid yw yn ei hagwedd bresenol ond yn gwrthweithio parhad y Gymraeg, yr hon iaith broffesa amddiffyn'. Ond ofer fu pob protest i'r Cyngor ar ran caredigion yr ŵyl. O ganlyniad, yn Eisteddfod Alban Elfed, Aberdâr, ym 1865, aeth mintai o eisteddfodwyr brwd ati i sefydlu 'Eisteddfod Wir Gymreig', a oedd i'w chynnal ar riniog drws y Rheithor John Griffiths, yng Nghastell-nedd ym mis Medi 1866. Ac ysgrifennydd 'Eisteddfod y Cymry', fel yr adwaenid hi, oedd Llyfnwy, Yr Hen Bacman ei hun. Codwyd pabell fawr, digon ei maint i gynnwys cynulleidfa o wyth mil o bobl, ar gyfer yr eisteddfod, a daeth rhai o eisteddfodwyr amlycaf y dydd iddi, gan gynnwys Llew Llwyfo, Hwfa Môn, Gweirydd ap Rhys, Dafydd Morganwg a Glasynys. Ac yr oedd Maria Jane Williams o Aberpergwm ac Augusta Hall, Arglwyddes Llanofer, ymhlith ei phrif noddwyr.[42]

Fodd bynnag, methiant llwyr fu Eisteddfod y Cymry, a mwy na hanner gwag fu'r babell a godwyd ar ei chyfer, – hynny, nid yn unig oherwydd y tywydd tymhestlog a gafwyd yn ystod yr ŵyl, ond yn bennaf oblegid bod haint y geri marwol, – y *cholera* – yn tramwyo'n drwm drwy gymoedd y de ar y pryd. Bu Eisteddfod y Cymry yn golled ariannol, a bu'n rhaid i'r ymddiriedolwyr ac aelodau o'r pwyllgor gwaith fod yn gyfrifol am ei threuliau a'i dyledion. 'Yr oedd mwy o wladgarwch yng nghalonnau pob un ohonynt nag oedd o bres yn eu llogellau', ys dywedodd Thomas Williams ('Brynfab'), amdanynt yn ei atgofion am yr ŵyl.[43] A thystiodd Brynfab ymhellach, i rai o'r ymddiriedolwyr gael eu llusgo i lys y mân ddyledion, ac i eraill o'u plith ffoi o'r wlad a chartrefu yn y Taleithiau Unedig. Wynebodd Llyfnwy dywydd garw iawn yn dilyn methiant Eisteddfod Castell-nedd, a bu'n rhaid iddo ef a'i deulu ymadael â'u cartref a symud i Fynydd Cynffig i fyw. Distaw fu'r Hen Bacman am rai misoedd wedi helynt Eisteddfod y Cymry, ac ym mis Chwefror 1867 y cafwyd ei gyfraniad nesaf i'r *Gwladgarwr*. Fel hyn y croniclodd ei feddyliau ar y pryd:

> Hynodwyd y flwyddyn ddiweddaf ag Eisteddfod Fawreddog y Cymry, a chredwn y caiff yr ymgais o gael yr Eisteddfod i'r safle y dylai fod, ei goroni eto gan ein hiliogaeth. Dyweder a fyner am yr Eisteddfod, credwn na fu unrhyw Eisteddfod erioed yn fwy llwyddianus ar lawer ystyriaethau. Gwir iddi fyned yn fethiant arianol. Pa ryfedd? Cofier fod y *cholera* yr wythnosau blaenorol, yn nghyd â dyddiau yr Eisteddfod, yn marchogaeth ar ei farch dinystriol, nes fod pob ardal yn y gymydogaeth, a phob tŷ braidd yn mhob ardal a'u seiniau lleddf trwy farwolaeth ddisymwth cymydogion a pherthynasau. Hir hefyd y cofir y glaw a ddisgynodd ar ddyddiau yr Eisteddfod. Y mae rhai ohonom wedi ein taflu bendramwnwgwl trwy yr anffawd; ie, wedi ein clwyfo yn nhŷ ein caredigion; ond nid oes dim i'w wneud. Y mae ein calon megis gynt, yn gadarn dros yr iawnderau a berthyn i'r Eistedddfod, ac yn penderfynu glynu wrth lenyddiaeth Gwlad y Bryniau tra bo anadl ynom.

A gwir y gair, oblegid ni phylodd diddordeb Llyfnwy yn yr eisteddfodau wedi trychineb Castell-nedd ym 1866, ac fel y tystiodd Cadrawd, nid bychan fu ei gyfraniad i'r mudiad eisteddfodol yng nghymoedd Morgannwg yn ystod yr ugain mlynedd rhwng 1850 a 1870.[44]

Yr hyn sy'n ddiddorol yng ngholofnau'r Hen Bacman yw'r straeon a'r traddodiadau gwerin a groniclir ynddynt, megis y manylion am deulu Ann Thomas, y Ferch o Gefn Ydfa, a theulu Elizabeth Williams, y Ferch o'r Sgêr. Croniclodd nifer o'r straeon a glywodd am Siôn Bradford, y gwehydd o'r Pandy ym Metws Tir Iarll, Edward Evan o'r Ton Coch, Aberpennar, a Richard Lewis ('Dic Penderyn'). Ymwelodd Yr Hen Bacman â'r Bont-faen ym mis Mawrth 1870, 'nid am fod yma lawer o lenorion na llengarwyr Cymreig', meddai, 'ond am yr hoffwn gael golwg ar yr hen lanerchau y bûm yn chwareu ganwaith yn blentyn hapus'. Yno y cyfarfu â'r bardd a'r hynafiaethydd echreiddig, Titus Lewis, y masnachwr llwyddiannus o Gaerfyrddin a ymgartrefodd yn Llanbleddian yng nghanol y chwedegau. Ef oedd prif gynrychiolydd Cwmni Samuel Watts yng Nghymru, sef y cyfanwerthwr dillad a brethynnau o Fanceinion, ac mae colofnau newyddiaduron fel *The Carmarthen Journal* a *The Star of Gwent* yn frith gan gerddi, storïau a nofelau cyfres o'i eiddo a gyhoeddwyd dan y ffugenw 'Titan'. Cyfieithodd Titus Lewis nifer o gerddi a chaneuon gan rai o brif feirdd y cyfnod i'r Saesneg, ac yn eu plith eiriau Richard Davies ('Mynyddog'), *Wylwn! Wylwn! Requiem Gynnulleidfaol* gan Joseph Parry, er cof am John Roberts ('Ieuan Gwyllt'), a gyhoeddwyd ym 1877. Ef hefyd oedd awdur y gerdd hir *The Soldier's Wife – A Tale of Inkerman* a ymddangosodd o swyddfa argraffu William Thomas ('Gwilym Mai'), yng Nghaerfyrdin ym 1855.[45] Yn Y Bont-faen hefyd y cofiodd Yr Hen Bacman y stori am angladd Edward Williams ('Iolo Fardd Glas'), un o ddisgyblion Iolo Morganwg ac awdur *Perllan Gwent* (Y Bont-faen, 1839):

> Bu farw Iolo Fardd Glas er ys ychydig flynyddau yn ôl yng Ngweithdy *(Workhouse)* Penybont. Y dydd y claddwyd ef, yr oedd (yn ôl arferiad y lle hwnw) yn cael ei gludo i dŷ ei hir gartref ar bedair olwyn tua chladdfa y Coety, sef mynwent y plwyf. Ond pan oedd ar ei daith ddiweddaf, gofynwyd i yrwr y cerbyd gan bedwar dyn a weithient ar yr heol, 'Corff pwy sydd genych heddyw?' Yr ateb oedd, 'Corff Edward Williams (Iolo Fardd Glas)'. Tarawyd hwy â syndod, a dywedasant, 'Wel, ni chewch fyned ag ef gam yn mhellach ar yr olwynion hyn. Teimlwn yn fraint i'n hysgwyddau gael cario un o sêr disgleiriaf llenyddiaeth Cymru i'w dawel dŷ'. Ac felly y bu, – parch bythol i'w henwau a'u coffadwriaeth. Claddwyd ef wrth gefn yr eglwys, y lle yr arferid claddu tlodion y *Workhouse!* Gosodwyd *monu-*

ment uwch ei ben gan ei gyfaill (a'i berthynas wyf yn meddwl) Alaw Goch.[46]

Cysylltiadau Iolo Morganwg â'r Bont-faen oedd un o destunau'r golofn ar 19 Mawrth 1870, a thraethodd ychydig ar John Walters, yr offeiriad a'r geiriadurwr o Landochau, yn ogystal. Trigai dau eiriadurwr nodedig ym Mro Morgannwg yng nghanol y ddeunawfed ganrif, – y naill, Thomas Richards (1710-1790), yn Llangrallo, – a'r llall, John Walters (1721-1797), yn Llandochau.[47] Hanoedd Richards o rywle yn sir Gaerfyrddin, a thrwyddedwyd ef i guradiaeth St Ismael a Llan-saint cyn iddo symud i Langrallo ym 1742. Argraffwyd ei *Antiquæ Linguæ Britannicæ Thesaurus: Being a British, or Welsh-English Dictionary* gan Felix Farley ym Mryste ym 1753, ac yn ôl G. J. Williams 'ni eill neb amau nad ei gysylltiad â Thomas Richards yn ei ieuenctid sy'n egluro'r diddordeb mawr a gymerai Iolo yng ngeirfa'r iaith'.[48] Gŵr o sir Gaerfyrddin oedd John Walters hefyd. Ganwyd ef ym mhlwyf Llanedi, ond cartrefodd ym Mro Morgannwg pan urddwyd ef yn gurad Margam ym 1750, a phenodwyd ef i reithoraeth Llandochau ger Y Bont-faen naw mlynedd yn ddiweddarach. Ef, y mae'n debyg, a ddenodd Rhys Thomas, yr argraffydd o Lanymddyfri, i agor swyddfa yn Y Bont-faen ym 1770, ac yno yr argraffwyd ei *English and Welsh Dictionary* mewn pedair rhan ar ddeg rhwng 1770 a 1783.[49]

Gwyddys bod gan John Walters bump o feibion, sef John, Daniel, Henry, William a Lewis. Cafodd John yrfa ddisglair fel clerigwr ac ysgolhaig, a bu'n brifathro ar Ysgolion Gramadeg Y Bont-faen a Rhuthun, ond bu farw'n ŵr ifanc naw ar hugain oed ym 1789. Daeth Daniel yn drwm dan ddylanwad Iolo Morganwg; bu'n fyfyriwr yng Ngholeg yr Iesu yn Rhydychen, a phenodwyd ef yn brifathro'r Ysgol Ramadeg yn Y Bont-faen, yn olynydd i'w frawd hŷn, ond bu yntau farw yn bump ar hugain oed ym 1787.[50] Bu farw William yn llanc pedair ar bymtheg oed ym 1789. Prentisiwyd Henry, y trydydd mab, yn swyddfa argraffu Robert Raikes, yng Nghaerloyw, prif arloeswr mudiad yr ysgolion Sul yn Lloegr. Prynodd John Walters hen wasg Rhys Thomas o'r Bont-faen i Henry, pan garcharwyd yr argraffydd am ei ddyledion ym 1783. Ond methiant fu'r busnes argraffu ac ymneilltuodd Henry Walters o'r byd. Yn ôl y dystiolaeth a gadwyd amdano, nid âi fyth i'w wely ac nid ymolchai, gadawodd i'w wallt a'i farf dyfu, a gwisgai rhyw fath o goban garpiog a gafodd gan gymdogion iddo. Daeth yn un o ryfeddodau'r dref ac fel 'Meudwy'r Bontfaen' yr adwaenid ef hyd ei farw ym 1829. Am Lewis, y pumed mab, dywed William Williams, Abertawe, amdano: 'Yr ydoedd mor nodedig am ei lanweithdra ag ydoedd ei frawd am afluneidd-dra. Pymtheg gwaith yn y dydd o leiaf y golchai ei wyneb, ei ddwylaw, a'i esgidiau yn yr afon; ac fel pe buasai am dalu dros neillduolrwydd ei frawd, gwelid ef bob amser yn mhrifleoedd y dyrfa. Yr oedd yntau hefyd yn ieithwr. Gwelid ef yn fynych yn nghanol cylch o blant yr ysgol yn Lladineiddio ac yn Ffranceiddio geiriau cyn gynted ag y gallent hwy eu rhoi allan'.[51] Am John Walters, y tad, 'arferai ddysgyblaeth lem arswydol', medd William Williams. 'I hyny y priodolir y ffaith nad oedd ei ddau fab, Henry a Lewis mor gall â dynion eraill. Gwnaeth iddynt ddysgu, boddlawn neu beidio; ond ni bu eu dysg o fawr ddaioni iddynt nac i neb arall'.[52] Ac ymhlith plant y cofiai'r Hen Bacman amdano hefyd:

> Gŵyr llawer o ddarllenwyr *Y Gwladgarwr* am *Eiriadur* y Parch. J. Walters o Landocha. Mae Yr Hen Bacman yn cofio yn dda am un o'i feibion, sef Lewis. Pan gyfansoddwyd y *Geiriadur* gan Walters, ganwyd iddo ddau fab a oedd yn fyrion o gyneddfau synwyrol, sef Henry a Lewis. Yr oedd Lewis yn hen ŵr pan oeddwn i yn ei gofio. Bûm yn chwareu pêl ganwaith gydag ef – ei hoff waith oedd chwareu efo'r plant. Y mae rhyw hynodrwydd yn hyn, canys pan yr oedd yr hen Richards Llangrallo, yn cyfansoddi ei *Eiriadur* galluog, ganwyd iddo yntau fab yn *idiot.*[53]

Bu farw Lewis Walters yn ddeuddeg a thrigain oed ym 1844. Einion oedd enw mab Thomas Richards, y geiriadurwr o Langrallo, a bu yntau farw yn henwr 79 mlwydd oed ym 1845.[54] Ni cheir llawer o'r manylion a groniclir am yr amryfal gymeriadau hyn mewn na llyfrau na chyfrolau cyhoeddedig, ac mae pytiau apocryffaidd a blasus Yr Hen Bacman heb fod yn annhebyg i'r straeon difyr, llawn clecs, a groniclwyd gan yr hynafiaethydd John Aubrey yn ei 'Brief Lives' ddwy ganrif ynghynt. 'Y mae genyf lawer o hanesion wedi eu casglu oddiar dafod leferydd gan yr hen bobl', medd Yr Hen Bacman ym mis Awst 1867. 'O blith yr amrywiol draddodiadau, gellir yn ddiau gael llawer o ffeithiau'. Hanesion a thraddodiadau am enwau lleoedd yr Hen Blwyf yw cynnwys y *Geiriadur Lleol o Blwyf Llangynwyd* hefyd, gwaith a ddug i'w awdur y wobr gyntaf yn Eisteddfod y Nadolig a gynhaliwyd ym Maesteg ym 1870, ac a gyhoeddwyd yn llyfryn flwyddyn yn ddiweddarach.

Ond gallai'r Hen Bacman fod yn fyrbwyll ac yn annoeth ar adegau hefyd, a chyhoeddodd rai straeon am bobl a digwyddiadau a gythruddodd nifer o ddarllenwyr *Y Gwladgarwr.* Dyna a ddigwyddodd yn rhifyn 3 Chwefror 1872, er enghraifft, pan ddisgrifiodd ei daith i ardal yr Alltwen, ger Pontardawe. Wrth gloi ei adroddiad, croniclodd stori a glywodd 'er ys llawer blwyddyn yn ôl', am briodas anghyffredin yn yr ardal:

> Yr oedd y dyn ieuanc tua 60 oed, a'r ferch lanwedd tua 30. Yr oedd ef wedi bod yn briod cyn hyny, ac yn berchen ar ychydig feddianau, ac ymddengys mai yr hwn oedd yn gweinyddu y briodas a gafodd y fraint o'i briodi y waith gyntaf, ac mai efe oedd wedi gofalu cael gafael yn y gwragedd i'r dyn hwn. Beth bynag, wedi iddynt briodi, talwyd i'r gweinidog, a chan ei fod dipyn yn hoff o'r llwch melyn, yr oedd y gyfran wrth ei fodd.

Dilynir yr adroddiad hwn gan dri phennill ysmala, gyda'r pregethwr yn cyfarch y priodfab a'i wraig newydd; ac mae'n amlwg, o ddarllen y penillion hyn, bod rhyw fath o nam ar leferydd y gweinidog. Bythefnos yn ddiweddarach, ar 17 Chwefror, cyhoeddwyd llythyr gan Noah Morgan Jones ('Y Cymro Gwyllt') yng ngholofnau'r *Gwladgarwr,* yn condemnio'r Hen Bacman ac yn gresynu'n fawr at yr adroddiad am y briodas. Er iddo dystio yn ei adroddiad mai 'er ys llawer blwyddyn yn ôl' y clywodd Yr Hen Bacman am y briodas, datgelodd y llythyrwr mai deufis ynghynt, ar Ragfyr 21 1871 y bu'r digwyddiad, a hynny rhwng y Parchedig William Hopkin, gweinidog eglwys Annibynnol Hebron, y Cymer, Glyncorrwg, ac Ann Gibbs, un o ferched yr Allt-wen. Yr oedd yn amlwg i drigolion Cwmtawe, meddai'r llythyrwr, mai at y Parchedig Phylip Griffiths, gweinidog eglwys yr Allt-wen, y cyfeiriai'r tri phennill, am y gwyddai pawb â'i hadnabu bod nam ar leferydd yr hen weinidog. Ymhellach, 'nid wyf yn credu', meddai, 'fod neb yn yr Alltwen yn barod i ddweyd fod Mr Griffiths yn hoffach o'r llwch melyn na meidrolion cyffredin gwledydd y ddaear'. Fodd bynnag, ni chlywyd yr un gair pellach gan Yr Hen Bacman ynghylch y mater, er i Ieuan Ddu Allt-wen, yntau hefyd, yrru nodyn i'r *Gwladgarwr* yn gwadu bod ganddo ef unrhyw ran yn yr helynt.[55]

Megis yr oedd pregethwyr teithiol, – y *jackyddion* fel y'u gelwid, – yn bla yng Nghymru yn ystod hanner cyntaf y bedwaredd ganrif ar bymtheg, felly hefyd yr oedd gwerthwyr crwydrol yn bla drwy gymoedd Gwent a Morgannwg yn ystod ail hanner y ganrif. Gyda datblygu'r diwydiannau glo a haearn yn nhir y Blaenau, a'r twf aruthrol ym mhoblogaeth cymoedd Taf, Cynon a Rhondda, bu cynnydd mawr yn y galw am ddilladach o bob math ar gyfer y gweithwyr a'u teuluoedd. Teiliwr crwydrol a gwerthwr brethynnau oedd Llyfnwy, – Hen Bacman *Y Gwladgarwr* ei hun, ond masnachai'r pedleriaid mewn pob math o nwyddau o gwmpas y tai, a hynny ymhob ardal. Iddewon ac Albanwyr oedd y gwŷr hyn fel rheol, a gwyddys bod mintai sylweddol o ddynion o ardaloedd Dumfries a Galloway wedi cartrefu ym Merthyr Tudful a'r cylch er yn gynnar, a'r rheini, gan mwyaf, yn bedlerwyr te neu frethyn. 'The Scotch people here have established what is known as the travelling draper business. For many years this business was entirely in their hands', medd un sylwebydd mor ddiweddar â 1926.[56] Un o'r cynharaf o'r gwerthwyr crwydrol hyn i gartrefu ym Mro Morgannwg oedd gŵr o'r enw George Watson, brodor o'r Alban a ddaeth i ardal Pen-y-bont ar Ogwr rywbryd yn niwedd y ddeunawfed ganrif. Cofiai Edward Matthews, Ewenni, ef yn dda mewn nodyn a luniodd i goffáu ei fab, William Watson, ym 1873:

> Pan yr oeddem ni yn dechreu agor ein llygaid i edrych ar bethau, ac yn dechrau defnyddio ein traed i redeg o gwmpas y tŷ, yn dechreu dal y gath wrth ei chynffon, ac yn dechreu ymrolio a chwareu gyda'r ci, yr ydym yn cofio dyn mawr o *Scotchman* yn teithio Bro Morganwg, yn gwerthu nwyddau a mân lyfrau ysgol; am yr hwn, o herwydd ein bod yn cael ambell lyfr a darluniau, yr oeddem yn ei ddysgwyl fel y gwlaw, ac yn gofyn yn awr ac ailwaith, 'Pa bryd y mae Mr Watson yn dyfod yma eto?' Yr oedd George Watson yn frodor o Dumfries yn Scotland; un o'r dynion mwyaf a welsoch ydoedd, a'r *packman* cyntaf a welsom yn teithio'r wlad hon.[57]

Yr oedd digon o Albanwyr gwlatgar yn trigo ym Merthyr Tudful erbyn 1840 i gyfiawnhau sefydlu *The Merthyr Tydfil Caledonian Society* yn y dref, a hynny'n bennaf gan werthwyr brethyn o'r Alban.[58] Ond prin y gellir dweud bod y gwerthwyr crwydrol hyn yn boblogaidd gan drigolion y cymoedd, yn enwedig felly gan fasnachwyr a pherchnogion y siopau, ac amcangyfrifodd un hanesydd bod dros 30,000 o bedleriaid yn crwydro trwy wledydd Prydain ym 1851.[59] Cyhoeddwyd nifer o adroddiadau am y *packmen* neu'r *packies,* fel y'u gelwid, ym mhapurau newyddion y cyfnod, a bu cwyno mawr gan fasnachwyr trefi Merthyr ac Aberdâr am eu hymddygiad yn dwyn busnes y siopwyr ac yn hudo gwragedd ifainc i wario'u ceiniogau prin ar nwyddau diangen a diwerth. Cyhoeddwyd cyfres o lythyrau dienw yn condemnio'r *packmen* yn *The Merthyr Telegraph* rhwng misoedd Mai a Gorffennaf 1857, ac aeth rhai o fasnachwyr y dref ati i sefydlu'r hyn a alwent hwy yn *Trade Protection Society,* er diogelu eu masnach a'u bywoliaeth. Cafwyd cwynion yn y wasg Gymraeg yn ogystal, megis eiddo'r gohebydd a'i galwai ei hun yn 'Mordecai' ac a gyfrannodd gyfres o lithiau diddorol ar 'Blant y Byd Hwn' i golofnau'r *Gwladgarwr,* rhwng 8 Chwefror 1862 a 28 Tachwedd 1863. Pedleriaid y brethynnau, *quacks* y poteli, pasteiod y tafarnwyr, cardotwyr, dynion hysbys a chonsurwyr, oedd plant y byd hwn i Fordecai, ac fe'u pwysodd oll yn ei glorian a'u cael yn brin. Rhybuddiodd wragedd Morgannwg rhag ceisio bargeinio gyda'r 'cwdyddion', a hynny'n bennaf oherwydd ansawdd gwael eu nwyddau:

> Gwn am un wraig a brynodd werth naw punt o frethyn ganddynt, a phan oedd y gwniedydd yn gweithio llodrau i'w gŵr o un o'r darnau, aeth y cyfan yn ddrylliau dan ei law, a gorfu iddo ddodi darn ar yr archoll. 'Da chwi', ebe'r wraig, 'peidiwch a dweyd gair wrth Thomas, fy ngŵr. Y mae'r darnau eraill eto mor frau â chramwythen'.

Bu'r beirdd a'r baledwyr hwythau yn fawr eu condemniad o'r *Packmen.* Yr oedd *Cân Ddigrif yn Rhoddi Darluniad o'r Cwdyddion,* gan David Morgan, Cwm-twrch, er enghraifft, a argraffwyd gan Evan Griffiths yn Abertawe, yn un o faledi poblogaidd y cyfnod. Ac enillodd Richard Morgan ('Rhydderch ab Morgan') o Aberdâr, wobr yn un o eisteddfodau Cwmafan ym 1859 am gân ar 'Y Niwed o Fasnachu Gyda'r Cwdyddion *(Packmen)*', a chyhoeddwyd hi yng ngholofn farddol Alaw Goch yn y papur ym mis Mehefin y flwyddyn honno. Cynnwys y gân y penillion a ganlyn:

Mae rhyw ddosbarth yn ein galw, ar hyd y wlad,
I'w ceryddu hwynt yn chwerw, ar hyd y wlad,
Enwau'r cyfryw yw *Cwdyddion,*
Gwerthwyr nwyddau gwael i dlodion,
Twyllwyr cyfrwys eu hamcanion, ar hyd y wlad.

Rheswm da fod llu yn dlodion, ar hyd y wlad,
Yw masnachu â'r *Cwdyddion,* ar hyd y wlad.
Pryn y gwragedd i'w teuluoedd
Ddillad ganddynt drwy'r ardaloedd,
Nes eu denu wrth y cannoedd, ar hyd y wlad.

Gŵr o Lansamlet oedd Rhydderch ab Morgan. Bu'n gweithio am gyfnod yng ngweithfeydd haearn Castellnewydd-ar-Daen yng ngogledd Lloegr, ond dychwelodd i Aberafan yn fuan wedyn ac yna i Aberdâr, lle bu farw ym 1889. Bu yntau'n cadw colofn 'Yr Hen Loffwr' yn *Y Gwladgarwr* am rai blynyddoedd.[60] Daeth y *packmen* dan lach Edward Matthews, Ewenni, hefyd:

Yr oeddwn i yn Port Talbot, ac yn sefyll ar gyfer y *station* un bore Llun, ac yr oedd *packmen* yn disgyn yno fel haid o gacwn. Dodent eu paciau i lawr ar y wal, ac ar ôl siarad tipyn – aros i'r gwŷr fyned i'r gwaith ar ôl brecwast, dyna hwy yn ysgwyddo, ac o dŷ i dŷ, gan ofyn – *'Anything wanted today m'am – a splendid bargain today'.* Yr oeddent mor ewn ag agor y *pack* i ddangos y defnyddiau, ac yn denu y benywod penwan i brynu, a byddai ambell un yn delio â phedwar neu bump o'r *Johnnie Fortnights* hyn; a phan yn ffaelu talu, dodid hwy yn y Cwrt Bach. A fuoch chi erioed yn y Cwrt Bach? Dyna lle y gwelir y *packmen* yn eu gogoniant. Bydd un wraig yn gorfod talu chwecheiniog, y llall swllt, a'r nesaf dri swllt y mis.[61]

Cwynodd gohebydd arall a arddelai'r ffugenw 'Cromwel', mewn dwy lith yn *Y Gwladgarwr,* am bla'r pedleriaid ym misoedd Ionawr a Mawrth 1866. Yr hyn a'i poenai ef yn fwy na dim oedd y modd y manteisiai rhai o'r *packmen* ar ddiniweidrwydd gwragedd priod, tra byddai eu gwŷr wrth eu gwaith. Medd ef:

Yn ddiweddar aeth *Packman* i dŷ gwraig ieuanc brydweddol i gynyg

> nwyddau rhad. Wedi ychydig ymddyddan *'Come missus'* ebe fe, *'I will sell you this dirt cheap – three shillings, and a trip upstairs'*. Edrychodd y wraig arno, ac aeth allan ar ffrwst. Tybiodd yntau ei bod yn myned i alw gydag un o'i chymydogion i fenthyca'r triswllt, ond yn lle hyny aeth allan yn debyg i'r cythraul, gan ddychwelyd gyda chythraul saith gwaeth nag ef ei hun. Nid yn fuan yr anghofia y trin a'r troi fu arno gan y ddwy wraig. *'A trip upstairs indeed. Is that what you want? Walk out you scoundrel'*. Os bu dyn erioed yn haeddu ei ddyrnodio, y mae'n sicr fod hwn yn un. Oddiwrth yr ymchwiliad ag wyf fi wedi ei wneud, a'r hyn a adroddwyd i mi gan ereill, y mae genyf bob sail i gredu nad oes neb na dim sydd yn achosi cymaint o gynen, anghydfod, a theimladau anhyfryd rhwng gwŷr a gwragedd na'r *Packmen* dillad. Y mae llawer tŷ wedi chwalu, ffynonellau serch a chariad wedi eu sychu i fyny, llawer mangre dedwydd wedi ei gwneud yn nythleoedd i bob creadur aflan gan y tylwyth yma.

Fel y gellid ei ddisgwyl, cythruddwyd Yr Hen Bacman gan y sylwadau hyn, ac ymatebodd yn rhifyn 30 Mehefin 1866. Yr oedd yn ei fryd ymgyfreithio ynglŷn â cholofnau Cromwel, meddai a'i dafod yn ei foch, a buasai wedi gwneud hynny eisoes, oni bai ei fod ym Mrwsel, yn prynu stoc newydd ar y pryd, pan gyhoeddwyd sylwadau'r gohebydd. Aeth ymlaen wedyn i adrodd hanes ei daith drwy Aberdâr ychydig wythnosau ynghynt, lle'r ymwelodd â beddau Alaw Goch, Tegai a Thelynog, cyn iddo alw yng nghartref Llywelyn Alaw y telynor. Clodd ei golofn yr wythnos honno â'r geiriau: 'Yr wyf yn awr yn terfynu gyda brys i gario y brethynau allan, canys mae'r gwŷr wedi myned i'w gwaith'.

Yn rhifyn 7 Mawrth 1874 y cyhoeddwyd yr olaf o golofnau Llyfnwy dan y teitl 'Teithiau yr Hen Bacman' yn *Y Gwladgarwr,* a hysbysodd ei ddarllenwyr yr wythnos honno ei fod ef a'i deulu wedi symud i Ffynnon Daf y mis Hydref cynt, a hynny i gadw tafarn y Cross Keys yn y pentref. Ni chafwyd yr un gair oddi wrtho wedyn tan 8 Rhagfyr 1876, pan gyhoeddwyd llith o'i waith dan y pennawd 'Llythyr o America'. Y mae'n debyg iddo adael ei wraig a'i deulu ym mis Ebrill 1875, ac iddo ymfudo i'r Taleithiau Unedig, gan gartrefu yn Hyde Park, Scranton, ym maes glo carreg Pennsylvania. Yr oedd rhai miloedd o lowyr Morgannwg a'u teuluoedd eisoes wedi ymfudo i ardal Scranton, ac yr oedd yno ddigon o Gymry i gynnal *Baner America,* y newyddiadur wythnosol a sefydlwyd ym 1868.[62] Ac yno, yn swyddfa'r newyddiadur yn Lackawana Street, y cafodd Llyfnwy waith fel gohebydd. Erbyn mis Mai 1877, yr oedd Gwenllian ei wraig wedi cyrraedd Hyde Park, ynghyd â'r naw plentyn – John, Taliesin, Aneurin, Caswallon, Cadifor, Glyndŵr, Emrys, Golyddan ac Olwen. 'Y maent yn hoffi y lle yn fawr', medd Llyfnwy yn rhifyn 7 Medi 1877, 'a'r plant ieuengaf wedi dysgu siarad drwy eu trwynau: '*anyhow; siryee;* ac *you son of a bitch*'. Ond daethai gyrfa *Baner America* i ben erbyn hynny, pan brynwyd y newyddiadur gan T. J. Griffiths, i'w uno â *Y Drych,* prif gyhoeddiad wythnosol Cymry America.[63] Nid yw'n glir beth fu tynged Llyfnwy wedi hyn, ond parhaodd i gyfrannu i'r newyddiaduron Cymreig, gan gynnwys *Baner ac Amserau Cymru* a *Tarian y Gweithiwr,* y newyddiadur a sefydlwyd yn Aberdâr yr union flwyddyn yr ymfudodd Yr Hen Bacman i America. Gwyddys iddo dreulio rhai cyfnodau yn Shenandoah ac yn Richland, New Jersey, cyn iddo ddychwelyd i Scranton drachefn, lle bu farw yn ystod wythnos gyntaf mis Ionawr 1895 a'i gladdu ym mynwent Washburn Street.[64]

Pan fu'r Hen Bacman yn ardal Cwmtawe yn nechrau mis Ionawr 1872 ymwelodd â phentrefi Ystalyfera, Rhos Cilybebyll a Phontardawe, a hynny yng nghwmni Ieuan Ddu Allt-wen. Penderfynodd y ddau ymweld ag Edward Young ('Eos Wyn'), un o feirdd a llenorion y gymdogaeth, a chofnododd Yr Hen Bacman hanes y cyfarfyddiad yn rhifyn 13 Ionawr y flwyddyn honno. Cyfarchodd Eos Wyn ei ddau ymwelydd fel hyn:

Ieuan Ddu a'r Pacman ddaeth – i weled
    Y gwaela'n y dalaeth;
  Yr wy'n brudd mewn cystudd caeth, – yn ofni
  Lli môr heli, cefnlli marwolaeth.

Siôn Wyn o Eifion ei gyfnod oedd Eos Wyn, ac fel y bardd o Chwilog yn sir Gaernarfon, bu'n orweddiog am gyfnod maith hyd ei farwolaeth ym 1892. Fe'i ganwyd yn Llandysilio, sir Benfro ym 1841, a derbyniodd beth addysg mewn ysgol yn Arberth cyn i'r teulu symud i Gwmtawe ym 1848. Dechreuodd weithio'n grwt yng Ngwaith Alcan William Parsons ym Mhontardawe, a bu wedyn yn löwr yn un o lofeydd y gymdogaeth, ond ym 1864, ac yntau'n dair ar hugain oed, fe'i trawyd â'r frech wen, ac er iddo wella o'r clefyd, fe'i cyfyngwyd i'w wely am weddill ei oes. 'Ni chawsai eiliad ddiboen, ond trwy ddefnyddio *laudanum* ac *opium*', medd un a'i hadwaenai'n dda, 'a thrwy gynhorthwy y ddau allu yna, llwyddodd, er yn ei wely a'i gongl i gyflawni gwaith mawr, ac i roddi gwasanaeth mawr i'w genedl am ysbaid o wyth mlynedd ar hugain arall'.[65] Yr oedd Eos Wyn eisoes wedi meistroli cyfundrefn y tonic sol-ffa mewn dosbarthiadau cerddoriaeth a gynhaliwyd yng Nghwmtawe, a bu wrthi, yn ei lesgedd, yn hyfforddi plant ac ieuenctid yr ardal yn nirgelion y gyfundrefn newydd yn ei gartref. Dysgodd ganu'r ffidl, cyfansoddodd rai tonau, a chyhoeddwyd y mwyafrif o'r rhain ym mhrif gylchgronau cerddorol y cyfnod. Datblygodd yn fardd ac yn llenor hefyd a bu'n gystadleuydd cyson yn yr eisteddfodau, er na allai fynychu'r un o'r cyfarfodydd hyn. Daeth darllenwyr *Y Gwladgarwr* i wybod amdano yn fuan wedyn, pan ddechreuodd gyfrannu colofn i'r papur yn dwyn y teitl 'O Ystafell y Cystuddiedig'.

Edward Young ('Eos Wyn').

Testunau llenyddol a ddenai fryd Eos Wyn fynychaf. Bu'n trafod cynhyrchion yr eisteddfodau, ac adolygodd rai o lyfrau poblogaidd y dydd, yn rhyddiaith a barddoniaeth fel ei gilydd. Ond ei afiechyd ef ei hun, – ei 'gystuddiau' ys dywedai, oedd prif bwnc y golofn yn ddieithriad, a cheir yr argraff bod yr Eos yn ymhyfrydu yn ei dostrwydd ac yn mwynhau'r cydymdeimlad a'r sylw a gâi yn sgîl hynny. Yr oedd yn wael iawn ei iechyd ym mis Mai 1872, fel y cyfaddefodd yn rhifyn 1 Mehefin, y flwyddyn honno:

> Yr wyf yn codi o'r gwely i'r gadair, ac yn medru eistedd i fyny am awr neu ddwy bob dydd; ond ni fedraf gerdded na sefyll uwchben fy nhraed am eiliad heb gymorth, gan gymaint fy ngwendid. Er nad ydyw fy ystafell ond un fechan, eto, pan fedrais ei chroesi gyda ffon yn unig, yr oeddwn yn teimlo fy mod wedi gwneud cymaint o orchwyl a phe buaswn wedi croesi y ddaear o begwn i begwn. Ychydig yr wyf yn cysgu, ac nid wyf yn medru cysgu o gwbl ond trwy nerth *laudanum* er ys blynyddau.

Ac yn y cywair hwn y lluniodd Eos Wyn ddegau lawer o golofnau i'r *Gwladgarwr.* Canodd nifer o gerddi yn trafod ei afiechyd hefyd, megis 'Penillion ar Wely Cystudd', a gyhoeddwyd yng ngholofn farddol y papur ar 20 Mawrth 1869, sy'n cynnwys y penillion a ganlyn:

Yr wyf yn glaf ers amser maith,
Fy mhabell sydd yn friw;
Gwasgfeuon loes sy'n difa f'oes,
'Rwy'n methu bron â byw.

Mae cystudd hir a'i effaith dwys
Yn cerfio ar fy ngwedd,
A byddaf cyn pen enyd bach
Yng ngwely oer y bedd.[66]

Yn y man, daeth llithiau'r Eos o'i 'Ystafell' yn gyfarwydd i drigolion cymoedd y de, a datblygodd rhyw fath o gywreinrwydd ynghylch y bardd ymhlith ei ddarllenwyr. Deuai pobl o bell ac agos i ymweld ag ef yn ei gartref, megis y gwnaeth Yr Hen Bacman, ac arferai côr plant capel yr Allt-wen ymweld â'i gartref yn achlysurol a chanu iddo y tu allan i'w ystafell. Holodd nifer o'i ddarllenwyr o bryd i'w gilydd, pa fath o ystafell oedd hon, a chyhoeddwyd disgrifiad diddorol ohoni gan awdur dienw mewn ysgrif goffa i'r Eos pan fu farw ar 6 Chwefror, 1892:

> Er mwyn y rhai na chawsant y fraint o weled yr ystafell, ceisiwn ei darlunio yn y fan yma. Wedi i ddyeithryn guro wrth y drws, a chael agoriad, a deall o'r teulu mai am weled yr Eos ydoedd, gofynid iddo droi ar y dde, trwy ddrws, ac ar ei gyfer byddai *bookcase* yn llawn o lyfrau sylweddol ac iach; a sicr yw, yr argyhoeddid unrhyw ymwelydd fod yno ryw ddarllenwr mawr heb fod yn mhell. Dyna yr ymwelydd bellach ar ganol yr ystafell, ac yn syllu ar luniau o wahanol enwogion Cymru yn hongian ar y mur. Y tu chwith, uwch gwely yr Eos, gwelid darlun prydferth o Rowlands, Llangeitho, ac yn union ar gyfer wyneb yr Eos, darlun o'r hen batriarch anwyl Phylip Griffiths, yr Alltwen. Yn y pen pellaf yr oedd y gwely, a rhwng hwnw a'r drws, yn ddigon agos a chyfleus i'r cystuddiedig yr oedd bwrdd bychan, ar yr hwn yr oedd digon o offer ysgrifenu. Yr oedd yno le i bob peth a phob peth yn ei le; ac nid gwiw fyddai i neb ymyryd â dim ond yn unol â'i gyfarwyddyd ef. Uwch y bwrdd

> hwn, ar y mur eto, yr oedd ei dystysgrifau cerddorol, yr oll yn daclus ac mewn trefn, heb ddim gormodedd na phrinder yn nglŷn â dim. Treuliodd yr Eos tua saith ar hugain o flynyddau, y rhan fwyaf o'r amser mewn poenau dirdynol, yn ei ystafell; eto, gweithiodd yn ddyfal drwy yr amser, ac y mae ei holl gyfansoddiadau o nodwedd deilwng a chwaethus, ac yn cael eu gwerthfawrogi gan bawb a ddaethant i gyffyrddiad â hwynt.[67]

Yr oedd gan *Y Gwladgarwr* nifer sylweddol o ohebwyr led-led y de, a daeth amryw byd ohonynt yn adnabyddus yng nghylchoedd llenyddol a barddol y cymoedd diwydiannol yn ystod ail hanner y bedwaredd ganrif ar bymtheg. Mab tafarn y *Salutation* yng Nghwmaman, sir Gaerfyrddin, oedd John Jenkins, un o golofnwyr mwyaf cyson y newyddiadur. Saer maen ac adeiladydd ydoedd wrth ei alwedigaeth, ac ef a gododd waith alcan Glantawe ym Mhontardawe yn chwedegau'r ganrif. Cyhoeddwyd ei 'Lithiau' dan y ffugenw 'Yr Hen Domos' yn *Y Gwladgarwr* rhwng 1860 a 1881.[68] Materion lleol a ddenai fryd Yr Hen Domos gan amlaf, a byddai yn ei elfen yn sôn am helyntion yr eisteddfodau a'r amryfal gyfarfodydd llenyddol a gynhaliwyd yn nyffryn Aman a'r cylch o bryd i'w gilydd. Yr oedd wrth ei fodd yn dinoethi twyll rhai o'r prydyddion wrth gystadlu, a chystwyodd nifer o feirdd y fro am lên-ladrad droeon. Bu'n arbennig o lawdrwm ar Ddafydd Gibbs, un o lenorion yr Allt-wen, am iddo dwyllo beirniaid yr eisteddfod a gynhaliwyd yno ym 1862. Bum mlynedd yn ddiweddarach, ym mis Mawrth 1867, yn ei ffordd chwareus arferol, galwodd am wasanaeth Calcraft, y dienyddiwr cyhoeddus 'i grogi pob llên-leidr am rôt y dwsin gerfydd eu coesau'.

Crydd oedd William Calcraft (1800-1879) wrth ei alwedigaeth, a bwriodd ryw fath o 'brentisiaeth' fel fflangellwr yng ngharchar Newgate, cyn ei benodi'n grogwr ym 1829. Bu wrth y gorchwyl hwn am bum mlynedd a deugain cyn iddo ymddeol ym mis Mai 1874, ond yn ôl pob tystiolaeth, bwnglerwr trwsgl a di-glem oedd Calcraft fel crogwr.[69] Yr oedd yr Hen Domos eisoes wedi gweld Calcraft wrth ei waith, flwyddyn ynghynt ym mis Ebrill 1866, pan ddaeth y crogwr i Abertawe i ddienyddio'r llofrudd Robert Coe o Aberdâr. Ganwyd Coe yng nghanolbarth Lloegr ym 1848, ond symudodd i Gymru pan oedd yn llanc, a chafodd waith fel träwr gyda'r gofaint yng ngefeiliau gwaith y Powell Dyffryn. Llofruddiodd ei gyfaill a'i gydweithiwr, John Davies, drwy ei daro â bwyall yng

Y crogwr William Calcraft.

Prawf, Cyfaddefiad, a Dienyddiad

ROBERT COE,

AM LOFRUDDIO

JOHN DAVIES,

Yn agos i Mountainash, sir Forganwg, ar yr ail o Fedi, 1865, ac a ddienyddiwyd yn Abertawe ar y 12fed o Ebrill, 1866.

Cafwyd ef yn euog o flaen y Barnwr Blackburn yn mrawdlys Abertawe y 15fed o Fawrth, 1866.

RHYW newyddion trwm sy'n tramwy
Trwy'r ardaloedd yn mhob teulu,
Son a gawn am hyll effeithiau
Pechod cas a'i ganlyniadau.

Baled: 'Prawf, Cyfaddefiad a Dienyddiad Robert Coe'.

Nghoed y Dyffryn, ger Aberpennar, ar 2 Medi 1865, ac fel y gellid ei ddisgwyl, achosodd y digwyddiad gryn gyffro drwy'r ardaloedd. Dedfrydwyd y llofrudd deunaw oed i'w grogi ym Mrawdlys Abertawe, a hynny'n gyhoeddus am wyth o'r gloch y bore ar 6 Ebrill 1866. Yn ôl adroddiadau'r wasg, yr oedd tref Abertawe yn ferw drwyddi y noson cynt, a bernid bod torf o un fil ar bymtheg o drigolion y cymoedd wedi dod ynghyd i wylio'r dienyddio ar y twyni tywod, ryw 250 llath y tu allan i furiau'r carchar. Cafodd yr heddlu gryn drafferth i gadw trefn ar y dyrfa, ac aeth pethau o ddrwg i waeth pan lwyddodd pedair o wragedd i ddringo i lwyfan y grocbren, a chanddynt gyllyll yn arfau, yn barod i ymosod ar Robert Coe. Fe'u gwthiwyd hwy oddi yno yn ddigon diseremoni gan yr heddweision; aeth y dyrfa i derfysg mawr, a niweidiwyd tua 120 o bobl, gan gynnwys gwragedd a phlant pan sathrwyd hwy dan draed.[70] Ond yno hefyd yn eu plith, yr oedd Yr Hen Domos, a deithiodd i Abertawe yng nghwmni rhai o wŷr Cwmaman. Medd ef:

> Yr oedd y dorf fawr yn ymddwyn yn lled weddus ar cyfan, ond clywais rhai *expressions* isel ac anheilwng, ac yr oedd ambell un yn cymeryd yr amgylchiad yn destun digrifwch. Mewn ychydig funudau wedi wyth o'r gloch fe ddaeth dyn ieuanc, *smart* i fyny i'r grocbren, yn edrych yn debycach i ddyn yn mynd i actio rhywbeth er digrifwch i'r dorf, na dyn yn mynd i gael ei grogi. Dyna galonog yr edrychai Robert Coe, a dyna leisiau torcalonus oedd gan y menywod pan ymddangosodd am y tro cyntaf. Ond y dyn mwyaf golygus a'r olwg mwyaf bonheddig a welais y diwrnod hwnw oedd William Calcraft. Nid ydyw'r bonheddwr hwnw yn *specimen* ffôl o John Bull, ac mae'n *gredit* i Victoria fach ei bod hi'n cadw ei gweision mor drwsiadus a chadwrus. Credwch chi fi, crogwr da yw Calcraft, a dyna foesgar a charedig yr ysgydwodd law â Coe; ond dir helpo Coe, er na welsom un arwydd o ofn yn ei feddianu, mae'n rhaid fod ei galon e'n lled isel. Gresyn i'r creadur dideimlad gael ei eni i'r byd erioed. Os haeddodd dyn gael ei grogi, yr oedd ef yn haeddu, a bu meddwl am hyny yn gymorth imi ddal yr olygfa arswydus. Ond barnaf pan ddaw'r oes yn dipyn mwy gwareiddiedig y dileir crogi yn gyhoeddus.

Torf afreolus – golygfa gyffredin mewn dienyddiad cyhoeddus.

Achosodd yr adroddiadau a gyhoeddwyd yn y wasg newyddiadurol am ymddygiad y dorf ar yr amgylchiad hwn gryn helynt, ac, fel mae'n digwydd, Robert Coe oedd y llofrudd olaf i'w ddienyddio yn gyhoeddus yn Abertawe.[71]

Mae llithiau John Jenkins yn ddrych o fywyd bob dydd yn nyffryn Aman a'r cylch yn ystod ail hanner y bedwaredd ganrif ar bymtheg. Edrydd gydag afiaith amdano'n mynd i dynnu'i lun ym Mhontardawe ym mis Mehefin 1863, a dyry ddisgrifiad manwl o'r broses hir a llafurus honno. Bu cynnydd sylweddol yn niddordeb pobl gyffredin mewn gwyddoniaeth yn ystod y cyfnod hwn hefyd, a dau o blith llawer o'r pynciau gwyddonol, poblogaidd hyn oedd mesmeriaeth neu hypnotiaeth, a ffrenoleg, sef y gelfyddyd o 'ddarllen pennau'.[72] Daeth darlithwyr teithiol yn dra chyffredin yn ystod y chwedegau, a gwŷr a gwragedd oedd y rhain a oedd wedi ffoli'n lân ar y ddwy wyddor newydd.[73] Yr oedd y ddwy gelfyddyd, fel ei gilydd, yn arbennig o addas i'w perfformio'n gyhoeddus, a cheir nifer o gyfeiriadau yn y wasg at y perfformiadau cyffrous hyn. Cyhoeddwyd rhai adroddiadau yng ngholofnau'r *Gwladgarwr* ar weithgareddau gwraig o'r enw Miss Poole a fu ar daith ddarlithio drwy rannau o dde Cymru yn ystod y blynyddoedd 1861 a 1862. Yr oedd Miss Poole yn yr Athenaeum yn Llanelli ac yn y *King's Head* yn Llandeilo Fawr, ym mis Ionawr 1862, ac yr oedd eisoes wedi bod yng Nghwmaman erbyn mis Ebrill yr un flwyddyn.[74] Ceir disgrifiad llawn a manwl o ddigwyddiadau'r noson honno gan Yr Hen Domos yn un o'i lithiau yn *Y Gwladgarwr.* Disgrifiodd sut y bu i Miss Poole ymarfer ei chelfyddyd 'fesmeryddol' ar griw o lowyr ifainc y Cwm, a chreodd y wyddor newydd argraff annileadwy ar y gynulleidfa fawr a ddaeth ynghyd i wylio'r perfformiad:

> Rhoddodd Miss Poole rhyw fetel i bob un o'r bechgyn, a siarsodd hwynt i edrych arnynt yn ofalus, a pheidio â meddwl am ddim byd arall. Yna aeth yn ddistawrwydd drwy'r ystafell a phawb yn syllu ar y bechgyn yn mynd i gysgu, a chlywech weithiau bwff o chwerthin fan hyn, a phwff o chwerthin fan draw, a'r fenyw fach yn gweiddi *'Silence!'* Ond yn mhen enyd wele un o'r bechgyn yn cwympo, ac un arall yn cwympo ar ei ôl, a dyna nhw oll yn nghanol breichiau cwsg. A hawyr bach, dyna lle'r oedd chwerthin wedyn gan y gwyddfodolion! Wedyn yr oedd y cysgaduriaid yn llaw y ddynes fach i wneud fel y mynasai â hwynt. Dododd rai ohonynt i

> weithio eu crefftau, a chato pawb, dyna lle'r oedd gweithio, – yr oedd pob un yn dychymygu ei fod wrth ei waith. Yr oedd un o honynt yn saer maen, ac yr oedd yn grintachlyd ofnadwy wrth y crotyn dychymygol ag oedd yn cario morter. Dododd y ddynes fach hwynt wedyn i gredu ei bod yn bwrw eira, a dyna'r bechgyn wedyn yn dechreu lluchio eira at ei gilydd; ac ni chlywodd Yr Hen Domos y fath chwerthin er ys llawer dydd. Ac wedi eu dihuno o'r fusnes hono dododd hwynt i gredu bod afon yn llawn o bysgod yn llifo heibio, a rhoddodd wialen bysgota ddychymygol i bob un ohonynt, a rhyfedd mor aml yr oeddynt yn dal pysgod, tebygasent. Cafodd dau bâr fyned i chwareu cardiau a *dominoes,* a mawr mor ddifrifol yr oeddynt wrth y gorchwylion hynny. Yr oedd un o'r bechgyn yn rhegi'n ofnadwy, am fod y llall yn *cafflo,* meddai ef, a dwrdiai y tafarnwr am ddod â chwrw *brewery* iddynt, pryd, mewn gwirionedd nad oedd yno gwrw o gwbl.[75]

Daeth Evan Gethin, y prydydd a fu'n cadw ysgol ar Wauncaegurwen, dan ddylanwad Miss Poole hefyd. Yn ôl Jonah Evans, un o haneswyr y fro 'bu dan ei thriniaeth yn cael ei *gonshwro* amryw droion. Effeithiodd hyn arno nes peri *nervous debility,* a rhoddodd i fyny yr ysgol ac ymfudodd i dirioggaethau America'.[76]

Darparu newyddion oedd prif swyddogaeth y colofnau lleol hyn, a bu'r Hen Domos yn ddolen gyswllt rhwng y cymunedau diwydiannol yn nwyrain sir Gaerfyrddin a'r cymunedau diwydiannol mwy datblygedig ym Morgannwg. Ond yr oedd cymunedau Cymreig bywiog i'w cael yng ngogledd Lloegr yr adeg hon hefyd. Soniwyd eisoes i Rydderch ab Morgan dreulio cyfnod yng Nghastellnewydd-ar-Daen, ond yr oedd cannoedd lawer o deuluoedd Morgannwg wedi cartrefu yn rhai o drefi diwydiannol glannau Tees hefyd. Un o brif sylfaenwyr y diwydiant haearn ym Middlesbrough oedd John Vaughan, gŵr a fu'n rheolwr yng ngwaith haearn Dowlais, cyn iddo symud i Gaerliwelydd ac yna i Walker, ger Castellnewydd-ar-Daen, lle daeth i gysylltiad â'r Almaenwr, Henry William Ferdinand Bolckow. Ymunodd y ddau mewn partneriaeth, gan sefydlu gwaith haearn enwog y Vulcan, yn Middlesbrough, ym 1841.[77] Darganfu John Vaughan gronfeydd o fwyn haearn yn ardal Cleveland yng ngogledd Swydd Gaer Efrog yn fuan wedyn, ac ef, yn anad neb arall, a fu'n bennaf cyfrifol am ffyniant diwydiannol glannau Tees. Yn dilyn y twf diwydiannol hwn, bu galw cynyddol am oruchwylwyr profiadol i reoli'r gweith-

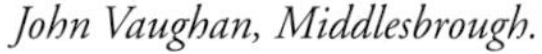

John Vaughan, Middlesbrough.

Edward Williams yn Faer Middlesbrough ym 1873.
(Archifau Glannau Tees, Middlesbrough).

feydd newydd, a'r amlycaf o'r rheolwyr hyn oedd Edward Williams, mab Taliesin ab Iolo o Ferthyr Tudful, ac ŵyr Iolo Morganwg. Ef oedd y cyntaf i lunio rhyw fath o restr o lawysgrifau ei dad-cu, catalog a gyflwynodd i awdurdodau'r Amgueddfa Brydeinig, yn y gobaith y gellid sicrhau cartref parhaol i'r casgliad yno. Ond ni ddaeth dim o'r cynllun hwn.[78]

Bu Edward Williams yn brif reolwr yr efail a'r felin yng ngwaith haearn Dowlais, cyn i John Vaughan ei ddenu i Middlesbrough ym 1865, lle bu'n rheolwr cyffredinol Cwmni Bolckow a Vaughan. Daeth yn un o'r prif feistri haearn yno, yn Llywydd yr *Iron and Steel Institute of Great Britain,* yn henadur, yn ynad heddwch ac yn Faer Middlesbrough ym 1873, cyn ei farw ym 1886. Penodwyd Williams yn beiriannydd ymgynghorol i'r brodyr Crawshay ym 1881, ac ef a fu'n gyfrifol am ailaddasu hen weithfeydd haearn y Gyfarthfa ar gyfer cynhyrchu dur. Yr oedd ei feibion, Illtyd, Aneurin a Penry Williams yn ffigurau yr un mor amlwg ym mywyd diwydiannol a gwleidyddol glannau Tees drwy gydol ail hanner y ganrif. Bu Aneurin Williams (1859-1924), yn Aelod Seneddol Rhyddfrydol tros etholaethau Plymouth, Gogledd-Orllewin Durham a Consett.

Mab iddo yntau oedd y newyddiadurwr, y llyfryddwr a'r hanesydd celf, Iolo Aneurin Williams (1890-1962). Bu Penry (1866-1945), ail fab Edward Williams, yn Aelod Seneddol Rhyddfrydol tros etholaeth Middlesbrough.[79]

O ganlyniad, denwyd cannoedd lawer o deuluoedd o Aberafan, Castell-nedd a Merthyr Tudful i drefi Stockton-on-Tees, Witton Park, Spennymoor, Branch End, Consett a Middlesbrough, a daeth yr ymfudo hwn i'w anterth yn ystod y blynyddoedd rhwng 1850 a 1870.[80] Yn wir, yn ôl Cyfrifiad Poblogaeth 1861, yr oedd cyfanswm o 42% o weithwyr haearn Middlesbrough yn frodorion o Gymru.[81] Cartrefodd y teuluoedd hyn yn yr un ardaloedd, ac yn yr un strydoedd, a bu cryn lewyrch ar y 'trefedigaethau' Cymraeg hyn am gyfnod. Codasant gapeli yn perthyn i bob un o'r enwadau Ymneilltuol, a gwyddys i offeiriad Eglwys Loegr, yn Middlesbrough, drefnu gwasanaethau Cymraeg ar gyfer y Cymry, yn eglwys St Hilda, yn y dref, yn ystod y chwedegau cynnar.[82] Ymwelai rhai o hoelion wyth y gwahanol enwadau yng Nghymru â'r sefydliadau hyn o bryd i'w gilydd hefyd, a threuliodd David Rees, gweinidog eglwys Capel Als, Llanelli, bythefnos gyfan yn gwasanaethu cynulleidfaoedd yr Annibynwyr yn Walker, Witton Park a Bishop Auckland ym 1859.[83] Ymwelodd Sarah Jane Rees ('Cranogwen'), yr areithydd tros ddirwest, a golygydd *Y Frythones* yn ddiweddarach, ag ardaloedd Bishop Auckland, Witton Park a Stockton-on-Tees yn ystod mis Awst 1867. Croniclodd hithau hanes ei thaith yn *Y Traethodydd* flwyddyn yn ddiweddarach. Ond yr hyn a achos-

Gwaith Haearn Middlesbrough.

odd ofid iddi, yn fwy na dim arall, oedd y duedd gynyddol ymhlith nifer o deuluoedd o Gymry i godi eu plant yn ddi-Gymraeg. 'Y mae achosion blin o'r fath hyn, plant Cymry yn tyfu i fyny heb allu siarad Cymraeg, yn lliosog iawn bellach yn nhrefi Lloegr', meddai, 'a braidd y gellir oddiwrthynt heb ymdrech ddirfawr – mwy o ymdrech nag y mae llawer yn teimlo yr angenrheidrwydd o ymgymeryd â hi'.[84]

Gwyddys bod gan *Y Gwladgarwr* ei ddarllenwyr yn yr ardaloedd hyn hefyd. Yn eu plith yr oedd Morgan Evans ('Meurig Aman'), brodor o Frynaman a dreuliodd bedair blynedd yn Middlesbrough rhwng 1863 a 1867. Yr oedd ef yn un o ddisgyblion Caledfryn, a chyhoeddwyd cryn nifer o'i gyfansoddiadau yng ngholofn farddol *Y Gwladgarwr* cyn iddo symud i ogledd Lloegr. Cyfrannodd Morgan Evans gyfres ddifyr o ysgrifau wythnosol i'r papur ar 'Y Cymry yng Ngogledd Lloegr', a thystiodd ym mis Hydref 1867, bod i'r *Gwladgarwr* gylchrediad helaeth ym Middlesbrough: 'Pan y byddot, ddarllenydd, yn teithio yr heolydd hyn ar brydnawn dydd Sadwrn, gelli wneud dy lw braidd mai yn Nghaerdydd neu Abertawy yr wyt. Yr wyf wedi chwerthin lawer gwaith wrth weled Mr Johnson gyda'i gerbyd a'i ful yn gweiddi allan yn braf '*Gwladgarwr! Gwladgarwr! A Welsh newspaper*'.' Ac mae ysgrifau wythnosol Meurig Aman yn dwyn tystiolaeth bwysig i fywiogrwydd y bywyd Cymraeg yn y trefi hyn. Wrth ddisgrifio gwaith haearn Stockton, er enghraifft, dywaid:

Morgan Evans ('Meurig Aman').

> Cymry ydyw prif ddynion y gwaith, o'r gweithiwr cyffredin i fyny i'r prif arolygwr, ac nid oes neb i fod tu mewn i furiau y gwaith hwn ond Cymry, – *ond* eu cael yn ddynion sobr a chrefyddol. Wrth fyned i mewn i'r haearnfa a gweld cynifer o hen wynebau hoff yn fy amgylchynu ar y de a'r aswy, gallwn dybied mai yn rhai o weithfeydd Morganwg yr ydym. Gweld twr o waith Trefforest yn y fan hon, twr arall o Gwmafan y fan

> acw. Bechgyn gwrol o'r Gadlys ac Abernant, Aberdâr, draw gyda'r morthwyl mawr; o'r tu blaen imi y mae brodorion o Bentyrch. Tu ôl eilwaith, weithwyr o Rymni a Thredegar, Dowlais, Merthyr, Nant-y-glo a Blaenau Gwent.[85]

Ffynnodd yr eisteddfodau a'r cyfarfodydd llenyddol ymhlith y Cymry ar lannau Tees hefyd, a gwyddys bod yn y gymdogaeth hon gylch o feirdd a phrydyddion a fu'n cyfrannu eu cynhyrchion i golofnau barddol y gwahanol newyddiaduron yng Nghymru. Gwŷr oedd y rhain fel John Hopkin ('Ioan Glan Tees'), Thomas Williams ('Asaph Glyn Ebwy'), Peter Williams ('Pedr Mostyn'), John Henry Hughes ('Ieuan o Leyn'), a David Davies ('Dewi Alaw'). Brodor o Rydyfro, ger Pontardawe, oedd Ioan Glan Tees, ac ef oedd un o brif gynheiliaid y mudiad eisteddfodol yn Middlesbrough. Yn ôl Meurig Aman, sefydlodd wasg argraffu 'at wasanaeth y Cymry' yn y dref, ond methiant, hyd yn hyn, fu pob ymdrech i ddod o hyd i ddim o'i chynnyrch. Yr amlycaf o blith gwŷr llên ardal Walker, Castellnewydd-ar Daen, oedd John Thomas ('Ieuan Morganwg'), brodor o dref Caerfyrddin, a fu'n is-oruchwyliwr gwaith haearn Josiah Guest yn Nowlais, cyn ei benodi'n rheolwr haearnfa Loch, Wilson a Bell yn Walker, ym 1844. Dychwelodd i Lanelli ym 1853 gan fwriadu codi gwaith haearn yno, ond ni ddaeth dim o'r cynllun hwn, ac fe'i hordeiniwyd yn weinidog gyda'r Annibynwyr yng Nglyn-nedd ddwy flynedd yn ddiweddarach. Ailafaelodd yng ngoruchwyliaeth gwaith haearn Walker drachefn ym 1857. Cyhoeddwyd nifer sylweddol o'i gerddi yn y cylchgronau Cymraeg ac yng ngholofn farddol *Y Gwladgarwr,* a'r rheini'n bryddestau meithion ar destunau eisteddfodol.[86] Ef oedd golygydd colofn farddol *Y Diwygiwr* rhwng 1856 a 1870, ac *Y Tywysydd a'r Gymraes,* o 1856 tan 1869. Ymddeolodd Ieuan Morganwg i fyw i'r Mwmbwls ger Abertawe, ym 1862, a bu farw wrth bregethu yng nghyfarfodydd ordeinio T. Grenig Jones yng nghapel Annibynnol Gwernogle, sir Gaerfyrddin, ym mis Awst 1870.[87]

Yn enedigol o Dredegyr, bu Thomas Williams ('Asaph Glyn Ebwy'), un o ohebwyr Stockton-on-Tees i'r *Gwladgarwr,* yn gweithio yng ngwaith haearn Pen-y-cae, Glyn Ebwy, ac yn Llansawel, ger Castell-nedd, cyn iddo symud i ogledd Lloegr ym 1864. Yr oedd eisoes wedi dod i sylw'r cyhoedd yng Nghymru fel cerddor a chyfansoddwr emyn donau ac anthemau, a chyhoeddwyd ei gyfansoddiadau yn *Seren Gomer, Y Cerddor,* a *Trysorfa'r Adroddwr.* Sefydlodd gôr ymhlith Cymry Stockton a fu'n cynnal cyngherddau ac yn cystadlu yn eisteddfodau gogledd Lloegr yn ystod chwarter olaf y bedwaredd ganrif ar bymtheg, a bu'n ohebydd ffyddlon i'r *Gwladgarwr* drwy gydol gyrfa'r newyddiadur.[88] Fe'i cythruddwyd yn fawr yn ystod misoedd y gaeaf 1880-1881, a hynny gan sylwadau gohebydd â'i galwai ei hun yn 'Candid Welshman', ac a fu'n dilorni'r Cymry yng ngholofnau *The Western Mail.* Hen gân gyfarwydd oedd eiddo 'Candid Welshman', a'r amlycaf o feiau'r Cymry, yn ei dyb ef, oedd eu plwyfoldeb, a'u hanallu i ddringo'n gymdeithasol oherwydd eu hymlyniad wrth y Gymraeg:

> He does not possess the ambition of the Englishman and Scotsman. He clings with the tenacity of animals to old places, old habits, and old associations. He never speculates, is constitutionally conservative, and keeps what he has with the tenacity of the mollusc. Contact with Englishmen is a *sine qua non* of the education and elevation of Welshmen. Every Welshman who has risen from humble life will admit that his success is due to contact with Englishmen and English ideas.[89]

'Ai wedi gweld *Report* y gŵr â'r pedwar enw y mae Candid Welshman?', gofynnodd Asaph Glyn Ebwy, – gan gyfeirio at adroddiad 'yr *Educational Commissioner* hwnnw, Ralph Robert Wheeler Lingen' – un o'r tri chomisiynydd a fu'n gyfrifol am yr adroddiadau a gyhoeddwyd gan y Llywodraeth ar gyflwr addysg yng Nghymru ym 1847.[90] Yr oedd sylwadau 'Candid Welshman', megis eiddo awduron y Llyfrau Gleision, yn 'gabldraeth gwaradwyddus arnom fel cenedl', ac aeth Asaph Glyn Ebwy ati i ddangos mai Cymry, yn anad neb arall, a fu'n bennaf cyfrifol am ddatblygu a chynnal gweithfeydd haearn gogledd Lloegr:

> Beth fuasai Middlesbrough heddyw pe na bai Jacky Vaughan (chwedl y Saeson) fyned yno? Gan Bolckow oedd y *cash,* ond gan Vaughan yr oedd y pen, y dwylaw a'r *speculative mind.* Ai trwy ddyfod i *gontact* â rhyw Seison yn Nowlais y cymhwyswyd Ieuan Morganwg i arolygiaeth gweithfeydd eang Loch, Wilson a Bell yn Walker-ar-Dyne? A beth am Edward Williams (Ap Taliesin ap Iolo Morganwg)? Ai Seison ynte Cymry wnaethant ef yr hyn ydyw? Pa un ai yn Nowlais ynte yn Middlesbrough yr addysgwyd ef yn fedrus fel llywydd haiarnfa?[91]

Bu Asaph wrthi am rai wythnosau yn rhestru holl oruchwylwyr, rheolwyr a chlarcod y gweithfeydd haearn yng nogledd Lloegr, ynghyd â'u cysylltiadau â chymoedd Morgannwg a Gwent. Y mae'r cyfan yn tystio i'r Gymraeg a'i diwylliant ffynnu am gyfnod byr yn yr ardaloedd diwydiannol hyn, ac mae colofnau Meurig Aman, Asaph Glyn Ebwy ac eraill yn *Y Gwladgarwr,* yn ffynonellau na ddylid eu hanwybyddu gan haneswyr y cymunedau Cymreig yn Lloegr. Ond dirywio'n raddol a wnaeth y cymunedau hyn, a hynny yn sgîl dirywiad y diwydiant haearn ei hun. O ganlyniad, ymfudodd nifer fawr o'r Cymry i feysydd glo carreg talaith Pennsylvania, megis y gwnaeth Meurig Aman ei hun. Dychwelodd eraill i'w cynefin yng Nghymru, fel y gwnaeth Dewi Alaw yntau, gan ddod yn un o ffigurau amlycaf 'Clic y Bont' ym Mhontypridd, yn argraffydd, ac yn olygydd *Y Gerddorfa*. Yr oedd y diwylliant Cymraeg eisoes wedi dechrau edwino ar lannau Tees pan symudodd teulu E. T. John (1857-1931) i Middlesbrough o Bontypridd, ym 1871. Bu yntau'n glerc yn swyddfa Edward Williams yng ngwaith haearn Bolckow a Vaughan, ac ymunodd mewn partneriaeth gydag Aneurin a Penry Williams ym 1904 a dod yn gyd-berchennog gweithfeydd haearn Linthorpe a Dinsdale. Yn ddiweddarach y troes at wleidyddiaeth a dod yn un o brif hyrwyddwyr ymreolaeth i Gymru.[92]

Crybwyllwyd enw Noah Morgan Jones ('Y Cymro Gwyllt') eisoes; ef a gystwyodd Yr Hen Bacman am yr adroddiad ysmala ynghylch priodas y Parchedig William Hopkin o'r Cymer, Glyncorrwg, a gyhoeddwyd yn *Y Gwladgarwr* ym mis Chwefror 1872. Ym Mynachlog Nedd y ganwyd Noah Jones ym 1832, yr ieuangaf o naw o blant, ond symudodd ei deulu i Aberdâr pan nad oedd ond plentyn, ac yno yn un o lofeydd y gymdogaeth y dechreuodd weithio'n grwt deuddeg oed. Daeth chwaer iddo yn wraig i William Morgan ('Y Bardd'), un o sylfaenwyr *Y Gwladgarwr,* a hwyrach mai drwy'r cysylltiad teuluol hwn y dechreuodd y Cymro Gwyllt gyfrannu i golofnau'r newyddiadur. Yr oedd hefyd yn un o ohebwyr *Y Punch Cymraeg,* a gyhoeddwyd gan Lewis Jones yn Lerpwl rhwng 1858 a 1864. Materion diwydiannol a'r berthynas rhwng y meistri glo a'r gweithwyr, a ddenai fryd y Cymro gan amlaf. 'Mynych y byddai yr ysgrifell yn troi yn ysgrafell yn ei law, a hyny heb yn wybod iddo yn aml. Yr oedd ganddo ei farn, ac yr oedd yn meddu ar ddigon o wroldeb i draethu ei farn heb ofni y canlyniadau', medd un gohebydd amdano.[93] Yn ddiwedd-

Noah Morgan Jones ('Y Cymro Gwyllt') a 'Chynnon'.

arach, a chynifer o drigolion Morgannwg yng ngafael 'twymyn America' fel y'i gelwid, sefydlwyd nifer o asiantaethau ymfudo yn y cymoedd yn ystod y chwedegau, a'r amlycaf o'r rhain, ond odid, oedd y Merthyr Tydfil Emigration Society.[94] Penodwyd y Cymro Gwyllt yntau, yn asiant tros un o'r amryfal gwmnïau ymfudo a sefydlwyd yn Lerpwl i annog gweithwyr y cymoedd a'u teuluoedd i geisio gwell byd tu hwnt i'r Iwerydd. Agorodd swyddfa yn y *Cross Inn,* yn Nhrecynon, ym 1865, ac yno y bu am rai blynyddoedd yn cynorthwyo ymfudwyr drwy drefnu eu taith i Lerpwl a sicrhau llety addas iddynt yno. Bu ef ei hun yn America am gyfnod yn nechrau'r chwedegau, a phan ddychwelodd i Gymru, ymunodd mewn partneriaeth ag Elias Jones, fel swyddog ymfudol yn Lerpwl. Sefydlodd ei gwmni ei hun yn fuan wedyn, a rhoes R. D. Thomas ('Iorthryn Gwynedd'), hanesydd cyntaf cymunedau Cymreig y Taleithiau Unedig, eirda arbennig iddo fel asiant yn ei *Hanes Cymry America.* Cyhoeddwyd yr hysbyseb a ganlyn yng nghefn y gyfrol gorffol honno:

> Mae Liverpool yn lle peryglus i Ymfudwyr Cymreig, ac y mae o bwys iddynt gael Goruchwyliwr Ymfudol gonest a chyfrifol yno, gyda thŷ da a chyfleus i letya. Ni bum yno er ys llawer o flynyddau, am hyny nid wyf yn gwybod dim yn bersonol am y Goruchwylwyr a'r Tai. Ond dywed Mr Cadwaladr Richards fod cymeradwyaeth uchel yn cael ei rhoddi gan bapyrau a gweinidogion Cymru i Mr N. M. Jones (Cymro Gwyllt), fel Goruchwyliwr Ymfudol medrus, cyfrifol a charedig, ac i'w dŷ fel llety cysurus i ymfudwyr.

GORUCHWYLWYR YMFUDOL CYMREIG.

AT YMFUDWYR.

E. DAVIES,
A
N. M. JONES, (Cymro Gwyllt,)
PASSENGER BROKER,
Grapes Inn, 29, Union Street, Liverpool.

A DDYMUNANT hysbysu Teithwyr rhwng Cymru ac America, Awstralia, a gwahanol wledydd y byd, y ceir cartref cysurus ar daith yn y Ty uchod. Llety glan ac ymborth achus am bris rhesymol. Gall y sawl a ddewiso gael cyfle i drin eu hymborth eu hunain, am ddim. Drwy anfon llythyr i'r cyfeiriad hwn, ceir pob gwybodaeth am brisoedd y cludiad ac amser cychwyniad Ager a Hwyl Longau i wahanol wledydd.

Telir pob sylw i gysur a dedwyddwch yr ymfudwyr gan y Cymro Gwyllt; a hyderwn dderbyn cefnogaeth y genedl, drwy fod genym hir brofiad o'r fasnach ymfudol.

Cyfeirier y Llythyrau i—
DAVIES & JONES,
GRAPES INN,
29, Union Street, Liverpool.

Hysbyseb Y Cymro Gwyllt yn 'Y Gwladgarwr'.

THE AMERICAN EAGLE, GAN N. M. JONES
(CYMRO GWYLLT),

34 UNION STREET, LIVERPOOL.

> Telir bob sylw i gysur a dedwyddwch yr ymfudwr ar daith yn y Tŷ uchod. Llety glân, gydag ymborth blasus am bris rhesymol. Caiff ymfudwr o'r Hen Wlad bob nodded ac amddiffyn tra yn Liverpool, a gosodir y Cymry gyda'u gilydd bob amser yn y llong, gan nad i ba linell bynag y perthynynant. Cynorthwyir y Cymro Gwyllt yn y fasnach ymfudol gan James Rees, brodor o Ferthyr Tydfil. Mae genym dŷ preifat eang a chyfleus gyda'r dafarn.[95]

Rhai o deuluoedd di-waith Merthyr Tudful yn paratoi i ymfudo.

Nid pawb a gymeradwyai'r Cymro Gwyllt, fodd bynnag. Awgrymodd Walter Haydn Davies mai arfer y Cymro oedd manteisio ar lowyr y cymoedd drwy eu cymhell i yfed yn nhafarn y *Cross,* ac wedyn eu hudo yn eu meddwdod ac addo pob math o gysuron bydol iddynt yn America.[96] Er hynny, mae'n debyg iddo fod yn boblogaidd iawn fel asiant gan Gymry cymoedd Gwent a Morgannwg; ef a drefnai eu taith i Lerpwl gyda'r trên, ac ef hefyd a drefnai lety iddynt yn y ddinas, yn ogystal â phrynu tocynnau, ac mewn rhai achosion, sicrhau gwely addas mewn man cyfleus ar fwrdd y llong. Pwysleisiodd un Rowlant Dafydd y dylai pob ymfudwr sicrhau asiant ymfudo cydwybodol i'w gynorthwyo ynglŷn â'i fordaith: 'Y cyfryw sydd i'w cyfarwyddo a'u noddi yn Lerpwl, lle y gallant gael eu twyllo a'u hysbeilio, ie, ac i ofalu am le cysurus iddynt ar y llong, fel na fyddant yn nghanol y Gwyddelod afiach ac aflywodraethus'.[97] Cynghorai'r Cymro Gwyllt y teithwyr ynghylch y bwydydd a phob anghenraid y dylid eu prynu i'w cynorthwyo ar eu mordaith, yn ogystal. Wynebai'r ymfudwyr bob math o beryglon yn Lerpwl, a'r rhedwyr, neu'r *runners,* fel y'u gelwid, yn ddiamau oedd y peryclaf o bob perygl. Lladron oedd y rhain a fanteisiai ar ddiniweidrwydd yr ymfudwyr a oedd newydd gyrraedd y ddinas, – rhai ohonynt yn cludo coffrau a chistiau trymion, eraill yn famau diymgeledd gyda phlant a babanod anystywallt, a chyfran sylweddol ohonynt yn Gymry uniaith Gymraeg. Gwae'r sawl a ddeuai i grafangau'r rhedwyr hyn. Yr oedd y mwyafrif ohonynt yn gweithio law yn llaw â pherchnogion lletyau a thai lodjin, a chymerai eraill arnynt eu bod yn gludwyr ac yn borthorion swyddogol, gan godi crocbris wedyn am y gymwynas leiaf. Bu castiau'r gwŷr diegwyddor hyn yn brofedigaeth i gannoedd lawer o ymfudwyr i America a mannau eraill drwy gydol ail hanner y bedwaredd ganrif ar bymtheg. Yr oedd o'r pwys mwyaf, felly, bod ymfudwyr yn mynnu gwasanaeth asiant da a chyfrifol i drefnu'r cyfan ar eu rhan. Y Cymro Gwyllt a gynorthwyodd Thomas Morgan ('Llyfnwy') i ymfudo i America ym mis Ebrill 1875, a rhoes yntau'r deyrnged hael hon i'w gyfaill yn un o'i lythyrau i'r *Gwladgarwr* ddwy flynedd yn ddiweddarach ar 7 Medi 1877:

> Bydded i'r Cymro Gwyllt dderbyn fy niolchgarwch gwresocaf am y caredigrwydd mawr a ddangosodd ef a'i briod i mi a'm teulu, tra dan eu gofal yn

Gadael tir. Ymfudwyr ar fwrdd llong ym mhorthladd Lerpwl.

> Liverpool. Cefais brawf o ddylanwad y Cymro ar lywyddion yr ager-lestri ar fy nyfodiad i'r wlad hon. Dywed Mr Inman ei hun wrthyf, pan ar fwrdd y *City of Richmond,* yr hwn oedd yn dyfod allan gyda ni i New York, nad oes, ac na fu yn ei gof ef yr un *emigration agent* yn deall ei waith yn well na'r Cymro.

Dychwelodd y Cymro Gwyllt i America drachefn ym 1866. Gadawodd Lerpwl ar fwrdd *The City of Paris* ar ddydd Mercher, 15 Awst a glanio yn Efrog Newydd ar fore dydd Sadwrn, 25 Awst. Croniclodd hanes y fordaith mewn llythyr i'r *Gwladgarwr* fis yn ddiweddarach. Yr oedd cyfanswm o 820 o deithwyr ar fwrdd y llong, a Saeson a 'Gwyddelod yn nghanol eu hannibendod' oedd y mwyafrif ohonynt. Er hynny, mentrodd 56 o Gymry ar y fordaith, ac yn eu plith ryw 'Mr Davies, gweinidog yr Annibynwyr', a phrin y gellir dweud bod gan y Cymro Gwyllt fawr o olwg arno ef. Meddai:

> Y mae genyf i ddweyd na wnaeth y gŵr da un sylw neillduol o honom, ddim mwy na phe buasem yn Ganibaliaid direswm ac anwareiddiedig. Daeth i edrych am danaf yn bersonol ar afon Lerpwl, a dichon fod hyny i'w briodoli fod yn fy meddiant fwndel o rhywbeth iddo oddiwrth fasnachydd yn Lerpwl. Bu yr offeiriad Pabyddol yn ffyddlon ymweled â'i gydgenedl unwaith neu ddwy bob dydd; ac o ran dim a wnaeth Davies, Remsen, gallasem fod yn Babyddion bob un cyn terfyn y daith.

Y Parchedig Edward Davies, mae'n debyg, oedd 'Davies Remsen', mab William a Catherine Davies, a hanoedd yn wreiddiol o blwyf Llanuwchllyn. Fe'i ganwyd yn ninas Efrog Newydd ym 1827, a bu'n weinidog gyda'r Annibynwyr yn Remsen a Waterville. Daeth *Y Cenhadwr Americanaidd,* cylchgrawn misol Annibynwyr Cymraeg America, yn eiddo iddo ym 1882 pan werthwyd y cyhoeddiad hwnnw gan Robert Everett, a Davies a fu'n gyfrifol am ei gyhoeddi hyd at ei rifyn olaf a ddaeth o'r wasg ym mis Gorffennaf 1901. Unwaith erioed y bu Davies, Remsen, yng Nghymru; ym 1866 y bu hynny, ac ar ei fordaith adref i America y daeth y Cymro Gwyllt i gysylltiad ag ef. Cyhoeddwyd nifer o lythyrau o eiddo'r Cymro yn *Y Gwladgarwr* yn ystod ei arhosiad yn America, a'r mwyafrif o'r rheini'n sôn am y Cymry a gyfarfu yn y cymunedau Cymreig yn ardaloedd Pennsylvania ac Ohio. Dychwelodd i Lerpwl ymhen rhai misoedd, ac er

Dawnsio ar fwrdd llong.

iddo ymweld â'r Taleithiau fwy nag unwaith dros y blynyddoedd dilynol, yno yn ei gartref yn Union Street y bu farw ym mis Medi 1894.

'Pe gellid cynull yr holl ymfudwyr a ddanfonodd efe i'r Amerig a pharthau ereill o'r byd, buasent yn llu mawr iawn', meddai gohebydd *Tarian y Gweithiwr* am y Cymro Gwyllt ym 1894.[98] Ac yn wir, ceir digon o dystiolaeth yn *Y Gwladgarwr* ei hun iddo gynorthwyo cannoedd lawer o deuluoedd y cymoedd ar eu taith i feysydd glo carreg Pennsylvania yn ystod chwarter olaf y bedwaredd ganrif ar bymtheg. Ys dywedodd yr Athro Glanmor Williams amdano, gŵr oedd ef 'â'i fys ymhob brywes ymfudo'.[99] Bu'r Gwyllt yn fawr ei sêl dros America, ac nid oes ryfedd i un hanesydd gyfeirio at *Y Gwladgarwr* fel 'y mwyaf Americangar o gyfnodolion Cymru', oblegid brithir ei dudalennau ag adroddiadau am hynt a helynt y Rhyfel Cartref yn America yn ogystal â llythyrau dirif gan frodorion Gwent a Morgannwg a gartrefodd yn y Taleithiau.[100] Cyhoeddwyd degau o lythyrau gan ymfudwyr o Gymru yng ngholofnau'r newyddiadur drwy gydol ei yrfa, ac mae'r ohebiaeth hon, fel y dangosodd Alan Conway, yn ffynhonnell eithriadol o werthfawr i haneswyr ymfudiaeth o'r cymoedd diwydiannol i America.[101] Arferai rhai o'r ymfudwyr yrru eu llythyrau yn uniongyrchol at olygydd *Y Gwladgarwr*. Bryd arall, aelodau o'r teulu, cyfeillion, cydnabod neu gyn-gydweithwyr a geisiai gan y golygydd gyhoeddi llythyrau eu ceraint yn y papur. Ar gais llawer o'i gyfeillion 'yn Aberdâr a'r cylchoedd, ac er dyddordeb i lawer yn Nghwm Nedd, y Rhondda a'r Cap Coch', yr anfonodd Hiram James gyfres o lythyrau i'r papur yn adrodd hanes ei fordaith i Efrog Newydd, a'i ymdaith wedyn i Harmony, Indiana, ym 1882.[102] Mae'n ddiddorol sylwi hefyd mai cyfieithiadau i'r Gymraeg yw rhai o'r llythyrau hyn.[103]

Yr oedd y rhesymau tros ymfudo yn lleng, wrth gwrs. Chwilio am well byd i'w gwragedd a'u plant oedd flaenaf ym meddyliau'r mwyafrif llethol o'r ymfudwyr hyn, ond gwyddys hefyd i gannoedd lawer o wŷr a gwragedd orfod ymadael â'u cynefin, oblegid iddynt ennyn gwg cymdeithas am ryw drosedd neu'i gilydd. Dyna, mae'n debyg, yn ôl tystiolaeth llythyr M. P. Howells o Aberdâr, fu tynged llanc ifanc o ardal Corris ar fordaith stormus ym 1865:

> Gallaf eich sicrhau mai lle tlawd iawn i gario cydwybod yw y môr. Yr oedd yma un Cymro o chwarelwr yn bur anesmwyth tra y parhaodd yr ystorm. Nid oedd llonydd iddo i lawr nac i fyny, ddydd na'r nos; ac wrth ei weled mor anesmwyth, gofynais i un o'i gyfeillion beth oedd arno, ei fod mor ofnus, ac atebodd ei fod wedi twyllo rhyw ferch a'i fod yn cilio. Clywais mai yn agos i Gorris oedd ei gartref. Meddyliodd y gŵr hwn bod rhyw farn wedi dyfod arno yn awr; ac yn wir, clywais rhai yn barnu mai o'i achos ef yr oedd y môr mor derfysglyd, ac yr oeddem bron am gael bwrw coelbren arno, a'i daflu, fel Jonah, i waelod y môr. Gallaf eich sicrhau fod yn dda gan hwn weld tir.[104]

Y mae'n anodd i ni heddiw sylweddoli gymaint o fenter ar ran y Cymry cyffredin oedd ymfudo i wlad estron yn ystod y bedwaredd ganrif ar bymtheg. Prin bod nifer ohonynt wedi mentro rhyw lawer y tu allan i'w milltir sgwâr eu hunain erioed, ac yr oedd eu bwrw i ganol prysurdeb dinas Lerpwl, a'u gorfodi i ymgyfathrachu â Gwyddelod anhywaith ac Almaenwyr sarrug yn brofiad ysgytwol i lawer ohonynt. Cyntefig i'r eithaf hefyd oedd yr amodau byw ar fwrdd llong, yn enwedig ar yr hen longau hwylio, cyn dyfodiad y llongau ager yn niwedd y 1850au.[105] Yr oedd cyfanswm o 760 o ymfudwyr ar fwrdd *The City of Baltimore* pan hwyliodd o

Lerpwl i Efrog Newydd ar 11 Mawrth 1868, a John Davies o Aberdâr yn eu plith. Cwynodd ef yn arw am yr amodau ar fwrdd y llong:

> Byddai yn dda i bawb gofio mai oddeutu dwy droedfedd a haner o uchder, dwy o led, a chwech o hyd, ydyw yr holl le sydd gan deithiwr ag y gall ei hawlio iddo ei hun; ac yn y lle bychan hwn y mae yn bwyta, byw a chysgu. Pan y bydd yn bryd bwyd, bydd y porthwr yn dod heibio i bob dyn, ac yn rhoddi i bawb ei gyfran ar gopa ei *din* yn y gwely. Y mae y tebycaf yn y byd i amser *feedio* y *Show* greaduriaid Wombells; yr unig wahaniaeth ydyw, fod Wombells yn rhoi gwahanol fwydydd i'r gwahanol greaduriaid yn ôl eu natur a'u rhyw, a'r hinsoddau y perthynant iddynt, ond ar *The City of Baltimore,* yr un fath bwyd i bawb o bob oedran, pob gwlad a phob hinsawdd. Bwyd cryf sydd yma i'r cloddiwr fel i'r teiliwr; yr hen a'r ieuanc, yr un peth; y cryf ar gwan yn cael cynyg ar yr un gyfran. Achwyniad cyffredinol sydd ar yr ymborth, nid am nad oes digon o hono, ond nad yw o'r iawn ryw, ac am nad ydyw yn cael ei ddigoni yn briodol er ateb y chwaeth; ond er yr holl aflerwch, y mae chwant bwyd yn dod â dyn i fwyta y pethau mwyaf aflan. Y mae y bwydydd oedd yn cael eu ffieiddio a'u hwtio y diwrnodau cyntaf, yn cael eu bwyta gyda blas ac awch cyn diwedd y daith.[106]

Pwysleisiodd nifer o'r llythyrwyr droeon, fel y gwnaeth Henry T. Johns ('Eryr Glan Tawe'), ym mis Mai 1864, y dylai pob ymfudwr brynu ei fwyd ei hun, gan mor wael oedd ansawdd bwyd y cwmnïau llongau. Cynghorodd ei ddarllenwyr hefyd i brynu eitemau eraill a fyddai o ddefnydd ar y fordaith:

> Byddai yn dda i chwi ddyfod â gwelyau a dillad gwelyau gyda chwi; byddant o les mawr i chwi yn y llong a hefyd wedi tirio. Byddant yn drafferth mae'n wir; eto, nid oes cysur heb drafferth. Gellwch brynu y bwydydd angenrheidiol i'r fordaith mor rhated yn Liverpool ag y gellwch gartref, oddieithr y bydd peth ar law genych yn barod, megis caws, ymenyn, ham, te, siwgr, can. Bydd bwyd i bawb yn y llong, ond gwael fydd y rhan fwyaf o hono. Byddant yn ei gyfranu allan bob wythnos, ac felly dylai fod saith neu wyth o gydau bychain gan bob un er dal ei gyfran. Y rheswm fy mod yn eich hanog i ddyfod â'r pethau uchod gyda chwi ydyw, fel y bydd genych rywbeth a ellwch fwyta os bydd yr archwaeth yn caniatau. Hefyd bydd llestri *tin* yn angenrheidiol, er dal dwfr,

> ymolchi, bwyta bwyd a phethau felly. Byddwch yn ofalus am eich pethau ar y daith o'ch cartrefleoedd i'r porthladd, a hefyd wedi cyrhaedd yno, rhag i ereill gymeryd gofal o honynt. Gyda golwg ar ddyfod â pheth i'w yfed gyda chwi i'r fordaith, nid wyf yn gwybod am ddim yn well na dwfr, eithr os byddwch yn barnu yn amgen, bydd ychydig o frandi da cystal â dim.[107]

Yn ôl tystiolaeth Hiram James o Aberaman, yr oedd gan fintai o Almaenwyr ddanteithion o bob math ar fwrdd *The City of Montreal* pan adawsant Lerpwl ym mis Gorffennaf 1882:

> Rhyfedd y stumog sydd gan y Germaniaid. Fe synai y darllenwyr pe gwelent hwy yn gloddesta ar ryw fath o fara, yr hwn sydd yn debyg i *fire-lighters,* ond ei fod yn dduach – cyn ddued â chydwybod Beelzebub. Y mae ganddynt rhyw gigoedd ofnadwy o afiach yr olwg, ac maent yn digoni cig moch ac ysgadan gyda'i gilydd, ac yn eu bwyta gyda'r *relish* mwyaf. Bryd arall byddant yn bwyta ysgadan heb eu glanhau na'u digoni. Yn wir yr oedd hyd yn oed y Gwyddelod yn synu wrthynt.[108]

Gorlwythid y llongau gan deithwyr yn ogystal. Cwynodd Asariah Richards o Lanilltyd am y 'driniaeth anifeilaidd' y bu'n rhaid iddo ei dioddef ar ei fordaith ym mis Mai 1868. 'Yr oedd ar fwrdd y llong un cant ar ddeg o deithwyr, a thros gant o forwyr, ac nid oedd genym le i symud', meddai. 'Yr oedd y rhan fwyaf o'r ymfudwyr yn blant yr Ynys Werdd; hefyd yr oedd yno Ellmyniaid, a thua 80 o Gymry. Yr oedd yn ffiaidd i ni fel Cymry fod yn mhlith y cenhedloedd hyn'.[109] Cafwyd cyfanswm o 1,100 o ymfudwyr ar fwrdd yr *Erin* pan ymadawodd William Thomas ac ugain o Gymry â Llwynbrwydrau yng Nghwmtawe, ym mis Gorffennaf 1865; chwe chant, sef y mwyafrif ohonynt yn Wyddelod, a'r gweddill yn Saeson, Almaenwyr, Pwyliaid ac Iseldirwyr.[110] Fodd bynnag, erbyn i'r *Erin* gyrraedd pen ei thaith yn Efrog Newydd ar 3 Awst, yr oedd cyfanswm o 1,500 o deithwyr ar ei bwrdd. Fel hyn yr adroddodd William Thomas yr hanes:

> *Awst 1af.* Heddyw, oddeutu 11 o'r gloch, torodd tân allan ar y llong tua chymydogaeth un o'r peirianau; ond trwy ymdrech a grym dwfr fe'i diffoddwyd. Yr oedd yn noswaith deg a hyfryd, a buom ar y *deck* hyd haner awr wedi naw, pryd yr aethom i'n gwelyau; ond erbyn fy mod wedi

> cysgu, dyma waedd allan fod llong ar dân. Dyma *all hands upon deck* ar drawiad, ac fe roddwyd grym dauddyblyg ar y peiriant tuag ati, a chyrhaeddodd yno erbyn 11 o'r gloch. Yr oedd yno long arall er ys pedair awr ar hugain yn ei gwylied, ac nid oeddent wedi gweled neb ar ei bwrdd, na neb o'i hamgylch yn un cyfeiriad, na dim gwybodaeth pa long ydoedd. Aethom oddi yno rhwng 12 ac 1 o'r gloch y boreu, ac wedi i bob peth lonyddu, aethom i'n gwelyau eto am 2 o'r gloch. Rhwng 3 a 4 o'r gloch y boreu, dyma ni wrth long eto mewn tipyn o gyfyngder, yr hon oedd wedi derbyn y teithwyr oddiar ar fwrdd y llong oedd ar dân, a gorfodwyd iddynt daflu llawer o'r *cargo* i'r môr er mwyn cymeryd y teithwyr i mewn. Llong hwyl fechan oedd hon yn llwythog o lo. Erbyn hyn yr oedd y dwfr wedi darfod arnynt. Wedi i ni gymeryd y teithwyr oddiar fwrdd yr hwyl long fechan i fwrdd yr *Erin,* cawsom beth o hanes yr agerlong anffodus a aeth ar dân. Ei henw oedd *Glasgow,* yr hon a berthynai i'r *Inman Line.* Cychwynodd o New York ddydd Sadwrn, Gorphenaf 29ain am Liverpool, ac ar ei bwrdd 350 o deithwyr a 50 o ddwylaw, ac wedi ei llwytho o gotwm, yr hwn a gymerodd dân. Ni chollwyd ond un o'r teithwyr, ac fe aeth hwnw dros y *deck* i'r môr yn fwriadol, a methwyd a chael gafael ynddo. Sais ydoedd. Dyna y cwbl a ddygwyddodd yn annymunol. Cymerodd y *Glasgow* dân nos Sul, a bu y teithwyr ar ei bwrdd hyd brynhawn dydd Llun, pryd y cymerwyd hwy a'u *luggage* yn ddyogel i fwrdd yr hwyl long grybwylledig, ac oddiar hono atom ninau, i gael dychwelyd yn ôl i New York, gan adael y *Glasgow* i suddo i ddyfnder yr eigion.[111]

Cofnododd nifer o'r gohebwyr hyn fanylion eu taith anghysurus yn eu llythyrau; bu'r mwyafrif llethol ohonynt yn sâl ddifrifol yn nyddiau cynnar eu mordaith, ac yr oedd stormydd enbyd yn gyffredin. Arferai'r llongau lanio yn Queenstown, Iwerddon, cyn hwylio tros Fôr Iwerydd, a chodi, fel arfer, rhai cannoedd o Wyddelod yno. Cyfeirir droeon yn y llythyrau hyn at y drwgdeimlad mawr a fodolai rhwng y Gwyddelod a'u cyd-deithwyr, ac ni allai'r Cymry ddygymod o gwbl â 'phlant Mari' neu 'blant y gors', na'u crefydd. Codwyd tua 250 o Wyddelod i fwrdd *The City of Boston* yn Queenstown, pan hwyliodd i America ar 10 Chwefror 1868. Yr oedd mintai o Ferthyr Tudful ac Aberdâr a'r cylch ar ei bwrdd yn ogystal, ac yr oedd pethau'n ddrwg iawn rhyngddynt a'r Gwyddelod. Yr oedd yn dywydd enbyd ar 15 Chwefror, yn ôl tystiolaeth llythyr Charles Evans, 'a dim i'w glywed ond cwynfan a thaflu i fyny yn mhob cwr o'r llestr, a phlant y gors ar eu gliniau yn gwaeddi am waredigaeth trwy y *Virgin Mary*'. Dirywiodd y berthynas yn enbyd rhwng y ddwy genedl erbyn 21 Chwefror:

> Heddyw cawsom ni hil yr hen Gomer brofi ychydig oddiwrth wroldeb gwirion plant yr Ynys Werdd, trwy i air croes ddygwydd rhwng Cymro a Gwyddel. Ymgasglodd y Gwyddelod yn nghyd, gan fygwth ein darnio a'n taflu dros y bwrdd yn fwyd i'r pysgod; ond ni fuom yn hir cyn dangos iddynt fod y Creawdwr wedi rhoddi aelodau amddiffynol i ni yn gystal â hwythau.[112]

Yr oedd 950 o deithwyr ar fwrdd *The Manhattan* pan hwyliodd o Lerpwl ar 22 Medi 1869, a'r mwyafrif ohonynt yn Wyddelod. Yno hefyd yr oedd mintai o Gymry o Dredegyr, Aberdâr a Chwm Rhondda, a bu'r rhain yn llawdrwm iawn ar y Gwyddelod. 'Yr oeddem ni yn meddwl y dylai y creaduriaid hyn gael llongau iddynt eu hunain, heb ymgymysgu â'r un genedl arall; canys os byddant hwy yn lluosocach na'r lleill, buan y ceir gweled eu haerllugrwydd', meddai llythyrwr *Y Gwladgarwr*, gan ychwanegu 'Buasem wedi mwynhau ein taith yn well oni buasai fod *Pats* yn y llestr'.[113]

Diflas oedd y fordaith yn aml, a dyna'r prif reswm, y mae'n debyg, paham y cofnododd y gohebwyr hyn bob digwyddiad pitw a dibwys yn eu llythyrau. Byddai'r Gwyddelod yn hoff o chwarae cardiau a *dominoes* a dawnsio'r *Irish jig*, ond canu oedd prif hoffter y Cymry, fel y tystiodd nifer o'r llythyrwyr. 'Yr oedd gan y Gwyddelod eu chwibanogl, y dynion duon eu crwth, a ninau y Cymry yn nghwr olaf y llong yn canu *Hen Wlad Fy Nhadau* yn nghyd â darnau eraill', meddai Henry Jones o Aberdâr ym mis Awst 1862.[114] Tystiodd y llythyrwr hwn i un o fechgyn Aberdâr lwyddo i fesmereiddio cyd-deithiwr iddo ar y fordaith, a hynny er difyrrwch mawr i bawb. Croniclodd sawl gohebydd farwolaethau ymfudwyr ar eu mordaith hefyd, fel y gwnaeth John Davies, un o'r 37 ymfudwr a adawodd Aberdâr ar 14 Ebrill 1862.

> *Ebrill 23:* Cymerodd angladd le heddyw ar fwrdd y llong. Nid oedd dim neillduol yn yr angladd hwn; yr unig wahaniaeth oedd, fod y corff yn cael ei roddi mewn dyfrllyd fedd, ac nid mewn bedd o bridd. Yr oedd y gwasanaeth yn cymeryd lle yr un fath ag ar y tir – cloch y llong yn dynwared cloch y llan, y cadben yn cynrychioli yr offeiriad, y claddedig-

> aeth yn cymeryd lle yn mhen y trydydd dydd ar ôl y farwolaeth; coffin o bren fel ar y tir, ond fod tyllau wedi eu tori ynddo er ei suddo yn y dwfr.[115]

Cofnododd rhai o'r ymfudwyr enedigaethau ar y fordaith hefyd. Edrydd Henry Jones i Anne, priod Thomas Morgan o Ddowlais, roi genedigaeth i efeilliaid ar fwrdd y *Francis Andrew Palmer* ar ei mordaith i Efrog Newydd ym 1862. Bu farw un ohonynt ymhen deuddydd a rhoddwyd yr enw Francis Andrew Edward Palmer Morgan ar y llall, a'i enwi ar ôl y llong. 'Cynghoraf bob gwraig i beidio myned i'r môr yn y cyfryw sefyllfa, pan yn gwybod bod ei thymp mor agos', oedd sylw ceryddgar y llythyrwr.[116]

Fel y gellid ei ddisgwyl, profwyd cyffro mawr ar fwrdd pob un o'r llongau wrth iddynt nesáu at derfyn eu mordaith, a thir America yn dod i'r golwg. Gwisgai'r Cymry eu dillad parch gorau, yn barod i gwrdd â'r comisiynwyr ymfudo yn *Castle Garden,* yr orsaf arbennig a agorwyd ar Ynys Manhattan ym mis Awst 1855, i dderbyn pob newydd-ddyfodiad i'r

Cyrraedd tir. Ymfudwyr ar fin glanio yn Efrog Newydd.

Ymfudwyr yn cyrraedd 'Castle Garden', Efrog Newydd.

Taleithiau Unedig. Ni chaniatawyd neb ond ymfudwyr yn *Castle Garden,* a gwaharddwyd y rhedwyr a phob twyllwr, a oedd yn gymaint pla i deithwyr yn Lerpwl, rhag dod yn agos i'r lle. Rhoddwyd archwiliad meddygol i bawb yn *Castle Garden,* yn ogystal â chyfle i ymolchi mewn dau faddon mawr a ddaliai hyd at hanner cant o bobl ar y tro, – y naill ar gyfer y gwragedd, a'r llall ar gyfer y dynion. Gallai'r ymfudwyr brynu bara, caws, coffi a llaeth yma hefyd, ond gwaharddwyd diodydd meddwol. Wedi iddynt gael eu harchwilio ac ymolchi, newid eu harian a bwyta, y cam nesaf oedd ymadael â *Castle Garden,* a hynny gan amlaf, yng nghwmni asiant o Gymro a oedd eisoes wedi sicrhau llety addas i'w gyd-Gymry yn y ddinas. Dyna oedd profiad Hiram James o Aberaman ym 1882:

> *Dydd Mercher, 10 Mai:* Diwrnod diwyd anarferol heddyw. Cawsom wylied ein *boxes* am tua saith awr cyn gallu myned i'r cwch oedd i'n cludo i *Castle Garden.* Buom garcharorion yno wedyn am tua awr a haner, er cofnodi ein henwau, ein genedigol fanau, beth oedd ein galwedigaethau, a'r manau yr oeddem yn myned iddynt. Gwelwch mai nid gwaith bach oedd *registro* 1,500 o eneidiau. Aeth yn rhy ddiweddar i ni gael trên, ac o

> ganlyniad gosodasom ein hunain i lawr yn nhŷ y diweddar J. W. Jones (brawd Dafydd Morganwg). Y weddw a'i mab sydd yn cadw y tŷ yn awr. Yn ôl fy nhyb i y mae'n dŷ cyn rhated ag un yn New York. *Board* am un dydd, a chysgu noswaith am un ddoler. Gwelsom lawer o'r ddinas heddyw, a llawer o ryfeddodau – rhy aml i'w henwi.[117]

I feysydd glo carreg talaith Pennsylvania, ac i'r gweithfeydd haearn yn Ohio, yn fwyaf arbennig, yr ymfudodd y teuluoedd o gymoedd Gwent a Morgannwg, a'r rhain oedd y mwyafrif llethol o ohebwyr *Y Gwladgarwr.* Ond fel y tystia'r llythyrau cynharaf a gyhoeddwyd yn y papur, ymadawodd nifer o wŷr a bechgyn ifainc â'r cymoedd i chwilio am aur yn ardal y Cariboo yng Ngholumbia Brydeinig hefyd, ac yn eu plith Thomas Gwallter Price ('Cuhelyn'), awdur y gerdd Saesneg 'Arabella', a gyfieithwyd i'r Gymraeg gan Richard Davies ('Mynyddog'), ac a ddaeth yn adnabyddus i bawb yn y byd Cymreig pan osodwyd hi i gerddoriaeth Joseph Parry, a rhoi iddi'r teitl 'Myfanwy'.[118] Brodor o Aberdâr oedd ef a gartrefodd ym Minersville, Schuylkill, Pennsylvania yn gyntaf, ac yno ym 1857 y sefydlodd bapur newydd yn dwyn y teitl *The Workman's Advocate,* a blediai achos y glowyr. Cafodd ddirwy o dri chan dolar am athrod yn gynnar ym 1857, ac fe'i carcharwyd ym mis Mawrth 1858 am iddo athrodi dau o berchnogion glofeydd yr ardal.[119] Yn yr un flwyddyn y sefydlodd gylchgrawn pythefnosol Cymraeg yn dwyn y teitl *Y Bardd,* y cyhoeddwyd pump o'i rifynnau rhwng misoedd Medi a Thachwedd.[120] Ond erbyn y chwedegau cynnar, yr oedd Cuhelyn wedi symud i Golumbia Brydeinig, a chyhoeddwyd nifer o'i lythyrau yn *Y Gwladgarwr* ym 1863 a 1864.[121] Tystia'r llythyrau hyn bod nifer sylweddol o Gymry yn ardal y Caribooo; yn wir, yn ôl un llythyr a gyhoeddwyd ym mis Mehefin 1867, dathlwyd Gŵyl Ddewi gan bedwar ugain o Gymry gwlatgar yn ardal Williams Creek y flwyddyn honno. Dychwelodd Cuhelyn i Minersville, Pennsylvania erbyn 1867, ac yno y sefydlodd *Y Ford Gron,* cylchgrawn llenyddol byrhoedlog arall, y cyhoeddwyd tri o'i rifynnau o swyddfa *The Republican* yn Scranton rhwng misoedd Ionawr a Mawrth.[122] Symudodd wedyn i Efrog Newydd, ac yno y bu farw ar 13 Mai 1870.[123]

Trigai'r mwyafrif llethol o'r Cymry yn y taleithiau rhydd – yn Efrog Newydd, Pennyslvania, Ohio, Illinois a Wisconsin, a gwrthwynebent gaethwasiaeth o'r cychwyn cyntaf. Iddynt hwy, yr oedd y Rhyfel Cartref, pan dorrodd ym 1861, yn grwsâd crefyddol, ac Abraham Lincoln oedd eu harwr mawr.[124] Gwyddys hefyd bod nifer o gatrodau byddinoedd yr Undeb yn cynnwys cwmnïau o Gymry, fel *Company G., 77th Regiment,* a gynhwysai lowyr o Gymry Cymraeg o Scranton, Pennsylvania, a chyhoeddwyd nifer sylweddol o lythyrau gan filwyr o Gymry Cymraeg yng ngholofnau'r *Gwladgarwr,* fel eiddo Benjamin Thomas, gynt o Heolyfelin, Aberdâr, a groniclodd fanylion gwaedlyd y brwydrau y bu ynddynt, gan gynnwys brwydr fawr Corinth, Missouri, ar 3 Hydref 1862, pan laddwyd tros 7,000 o filwyr. Cyhoeddwyd ei adroddiad manwl o frwydr Corinth yn *Y Gwladgarwr* fis yn ddiweddarach. 'Cefais innau fy nghlwyfo yn ysgafn yn fy ochr, drwy gael fy nharo gan fwlet', meddai. Ymhellach 'y mae caethwasiaeth, prif felltith America yn nghylch cael ei ddileu, ond yn wir, nid oes gan neb ddirnadaeth o ddychrynfeydd maes y gwaed nad ydyw wedi bod ynddo'. Drannoeth i frwydr fawr Fredericksburg, ar 13 Rhagfyr 1862, ysgrifennodd Enoch Jones at ei rieni o'i wely ym mhabell yr Ysbyty a godwyd ar lan afon Rapahannock. Fe'i cyhoeddwyd yn *Y Gwladgarwr,* fis yn ddiweddarach, a cheir ynddo ddisgrifiadau cignoeth o faes yr ymladd. Dioddefodd byddin yr Undeb golledion mawr yn y frwydr hon, a chlwyfwyd Enoch Jones ei hun. 'Mae y gatrawd wedi dioddef yn arswydus, heb ennill modfedd', meddai. 'Mae'r milwyr newydd gymeryd allan lond cert o freichiau a choesau i'w claddu, y rhai a dorasant ymaith yma heddiw. Mae y ddaear wedi ei gorchuddio â chyrff, a rhai ohonynt o hyd yn gweiddi gan boen'.

Sylwyd eisoes mai ardaloedd diwydiannol Pennsylvania ac Ohio oedd fwyaf poblogaidd gan ymfudwyr o gymoedd Morgannwg, ond dewisodd eraill o'u plith gartrefu yn nhaleithiau California a Texas hefyd. A pharhaodd nifer fawr o'r ymfudwyr hyn i gyfrannu i golofnau'r *Gwladgarwr* am flynyddoedd lawer wedi iddynt gartrefu yn y Taleithiau. Mae'r llythyrau hyn, unwaith yn rhagor, yn ddogfennau gwerthfawr i bwy bynnag sydd am groniclo hynt a helynt y Cymry yn America yn ystod ail hanner y bedwaredd ganrif ar bymtheg. Ac nid America yn unig, oblegid cyhoeddwyd llythyrau gan ymfudwyr i Awstralia a Seland Newydd yn ogystal. Ym mis Tachwedd 1872, cyhoeddwyd cerdd ddiddorol yng ngholofn farddol *Y Gwladgarwr* ag iddi'r teitl 'Cân am Anturiaethau y Cymry a Aethant i Rwsia o'r Maesteg. Y Gân i Gofnodi Enwau y Personau'.[125] Yn ôl 'Caswallon', awdur y gerdd, ymadawodd deunaw o wŷr a bechgyn ifainc â Chwm Llynfi ym 1870, i weithio yn ardal y Donbass yn ne Wcráin, ond bu farw tri ohonynt yn fuan wedi iddynt gyrraedd Rwsia:

> Aeth deunaw Cymro o'r Maesteg i Ymherodraeth Rwsia,
> Yn fechgyn gwrol bob yr un, yn bigion blodau Gwalia;
> Hwy anturiasant un ac oll, i wella'u hamgylchiadau,
> Os dylai rhywbeth dalu'n dda, fe ddylai anturiaethau.
>
> Hawddamor fechgyn! Ond y mae y bedd yn gwisgo gofid,
> Fe syrthiodd tri o'r dynion dewr i'r bedd yn ieuainc hefyd,
> Sef Thomas Miles a Dafydd Rees, ac Evan Rimson yntau;
> Mae bedd yn yr anialdir pell yn gleddyf i'n teimladau.
>
> Mae dymuniadau lawer iawn i'ch dilyn, Gymry Rwsia,
> Mae'ch cydnabyddion oll ac un mewn cofion o'r cynhesa';
> Chwychwi, John Lewis a Rees Jones, a William Thomas hefyd,
> A Thomas Gower a John Rees, a Dafydd Gower ddiwyd.
>
> A chwithau, Thomas Richard hoff, John James a Thomas Gower,
> A Richard Jenkins, David Hughes, ac Edward Thomas fwynber,
> A Charlie Davies a D. James, John Richard hefyd yntau;
> Daw dymuniadau gorau'r lle tuag atoch dros y tonnau.

Megis y bu galw mawr am oruchwylwyr profiadol i reoli'r gweithfeydd haearn newydd yng ngogledd Lloegr yng nghanol y bedwaredd ganrif ar bymtheg, felly hefyd y bu galw am wybodaeth arbenigol gweithwyr Cymru i ddatblygu'r diwydiannau haearn a dur yn Rwsia. Yr oedd y wlad fawr honno, yn ystod y blynyddoedd wedi Rhyfel y Crimea, am ddatblygu ei rheilffyrdd a'i diwydiannau trymion, ac yr oedd nifer o'i diwydianwyr mwyaf blaenllaw yn awyddus i ddenu arbenigwyr i sefydlu gweithfeydd newydd a'u goruchwylio. Ymhlith y gwŷr hyn yr oedd John Hughes, a anwyd ym Merthyr Tudful ym 1814, ac a brentisiwyd yn llanc gyda'i dad yng ngweithfeydd haearn y Gyfarthfa.[126] Bu wedyn yn gweithio yn y diwydiant haearn yng Nglyn Ebwy a Chasnewydd, cyn ei benodi'n aelod o Fwrdd Cwmni Peiriannaeth ac Adeiladu Llongau Millwall ar lannau afon Tafwys yn Llundain. Fe'i gwahoddwyd i sefydlu gwaith haearn yn Rwsia ym 1868, a hynny'n bennaf i gynhyrchu haearn ar gyfer adeiladu'r miloedd o filltiroedd o reilffyrdd yr oedd eu hangen ar y wlad. Daeth i gytundeb wedyn â llywodraeth Rwsia ynglŷn â sefydlu'r *Novorossuskoe Obshchestvo* – sef 'Y Cwmni Rwsia Newydd' gyda'r amcan o godi glo, a chynhyrchu haearn a rheiliau. Ddwy flynedd yn ddiweddarach, yn ystod haf 1870, hwyliodd i'r Wcráin yng nghwmni tua chant o lowyr a gweithwyr haearn o ardaloedd Merthyr Tudful, Dowlais, Rhymni a Middlesbrough, ac mae'n debyg bod y deunaw gŵr o Faesteg ymhlith y fintai gyntaf hon. Bu'r fenter yn llwyddiant mawr, a daeth *Yuzouskoi Zavoa,* neu 'Ffatri Hughes' fel y'i gelwid, y fwyaf o'i math yn Rwsia gyfan. Bu farw John Hughes yn St Petersburg ym 1889, a daeth ei bedwar mab yn gyfrifol am y glofeydd a'r gweithfeydd haearn. Yn ddiweddarach, daeth enw'r weithfa haearn yn enw ar y dref ei hun, sef *Iuzovka.*

Oddi yno yr ysgrifennodd Morgan Bowen at ei berthnasau a'i gyfeillion ym mis Medi 1870, gan ddisgrifio ei daith yng nghwmni mintai o lowyr o ardal Aberpennar. Gadawsant Forgannwg ar 14 Awst gan hwylio o Hull fore trannoeth a chyrraedd Riga yn Latvia ar 23 Awst. Taith wedyn o 1,500 o filltiroedd ar draws gwlad i'r pentref a oedd i'w adnabod, yn y man, fel Iuzovska. 'Yr ydym wedi dechreu gweithio er dydd Mercher – rhai dan y ddaear, ereill yn tori sylfaen ffwrnes flast', meddai. 'Bydd y lle hwn yn dref yn fuan. Y mae yma gyflawnder o lo a mwn, yn 50 troedfedd o drwch. Y mae rheilffordd ein cwmpeini i ddyfod trwy y lle. Yr ydym yn gobeithio gweled llawer iawn o'n cydwladwyr yma y gwanwyn dyfodol.'[127] Ymfudodd rhagor o Gymry i Iuzovska yn ystod y blynyddoedd dilynol, ond dychwelodd nifer ohonynt ym mlynyddoedd cynnar yr ugeinfed ganrif, ac ymfudodd eraill o'u plith i America. Ond ymadawodd y mwyafrif llethol o'r Prydeinwyr â Rwsia pan dorrodd y Chwyldro Bolsieficaidd ym 1917. Newidiwyd enw'r dref i *Stalino* ym 1921, ac i *Donetsk* ym 1961, a bu Nikita Khrushchev, a ddaeth yn Gadeirydd Cyngor Gweinidogion Undeb y Gweriniaethau Sosialaidd Sofiet, yn gweithio'n llanc yng nglofeydd yr ardal ar ddechrau'r ugeinfed ganrif.

Wrth gwrs, ni wyddys bellach faint o olygu a fu ar lythyrau'r ymfudwyr hyn, ond ceir peth tystiolaeth i olygyddion *Y Gwladgarwr* orfod bod yn bur drwm â'r bensel las ar rai adegau. Croniclodd rhai o'r ymfudwyr hanes eu teithiau'n fanwl, – yn orfanwl ar brydiau, – a bu'n rhaid cwtogi cryn dipyn ar feithder yr ohebiaeth a anfonid i'r papur. 'Gadawyd rhanau o'r llythyr hwn allan nad oedd o un dyddordeb i'r cyhoedd eu gwybod, ond yn unig i'r rhieni a'r perthynasau', yw'r nodyn a gyhoeddwyd wrth odre llythyr David Williams, o Hubbard, Ohio, at ei rieni ym Mhontrhydyfen ym 1864.[128] Cadwodd Lewis Job, o Heolyfelin, Aberdâr, gofnod manwl o bob digwyddiad, mawr a bach, pwysig a dibwys, tra bu ar fwrdd y *Bridgewater* ar ei fordaith o Lerpwl i Efrog Newydd ym 1862. Fe'u croniclodd mewn llythyr a anfonodd at un o'i berthnasau, ac fe'u cyhoeddwyd yn *Y Gwladgarwr* ynghyd â'r nodyn hwn:

> Gan fod y llythyr mor faith, ac ynddo hanes pob diwrnod o'r 21ain o Awst hyd 2 Hydref, feallai mai gwell fyddai gwneud talfyriad o hono, er fod Mr Job yn dymuno arnaf i'w anfon yr hyn oll ag ydyw i'r wasg, fel y gallo ei holl ffryndiau a'i berthynasau ei weled; ond gan nad oes digon o ddyddordeb yn y llythyr maith, dymunaf arnoch dros Mr Job i roddi lle i'r nodiadau canlynol.[129]

Y mae'n anodd iawn gwybod erbyn hyn pwy mewn gwirionedd a fu'n golygu'r *Gwladgarwr* yng nghyfnod ei anterth fel un o brif newyddiaduron cymoedd y de. Pwysleisiodd Islwyn yn rhifyn 8 Ionawr 1870, mai golygu'r golofn farddol yn unig oedd ei gyfrifoldeb ef. 'Bydded hysbys i'r beirdd nad ydym ni yn golygu ond un dosbarth o'r *Gwladgarwr* – y dosbarth barddonol yn unig', meddai. 'Y mae amryw yn anfon atom ohebiaethau rhyddieithol; anfoner y cyfryw i'r Swyddfa'. Er hynny, fel y dangosodd Dr Glyn Tegai Hughes, ef a luniodd erthygl flaen y papur yn wythnosol o 1874 ymlaen.[130] Eithr gwaethygu'n raddol a wnaeth iechyd Islwyn drwy gydol y cyfnod hwn, a bu'n rhaid iddo gael cynorthwywr gyda golygyddiaeth *Y Gwladgarwr*. 'O safle'r perchenog a'r argraphwyr, golygydd pur sâl – mewn geiriau ereill, golygydd anhrefnus ac amhrydlon oedd Islwyn', meddai un sylwebydd amdano.[131] A'r gŵr a benodwyd yn isolygydd i'r *Gwladgarwr* oedd Dan Rhys, un o gysodwyr swyddfa Walter Lloyd. Yn Llandeilo Fawr y ganwyd Rhys ym 1851, a phrentisiwyd ef yn gysodydd yn swyddfa argraffu D. W. a G. Jones yn y dref pan nad oedd ond llanc. Oddi yno yr aeth i swyddfa'r *Cambria Daily Leader* yn Abertawe, cyn iddo symud i weithio fel argraffydd yn Llundain, ond penodwyd ef yn gysodydd yn swyddfa'r *Gwladgarwr* ym 1861. Bu farw Islwyn ym mis Tachwedd 1878, a'r flwyddyn honno y penodwyd Dan Rhys yn ysgrifennydd Eisteddfod Genedlaethol Penbedw. Dyma'r pryd y daeth

Thomas Essile Davies ('Dewi Wyn o Essyllt') yn olygydd i'r papur. Brodor o Ddinas Powys ym Morgannwg oedd Essyllt, a bu'n golygu colofn farddol *Y Fellten,* yr wythnosolyn a gyhoeddwyd gan Rees Lewis ym Merthyr Tudful, ond symudodd i Bontypridd yn ddiweddarach, ac yno y daeth yn ffigur amlwg yn nyddiau bri 'Clic y Bont', un o gymdeithasau barddol rhyfeddaf a bywioca'r de yn ystod chwarter olaf y bedwaredd ganrif ar bymtheg.[132] Ef a fu'n llywio'r *Gwladgarwr* drwy'r wasg am weddill gyrfa'r newyddiadur.

Eithr yr oedd gan ŵr arall ran amlwg yng ngyrfa'r *Gwladgarwr* hefyd, a hwnnw oedd Daniel Griffiths ('Brythonfryn'), a hanoedd yn wreiddiol o Genarth yn sir Gaerfyrddin.[133] Gyrfa amrywiol iawn fu ei eiddo ef; bu'n orsaf-feistr ym Mhontarddulais ac yn Llanwrda am gyfnodau, cyn iddo symud i Gastellnewydd Emlyn ym 1861 pan benodwyd ef yn olygydd *Cyfaill y Werin,* y newyddiadur wythnosol a gyhoeddwyd gan y Parchedig John Williams, ewythr W. Llewelyn Williams, y llenor a'r gwleidydd o Lansadwrn. Prin wyth mis y parhaodd gyrfa'r *Cyfaill,* a daeth i ben ym mis Awst 1861, ond fe'i dilynwyd ym mis Hydref 1862 gan *Y Byd Cymreig,* wythnosolyn arall y bu Brythonfryn yn ei olygu gyda chymorth J. Lloyd James ('Clwydwenfro'). Yn ystod y cyfnod hwn y dechreuodd Brythonfryn flaguro fel bardd, a chyfansoddodd lu o bryddestau ar destunau dramatig fel 'Y Ddaeargryn', 'Columbus', 'Y Danchwa' a 'Dydd y Farn' ar gyfer yr eisteddfodau. Ys dywedodd Huw Morris, un o ohebwyr *Y Gwladgarwr,* amdano:

> Nid oes fawr swyn na thlysni yn ei farddoniaeth; yr aruchel, y rhamantus a'r beiddgar yw'r llwybrau drwy ba rai yr hoffa ei awen deithio hyd-ddynt. Pe canai ar Eden, byddai yn debyg o fyned yn anialwch arno. Pe canai i'r ddôl feillionog, gwnelai hi yn graig wyllt ac ysgythrog. A phe canai i'r gwlithyn pur a thyner, byddai perygl mawr iddo gael ei drawsffurfio yn gyfoglyn draig. Rhodder iddo destyn fel 'Llosgfynydd', ac efe a grea gyfandiroedd o fwg a gwreichion gwynias, eiriasboeth, ufelwyllt a difrodus. Rhodder iddo destyn fel 'Y Dymhestl' neu 'Y Ddaeargryn', ac efe a gryna gyfandiroedd i'w sylfeini eithaf.[134]

Bu Brythonfryn mewn sawl helynt a sgarmes eisteddfodol yn ystod ei yrfa fel cystadleuydd. Cyhuddwyd ef o lên-ladrad fwy nag unwaith; y tro cyntaf ym 1865 pan ddyfarnwyd 'The Woodlands', cerdd Saesneg o'i

D. Brythonfryn Griffiths.

eiddo, yn fuddugol yn Eisteddfod Aberystwyth. Mewn llythyr o'i eiddo a gyhoeddwyd yn *Y Byd Cymreig*, 11 Ebrill 1867, honnodd Arthur Rhys Thomas, o Alfreton, Swydd Derby, mai eiddo rhyw fardd eilradd o Sais o'r enw Westley Gibson, oedd y darn arobryn, a chyhoeddwyd hi gyntaf mewn cyfrol yn dwyn y teitl *Forest and Fireside Hours* ym 1853.[135] Dyfynnodd Arthur Thomas ddarnau o'r ddwy gerdd yn ei lythyr, gan brofi'n bendant mai llên-ladrad oedd eiddo Brythonfryn, ond gwadai yntau iddo gyflawni unrhyw drosedd. Medd ef:

> Dywedai Caledfryn yn ddiweddar fod digon o enghreifftiau o rai yn cyfansoddi yn debyg i'w gilydd, na wyddent ddim am ei gilydd. Medraf brofi bod y cyfansoddiadau clasurol ag y mae Cymru yn ymffrostio ynddynt, lawer ohonynt yn lloffedig o faesydd ereill, a hyny gan ein cadeirfeirdd – rai wedi meirw ac ereill yn fyw. Y mae pob ysgolor mawr, a phob bardd mawr, yn rhwym o fod yn lên-yspeilydd mawr; ac yr wyf yn tosturio wrth yr eneidiau hyny na welant ddim yn werth ond eu gwaith eu hunain.[136]

Yn ôl Arthur Thomas, yr oedd cyfrol Gibson yn parhau i fod mewn print, a hysbysodd y cyhoedd bod copïau i'w cael gan ysgrifennydd y *Book Society* yn Paternoster Row, Llundain. Mawr fu'r dadlau yn y wasg Gymreig am rai misoedd yn dilyn yr honiadau hyn a chyhoeddwyd llythyrau gan fyddin o ohebwyr yng ngholofnau'r *Byd Cymreig, Y Gwladgarwr, Cronicl Cymru, The North Wales Chronicle* a *The Welshman.* Er hynny, mynnai Brythonfryn ei fod yn gwbl ddieuog o'r lladrad:

> *Nunc aut nunquam!* Dim rhagor o'ch lol faldorddus. Cyhoeddwch gân eich Gibson, minnau a gyhoeddaf fy eiddo innau. Na thybiwch y cewch dwyllrwydo'r wlad â'ch gwirion honiadau ddim yn hwy. Yr wyf wedi

> anfon dair gwaith at eich *Secretary of the Book Society* am y llyfr, a'r ateb a gafwyd nad oes y fath un i'w gael. Bydd genyf gyfrif trwm, trwm i'w setlo â chwi cyn y gorphenaf â chwi.[137]

'Nid oes nemawr neb a ŵyr yn well nag efe am ansawdd rhyfel bapyr. Y mae trwy ei oes mewn rhyw ffrwgwd ar faes y newyddiaduron', medd Huw Morris mewn portread ohono ym 1878, a bu Brythonfryn yn ddraenen boenus yn ystlysau rhai o brif feirdd a llenorion y de yn ystod chwarter olaf y bedwaredd ganrif ar bymtheg.[138]

Symudodd Brythonfryn yn ohebydd i swyddfa'r *Cambria Daily Leader*, newyddiadur dyddiol cyntaf Cymru, yn Abertawe, ym 1867. Byr fu ei arhosiad yno, fodd bynnag, oblegid symudodd yn fuan wedyn i Ferthyr Tudful ar ei benodi'n olygydd *Y Fellten*. Wyth mlynedd yn ddiweddarach, ym mis Rhagfyr 1875, fe'i hordeiniwyd yn weinidog ar eglwys Annibynnol Soar, ym Mhenderyn, a dyma'r pryd y penodwyd ef yn ysgrifennydd Côr Mawr Griffith Rhys Jones ('Caradog'), a gafodd ddwy fuddugoliaeth fawr yn y Palas Grisial yn Llundain ym 1872 a 1873. Bu'n fwriad ganddo gyhoeddi cyfrol yn adrodd hanes y Côr Mawr 'am fod eisieu trosglwyddo hanes cyflawn a chryno o'i fuddugoliaethau i lawr i'r dyfodiant pell, ac mae yr holl ddefnyddiau yn fy meddiant i, ac nid gan neb arall'. Ni ddaeth y cynllun hwn i ben, fodd bynnag, ond trefnodd dysteb gyhoeddus i Garadog ym mis Tachwedd 1875.[139] Yn ystod y cyfnod a dreuliodd ym Mhenderyn y daeth yn fath o is-olygydd ac yn gynorthwywr i Ddewi Wyn o Essyllt gyda'r *Gwladgarwr*. Yr oedd eisoes wedi llunio nifer o storïau a nofelau cyfres a'u cyhoeddi yn y papur ychydig flynyddoedd ynghynt.[140] Ef oedd awdur llithiau wythnosol 'Yr Arsyllfa', a bu'n gyfrifol am golofn arall yn dwyn y teitl 'Coleg y Gweithiwr' dan y ffugenw 'Ap Corwynt' rhwng 1878 a 1882. Materion llenyddol a checraeth eisteddfodol oedd cynnwys y mwyafrif o'r colofnau hyn. Nid hwyrach mai Brythonfryn oedd awdur cyfres o ysgrifau yn dwyn y teitl 'Y *Magnitudes* Barddol', a gyhoeddwyd yng ngholofnau'r *Gwladgarwr* rhwng misoedd Mawrth a Mai 1871, a hynny dan y ffugenw 'Zealous'. Yn y gyfres hon yr aeth ati i bwyso a mesur prif feirdd y cyfnod yn ôl eu teilyngod, ac fel y gellid ei ddisgwyl, parodd ei sylwadau gynnwrf a chynnen ymhlith y beirdd am fisoedd lawer.[141]

'Nid yw ef byth yn ddedwydd pan heb elyn i'w forthwylio', meddai'r newyddiadurwr Owen Morgan ('Morien') am Frythonfryn. 'Mae wedi gollwng dros y wlad drwy'r newyddiaduron raiadrau o *rant,* a baldordd bregethwrol, ond pwy *argument* sydd yn y fath fwstwr?'[142] Ond chwarae plant oedd yr holl gecru llenyddol ac eisteddfodol hwn i'w gymharu â'r helynt a'r chwerwedd mawr a achoswyd ym 1875 pan sefydlwyd wythnosolyn newydd yn Aberdâr i gystadlu â'r *Gwladgarwr.* Cwynodd argraffwyr y papur droeon ynghylch cyflwr peiriannau argraffu swyddfa Walter Lloyd mor gynnar â 1873; yr oedd y rheini bellach yn hen, yn dueddol o dorri, ac yn annibynadwy.[143] O ganlyniad, archebodd Walter Lloyd wasg newydd gan gwmni Harrild a'i Feibion o Lundain, a chytunodd y cwmni i brynu'r hen wasg am £50.00. Ond yr oedd gan John Mills, un o weithwyr swyddfa Lloyd, ei gynlluniau personol ef ei hun. Aelod o deulu enwog y Millsiaid o Lanidloes oedd ef; bu ei dad John Mills ('Ieuan Glan Alarch'), yn weinidog gyda'r Methodistiaid Calfinaidd yn Rhuthun cyn ei benodi'n genhadwr ymhlith Iddewon Llundain ym 1847, a bu nifer o aelodau'r teulu yn flaenllaw fel argraffwyr a cherddorion yn Llanidloes a'r cylch.[144] Bu John y mab yn brentis yn swyddfa argraffu John Jones ('Idrisyn') yn Llanidloes cyn iddo symud i swyddfa'r *Gwladgarwr* yn Aberdâr ym 1861.[145] Dair blynedd ar ddeg yn ddiweddarach ym 1874 llwyddodd Mills i ddwyn perswâd ar Edward Cartwright, yr argraffydd o Ddowlais, i brynu hen wasg *Y Gwladgarwr* ar ei ran, – a hynny'n gwbl gyfrinachol. Cydsyniodd cwmni Harrild a'i Feibion â'r trefniant hwn gan orchymyn Walter Lloyd i drosglwyddo'r hen wasg i ofal Cartwright pan ddeuai'r peiriannau newydd i law. Cyrhaeddodd y wasg newydd swyddfa'r *Gwladgarwr* ar 13 Tachwedd 1874. Drannoeth, ymwelodd John Mills (a oedd eisoes wedi ymadael â'r swyddfa fis ynghynt) â Walter Lloyd, a rhoes iddo lythyr oddi wrth Edward Cartwright yn ei orchymyn i drosglwyddo'r hen beiriannau i'w ddwylo ef. Felly y bu, ac ar hen wasg *Y Gwladgarwr* yr argraffwyd rhifyn cyntaf *Tarian y Gweithiwr* ar 15 Ionawr 1875.

Ni faddeuodd Brythonfryn i John Mills am y dichell hwn, a therfysgu, bygwth a thrin ei gilydd fu hanes y ddau fyth wedyn. Ni bu *Tarian y Gweithiwr* ar y maes ond am ychydig fisoedd cyn i Frythonfryn ymosod ar John Mills mewn cyfres o lythyrau milain yn *Y Gwladgarwr,* rhwng mis Medi a mis Hydref 1875. Yr oedd Brythonfryn newydd gyhoeddi testun 'Y Llosgfynydd', pryddest nodweddiadol ddramatig o'i eiddo, yn un o rifynnau'r *Gwladgarwr,* ac ychydig yn ddiweddarach ymddangosodd llythyr gan 'Y Pigwr Brychau' yng ngholofnau'r *Darian* yn dilorni'r gerdd a'i chyfansoddwr.[146] Argyhoeddwyd y bardd mai aelodau o staff swyddfa'r *Darian* oedd yn gyfrifol am y sylwadau. 'Gallesid disgwyl pethau gwell oddiwrthynt', meddai, 'gan mai ar gefn *Y Gwladgarwr* y buont hwy, am flynyddau, yn cael eu bara a chaws, ac y mae mymryn bach o *incongruity* yn y ffaith eu bod yn troi i gablu yr hen ffynon, o'r hon yr yfasant drwy y blynyddau'.[147] Cythruddwyd John Mills gan y sylwadau hyn, ac fe'u hatebodd yn ei bapur yr wythnos ganlynol, gan alw Brythonfryn yn 'llwfrgi a chelwyddgi'. Ymatebodd yntau mewn llythyr nodweddiadol ryfygus ei dôn a'i gynnwys yn rhifyn 15 Hydref 1875:

> Y mae yr hen ddywediad hwnw yn cael ei wirio yn feunyddiol: 'Yn y byd gorthrymder a gewch'. Nid oes ond rhyw ychydig wythnosau er pan ymosododd angeu arnaf, nes fy nwyn hyd at ddôr y bedd; ond trwy ryfedd diriondeb a thrugaredd Arglwydd nef a daear, yr wyf yn enghraifft weledig o ddaioni arbedol fy Nuw. Erbyn fy mod yn dechreu casglu nerth, dyma un John Mills o Aberdâr yn trochi ei bin yn phiol enllib a chabledd i ysgrifenu cabldraethau yn ddiachos ar fy enw. Yr wyf yn credu fy mod yn gwbl ystyriol o feiau a phechodau fy mywyd, ac nid oes neb ond fy Nuw a minau a ŵyr faint o ofid y maent wedi achosi i mi. Y mae John Mills wedi dechreu edliw a danod i mi golliadau fy oes. Y mae iddo berffaith roesaw o'm rhan i, i chwilio allan holl golliadau fy mywyd a'u cyhoeddi ger bron y byd. Chwilied a chrafed a gosoded ei fys ar bob ysmotyn yn fy nghymeriad, a gwnaed *list* fawr o feiau bychain a mawrion fy oes; ni fydd wrth hyny ond profi ei fod yn rhoi benthyg ei amser a'i wasanaeth i'r diafol . . .Yr ydwyf fi yn diolch i Ragluniaeth nad wyf ac nad oes raid i mi fyw ar gefn John Mills. 'Ie', meddai rhywun, 'Brythonfryn, rhaid i ti faddeu i dy elynion, ac y mae yn ymddangos fod John Mills yn un o'r cyfryw'. Dim *byth* y maddeua i iddo, heb iddo yn gyntaf *ofyn* am faddeuant. Nid oes genyf i ddim digofaint at un dyn byw, bedyddiol neu anfedyddiol ar ddaear Duw; ond pan welaf ddyn fel carnlofrudd a'i gyllell yn trywanu fy enw a'm cymeriad, nid yw'r nefoedd yn disgwyl i mi faddeu iddo, heb iddo syrthio i lawr i *ofyn* am hyny. Nid yw llywodraeth y Jehofa yn maddeu i *neb* heb ofyn. Bydd rhaid i John Mills a minau ymddangos yn y farn yn fuan – dydd mawr agoriad y llyfrau. Bydd rhaid i Judasiaid y ddaear sefyll yno. Nid y ffordd i gael calon iach i wynebu yno yw trwy ysgrifenu enllib, celwydd a chabledd ar enwau ein cymydogion. Nid wyf yn bwriadu ysgrifenu dim yn rhagor at John Mills;

> ond mwy na thebyg y ca glywed gair o gyfeiriad arall cyn bo hir. Y mae yn llawen genyf ddeall fod y werin fawr yn cydymdeimlo â mi yn ngwyneb yr ymosodiad carn-lofruddiog hwn ar fy nghymeriad.

Ond ni chymodwyd y ddau, a bu mwy nag un sgarmes rhwng Brythonfryn a pherchennog y *Darian* yn ystod wyth mlynedd olaf gyrfa'r *Gwladgarwr.* Am ryw reswm, nad yw'n hysbys bellach, er bod lle i amau bod gan y ddiod rywbeth i'w wneud â'i gwymp, bu'n rhaid i Frythonfryn ymadael â'i ofalaeth ym Mhenderyn ym 1888, a bu farw ym mis Mehefin y flwyddyn ddilynol.[148] 'Yr oedd Brythonfryn yn bopeth yng Nghwm Aberdâr ar un adeg', medd J. Hathren Davies amdano, 'ac ymddengys ei fod wedi ei gynysgaeddu â galluoedd meddyliol ymhell y tu hwnt i'r cyffredin, a phe buasai wedi eu hiawn ddefnyddio, a dangos ychydig yn rhagor o hunan-barch, diameu gennym y buasai yn un o feirdd ac yn un o ddynion cyhoeddus goreu Cymru'.[149] Geiriau dadlennol, sy'n lled-awgrymu bod llawer mwy i'w yrfa helbulus a throfáus nag a wyddom ni.[150]

Effeithiodd llwyddiant *Tarian y Gweithiwr* yn drwm ar *Y Gwladgarwr,* a disgyn yn raddol a wnaeth cylchrediad y newyddiadur o 1875 ymlaen. Yr oedd y *Darian* yn llawer mwy radical na'r *Gwladgarwr,* a rhoes gefnogaeth gyson i ymgyrchoedd y glowyr a'u hiawnderau. Fel yr eglurodd y Dr Brynley F. Roberts 'y mae'n debyg fod *Y Gwladgarwr* yn rhy ddof a cheidwadol i'r to newydd o weithwyr, ac nad oedd yn ateb eu dibenion hwy'.[151] Beirdd, llenyddiaeth ac eisteddfodau oedd prif ddiddordeb ei olygyddion a'i ohebwyr, ac ychydig iawn o sylw mewn cymhariaeth a roddwyd yn ei golofnau i faterion cymdeithasol a gwleidyddol. Yn ôl un sylwebydd arall:

> Beirdd oedd ei olygwyr a barddonol oedd ei gynnwys. Tybiodd rhai y rhoddid gormod o sylw ynddo i eisteddfodau a beirniadaethau ar draul esgeuluso pethau eraill. Ymborth i'r llenor a'r bardd oedd ynddo. Bu am flynyddoedd yn un o'r newyddiaduron Cymreig mwyaf llewyrchus, os nad y mwyaf, ar y pryd, yn y Deheudir. Rhoddwyd ef i fyny ar gyfrifon heblaw ei aflwyddiant. Dichon fod sail i'r gwyn am ei unochredd. Ni buaswn yn disgwyl yn amgenach oddi wrth ei olygwyr. Prin, oherwydd peidio rhoddi lle i hanesion a phynciau gwleidyddol, yr oedd yn cymeryd ei le. Nid yw yr hyn nad yw bapur newydd na chyfnodolyn yn debyg o wneud yr hyn ddisgwylir iddo.[152]

Hysbysodd Walter Lloyd ei ddarllenwyr yn rhifyn 27 Hydref 1882, mai hwnnw fyddai'r rhifyn olaf i'w gyhoeddi, a hynny oherwydd ei afiechyd ef ei hun. Derbyniwyd y newydd gyda llawenydd mawr yn swyddfa *Tarian y Gweithiwr,* a chyhoeddodd John Mills y nodyn hwn yn ei bapur yr wythnos ddilynol:

> Gyda galar dwys y darllenasom hanes mynydau olaf ein hen gyfaill. Yr oedd ef a ninau wedi bod yn gyfeillion o dan bob amgylchiad am dros ugain mlynedd. Ond er dyfned ein parch, ac er uched ein syniadau am ein hen gyfaill ymadawedig, ni thrawyd ni â syndod pan ganwyd cnul ei farwolaeth. Yr oedd yn amlwg er's wyth mlynedd fod y darfodedigaeth wedi ymaflyd yn ei ranau bywydol . . .Torai allan weithiau i ddwrdio un o'i gydfforddolion, am fod hwnw yn ysboncio o'i gwmpas mor heinyf a hwylus. Ffugiai fod mor iached â chricsyn pan oedd ei gyfansoddiad mor bwdr â llywodraeth y Twrc. Ond nid oedd pranciau felly i barhau yn hir, a boreu dydd Mercher diweddaf, wele y newydd hir ddisgwyliedig yn ein cyrhaedd ei fod wedi tynu ei anadl ddiweddaf! Yr oedd ein hen gyfaill ymadawedig y fath gyfrwng ysblenydd i lu o ymfflamychwyr i ddwyn allan gynwysiad eu pothellau a'u pledrenau gwynt. Y mae ychydig Wellingtoniaid y byd llenyddol wedi eu hamddifadu o'r maes y buont yn ymladd llawer cant o frwydrau. Dystawodd sŵn eu tabyrddau, a pheidiodd cleciadau eu cwmbwlets! Priodol y gellir dweyd 'A'r wlad a gafodd lonydd, a bu tawelwch mawr'. Melys yw y syniad o farw mewn heddwch â phawb. Ond, fel mae gwaethaf y modd, nid felly bu farw yr hen gyfaill! Bu farw â'i gŵd yn llawn o fustl a llond cil ei foch o ddifrïaeth. Safai *champions* y bedwaredd ganrif ar bymtheg wrth erchwyn ei wely mor chwyddedig â llyffaint Cors Fochno. Ond Ow! Diffoddodd y ganwyll frwynen, a'r oraclau a adawyd yn y tywyllwch. Bydded tynghedfen yn dyner i'r rhai sydd yn eu galar, ac ymdrechwn ninau i lanw y bwlch mawr a phwysig a achoswyd gan farwolaeth ein hen gydymaith.[153]

Ond nid dyna ddiwedd *Y Gwladgarwr* ychwaith, oblegid cynnwys casgliadau Llyfrgell Genedlaethol Cymru un rhifyn arall o'r papur a gyhoeddwyd ar 31 Rhagfyr 1884, bron ddwy flynedd wedi i'w yrfa ddod i ben yn swyddogol ar 27 Hydref 1882. Bu farw Walter Lloyd ei berchennog, ar 31 Ionawr 1883, ac mae'r rhesymau dros gyhoeddi rhifyn 1884 yn ddirgelwch llwyr.[154] Er hynny, gwireddwyd proffwydoliaeth John Mills, a llanwyd y bwlch a adawyd ar ôl *Y Gwladgarwr* gan ei bapur ef ei hun. Y mae'n ddiddorol sylwi hefyd i'r mwyafrif llethol o ohebwyr papur Walter Lloyd ddod yn ohebwyr i *Tarian y Gweithiwr* yn ddiweddarach, a brithir ei golofnau â chyfraniadau gan Ieuan Ddu Allt-wen, Yr Hen Bacman Llyfnwy, Eos Wyn, Dewi Wyn o Essyllt, Brynfab, Y Cymro Gwyllt, Meurig Aman a llu o fân ohebwyr y newyddiadur a welodd olau dydd gyntaf ar 22 Mai 1858. Ac y mae'n ffaith ddiymwad bod tudalennau'r *Gwladgarwr* yn adlewyrchu'r berw diwylliannol a ffynnai ymhlith proletariat y de drwy gydol ei yrfa, a rhoes gyfle i gannoedd lawer o fân brydyddion a llenorion eu mynegi eu hunain mewn rhyddiaith a chân yn ei golofnau am gyfnod o chwarter canrif. Yn wir, y mae pori yng ngholofnau'r *Gwladgarwr* rhwng 1858 a 1882, a'r cylchgronau a'r newyddiaduron eraill a gyhoeddwyd yng nghymoedd diwydiannol y de yn ystod yr un cyfnod, – heb na chymhorthdal na nawdd gan yr un sefydliad cofier – yn brofiad ysgytwol i'r darllenydd o Gymro Cymraeg heddiw, sy'n gorfod dibynnu ar newyddiaduraeth ail-law, slic ac arwynebol gwasg Gymraeg ddisylwedd dechrau'r unfed ganrif ar hugain.

NODIADAU

1. Philip Henry Jones, 'A Golden Age Reappraised: Welsh-Language Publishing in the Nineteenth Century', yn Peter C. G. Isaac a Barry McKay, gol., *Images and Texts: Their Production and Distribution in the 18th and 19th Centuries* (Winchester, 1997), 121-41.
2. Lewis Edwards, 'Cyhoeddiadau Cyfnodol y Cymry', *Y Traethodydd*, 4 (Hydref 1848), 453. Ceir trafodaeth ar natur y wasg gylchgronol Gymraeg gan Huw Walters, 'Y Gymraeg a'r Wasg Gylchgronol', yn Geraint H. Jenkins, gol., *'Gwnewch Bopeth yn Gymraeg': Yr Iaith Gymraeg a'i Pheuoedd, 1801-1911* (Caerdydd, 1999), [327]-352; Idem, 'Arolwg', yn *Llyfryddiaeth Cylchgronau Cymreig, 1851-1900* (Aberystwyth, 2003), xviii-lxxvi.
3. J. H. E[vans], 'Llenyddiaeth y Gweithiwr', *Yr Eurgrawn Wesleyaidd*, 57 (Ionawr 1865), 19.
4. Hywel Teifi Edwards, 'Llef Dros y Ganrif Fwyaf', yn Geraint H. Jenkins, gol., *Cymru a'r Cymry 2000: Trafodion Cynhadledd Milflwyddiant Canolfan Uwchefrydiau Cymreig a Cheltaidd Prifysgol Cymru* (Caerdydd, 2001), 72.
5. Cafwyd nifer o astudiaethau ar y pwnc hwn dros y blynyddoedd, ond gweler yn arbennig: Brinley Thomas, 'Wales and the Atlantic Economy', yn *The Welsh Economy: Studies in Expansion* (Cardiff, 1962), 1-29; Idem, 'A Cauldron of Rebirth: Population

and the Welsh Language in the Nineteenth Century', *Cylchgrawn Hanes Cymru*, 13 (1987), 418-37; Idem, 'Pair Dadeni: Y Boblogaeth a'r Iaith Gymraeg yn y Bedwaredd Ganrif ar Bymtheg', yn Geraint H. Jenkins, gol., *'Gwnewch Bopeth yn Gymraeg': Yr Iaith Gymraeg a'i Pheuoedd, 1801-1911* . . ., 79-98; Ieuan Gwynedd Jones, 'Language and Community in Nineteenth Century Wales', yn *Mid-Victorian Wales: The Observers and the Observed* (Cardiff 1992), 54-79.

6. Yr ymdriniaeth lawnaf ar weithgarwch diwylliannol yr ardaloedd hyn yw eiddo Sian Rhiannon Williams, *Oes y Byd i'r Iaith Gymraeg: Y Gymraeg yn Ardaloedd Diwydiannol Sir Fynwy yn y Bedwaredd Ganrif ar Bymtheg* (Caerdydd, 1992); Eadem, 'Iaith y Nefoedd Mewn Cymdeithas Ddiwydiannol: Y Gymraeg a Chrefydd yng Ngorllewin Sir Fynwy yn y Bedwaredd Ganrif ar Bymtheg', yn Geraint H. Jenkins a J. Beverley Smith, gol., *Politics and Society in Wales, 1840-1922: Essays in Honour of Ieuan Gwynedd Jones* (Caerdydd, 1988), 47-60; Eadem, 'Y Wasg Gymraeg yng Ngwent', *Y Casglwr*, 36 (Nadolig 1988), 18-19; 37 (Mawrth 1989), 18-19; 38 (Awst 1989), 18-19. Gweler hefyd Islwyn a Jean Jenkins, *Beyond the Black Tips: Life and Literature in a South Wales Valley* (Aberystwyth, 1991).
7. Ar gyfraniad Cymdeithas Cymreigyddion y Fenni, gweler Mair Elvet Thomas, *Afiaith yng Ngwent: Hanes Cymdeithas Cymreigyddion y Fenni, 1833-1854* (Caerdydd, 1978); Eadem, *Agweddau ar Weithgarwch Llenyddol Gwent yn y Ganrif Ddiwethaf* (Caerdydd, 1981); Frank Olding, 'Traddodiad Cymraeg y Fenni a'r Cylch', yn Hywel Teifi Edwards, gol., *Ebwy, Rhymni a Sirhywi* (Llandysul, 1999), 60-84.
8. Ar ddylanwad Taliesin Williams, gweler Brynley F. Roberts, 'Mab Ei Dad: Taliesin ab Iolo Morganwg', yn Hywel Teifi Edwards, gol., *Merthyr a Thaf* (Llandysul, 2001), 57-93. Ceir trafodaeth ar draddodiad prydyddol Merthyr Tudful a'r cylch gan Havard Walters, 'Ffrwyth Awen Cymdeithas Cymreigyddion Merthyr Tudful', *Y Llenor*, 17 (Gaeaf 1938), 221-6; Idem, 'Cymdeithas Cadair Merthyr Tudful', *Y Genhinen*, 24 (Gaeaf 1973-74), 82-6. Gweler hefyd E. G. Millward, 'Merthyr Tudful: Tref y Brodyr Rhagorol', yn Hywel Teifi Edwards, gol., *Merthyr a Thaf* . . ., 9-56. Ar yrfa Thomas Stephens, gweler Brynley F. Roberts, 'Welsh Scholarship at Merthyr Tydfil', *Merthyr Historian*, 10 (1999), 51-62.
9. J. Dyfnallt Owen, 'Awen y Rhondda Gynt', yn *Rhamant a Rhyddid* (Aberystwyth, 1952), 47-72; Beti Rhys, 'Bywyd Llenyddol Pontypridd a'r Cylch yn Ystod y Bedwaredd Ganrif ar Bymtheg gan Gynnwys Hanes "Clic y Bont"', *Y Traethodydd*, 145 (1990), 131-50. Menna Davies, 'Traddodiad Llenyddol y Rhondda'. Traethawd Ph.D. Prifysgol Cymru (Aberystwyth, 1981). Cynnwys Hywel Teifi Edwards, gol., *Cwm Rhondda* (Llandysul, 1995), nifer o ysgrifau ar ddiwylliant y Cwm.
10. Brinley Richards, *The Literary Traditions of Maesteg and District* (Maesteg, d.d.); Idem, 'Literature', yn *History of the Llynfi Valley* (Cowbridge, 1982), 292-312. Gweler hefyd Hywel Teifi Edwards, gol., *Llynfi ac Afan, Garw ac Ogwr* (Llandysul, 1998).
11. Ar yrfa Thomas Price, gweler: Benjamin Evans, *Bywgraffiad y Diweddar Barchedig T. Price, M.A., Ph.D, Aberdâr* (Aberdâr, 1891); Ieuan Gwynedd Jones, 'Dr Thomas Price and the Election of 1868 in Merthyr Tydfil: A Study in Nonconformist Politics', yn *Communities: Essays in the Social History of Victorian Wales* (Llandysul, 1987), 263-321.

12. Bobi Jones, 'Adolygiadau Hwyr [4]: *Gwaith Barddonol Dyfed*', *Barddas*, 274 (Medi/Hydref/Tachwedd 2003), 15. *Cf.* sylwadau D. Lewis, 'Llwybrau Adgof: Aberdâr a'i Brodorion', *Cymru*, 40 (Ebrill 1911), 209: 'Yr oedd Aberdâr y pryd hwnnw, yn gartref llu mawr o feirdd a cherddorion, braidd yn fwy felly nag unrhyw dref yn y deheudir'. Gweler hefyd: 'Beirdd Aberdâr', yn *The Aberdare Almanack* (Aberdare, 1896), 9-61; D. Jacob Davies, *Cyfoeth Cwm* (Abercynon, 1965).
13. Y rhain yw enwau'r *'first syndicate'*, fel y'u gelwir, a geir ar glawr cyfrol gyntaf *Y Gwladgarwr* yn Llyfrgell Genedlaethol Cymru. Brodor o Gefncoedycymer oedd William Morgan. Yn frawd-yng-nghyfraith i Alaw Goch, daeth yn un o bileri Methodistiaeth yn Aberdâr, ac yn ei gartref ef y lletyai Ieuan Gwyllt yn ystod ei drigias yn y dref. Gweler [William James], 'Mr W. Morgan, Aberdâr', *Y Traethodydd*, 33 (Ionawr 1879), 115-27. Yr oedd William Williams yn un o brif hyrwyddwyr y mudiad eisteddfodol yn y dref, a cheir ymdriniaeth werthfawr â'i yrfa gan D. Leslie Davies, 'Llwybrau'r Carw: Bywyd a Chefndir William Williams (Y Carw Coch), 1808-1872', yn Hywel Teifi Edwards, gol., *Cwm Cynon* (Llandysul, 1997), 98-127. Brodor o Aberystwyth oedd Abraham Mason, a bu'n dilyn ei alwedigaeth fel crwynwr. Bu farw ym 1866, pan gafodd ei ddal mewn peiriant malu rhisgl, a'i wasgu a'i dagu i farwolaeth, yn ei danerdy yn Aberdâr. Daeth ei ferch, Mary Mason ('Creirwy', 1850-77), i'r amlwg fel prydyddes yn eisteddfodau'r de, a chyhoeddwyd cerddi o'i gwaith yn G. Penar Griffiths, gol., *Blodau Cudd ar Faes Awen* (Dolgellau, 1906?), 77-80. Ceir bywgraffiad ohoni yn Ben Morus, *Enwogion Aberdâr* (Llanbedr Pont Steffan, 1910), 44-5.
14. Ceir amlinelliad o hanes sefydlu'r newyddiadur gan Brynley F. Roberts yn 'Argraffu yn Aberdâr', *Journal of the Welsh Bibliographical Society*, 11 (1973-1974), 4-10.
15. Gweler *Bywgraffiad Llew Llwyfo yn Llenyddol, Cerddorol, ac Eisteddfodol* (Caernarfon, *c.*1881), 11; Eryl Wyn Rowlands, *Y Llew Oedd ar y Llwyfan* (Caernarfon, 2001), 51-2.
16. 'Braslun o Hanes *Y Gwladgarwr*', *Y Gwladgarwr*, 27 Hydref 1882. Mab James Lloyd o Gaerfyrddin oedd Walter Lloyd, a thybir iddo ddechrau argraffu yn Aberdâr ym 1858. Bu farw ym mis Ionawr 1883 yn 61 mlwydd oed. Gweler yr adroddiadau 'Marwolaeth Mr Walter Lloyd Aberdâr', *Tarian y Gweithiwr*, 8 Chwefror 1883; *Y Goleuad*, 10 Chwefror 1883. Yn ôl Watkin William Price 'he was buried in Aberdare cemetery in unconsecrated ground'. Gweler Llyfrgell Genedlaethol Cymru, 'The Biographical Index of W. W. Price, Aberdâr', XVIII, 220. Dilynwyd Walter Lloyd yn y busnes argaffu gan ei fab, James Andrew (Iago) Lloyd, a fu farw'n ŵr ifanc, 33 mlwydd oed, ar 15 Mai 1895, ac yntau newydd ddychwelyd i Aberdâr ar ôl cyfnod o rai misoedd yn Awstralia. Ceir bywgraffiad byr ohono yn yr adroddiad 'Marwolaeth Mr Iago Lloyd', *Y Tyst*, 31 Mai 1895.
17. Ceir bywgraffiadau ohono gan Charles Wilkins, *The South Wales Coal Trade* (Cardiff, 1888), 117-20; E. B. Morris, 'Alaw Goch', *Cymru*, 27 (Awst 1904), 91-4; David Watkin Jones ('Dafydd Morganwg'), gol., *Gwaith Barddonol Alaw Goch* (Caerdydd, 1903); Michael Eyers, *The Masters of the Coalfield* (Bristol, 1992), 97-9.
18. Gwilym Rees Hughes, 'Bywyd William Williams ('Caledfryn'), *Llên Cymru*, 12 (Gorffennaf/Ionor 1972), 61-91.

19. Arfonia, 'Traethawd ar Fywyd ac Athrylith Caledfryn', Llsgr. Llyfrgell Genedlaethol Cymru, 891E, f. 253.
20. Gwilym Rees Hughes, *op. cit.*, 74-5.
21. Digwydd yr englyn mewn llyfr cofnodion a gadwyd gan Daniel Jones ('Daniel Medi'), un arall o brydyddion dyffryn Aman. Gweler Llsgr. Llyfrgell Genedlaethol Cymru, 14,513B.
22. Watkin Hezekiah Williams ('Watcyn Wyn'), 'Dafydd Morganwg', *Y Geninen*, 23 (Gorffennaf 1905), 200.
23. E. G. Millward, 'Rhagor o Nofelau'r Bedwaredd Ganrif ar Bymtheg', *Llên Cymru*, 24 (2001), 131. Yr un yw byrdwn neges Dr Millward mewn dau gyfraniad arall o'i eiddo: '"Cenedl o Bobl Ddewrion": Y Rhamant Hanesyddol yn Oes Victoria', yn *Cenedl o Bobl Ddewrion: Agweddau ar Lenyddiaeth Oes Victoria* (Llandysul, 1991), [104]-19; 'Tylwyth Llenyddol Daniel Owen, Neu yr Artist yn ei Gynefin', *ibid.*, [120]-36.
24. Diogelir y llythyr ymhlith papurau Syr John Rhŷs yn Llyfrgell Genedlaethol Cymru.
25. Gweler 'Nofelydd Cymreig Mewn Adfyd', *Y Tyst*, 13 Rhagfyr 1911.
26. Adroddir manylion ei yrfa gan Thomas Davies ('Ceiriosydd'), yn 'Y Diweddar Isaac Craigfryn Hughes, Mynwent y Crynwyr', *The Ocean and National Magazine*, 2 (Ionawr 1929), 21-2; 'Craigfryn Hughes, Author of *The Maid of Cefn Ydfa*', *Merthyr Historian*, 14 (2002), 67-8. Ceir rhai o'i bapurau yn y Llyfrgell Ganolog yng Nghaerdydd, sef drafftiau o'i nofelau Saesneg 'The Welsh Minister', a 'The Old Harper's Daughter or the Station's Curse' (Llsgrau 1.1531-1.1534).
27. John Davies ('Llwydwedd'), 'Y Diweddar Mr Thomas Wedros Evans', *Y Gwladgarwr*, 29 Mawrth 1878; Gerallt Jones, 'Thomas Wedros Evans (1854-1976)', *Y Cardi*, 15 (Gaeaf 1978), 7-10.
28. Gweler John Thomas ('Ifor Cwm Gwŷs'), 'Awdl o Goffadwriaeth am Mr Theophilus Davies, Alltwen', *Yr Ymofynydd*, 2 (Gorffennaf 1849), 167-8. Ceir trafodaeth ar yrfaoedd y brodyr Job a Theophilus Davies yn Huw Walters, *Canu'r Pwll a'r Pulpud: Portread o'r Diwylliant Barddol Cymraeg yn Nyffryn Aman* (Abertawe, 1987), 65-7, 75-82, 281-2.
29. D. Hywel E. Roberts, 'Ieuan Ddu ac Almanac y Cymro', *Y Casglwr*, 55 (Haf 1995), 19. Idem, 'Almanac y Cymro', *Ceredigion*, 12 (1995), 62-84.
30. Ceir ymdriniaeth â rhai o'r gweithiau hyn gan Huw Walters yn 'Y Traddodiad Rhyddiaith yn Nyffryn Aman', *Cylchgrawn Llyfrgell Genedlaethol Cymru*, 26 (Gaeaf 1990), 427-30.
31. Cyhoeddwyd ysgrif goffa iddo, 'Y Diweddar Ieuan Ddu', yn *Y Drych*, 11 Ebrill 1912. Bu farw Taliesin, a fu'n bensaer yn Ninas y Llyn Halen, yn 44 mlwydd oed, ym mis Hydref 1910, ac Ifor, a fu'n saer maen ac yn adeiladydd yn y ddinas, yn henwr 91 mlwydd oed, ym mis Medi 1955. Gweler Huw Walters, 'Ieuan Ddu, Allt-wen', *Y Casglwr*, 49 (Gwanwyn, 1993), 3.
32. Gwyddys i John Morgan ('Ioan Triddyd', 1830-1930), y ffermwr o Lantriddyd ym Mro Morgannwg, gyfrannu colofnau i newyddiaduron y cyfnod dan y ffugenw 'Hen Bacman', eithr nid ef oedd gohebydd *Y Gwladgarwr.* Ceir bywgraffiad byr ohono gan

Brian Ll. James yn ei bennod 'The Parish of Llantrithyd', yn Stewart Williams, gol., *The Garden of Wales* (Cowbridge, 1961), 104.

33. Ceir bywgraffiadau ohono gan John Bowen-Jones, 'Llyfnwy', *Cenad Hedd*, 15 (Mawrth 1895), 88-9; Daniel R. Waldin, 'Llyfnwy: The Story of a Notable Llangynwyd Man', *The Glamorgan Gazette*, 25 Ionawr 1929; Cadrawd, 'Llyfnwy', *Cymru*, 23 (Medi 1902), 118; Brinley Richards, *History of the Llynfi Valley* . . ., 303-4.
34. Gweler *Lloffyn Llenorol: sef Gweithiau Buddugol Eisteddfod Salem, Spelter, Maesteg* (Aberdâr, 1857). Cyhoeddwyd ei draethawd 'Hanes Llancarfan o'r Bedwaredd Ganrif Hyd yn Bresenol', yn *Cyfansoddiadau Buddygol yn Eisteddfod Llancarfan, Medi 19eg, 1859* (Caerdydd, 1860), 10-27, ac ymddangosodd ei *Essay on the Antiquities of St. Fagans, With its Castle: The Successful Composition at the St. Fagans Eisteddfod, September, 1866*, o wasg Lewis a Williams yng Nghaerdydd ym 1866.
35. Ceir trafodaeth ddiddorol ar gynnwys y *Dyddiadur*, yr unig un o'i fath a gyhoeddwyd yn Gymraeg, gan Aneirin Lewis, 'Gwlad Beirdd a Cherddorion', *Y Casglwr*, 35 (Awst 1988), 14. Cyhoeddwyd hefyd yn W. Alun Mathias ac E. Wyn James, gol., *Dysg a Dawn: Cyfrol Goffa Aneirin Lewis* (Caerdydd, 1992), 61-3.
36. Cadrawd, *op. cit.*, 118.
37. Y mae'n ddiddorol sylwi bod astudiaeth Brian Ll. James o hynt a helynt y Gymraeg yn yr ardaloedd hyn yng nghanol y bedwaredd ganrif ar bymtheg, yn ategu barn Yr Hen Bacman ei hun ynghylch y rhan bwysig y chwaraeodd Ymneilltuaeth yn ymgeleddu'r iaith yn y Fro. Gweler ei drafodaeth ar 'The Welsh Language in the Vale of Glamorgan', *Morgannwg*, 16 (1972), 27.
38. D. R. L. Jones, *Richard and Mary Pendrill Llewelyn: A Victorian Vicar of Llangynwyd and His Wife* (Maesteg, 1991), 27; Idem, *Vicars of Llangynwyd* (Maesteg, 1994), 26-7.
39. Atgynhyrchir y llythyrau yn G. V. Hill, *Cefn Ydfa: A Who's Who and What's What* (S. l., 1990), 159-70.
40. Gweler er enghraifft 'Teithiau yr Hen Bacman', *Y Gwladgarwr*, 6 Ebrill 1864; 24 Awst 1867; 6 Tachwedd 1869.
41. G. J. Williams, 'Wil Hopcyn a'r Ferch o Gefn Ydfa', *Y Llenor*, 6 (Gaeaf 1927), 226. Olrheinir twf poblogrwydd y rhamant gan Allan James yn *Diwylliant Gwerin Morgannwg* (Llandysul, 2002), 139-41.
42. Adroddir hanes 'Eisteddfod y Cymry' gan Hywel Teifi Edwards yn: *'Gŵyl Gwalia': Yr Eisteddfod Genedlaethol yn Oes Victoria, 1858-1868* (Llandysul, 1980), 370-6; 'Eisteddfod Brotest Castell-nedd', *Barn*, 378/379 (Gorffennaf/Awst 1994), 24-5; 'Tair Prifwyl Castell-nedd', yn *Nedd a Dulais* (Llandysul, 1994), 134-141. Am agweddau'r Cymry tuag at y Gymraeg yn y Brifwyl, gweler Idem, 'Y Gymraeg yn yr Eisteddfod', yn Geraint H. Jenkins, gol., *'Gwnewch Bopeth yn Gymraeg': Yr Iaith Gymraeg a'i Pheuoedd, 1801-1911* . . ., 275-95. Yr oedd y wasg Saesneg ei hiaith hefyd yn elyniaethus tuag at yr Eisteddfod, gweler Idem, 'Eisteddfodau Cenedlaethol Chwedegau'r Ganrif Ddiwethaf a'r Wasg Saesneg', yn J. E. Caerwyn Williams, gol., *Ysgrifau Beirniadol, VIII* (Dinbych, 1974), 205-25.
43. Thomas Williams ('Brynfab'), 'Adgofion Eisteddfodol', *Y Geninen*, 37 (Gorffennaf 1919), 154.

44. Cadrawd, *op. cit.*, 118.
45. Olrheinir prif gamre gyrfa Titus Lewis gan Edna Dale-Jones, 'Titus Lewis, Commercial Traveller and Man of Letters', *The Carmarthenshire Antiquary*, 27 (1991), 71-83.
46. Ceir nodyn ar yrfa Iolo Fardd Glas gan E. G. Millward yn 'Merthyr Tudful: Tref y Brodyr Rhagorol', yn Hywel Teifi Edwards, gol., *Merthyr a Thaf*. . ., 51.
47. Am ymdriniaeth ddiddorol ar yrfa'r ddau, gweler Richard M. Crowe, 'Thomas Richards a John Walters: Athrawon Geiriadurol Iolo Morganwg', yn Hywel Teifi Edwards, gol., *Llynfi ac Afan, Garw ac Ogwr* . . ., 227-51.
48. G. J. Williams, *Traddodiad Llenyddol Morgannwg* (Caerdydd, 1948), 305.
49. Brian Ll. James, 'The Cowbridge Printers', yn Stewart Williams, gol., *Glamorgan Historian, Volume 4* (Cowbridge, 1967), 232-9.
50. G. J. Williams, 'Daniel Walters: A Poet of the Vale', yn Stewart Williams, *Glamorgan Historian, Volume 3* (Cowbridge, 1966), 238-43.
51. [William Williams], 'William Howells, o Longacre, Llundain', *Y Traethodydd*, 5 (Ebrill 1849), 157-8.
52. *Ibid.*, 157.
53. 'Teithiau Yr Hen Bacman', *Y Gwladgarwr*, 19 Mawrth 1870.
54. Ceir manylion am deulu John Walters yn G. J. Williams, *Iolo Morganwg* (Caerdydd, 1956), 391-411. Ar Thomas Richards, gweler hefyd Brian Ll. James, *Thomas Richards, 1710-1790: Curate of Coychurch, Scholar and Lexicographer* (Llangrallo, 1990), [11].
55. Bu farw William Hopkin, y Cymer, ar 21 Chwefror 1896, yn 74 mlwydd oed. Fe'i ganwyd ym 1822, ac fe'i priodwyd ag Ann Gibbs pan oedd yn hanner cant oed, a hithau yn ei hugeiniau. Gweler *Y Tyst*, 6 Mawrth 1896, 6. Yr oedd brawd yr hen weinidog, Rhys Hopkin, Blaen Caerau, Tir Iarll, yn dad-cu i Syr Rhys Hopkin Morris, a fu'n Aelod Seneddol Rhyddfrydol dros etholaeth Gorllewin Caerfyrddin rhwng 1945 a'i farw ym 1956.
56. Gweler Ronald Williams, 'The Influence of Foreign Nationalities on the Life of the People of Merthyr Tydfil', *The Sociological Review*, 18 (1926), 148-52. Diddorol a dadlennol hefyd yw astudiaeth Innes Macleod, 'Merthyr Tydfil and the Dumfries and Galloway Connection', *Merthyr Historian*, 12 (2001), 131-42. Ceir ymdriniaeth ddiddorol ar bedlerwyr o Iddewon gan Betty Naggar, *Jewish Pedlars and Hawkers* (Camberley, 1992).
57. Edward Matthews, 'Mr William Watson, Abercynffig', *Y Cylchgrawn*, 5 (Hydref 1873), 349. Gweler hefyd J. J. Morgan, *Cofiant Edward Matthews, Ewenni* (Yr Wyddgrug, 1922), 13-14. Priododd George Watson â Mary, gor-wyres Dafydd Niclas (1705?-1774), a fu'n fardd teulu ym mhlas Aberpergwm, Glyn Nedd, y priodolir iddo awduraeth 'Y Deryn Pur'. Gweler G. J. Williams, *Traddodiad Llenyddol Morgannwg* (Caerdydd, 1948), 241-3, 292-300; Eliseus Howells, 'Howell Harris a Siôn Bradford', *Cylchgrawn Cymdeithas Hanes y Methodistiaid Calfinaidd*, 36 (Mawrth 1951), 19-23.
58. Huw Williams, 'Merthyr Tydfil and its Scottish Connections', *Merthyr Historian*, 10 (1999), 269-81. Gweler hefyd T. F. Holley, *The Merthyr Tydfil Caledonian Society: Notes Compiled From Newspapers* (Merthyr Tydfil, 1997).

59. Marjorie Sykes, 'Anything Out of the Pack', *History Today*, 27 (December 1977), 817-820. Gweler hefyd 'The Man With a Pack', yn Dorothy Davis, *A History of Shopping* (London, 1966), 236-47; 'Itinerant Retailing', yn David Alexander, *Retailing in England During the Industrial Revolution* (London, 1970), 61-86.
60. Ceir nodyn bywgraffyddol amdano gan Daniel Griffiths ('Brythonfryn'), 'Marwolaeth Rhydderch ab Morgan', *Y Gwladgarwr*, 27 Chwefror 1880.
61. 'Delio â'r Pacman', yn W. Llywel Morgan, gol., *Gweithiau y Diweddar Barch Edward Matthews, Ewenni* (Dolgellau, 1911), 120-2.
62. Am drafodaeth fywiog a diddorol ar y bywyd Cymreig yn Scranton, gweler William D. Jones, *Wales in America: Scranton and the Welsh* (Cardiff, 1993).
63. Gweler Aled Jones a Bill Jones, *Welsh Reflections: 'Y Drych' and America, 1851-2001* (Llandysul, 2001), 37-8.
64. Cyhoeddwyd nodyn i'w goffáu gan Dewi Cwm Twrch ar tudalen blaen *Y Drych*, 17 Ionawr 1895.
65. J. E. Morgan ('Hirfryn'), 'Eos Wyn', *Y Dysgedydd*, 107 (Gorffennaf 1928), 183.
66. Cerddi tebyg yw 'Golygfa o Ystafell y Cystuddiedig', *Y Gwladgarwr*, 24 Awst 1872; 'Ymgom y Cystuddiedig', *ibid*, 11 Ionawr 1873; 'Y Bedd', *Seren Cymru*, 11 Mawrth 1870.
67. 'Y Diweddar Eos Wyn, Alltwen: Arwr "Ystafell y Cystuddiedig"', *Cwrs y Byd*, 2 (Mai 1892), 81-3. Cyhoeddwyd hefyd yn *Llais Llafur*, 15 Rhagfyr 1900. Gweler hefyd G. Llewelyn, 'Marwolaeth a Chladdedigaeth Mr Edward Young (Eos Wyn), Alltwen', *Y Celt*, 26 Chwefror 1892.
68. Ceir portread diddorol ohono gan E. Morgan ('Hirfryn'), yn *Hanes Hen Frodorion Gellinudd o'r Flwyddyn 1868 Hyd 1908, yn Cynnwys Ystoriau Difyr a Doniol* (Abertawe, 1908) 56-61.
69. 'He was never a skilful craftsman', medd ei gofiannydd amdano. 'On the contrary, most of his victims seem to have been violently convulsed for several minutes after he had released the trap-door'. Gweler Horace Bleackley, *The Hangmen of England* (London, 1929), 209-27; Geoffrey Abbott, 'Rulers of the Rope', yn *Lords of the Scaffold: A History of the Executioner* (Orpington, 2002), 135-6.
70. Walter William Hunt, 'To Guard My People': *An Account of the Origin and History of the Swansea Police* (Swansea, 1957), 60-61. Am drafodaethau diddorol ar ymddygiad afreolus y tyrfaoedd a arferai grynhoi ynghyd i wylio digwyddiadau fel hyn, gweler: Thomas W. Laquer, 'Crowds, Carnival and the State in English Executions, 1604-1868', yn A. L. Beir a David Cannadine, gol., *The First Modern Society: Essays in English History in Honour of Lawrence Stone* (Cambridge, 1989), 205-355; Harry Potter, 'An Open-air Entertainment, 1840-1850', yn *Hanging in Judgement: Religion and the Death Penalty in England from the Bloody Code to Abolition* (London, 1993), 64-79; 'The Scaffold and the Crowd', yn V. A. C. Gatrell, *The Hanging Tree: Execution and the English People* (Oxford, 1994), 29-105.
71. Gweler Peter J. Goodall, *For Whom the Bell Tolls: A Century of Executions* (Llandysul, 2001), 36-41. Yn ôl Steve Fielding, 'It was partly as a result of the sickening spectacle of a Calcraft execution, and the unruly crowd behaviour, that eventually persuaded

Parliament to sanction private executions in 1867'. Gweler ei gyfrol, *The Hangman's Record. Volume One 1868-1899* (Beckenham, 1994), xvi.

72. Brithir tudalennau gwasg gyfnodol Gymraeg canol y bedwaredd ganrif ar bymtheg â llu o erthyglau ar 'bwyllwyddeg' a'r 'gelfyddyd fesmeryddawl'. Gweler er enghraifft, y ddwy erthygl ddienw 'Mesmeriaeth', *Seren Gomer*, 30 (Chwefror 1847), 58-9; 'Mesmeriaeth', *Y Gwladgarwr* [Cymdeithas Ddyngarol y Gwir Iforiaid], 2 (Ebrill 1851), 118-19. Ar dwf a phoblogrwydd mesmeriaeth, gweler Jonathan Miller, 'Mesmerism', *The Listener*, 22 (November 1973), 685-90; Fred Kaplan, '"The Mesmeric Mania": The Early Victorians and Animal Magnetism', *Journal of the History of Ideas*, 35 (1974); Roy Porter, 'Under the Influence', *History Today*, 35 (September 1985), 22-9; Alison Winter, *Mesmerized: Powers of Mind in Victorian Britain* (Chicago, 1998).
73. Ar hyn, gweler Terry M. Parssinen, 'Mesmeric Performers', *Victorian Studies*, 21 (Autumn 1977), 87-104.
74. *Cyfaill y Werin* [Castellnewydd Emlyn], 7 Chwefror 1862; G. A. Hutchins, 'Half a Century's Personal Recollections of Carmarthen', *The Carmarthen Journal*, 11 March 1910.
75. 'Llith yr Hen Domos', *Y Gwladgarwr*, 3 Mai 1862.
76. Jonah Evans, *Traethawd ar Hen Gymeriadau Cwmgors a'r Waun o'r Flwyddyn 1840* (Brynaman, *c.*1910), 34.
77. Ar John Vaughan (1799-1868), gweler H. G. Reid, gol., *Middlesbrough and its Jubilee. A History of the Iron and Steel Industries, With Biographies of Pioneers* (Middlesbrough-on-Tees, 1881), 130-41; Tony Nicholson, '"Jacky" and the Jubilee: Middlesbrough's Creation Myth', yn A. J. Pollard, gol., *Middlesbrough Town and Community, 1830-1950* (Stroud, 1996), 32-52.
78. Adroddir yr hanes yn llawn gan G. J. Williams yn *Iolo Morganwg: Y Gyfrol Gyntaf* (Caerdydd,1956), xiii-xiv.
79. Ceir bywgraffiad llawn o Edward Williams yn *South Wales Institute of Engineers Centenary Brochure, 1857-1957* (Cardiff, 1957), 41-3.
80. Richard Lewis a David Ward, 'Culture, Politics and Assimilation: The Welsh on Teeside, *c.*1850-1940', *Cylchgrawn Hanes Cymru*, 17 (Rhagfyr 1995), 550-70. Emrys Jones, 'Yr Iaith Gymraeg yn Lloegr, *c.*1800-1914', yn Geraint H. Jenkins, gol., *Iaith Carreg Fy Aelwyd:: Iaith a Chymuned yn y Bedwaredd Ganrif ar Bymtheg* (Caerdydd, 1998), 235, 252. Ymfudodd mintai o 33 o Gymry i ardal Kelloe mor gynnar â 1844, fel y tystiodd un ohonynt, W. Gittins, mewn erthygl o'i eiddo, 'Ychydig o Hanes y Cymry yn Ngogledd Lloegr', yn *Y Gwladgarwr*, Tachwedd 1859. Ceir rhagor nag un adroddiad am y sefydliadau Cymreig hyn yn y wasg newyddiadurol a chylchgronol, gweler er enghraifft: I. Ab Arthur, 'Trem ar Sefyllfa y Cymry yn Ngweithfeydd Haiarn Gogledd Lloegr', *Seren Cymru*, 29 Tachwedd 1859, 442-4; Richard Davies, 'Hanes y Sefydliad Cymreig yn Walker, Newcastle-on-Tyne: Traethawd Buddugol Eisteddfod Walker, Ionawr 1860', *Y Diwygiwr*, 25 (Gorffennaf 1860), 197-204.
81. B. J. D. Harrison, 'Ironmasters and Ironworkers', yn C. A. Hempstead, gol., *Cleveland Iron and Steel: Background and Nineteenth Century History* (Middlesbrough, 1979), 238.

82. Gweler yr adroddiadau a ganlyn: Thomas Mathews, 'Achos y Bedyddwyr Cymreig yn Middlesborough', *Y Bedyddiwr*, 15 (Tachwedd 1856), 344; D. Oliver Edwards, 'Gohebiaeth o Ogledd Lloegr: Cyfarfod Blynyddol y Methodistiaid yn Portrack Lane, Stockton-on-Tees', *Y Gwladgarwr*, 15 Hydref 1875; E. Evans, 'Yr Achos [Annibynnol] yn Middlesbro, Yorkshire', *Yr Anybynwr*, 6 (Ebrill 1862), 101-3.
83. David Rees, 'Pythefnos yn Ystlysau y Gogledd', *Y Diwygiwr*, 24 (Mehefin 1859), 178-82.
84. [Sarah Jane Rees ('Cranogwen')], 'Ymweliad â Gogledd Lloegr', *Y Traethodydd*, 23 (1868), 288-9.
85. 'Y Cymry yn Ngogledd Lloegr: Stockton-on-Tees', *Y Gwladgarwr*, 17 Awst 1867. Treuliodd Morgan Evans ('Meurig Aman') bedair blynedd yng ngweithfeydd haearn Middlesbrough, ond ymfudodd i Scranton, Pennsylvania ym 1868, lle y bu farw 2 Rhagfyr 1894.
86. Er enghraifft: 'Mawlgerdd i'r Parch. T. Price (Carnhuanawc), Crughywel', *Seren Gomer*, 26 (Mai 1843), 147; 'Y Llosgfryn', *Y Diwygiwr*, 27 (Mawrth 1862), 85-6; 'Pryddest ar Ddychweliad Israel o Gaethiwed Babylon', *ibid.*, 32 (Tachwedd 1867), 336-342.
87. Thomas Rees a John Thomas, *Hanes Eglwysi Annibynol Cymru, II* (Lerpwl, 1872), 118-19; [David Glannedd Williams] 'Glannedd', *Hanes Eglwys Annibynol Addoldy, Glynnedd* (Glyn Nedd, 1912), 14-16..
88. Ceir bywgraffiadau ohono gan D. Emlyn Evans, 'Ein Cerddorion: Asaph Glyn Ebwy', *Y Cerddor*, 14 (Awst 1902), 86-7; W. Cynon Evans, 'Asaph Glyn Ebwy', *Cymru*, 33 (Medi 1907), 137-8.
89. '"Candid Welshman" y *Western Mail*', *Y Gwladgarwr*, 15 Hydref 1880.'
90. *Ibid.*, 21 Ionawr 1881.
91. *Ibid.*, 29 Hydref 1880.
92. Ceir trafodaeth fer ar hynt a helynt y Cymry ym Middlesbrough ar droad yr ugeinfed ganrif gan D. Ben Rees, 'Oes Aur Cymry Middlesbrough a'r Cyffiniau', *Y Casglwr*, 75 (Haf 2002), 6.
93. 'Y Diweddar Cymro Gwyllt', *Tarian y Gweithiwr*, 8 Tachwedd 1894.
94. Am weithgareddau rhai o'r asiantaethau ymfudo hyn, gweler Bill Jones, '"We Will Give You Wings to Fly": Emigration Societies in Merthyr Tydfil in 1868', *Merthyr Historian*, 13 (2001), 27-47.
95. Richard D. Thomas, *Hanes Cymry America. Dosran C: Cyflawn Olygfa ar Gymry America, a'u Sefydliadau, a'u Heglwysi a'u Gweinidogion, a'u Cerddorion, a'u Beirdd, a'u Llenorion, &c.* (Utica, 1872), 78; 'Hysbysiadau', 14.
96. Walter Haydn Davies, *The Right Place – The Right Time: Memories of Boyhood Days in a Welsh Mining Community* (Llandybïe, 1972). 40-2.
97. Rowlant Dafydd, 'America Eto', *Y Gwladgarwr*, 21 Mawrth 1868.
98. 'Y Diweddar Cymro Gwyllt', *Tarian y Gweithiwr*, 18 Hydref 1894.
99. Glanmor Williams, 'Y Baradwys Bell? Cymru a'r Unol Daleithiau, 1776-1914', yn *Grym Tafodau Tân: Ysgrifau Hanesyddol ar Grefydd a Diwylliant* (Llandysul, 1984), 225.

100. John Davies, *Hanes Cymru* (Llundain, 1990), 397.
101. Alan Conway, gol., *The Welsh in America: Letters From the Immigrants* (Minneapolis, 1961).
102. Hiram James, 'Taith o Aberaman i Harmony, America', *Y Gwladgarwr*, 14, 21, 28 Gorffennaf 1882.
103. Anfonodd John J. Jones, gynt o Ddowlais, nifer o lythyrau at ei gyfaill Roger Evans, a threfnodd hwnnw i un o'i gydnabod gyfieithu dau lythyr i'r Gymraeg yn arbennig ar gyfer eu cyhoeddi yn *Y Gwladgarwr.* Gweler 'Llythyr o Missouri, America', *ibid.*, 27 Chwefror 1869.
104. M. P. Howells Gynt o Moss Row, Aberdâr, 'Llythyr o America', *ibid.*, 25 Gorffennaf 1868.
105. Ceir disgrifiadau manwl o gyflwr y llongau a'r amodau teithio arnynt yn nwy bennod Philip Taylor 'The Journey Under Sail', a 'The Journey by Steam', yn *The Distant Magnet: European Emigration to the U.S.A.* (London, 1971), 131-66. Gweler hefyd Terry Coleman, *Passage to America: A History of Emigrants From Great Britain and Ireland to America in the Mid-nineteenth Century* (London, 1972).
106. John Davies, 'Llythyr o Ohio, America', *Y Gwladgarwr*, 25 Ebrill 1868.
107. 'Llythyr o America. Henry T. Jones (Eryr Glan Tawe) o Amddiffynfa Lincoln, Washington', *ibid.*, 7 Mai 1864.
108. Hiram James, 'Taith o Aberaman i Harmony, America', *ibid.*, 21 Gorffennaf 1882.
109. Asariah Richards, 'Gair at Ymfudwyr', *ibid.*, 6 Mehefin 1868.
110. William Thomas Gynt o Birchgrove, 'Taith o Liverpool i America', *ibid.*, 16 Medi 1865.
111. *Ibid.*, 23 Medi 1865.
112. 'Llythyr Charles Evans, Gynt o Ferthyr, o New Pittsburgh Mines, St Louis', *ibid.*, 11 Ebrill 1868.
113. Gweler 'Mordaith i America', *ibid.*, 20 Tachwedd 1869.
114. Henry Jones, 'Mordaith y Llong *Francis Andrew Palmer* o Lerpwl i New York', *ibid.*, 16 Awst 1862.
115. John Davies, 'Taith o Aberdâr i British Columbia', *ibid.*, 24 Mai 1862.
116. Henry Jones, *op. cit.*
117. Hiram James, 'Taith o Aberaman i Harmony, America', *op. cit.*, 21 Gorffennaf 1882.
118. Olrheiniodd Rhidian Griffiths hanes ei chyfansoddi yn 'Genedigaeth Myfanwy', *Yr Aradr* [Coleg yr Iesu, Rhydychen], 7 (Nadolig 1996), 157-61.
119. Ceir hanes yr achos yn 'Cynghaws yn Erbyn Thomas G. Price (Cuhelyn)', *Y Seren Orllewinol* [Pottsville, Pennsylvania], 15 (Ionawr 1858), 19.
120. Ceir disgrifiad llyfryddol llawn o'r cylchgrawn yn Huw Walters, *Llyfryddiaeth Cylchgronau Cymreig, 1851-1900* (Aberystwyth, 2003), 41.
121. Gweler er enghraifft rifynnau 24 Ionawr 1863; 27 Chwefror, 14, 21 Mai, 6, 13 Awst 1864. Y llythyrau hyn, ynghyd â rhai eraill a gyhoeddwyd yn newyddiaduron y de, a fu'n sail i ddwy astudiaeth Alan Conway, 'Welsh Gold Miners in British Columbia During the 1860s', *British Columbia Historical Quarterly*, 1957, 51-74; *The National Library of Wales Journal*, 10 (Winter 1958), 375-89.

122. Am ddisgrifiad llyfryddol o'r cylchgrawn gweler Huw Walters, *Llyfryddiaeth Cylchgronau Cymreig, 1851-1900 . . .*, 156.
123. Gweler 'Cuhelyn Wedi Marw', *Y Drych*, 26 Mai 1870. Ymhlith pethau eraill, dywedir yno: 'Er pan ddaeth drosodd i'r wlad hon tua deunaw mlynedd yn ôl, teithiodd lawer yn y Taleithiau ac yn California, a gwelodd lawer o lwyddiant ac o aflwyddiant, o wên ac o ŵg y byd. Cafodd ef, fel llawer eraill, cynt a wedyn, lawer o ofid gan ormes bosyddol am feiddio amddiffyn iawnderau y tlawd, yr hwn a sethrid ac a amherchid gan Pharaohaid diegwyddor y wlad'.
124. Ceir ymdriniaeth gynhwysfawr ar y rhan y chwaraeodd y Cymry yn y Rhyfel Cartref gan Jerry Hunter yn *Llwch Cenhedloedd: Y Cymry a Rhyfel Cartref America* (Llanrwst, 2003).
125. Gwobrwywyd y gerdd mewn cystadleuaeth yn un o eisteddfodau Maesteg ym 1870. Gweler *Y Gwladgarwr*, 9 Tachwedd 1872.
126. Ar yrfa John Hughes, gweler: Samuel Knight, 'John Hughes and Yuzovka', *Planet*, 21 (January 1974), 35-41; E. G. Bowen, *John Hughes (Yuzovka), 1814-1889* (Caerdydd, 1978); Theodore H. Friedgut, 'The Genesis of Iuzovka', yn *Iuzovka and Revolution: Life and Work in Russia's Donbass, 1869-1924* (Princeton, New Jersey, 1989), 14-38; Idem, 'John Hughes of Iuzovka: The Motivations and Moral Code of a Welsh Entrepreneur in Russia', *Llafur*, 5 (1991), 79-89; Susan Edwards, *Hughesovka: A Welsh Enterprise in Imperial Russia* (Cardiff, 1991).
127. 'Llythyr o Rwsia', *Y Gwladgarwr*, 22 Hydref 1870.
128. 'Llythyr o America', *ibid.*, 19 Mawrth 1864.
129. 'Taith Lewis Job, Dilledydd, Gynt o Heolyfelin, Aberdâr o Liverpool i New York', *ibid.*, 15 Tachwedd 1862.
130. Glyn Tegai Hughes, *Islwyn* (Caerdydd, 2003), 230.
131. 'Dau Gyfaill', 'Dan Rhys, Caernarfon', *Y Geninen*, 35 (Gŵyl Ddewi 1917), 23.
132. Yr oedd Rees Lewis (1804-1886), yn un o ddisgyblion Taliesin ab Iolo; treuliodd gyfnod o brentisiaeth yn swyddfa Thomas Price, argraffydd a rhwymwr llyfrau ym Merthyr, ac agorodd ei swyddfa argraffu ei hun ym 1843. Yno yr argraffwyd *Y Fellten* rhwng 1868 a 1876. Ceir bywgraffiad o'r argraffydd, ynghyd â rhestr ddethol o eitemau a argraffwyd yn ei swyddfa, gan T. F. Holley, 'Rees Lewis, Merthyr Printer', *Merthyr Historian*, 14 (2002), 89-109.
133. Un o feibion David (1783-1869) ac Anna (1790-1869) Griffiths, Penrhyn Cuch, Cenarth. Ceir teyrngedau ganddo i'w rieni yn 'Fy Nhad a'm Mam', *Y Cronicl*, 28 (Mawrth 1870), 67-71. Yr oedd ei fam yn chwaer i Margaret Jones, mam y Parchedig Josiah Jones, gweinidog eglwys Annibynnol Y Graig, Machynlleth. Yr oedd Jones yn un o sefydlwyr Undeb yr Annibynwyr Cymraeg ym 1872, ac ef oedd ei ysgrifennydd cyntaf. Priododd â Mary Ann, merch Sarah Davies (1764-1855), hithau yn un o ferched William Williams, Pantycelyn. Gweler 'Nodiadau Coffadwriaethol am y Diweddar Hybarch Josiah Jones, Machynlleth', *Y Dysgedydd*, 94 (Mehefin 1915), 245-9.
134. Huw Morris, 'Oriel y Beirdd, XVII', *Y Gwladgarwr*, 20 Ionawr 1878. Er nad enwir Brythonfryn fel gwrthrych yr erthygl hon, ysgrifennwyd ei enw mewn pensil wrth

odre'r golofn yn y copi sydd yng nghasgliadau Llyfrgell Genedlaethol Cymru. Cyhoeddwyd nifer o bryddestau Brythonfryn yn llyfrynnau o bryd i'w gilydd, er enghraifft: *Daniel Rowland, Llangeitho* (Castellnewydd Emlyn, 1865); *Bywyd a Marwolaeth Caleb Morris* (Llanelli, 1866); *Crefydd. Pryddest Fuddugol Eisteddfod Gadeiriol Eryri, Caernarfon, 1879* (Llanelli, 1884). Ef a fu'n gyfrifol am y detholiad *Moral, National, and Patriotic Songs and Lyrics of Wales. Caneuon a Thelynegion Moesol, Cenedlaethol a Gwladgarol Cymru* (Aberdâr, 1887). Rhestrir y cerddi o'i waith a gyhoeddwyd yn y chwarterolyn *Y Beirniad*, gan Huw Walters yn *Yr Adolygydd a'r Beirniad: Eu Cynnwys a'u Cyfranwyr* (Aberystwyth, 1996), 63. Bu Brythonfryn yn brysur fel darlithydd hefyd, ac ymddangosodd ei ddarlith boblogaidd *Pregethu a Phregethwyr* o Swyddfa'r Herald yng Nghaernarfon ym 1874.

135. Ychydig iawn a wyddys am Arthur Rhys Thomas, rhagor na'i fod yn frodor o dref Aberteifi. Yn Alfreton, Swydd Derby, y preswyliai pan gyhoeddwyd ei gyfrol *Gwladys Williams: A Thrilling Narrative of Wales and of Welsh Characters*, gan J. R. James yn Aberteifi. Trigai yng Nghaerlŷr ym 1869. Cyhoeddwyd ei gyfieithiad o *Cân y Caniadau* gan David Rees, yn Llanelli, ym 1870, a phreswyliai yn Llundain y flwyddyn honno.
136. 'Brythonfryn a'i Elynion', *Y Byd Cymreig*, 4 Ebrill 1867. *Westby*, nid Westley Gibson, fel y dywed Arthur Rhys Thomas, oedd enw awdur *Forest and Fireside Hours: Poems.* Ceir copi o'r gwaith yn y Llyfrgell Brydeinig, rhif silff: 11647.b.84.
137. 'Brythonfryn at Arthur Rhys Thomas', *Y Gwladgarwr*, 2 Mai 1867.
138. Huw Morris, 'Oriel y Beirdd, XVII', *op. cit.* Trafodir helynt cystadleuaeth y ddychangerdd yn Eisteddfod Iforaidd Aberdâr, y bu gan Islwyn, Brythonfryn, Dewi Wyn o Essyllt a Dewi Haran ran amlwg ynddi, yng ngholofnau'r *Gwladgarwr* yn ystod haf 1876, gan Glyn Tegai Hughes, *op. cit.*, 235-8.
139. Brythonfryn, 'Hanes y Côr Mawr', *Y Gwladgarwr*, 25 Mehefin, 19 Tachwedd 1875.
140. Er enghraifft: 'Gonestrwydd yn Gorchfygu: Mary Pugh a Jane Williams o Ddeheudir Cymru, 13 Rhagfyr 1873 – 21 Chwefror 1874; 'Y Cartref Goleuedig', 28 Chwefror – 9 Mai 1874; 'Anturiaethau Cymro, Neu Helyntion Teithiol a Mordwyol Owen Gruffydd', 11 Gorffennaf – 12 Medi 1874; 'Edmwnd Gruffydd, Neu yr Amaethwr Llwyddiannus', 7 Mai – 16 Gorffennaf 1875; 'Dafydd Wiliam, Neu Amrywiaethau Bywyd y Glöwr', 30 Gorffennaf – 6 Awst 1875.
141. Gweler trafodaeth Hywel Teifi Edwards, 'Ar Drywydd y *Magnitudes* Barddol', yn Gwyn Thomas, gol., *Ysgrifau Beirniadol, XXVI* (Dinbych, 2003), 52-74.
142. Owen Morgan ('Morien'), 'Owen of Wales yn Llorio Samson', *Y Gwladgarwr*, 16 Gorffennaf 1875.
143. Ceir yr hanes yn llawn mewn nodyn 'At y Cyhoedd', *ibid.*, 16 Chwefror 1877.
144. Y mae hanes Ieuan Glan Alarch yn gyfareddol. Ymwelodd â Phalesteina, ac ymhlith ei amryfal gyhoeddiadau y mae *Iddewon Prydain* (1852), *Palestina: Sef Hanes Taith i Ymweled âg Iuddewon Gwlad Canaan* (1858). Ef hefyd oedd golygydd *Y Beirniadur Cymreig*, y cyhoeddwyd deunaw o'i rifynnau rhwng mis Ionawr 1845 a mis Mehefin 1846. Adroddir hanes ei yrfa gan Nathaniel Cynhafal Jones yn *Buchdraeth y Parch. John Mills* (Aberdâr, 1881).

145. J. Iorwerth Davies, 'The History of Printing in Montgomeryshire: The Printers of Llanidloes, John Jones ('Idrisyn'), *The Montgomeryshire Collections*, 73 (1985), 42. Bu farw John Mills a arddelai'r ffugenw 'Tarianydd', ar 18 Hydref 1925. Ceir portreadau diddorol ohono yn *The South Wales News*, 19 Chwefror 1924 a 19 Hydref 1925. Cyhoeddwyd ysgrif goffa iddo yn *Y Goleuad*, 28 Hydref 1925. Ceir dwy drafodaeth ar gyfraniad y teulu i ddiwylliant cerddorol Cymru gan Huw Williams, 'Miwsig Llanidloes', *Y Casglwr*, 14 (Awst 1981), 8; 'Agweddau ar Waith Teulu'r Millsiaid, Llanidloes', *Trafodion Anrhydeddus Gymdeithas y Cymmrodorion*, 1984, 95-113.
146. Dyfarnwyd 'Y Llosgfynydd', yn ail orau gan Islwyn a Hwfa Môn yn Eisteddfod Pwllheli ym 1875, ac fe'i cyhoeddwyd yng ngholofn 'Samson' [sef Brythonfryn], dan y teitl 'Adgofion Barddol ac Eisteddfodol', yn *Y Gwladgarwr*, 14 Mai 1875.
147. 'Brythonfryn a'i "Losgfynydd"', *ibid.*, 1 Hydref 1875.
148. 'Yr oedd pob perthynas rhyngddo a'r eglwys, wedi darfod flynyddau cyn ei farw', medd John Thomas, *Hanes Eglwysi Annibynol Cymru*, *V* (Dolgellau, 1891), 218. Ond arall yw tystiolaeth Elwyn P. Howells yn *Eglwys Annibynnol Soar, Penderyn* (Penderyn, 1960), 13-14. Dywedir yno mai ym mis Ebrill 1888, blwyddyn cyn ei farw, yr ymadawodd Brythonfryn â'r eglwys.
149. J. Hathren Davies, 'Beirdd Dyfed: D. Brythonfryn Griffiths, 1837-1889', *Cymru*, 39 (Tachwedd 1910), 239-40.
150. Ceir bywgraffiad byr ohono yn Ben Morus, *Enwogion Aberdâr* (Llanbedr Pont Steffan, 1910), 16-17.
151. Brynley F. Roberts, 'Argraffu yn Aberdâr', *op. cit.*, 13.
152. Pierce Owen, 'Can Mlynedd Newyddiaduriaeth Gymreig', *Y Traethodydd*, 71 (Ebrill 1916), 151.
153. John Mills, 'In Memoriam: *Y Gwladgarwr*', *Tarian y Gweithiwr*, 2 Tachwedd 1882.
154. Yn ôl T. M. Jones ('Gwenallt'), 'parhaodd i fyned yn mlaen hyd oddeutu y flwyddyn 1883, pryd, ar gyfrif rhesymau teuluaidd a chyfrinachol, y rhoddwyd ef i fyny yn fuan ar ôl marwolaeth ei berchenog'. Gweler *Llenyddiaeth Fy Ngwlad* (Treffynnon, 1893), 26.

PONTYPRIDD A'R CYLCH: GWLAD BEIRDD A DERWYDDON

> Y mae plwyf Llanwynno wedi gweld cyfnewidiadau mawrion yn ddiweddar. Y mae'r trwst a'r prysurdeb, y cyffro a'r ystŵr sydd yn awr wedi cymryd lle y tawelwch a'r unigrwydd hirfaith, yn ddigon i beri i Gwynno Sant godi ar ei eistedd yn ei fedd a melltithio y bobl sydd wedi torri ar heddwch y plwyf, ac wedi aflonyddu ar un o hen dawelfannau natur . . . Ow! fy hen Lanwynno, goddiweddwyd dithau o'r diwedd gan draed y gelyn. Sathrwyd ar gysegredigrwydd dy gaeau prydferth, gyrrwyd dy adar perorus ar encil, gweryrodd y march tanllyd, ac ysgrechodd fel mil o foch ar dy lanerchau heirdd. Mor deg, mor dawel, mor bur, mor ddistaw, mor annwyl oeddit cyn i'r anturiaethwyr durio i'th fynwes. Ond yn awr, yr wyt fel – wel, fel pob lle y mae glo ynddo.

Geiriau William Thomas ('Glanffrwd') yn ei glasur bychan 'Plwyf Llanwynno, yr Hen Amser, yr Hen Bobl, a'r Hen Droeon', a gyhoeddwyd yn gyfres o ysgrifau wythnosol yng ngholofnau *Tarian y Gweithiwr*, y bywiocaf o newyddiaduron Aberdâr, yn ystod wythdegau'r bedwaredd ganrif ar bymtheg.[1] Gellir ymglywed â chyffro twf diwydiannol Cwm Taf a'r cylch, suddo'r pyllau glo ac agor rhwydwaith newydd o reilffyrdd a'r newidiadau cymdeithasol a ddaeth yn eu sgîl yn y geiriau hyn, a Glanffrwd, un o fechgyn y plwyf a anwyd ym 1843, yn rhamantu'n atgofus am fywyd hamddenol Llanwynno ei ieuenctid. Saif Pontypridd ym mhlwyfi Llanwynno, Llanilltud Faerdref ac Eglwysilan, – plwyfi gwledig ac amaethyddol am ganrifoedd nes datblygu'r diwydiant glo yng nghymoedd Rhondda. A dyma'r pryd y daeth y dref yn fan cyfarfod rheilffyrdd a chymoedd ac yn un o brif ganolfannau masnachol Morgannwg, a'i marchnadoedd enwog, a gynhelid bob dydd Mercher a dydd Sadwrn, yn denu'r miloedd bob wythnos.

Fel yn y rhelyw o brif ganolfannau diwydiannol Morgannwg yn ystod yr un cyfnod, megis yn Aberdâr a Merthyr Tudful, oherwydd crynhoi ac

Pontypridd tua 1830, o ddarlun gan Henry Gastineau.

amlhau poblogaeth, fe ddaeth math newydd o fywiogrwydd llenyddol yn gyffredin ym Mhontypridd a'r cylch nad hawdd ei gynnal mewn ardaloedd mwy gwasgaredig eu poblogaeth. Bu gweithgarwch llenyddol aruthrol yn y cymoedd hyn drwy gydol y bedwaredd ganrif ar bymtheg; sefydlwyd llu o gymdeithasau diwylliannol gan weithwyr y cymunedau glofaol, a buan y daeth y cyfarfod llenyddol, yr eisteddfod a'r gyngerdd yn sefydliadau o bwys ymhob tref a phentref. Rhoes twf a datblygiad y wasg gylchgronol a newyddiadurol, yn enwedig yn Aberdâr a Merthyr, ac ym Mhontypridd ac Ystalyfera yn ddiweddarach, gyfle pellach i feirdd a phrydyddion yr ardaloedd hyn gyhoeddi eu cyfansoddiadau, a chynhyrchwyd toreth o faledi, caneuon a cherddi, heb anghofio'r storïau a'r nofelau cyfres gan lowyr a gweithwyr cyffredin.

Prinder ei gynnyrch, fodd bynnag, yw un o brif nodweddion y traddodiad barddol ym Mhontypridd a'r cylch o'r cyfnodau cynharaf hyd at ddechrau'r bedwaredd ganrif ar bymtheg. Bu cryn weithgarwch llenyddol ar ran y beirdd ar gyrion yr ardal, yn enwedig yn Nhir Iarll a fu'n ganolfan i'r bywyd a'r diwylliant barddol ym Morgannwg o gyfnod Casnodyn yn y bedwaredd ganrif ar ddeg hyd at ddyddiau Siôn Bradford o'r Betws, yn hanner cyntaf y ddeunawfed ganrif. Gerllaw wedyn, yng Nglyn Rhondda, y canai Ieuan Rudd a oedd yn ei flodau tua 1470, y cadwyd dau gywydd o'i waith, – y naill i neithior Syr Rhys ap Tomas a Sioned, merch Tomas Mathau o Radur, a'r llall i'r paderau main crisial. Digon dilewyrch, felly, fu bywyd llenyddol yr ardal drwy gydol y cyfnod canol. Ond fel ymhob cymdeithas, yr oedd gan y cylch hwn ei fân brydyddion hefyd, a'r rheini'n cyflawni'r un swyddogaeth ag a gyflawnai'r pencerdd yn ei gylch yntau bron dair canrif yn gynharach. Cywyddau ac awdlau oedd cyfrwng mynegiant y penceirddiaid, ond y triban, mesur nad yw'n gofyn llawer o hyfforddiant na disgyblaeth crefft, mae'n wir, oedd dewis fesur y mân feirdd a ganai yn yr ardal ar ddiwedd y ddeunawfed ganrif a dechrau'r bedwaredd ganrif ar bymtheg. Yr oedd nifer o'r prydyddion hyn fwy neu lai yn anllythrennog, ond yr oedd i'w gwaith, serch hynny, apêl arbennig mewn rhythm ac odl. Ni welodd neb yn dda gofnodi eu cynhyrchion hyd at ail hanner y bedwaredd ganrif ar bymtheg, a chan mai llafar oedd hanfod y traddodiad prydyddol hwn, gweddillion ohono'n unig a gadwyd, a hynny gan gasglwyr fel Glanffrwd, Dyfnallt ac eraill.[2]

William Thomas ('Glanffrwd').

Neilltuir dwy bennod gan Glanffrwd yn *Llanwynno* i drafod tribanwyr y plwyf, – gwŷr fel Job Morgan, y teiliwr, Meudwy Glan Elái, y crydd o Waun yr Eirw, Ifan Cule, Gwilym Morganwg, Twm Cilfynydd, Gwilym Llanwynno a Tomos Hywel Llywelyn, sef yr enwocaf o dribanwyr y fro.[3] Arferai'r rhain gyfarfod yn gyson yng nghartrefi'r fro i gynnal dadleuon ar gân ac i ffraeo â'i gilydd ar fesur triban. Un noson, a'r beirdd yn cwrdd yn nhafarn y New Inn, cartref Gwilym Morganwg, sylweddolwyd fod pedwar ohonynt yn rhannu'r un enw bedydd, a chanodd Ifan Cule y triban hwn:

Mae pedwar Twm o'r tynna
Yn eiste mewn cornela,
Mae'n abal drysu meddwl dyn
O'r pedwar, pu'n yw'r pydra.

Canu difyfyr oedd hwn yn aml, ac edrydd Glanffrwd hanesyn am Feudwy Glan Elái yn galw yn nhafarn Brynffynnon, cartref Job Morgan, un bore dydd Nadolig gan ddatgan:

Yr addas Gymro diddig
Gwych odiaeth a charedig,
Pa fyd sydd arnoch, medd y crydd,
A'ch teulu ddydd Nadolig?

Ac atebodd Job, megis ar amrantiad:

'Rwyf fi'n cael bwyd ac iechyd
A holl gysuron bywyd;
Yn hyn o beth wyf fwya'n ôl
Sef am anfarwol fywyd.

Yr oedd cynnal dadleuon ar gân yn boblogaidd gan y prydyddion, a chofnodwyd mwy nag un ffrae ar fesur triban ymhlith y beirdd. Canent i'r gymdeithas gyfan, ac yr oedd tro trwstan a hanesyn doniol wrth fodd calon y tribanwyr hyn. Yr oedd gan rai ohonynt ddylanwad nid bychan yn eu cymdeithas yn ogystal. Yn wir, yr oedd presenoldeb bardd a thribannwr parod ei dafod mewn cymdogaeth gymharol wledig fel hon yn fodd i gadw rhai o'r trigolion mwyaf anystywallt eu buchedd ar y llwybr cul. Megis mewn ardaloedd eraill yng Nghymru'r cyfnod, cynhaliai'r tribanwyr hyn eu llysoedd eu hunain i farnu mân droseddwyr y fro.[4] Thomas Williams ('T. ab Gwilym' neu 'Twm Cilfynydd') a arferai lywyddu'r *cwlstrin* pan gynhelid hwnnw yn y cylch o bryd i'w gilydd. Arferiad tebyg i ddefod y 'ceffyl pren', a oedd yn boblogaidd yn ardaloedd de-orllewin Cymru, oedd hwn, a'i amcan oedd gwawdio gŵr neu wraig a fernid yn euog o ryw drosedd gymdeithasol neu'i gilydd, ac fe'i cynhelid yn yr awyr agored fel rheol.[5] Câi'r cyhuddiedig driniaeth arw pe profid ef yn euog o'r drosedd. Gwisgid crys gwyn amdano, fe'i rhoddid ar gefn y ceffyl teneuaf a'r mwyaf diolwg y gellid dod o hyd iddo, a gorfodid ef i farchogaeth hwnnw drwy'r ardal. Teflid pob math o lysiau pydredig ato ac fe'i gwawdid gan bawb o'r trigolion. Ceir hanes am gynnal cwlstrin ar y Tymbl ym Mhontypridd ym 1856, a Thwm Cilfynydd yn llywio'r gweithgareddau yn ôl ei arfer. Rhybuddiodd bawb o'r tystion na ddywedent ond y gwir, yr holl wir a dim ond y gwir, a galwodd ar Ifan Cule i ddod i'r llwyfan i roi ei dystiolaeth. Ufuddhaodd hwnnw gan ddatgan:

Addunes imi fy hunan
Cyn cychwyn o fy nhrigfan
Na ddwedwn un gair ond y gwir
Pe cawn i'r byd yn gyfan.[6]

Ysywaeth, ni wyddys beth fu tynged y troseddwr yn yr achos arbennig hwn.

Ond yr oedd gan y tribanwyr cynnar hyn gyfathrach agos â beirdd a phrydyddion ardaloedd eraill y de yn ystod yr un cyfnod, a dichon mai'r pwysicaf o'r rhain oedd John Davies ('Brychan') a Thomas Williams ('Gwilym Morganwg'). Yr oedd Brychan yn un o gymeriadau amlycaf y bywyd llenyddol yng nghymoedd Gwent a Morgannwg yn ystod hanner cyntaf y bedwaredd ganrif ar bymtheg. Yn ŵr hunan-ddiwylliedig, hanoedd o blwyf Llanwrthwl yn sir Frycheiniog, a bu'n forwr ac yn löwr am gyfnod cyn iddo agor siop lyfrau yn Nhredegyr yn ystod y dauddegau. Yr oedd yn un o brif gynheiliaid cymdeithas gyfeillgar yr Odyddion, a bu'n olygydd y pedwar rhifyn o *Yr Odydd Cymreig*, chwarterolyn y mudiad hwnnw ym 1842. Yr oedd hefyd yn gyfeillgar â Iolo Morganwg a'i fab Taliesin, yn ogystal â William Williams ('Y Carw Coch'), Aneurin Jones ('Aneurin Fardd'), William Jones ('Gwilym Ilid') ac eraill o'r to ifainc o brydyddion a ganai yng Ngwent a Morgannwg ar y pryd. Ond fel eisteddfodwr y daeth i'r amlwg gyntaf. Bu'n gyd-gystadleuydd â Gutyn Peris, Gwallter Mechain a Robert ap Gwilym Ddu yng nghystadleuaeth yr 'Awdl-farwnad i'r Frenhines Charlotte' yn Eisteddfod Caerfyrddin ym 1819, a gwyddys ei fod yn bresennol yn ail Eisteddfod Daleithiol Dyfed, eto yng Nghaerfyrddin ym 1823, ac Eisteddfod Daleithiol Powys a gynhaliwyd yn y Trallwng ym 1824.[7] Cymerth ran yr un mor flaenllaw hefyd yn Eisteddfodau Cymreigyddion y Fenni rhwng 1834 a 1853.[8]

Y LLINOS:

SEF,

CASGLIAD

O

GANIADAU NEWYDDION,

AR

DESTYNAU MOESAWL A DIDDAN;

ADDAS I DDENU BRYD Y

Cantorion Cymreig,

I YMHYFRYDU YN

NGHERDDORIAETH YR HEN GYMRY GYNT.

O GRONFA

BRYCHAN, TREDEGAR.

Hed, Linos fach; adlona——Gantorion,
Tra gwiwlon tir Gwalia;
Ac yn mhob man diddana
Bob gwr bynaws, doethnaws, da.

MERTHYR TYDFIL:

ARGRAFFWYD, AC AR WERTH, GAN T. PRICE.

1827.

'Y Llinos', John Davies ('Brychan'), 1827.

Brithir colofnau barddol gwasg gylchgronol hanner cyntaf y bedwaredd ganrif ar bymtheg, – yn enwedig *Seren Gomer*, gan gerddi a chaneuon, englynion ac awdlau arobryn Brychan, eithr nid eisteddfodwr yn unig mohono. Hwyrach mai ei gymwynas bennaf oedd y gyfres o flodeugerddi o ganeuon ysgafn a phoblogaidd a gynullodd ynghyd ac a gyhoeddodd rhwng 1816 a 1835. *Blwch i'r Cantorion, yn Llawn o Ganiadau Detholedig* (Abertawe, 1816) oedd y gyntaf o'r rhain. Fe'i dilynwyd wedyn gan *Llais Awen Gwent a Morganwg: Sef, Casgliad o Ganiadau Newyddion ar Destynau Difyrgar* (Merthyr Tudful, 1824); *Y Gog; Neu Ddifyrwch i'r Cantorion* (Merthyr Tudful, 1825); *Y Llinos; Sef Casgliad o Ganiadau Newyddion* (Merthyr Tudful, 1827), ac *Y Fwyalchen; Sef Cronfa o Ganiadau Newyddion* (Merthyr Tudful, 1835). Ef hefyd a fu'n gyfrwng i ddwyn *Telyn y Cantorion; Sef Cronfa Detholedig o Ganiadau Newyddion*, gan ryw John Thomas o Gaerfyrddin i olau dydd (Merthyr Tudful, 1828).[9] Caneuon, baledi, penillion telyn a thribannau yw cynnwys y llyfrynnau hyn gan fwyaf, – y math o ganu ysgafn a dueddai i ddenu gwg nifer o grefyddwyr pietistaidd y cyfnod. Medd Brychan yn ei ragymadrodd i'r argraffiad cyntaf o *Y Gog* ym 1825:

> Nid wyf heb rhag-wybod, y bydd llawer coegyn hunanol a choeg-grefyddol, yn barod i ofyn. Pa leshad yw cyhoeddi i'r byd, Ganiadau masweddol ar destynau gwaelion a distadl? Ond er cymaint o ragfarn sydd yn llechu yn mynwesau penboethiaid ein gwlad, yn erbyn cyhoeddiadau o'r fath yma, yr ydwyf yn dra hyderus fod amledd o noddwyr awenyddiaeth yn Nghymru, i roddi derbyniad awyddus i'r Llyfr bychan hwn etto, ac y mae yn ddiogel gennyf, y caiff y cyfrai lawer o foddlondeb yn y gwaith a gynwysa.

Ni ellir gorbwysleisio dylanwad Brychan ar feirdd Morgannwg a Gwent yn ystod hanner cyntaf y bedwaredd ganrif ar bymtheg, oblegid ef, drwy ei weithgarwch gyda'r cymdeithasau cyfeillgar a'r eisteddfodau, a'u cymhellodd i brydyddu a chyhoeddi eu cynhyrchion yng ngholofnau barddol *Seren Gomer*, *Y Bedyddiwr* a chylchgronau eraill y cyfnod. Cyhoeddwyd cerddi a chaneuon o'u gwaith ym mlodeugerddi Brychan yn ogystal, megis eiddo Twm Cilfynydd er enghraifft. Yr oedd ef yn un o gyfoedion Brychan, a bu'r ddau farw o fewn ychydig ddyddiau i'w gilydd ym 1864. 'Yr oeddynt yn adnabyddus a chyfeillgar iawn â'i gilydd yn eu dydd a'u tymor, ac yn fywyd o sirioldeb a digrifwch ymhob eisteddfod a chyfeillach', medd un o ohebwyr *Y Gwladgarwr*, pan fu farw Twm ym 1864.[10]

Gŵr arall a fu'n fawr ei ddylanwad ar feirdd y cymoedd hyn oedd Gwilym Morganwg. Hanoedd yntau, fel Brychan, o sir Frycheiniog, – ei dad yn felinydd o blwyf Llanddeti a symudodd i gadw Melin Gallan ar Gefncoedycymer ger Merthyr Tudful ym 1781.[11] Bu'r mab yn gweithio am gyfnod yng ngwaith haearn y Gyfarthfa cyn iddo symud at Rys Hywel Rhys o'r Faenor (gŵr y dywedir ei fod yn hyddysg iawn yng nghyfrinachau'r gelfyddyd ddu), i ddysgu ei grefft fel saer maen. Yr oedd eisoes wedi symud i fyw i Bontypridd tua 1807, lle bu'n cadw tafarn y *New Inn* hyd ei farw ym 1835. Bu'n cydweithio am gyfnod â John Jenkins, yr argraffydd a'r gweinidog o Fedyddiwr o'r Hengoed, ar fersiwn cyntaf y gwaith daearyddol *Y Parthsyllydd*, yr argraffwyd naw o'i rannau yn Abertawe rhwng 1815 a 1816. Yn wir, ymunodd mewn partneriaeth fyrhoedlog â Jenkins ym 1819 gan sefydlu swyddfa argraffu yn dwyn yr enw 'Argraffdy'r Beirdd' ym Merthyr ym 1819.[12] Ac yr oedd Gwilym Morganwg yn un o ffigurau amlycaf y mudiad eisteddfodol yn y de yn ystod chwarter canrif cyntaf y bedwaredd ganrif ar bymtheg. Daeth yn ail i Richard Jones ('Gwyndaf Eryri') yng nghystadleuaeth awdl Cymdeithas y Gwyneddigion ar y testun 'Haeddedigol Goffadwriaeth am Hynafiaid y Cymry, a'u Hymdrechion Y'mhlaid Rhyddid', yn Eisteddfod Llangefni ym 1816. Gwyddys hefyd ei fod ymhlith y saith cystadleuydd a ymgeisiodd am y gadair yn Eisteddfod Caerfyrddin ym 1819 pan ofynnwyd am 'Awdl ar Farwolaeth Syr Thomas Picton'.[13]

Crybwyllwyd eisoes mai yn nhafarn y *New Inn*, cartref Gwilym Morganwg ym Mhontypridd, y cyfarfyddai tribanwyr y cylch o bryd i'w gilydd, a gwyddys iddo gynnal rhai eisteddfodau yno yn ogystal, pan ddeuai rhai o feirdd Merthyr Tudful a Chwm Taf ynghyd i gystadlu â'i gilydd. Beirdd oedd y rhain fel William Moses ('Gwilym Tew Glan Taf'), David Saunders ('Dafydd Glan Taf'), Edward Williams ('Iolo Fardd Glas') ac eraill o aelodau Cymdeithas Cymreigyddion Merthyr a gynhaliai eisteddfodau llewyrchus yn nhafarnau'r dref a'r pentrefi cyfagos.[14] Dichon i'r gyfathrach hon â beirdd Merthyr fod yn ddylanwad ar brydyddion cylch Pontypridd hwythau, – megis Twm Cilfynydd ei hun er enghraifft, a ganodd osteg o englynion coffa i Wilym Tew o Lan Taf, ac a gyhoeddwyd yn *Seren Gomer* ym mis Awst 1825. A phan fu farw Gwilym Morganwg ym 1835 fe'i marwnadwyd yntau gan brydyddion ifainc Cwm Taf. Fe'i disgrifiwyd fel 'athro beirddion' gan Edward Williams ('Iolo Mynwy'), a chyfeiriodd William Davies ('Gwilym Grawerth') at y golled a ddaeth i ran 'y lân Gymdeithas' ym Mhontypridd gyda'i farw.[15] Ond y peth pwysicaf i'w ddweud amdano, yw mai ef, yn ôl traddodiad y beirdd, a ddilynodd Iolo Morganwg fel 'Archdderwydd' ym Morgannwg. Adwaenai Iolo yn dda, – yn wir, canodd gywydd marwnad nodedig iddo, sy'n cynnwys y llinellau hyn:

Och, flinder! Och, drymder dro!
Och, alar oer! Och, wylo!
Wylo, wylo, ac eilwaith,
Wylo ar ôl eiliwr iaith.
Collodd y gân ddiddan, ddoeth
Ei chof, ei braint, ei chyfoeth,
Trwy iddi golli y gŵr,
Iolo, ei phennaf eiliwr.
O, Iolo, beth ddaw eilwaith
O'n goreurog, enwog iaith?
O! ti fu'n dŵr, ti fu'n dad
Iddi ymhob adweddiad, –
Pen noddwr! Pwy un heddiw
A faidd ei chynnal yn fyw.
Och, feirdd fu gynt yn heirddion!
Darfu dydd eu llywydd llon;
Darfu porth eu cynhorthwy,
Darfu lles eu hanes hwy;
Darfu rhin y gyfrinach,
Darfu ceisio Iolo iach![16]

Megis y gwnaeth y mwyafrif llethol o'i gyfoedion, llyncodd Gwilym Morganwg y cwbl o syniadau Iolo yn ddigwestiwn, ac yn enwedig ei ddamcaniaethau ynghylch Gorsedd y Beirdd. Yr oedd Iolo, erbyn blynyddoedd olaf y ddeunawfed ganrif, wedi ei lwyr hudo gan syniadau'r hynafiaethydd William Stukeley (1687-1765), awdur *Stonhenge: A Temple Restor'd to the British Druids* (1740), ac *Abury, A Temple of the British Druids* (1743). Mynnodd Stukeley gysylltu'r cromlechi, y cylchoedd cerrig a'r olion hynafol eraill a welid led-led gwlad â defodau'r derwyddon.[17] Yr oedd hefyd yn gyfarwydd â chyfrol yr hynafiaethydd Henry Rowlands, *Mona Antiqua Restaurata* (1723), lle'r

William Stukeley.

Y Maen Chwŷf ar Gomin Pontypridd.

honnodd yr awdur mai Ynys Môn oedd cartref cyntefig y derwyddon. Cyfareddwyd Iolo gan y gweithiau hyn, a threuliodd weddill ei oes i geisio profi bod traddodiadau beirdd Cymru i'w holrhain yn ôl at oes y derwyddon.

Yn ystod yr union gyfnod hwn y daeth y garreg siglo, neu'r *Maen Chwŷf*, fel y'i gelwid gan Iolo Morganwg a'i gymheiriaid, yn gyrchfan poblogaidd gan Wilym Morganwg, Taliesin ab Iolo a phrydyddion Pontypridd a'r cylch, – a hynny mae'n ddiamau, dan ddylanwad Iolo ei hun. Tywodfaen yw'r garreg, y math o garreg sy'n gyffredin yn yr ardal. Y mae iddi arwynebedd o gan troedfedd sgwâr, yn pwyso tua naw tunnell a hanner, ac yn ôl y dystiolaeth ddaearegol fe'i gadawyd yma, ar fryn Coed-pen-maen, gan rewlifoedd Oes yr Iâ.[18] Ceir disgrifiad diddorol ohoni gan Wilym Morganwg ei hun, a hynny mewn llythyr o'i eiddo a gyhoeddwyd yng ngholofnau *Seren Gomer* ar 8 Chwefror 1815:

> Fe allai y byddai yn dda gan rai o'ch gohebwyr gael ychydig o hanes y Maen Chwŷf trwy gyfryngdod eich *Seren* oleuwych, amgylch yr hwn y cynnaliwyd Cadair ac Eisteddfod ar Feirdd a Phrydyddion ddydd yr Alban Arthan 1814. Y Maen Chwŷf sydd anferth ddarn o graig, o rywogaeth llechfaen. Mae yn sefyll ymhlwyf Eglwys-Ilan, swydd Forganwg, ar ael y graig, yn agos hanner ffordd rhwng Caerdydd a Merthyr, sef y tu dwyrain i'r ffordd honno. Barn y rhan fwyaf yw mai gorsedd Derwyddol ydoedd yn yr amser gynt; y mae yn 34 troedfedd ei amgylchedd, ac yn agos i gant troedfedd arwynebol; ac yr ydys yn dywedyd y saif cant o bobl lawn faint ar ei wyneb; mae ef tu a llathen o drwch yn gyfartal, ond yn llawer mwy yn y canol ac yn deneuach tuag at ei ochrau, y mae ef yn gorphwys ar ei dorr, ar graig noeth, er ys oesoedd lawer, gall dyn ei ysgwyd yn dawel a'r neill-law. Mae yr enwog Iolo Morganwg yn dyst o hyn, pan oedd yn ysgrifennu arno, ddydd yr Eisteddfod, nid oedd yn bosibl cadw y bobl i ffwrdd, heb i ryw un neu gilydd ymrwbio ynddo tra yr oedd yr hen Fardd yn ysgrifennu, er syndod i bawb ag oedd yno yn wyddfodol wrth weled bwrdd mor gadarn yn sigledig.

Cyfeirir yn y darn hwn at ryw fath o ddefod orseddol a gynhaliodd Iolo ar y Maen Chwŷf ar 1 Awst 1814, union bum mis ar ôl diwedd y rhyfel â Ffrainc ac alltudio Napoleon Bonaparte i Ynys Elba. Ac yma, ar y Garreg Siglo, y datganodd y tribannwr Ifan Cule ei gân 'Heddwch' ar fesur 'Calon Derwen' *(Heart of Oak)*, sy'n cynnwys y llinellau a ganlyn:

Cyd-neswch brydyddion, rai mawrion a mân,
Mewn geiriau'n deg araf, amcanaf roi cân
Ar destun da'i ystyr, fe'i gwelir mai gwiw
Roi'r clod yn wirfoddol, yn ddoniol i Dduw
Am Heddwch i'n gwlad, lle gwŷr golli gwa'd,
Gobeithio na welir fyth, frodyr, fath frad.
Ein dyled ni sydd, heb daw, nos a dydd,
Ymgynnig trwy ganu
Fel hyn i'w foliannu,
Am iddo'n gwaredu a'n rhoddi yn rhydd.

Dau ddeg o flynyddau mewn lladdfa a llid,
Dan ormes y Ffrancod yn bod oedd y byd;
Boni oedd bennaf, a'r llyma' 'mhob lle, –
O'r diwedd alltudiwyd, – anfonwyd efe
I Elba, hwn aeth, i'w gynnal yn gaeth,
Cyn hir fe'i symudir, mewn gwir i le gwaeth.
Mae gwaed llawer un oedd lonwych ei lun
Yn gweiddi 'mhob ardal,
Boed eto heb atal
Ryw ddial a gofal tra dyfal i'r dyn.[19]

Yn yr eisteddfod hon, yn ôl ei dystiolaeth ef ei hun, yr urddwyd Gwilym Morganwg yn *fardd* gan Iolo. 'The first Gorsedd that was held on the Rocking Stone, in my recollections was in the year of the general peace', medd ef mewn llythyr at Daliesin ab Iolo, dyddiedig 4 Tachwedd 1834. 'Iolo Morganwg presided at the time; and it was then and there I was invested with my Bardic Order'.[20] Cynhaliodd Iolo ddefod gyffelyb ar y Maen Chwŷf ar 21 Rhagfyr yr un flwyddyn, ac un arall eto dair blynedd yn ddiweddarach ym 1817, ond fel y gwyddys, yng Nghaerfyrddin ym 1819 y daethpwyd i gysylltu'r defodau hyn yn swyddogol â'r Eisteddfod am y tro cyntaf, ac yno y daeth Gwilym Morganwg i gryn amlygrwydd fel 'cledd-gludydd' yr Orsedd. Ni ellir gorbwysleisio dylanwad Gwilym Morganwg ar egin feirdd cylch Pontypridd felly, a datblygodd ysgol o feirdd o'i gwmpas y daethpwyd i'w hadnabod fel 'Cymdeithas Cymreigyddion y Maen Chwŷf'. Cynhaliai'r Gymdeithas hon ei heisteddfodau ei hun, a beirdd fel Twm Cilfynydd, Gwilym Llanwynno, Meudwy Glan Elái ac Aneurin Fardd yn gystadleuwyr mynych ynddynt.[21] Ond yn ystod blynyddoedd canol y bedwaredd ganrif ar bymtheg, fel y cawn weld maes o law, y daeth y Maen Chwŷf ar Goed-pen-maen, yn gyrchfan o bwys i feirdd a phrydyddion yr ardaloedd cyfagos, a hynny'n bennaf dan arweiniad y gŵr rhyfedd hwnnw, Evan Davies ('Ieuan Myfyr' neu 'Myfyr Morganwg').

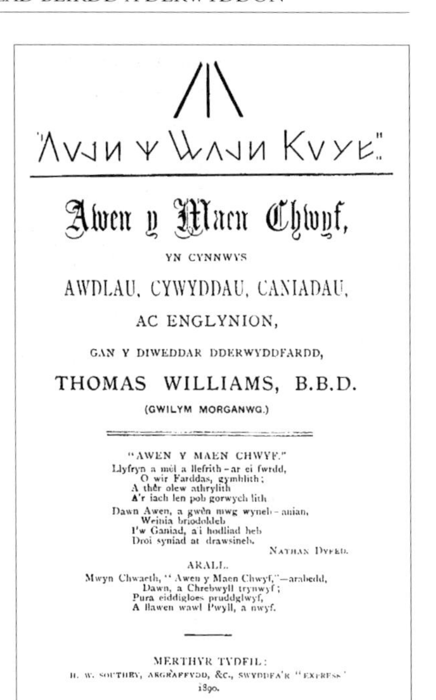
Awen y Maen Chwyf,

YN CYNNWYS

AWDLAU, CYWYDDAU, CANIADAU,

AC ENGLYNION,

GAN Y DIWEDDAR DDERWYDDFARDD,

THOMAS WILLIAMS, B.B.D.

(GWILYM MORGANWG.)

"AWEN Y MAEN CHWYF."

Llyfryn a mêl a llefrith - ar ei fwrdd,
O wir Farddas, gymhlith;
A thêr olew athrylith
A'r iach len pob gorwych lith

Dawn Awen, a gwên mwg wyneb - anian,
Weinia briodoldeb
I'w Ganiad, a'i hodliad heb
Droi syniad at drawsineb.

NATHAN DYFED.

ARALL.

Mwyn Chwaeth, "Awen y Maen Chwyf,"—arabedd,
Dawn, a Chrebwyll trynwyf;
Pura eiddigloes pruddglwyf,
A llawen wawl Pwyll, a nwyf.

MERTHYR TYDFIL:

H. W. SOUTHEY, ARGRAFFYDD, &C., SWYDDFA'R "EXPRESS"

1890.

'Awen y Maen Chwyf',
Gwilym Morganwg, 1890.

Nodweddir canu'r prydyddion hyn gan lawer o'r ysgafnder a'r digrifwch a berthynai i'r hen draddodiad gwledig a ffynnai yn yr ardal cyn suddo'r pyllau glo ac agor y gweithfeydd haearn. Hanesion am garwriaethau yw llawer o'r canu hwn, megis eiddo Gwilym Morganwg 'Canmoliaeth Gŵr Ieuanc i'w Gariad, gan ei Chyffelybu i Berllan' a cherdd Twm Cilfynydd 'Cân Newydd o Ganmoliaeth i Ferch Brydweddol'.[22] Mae nifer o'r caneuon hyn yn perthyn i'r traddodiad llafar, a hyn mae'n debyg sy'n esbonio paham y mae cymaint o gynhyrchion y beirdd yn gerddi a ganwyd ar ffurf ymddiddan. Dyna gerdd Gwilym Morganwg 'Ymddiddan Rhwng Mab a Merch Ieuanc', a gyfansoddwyd i'w chanu ar y dôn 'Cwynfan Brydain', a cherdd Evan James ('Ifan Iago'), 'Cân Newydd ar Ddull Ymddiddan Rhwng y Clecwr a Distawrwydd' i'w chanu ar *'Belisle March'*, er enghraifft.[23] Cerdd debyg yw eiddo Twm Cilfynydd, 'Cân ar Ddull Cynhadledd yn Darlunio Cymro Coegfalch yn Rhoddi Tro i Fristo, gan Aros yno Bythefnos, ac yn Ysbaid Hynny Wedi Mynd yn Rhy Goegfalch i Arddel Iaith ei Fam' i'w chanu ar y dôn 'Y Daearfochyn neu Helwriaeth Glantaf'.[24] Y mae'n debyg i'r Cymro coegfalch hwn ymserchu mewn Saesnes o'r enw Siwsan yn ystod ei drigias byr ym Mryste, ac aeth ati i geisio meistroli'r Saesneg er denu'r ferch. Anghofiodd y rhan fwyaf o'i Gymraeg ymhen pythefnos, ac fe'i cystwywyd gan y bardd am ei fratiaith Gymraeg:

Atebodd mewn llediaith, 'Mi'n caru merch lliwdeg
A'i henw yw Siwsan, heb un iaith ond Saesneg,
Er cymaint bo'r rhwystr, mi cadwaf iaith Bristol,
Er cael mwy anrhydedd a mawredd tymhorol;
Mae hon yn iaith gywir, fe'i molir yn melys
Ymhlith y bon'ddigion a dynion tra dawnus.
The Saesneg *is better and quicker with beauties*
Pan byddom ni'n dinsyth yng nghanol y *dances*'.

Cân ddigrif yw hon, wrth gwrs, sy'n pentyrru gwawd a dirmyg ar Ddic Siôn Dafyddiaeth yr oes, ac etyb y bardd y Cymro coegfalch â'r geiriau hyn:

Mae clywed rhai'n sarnu, neu'n brathu iaith Brython
Yn ddolur ar brydiau yng nghiliau fy nghalon.
Mae hyn yn gamarwydd yn hil y Gomeriaid
Na fyddant am nofio yn iaith eu hynafiaid;
Bu'n iaith hoen dylysog, bu'n iaith hen Daliesin,
Bu'n iaith ber ddigymysg, gain fawrddysg gan Fyrddin.
Er llediaith rhai llidiog, er taeog wŷr tywyll,
Mae'n iaith eto 'Nghymru, – yn cynnau fel cannwyll.

Cyfarfyddai'r beirdd yn aml yng nghartref Meudwy Glan Elái, a fu'n cadw tafarn y *Fair Oak* ar Waun yr Eirw ac wedyn yn y *Llanover Arms* yng ngodre Cwm Rhondda. Yr oedd yntau'n fardd a fu'n gystadleuydd mynych yn yr eisteddfodau, a dyfarnwyd ei farwnad i Wilym Huw, y baledwr o Lanfair, yn gydfuddugol ag eiddo Twm Cilfynydd yn Eisteddfod y Carw Coch yn Aberdâr ym 1853.[25] Cyhoeddodd y Meudwy ddetholiad o'i gynhyrchion mewn llyfryn yn dwyn y teitl *Perllan Gwyno* (Merthyr Tudful, 1832), ond trwsgl a chyffredin yw ansawdd ei brydyddiaeth. Dichon mai ei gerdd enwocaf yw 'Cân o Folawd i Gŵn Hela William Williams o'r Glog, Plwyf Llanwynno, Morgannwg', – cerdd sy'n dilyn patrwm arferol yr amryfal ganeuon hela a ganwyd gan feirdd gwlad led-led Cymru yn ystod y bedwaredd ganrif ar bymtheg. Molir y sgweiar William Williams, a disgrifir ei gampau fel meistr yr helgwn; enwir pob un o'r rheini yn eu tro yn ogystal â'r helwyr eu hunain:

Thomas Williams o'r Glog, Llanwynno,
mab William Williams, gyda'i gŵn hela.

Enwau'r helgwn hynod hwylgu
Gewch yn union, gwych yw hynny.
Gan fod heddy'n wynfyd addas,
Rhoi clod i'w harddwch, cludo'u hurddas;
'Nawr heb ble caf enwi *Player*,
Yn ddiwendid fe ddaw *Winder*;
Fel arth cryf mewn nerth daw *Crier*,
A'i bur hynt y peraidd *Painter*;
'Does fawr dan entrych gwell na *Ranter*,
Juno lân a'i safn yn hwylus,
Brwd i fil yw *Breidy* felys,
Wych ei gwedd mewn awch gyhoeddus.

'Nawr mi alwa ar rai o'r helwyr
I ddod mla'n ar gân yn gywir,
Mewn gair union rhai gorau'u hanian,
Gwn, a fagwyd yng ngwlad Forgan:

Y mab o'r Lan sydd lon arweinydd
Thomas Evans, tymer ufudd,
Richard Robert, heb un rhybudd,
A'u rhan yw dilyn bryn a dolydd;
William Morgan, hwylus ergyd,
Thomas Hywel, tawel diwyd,
Richard Dafydd frysia hefyd,
Rhys yr Heliwr ni phrisia olud –
Y cŵn a'i hela yw ei anwylyd.[26]

Ac, mae'n debyg bod Meudwy Glan Elái ei hun yn hoff o hela. Edrydd Glanffrwd hanesyn diddorol amdano ar lwyfan mewn eisteddfod yn y Betws unwaith, a'r beirniad, Ioan Emlyn, ar fin ei wobrwyo am ryw gerdd neu'i gilydd, pan glywodd y Meudwy floeddiadau'r helwyr a chyfarth yr helgwn yn mynd heibio. 'Anghofiodd y Meudwy ei wobr', medd Glanffrwd, 'cydiodd yn ei het, a ffwrdd ag ef nerth ei draed ar ôl y cŵn, a hela y bu tan y noswaith honno, pan drodd yn ôl i edrych am ysnoden Eisteddfod y Betws a'r wobr oedd gyda hi'.[27]

Gŵr arall a berthynai i'r cylch prydyddol hwn oedd Thomas Williams ('Gwilym Llanwynno') neu 'Twmi Ben-wal' fel yr adwaenid ef. Rhydd Glanffrwd bennod gyfan iddo yn *Llanwynno*, gan fanylu ar ei gymeriad direidus a'r troeon trwstan a ddaeth i'w ran. Un aflonydd ydoedd yn ôl Glanffrwd. 'Nid oedd fyth yn hapus yn unman', meddai, 'yr oedd rhyw fan gwyn yn cyfodi draw o'i flaen yn ei aflonyddu, a rhyw anesmwythder fel hyn oedd yn nodweddu ei arhosiad ym mhob lle'.[28] Gwyddys iddo ymfudo i chwilio am aur yn British Columbia yn nechrau pedwardegau'r ganrif, ond dychwelodd i Forgannwg am na allai ddioddef byw mewn gwlad a gadwai gaethweision. Y gerdd gynharaf o'i eiddo y llwyddwyd i ddod o hyd iddi hyd yn hyn yw ei delyneg 'Y Wawr', cerdd a enillodd iddo wobr yn un o eisteddfodau'r Groes-wen ym mis Mawrth 1844 ac a gyhoeddwyd yn *Seren Gomer* ym mis Mai y flwyddyn honno.[29] Erbyn diwedd y flwyddyn, fodd bynnag, cododd y bardd ei bac unwaith yn rhagor ac ymfudodd i Rouen yn Ffrainc. Dengys un o'i lythyrau sy'n dyddio o'r cyfnod hwn ac a ddyfynnir gan Glanffrwd, ei fod yn un o blith nifer o Gymry a oedd yn gweithio yn Rouen ar y pryd. Y mae'n hysbys i nifer o deuluoedd o gymoedd glofaol Morgannwg ymfudo i Decazeville ym maes glo Aubin yn ne Ffrainc yn niwedd tridegau'r bedwaredd ganrif ar bymtheg, i weithio yn y gweithfeydd haearn newydd a agorwyd yno, ond hyd yn hyn, ni wyddys beth a ddenodd Gwilym Llanwynno a'i gyd-Gymry i ardal Rouen[30] Ond yno yr oedd ym mis Rhagfyr 1844 pan gyhoeddwyd ei gerdd 'Glennydd y Seine' ar dudalennau *Seren Gomer*, ac mae'r ddau bennill a ganlyn yn enghraifft deg o ansawdd ei ganu:

Mor llon yw fy meddwl ar hwyrnos gynhaeaf,
  Yn meddu dedwyddwch hyfrydwch y fro.
Yng nghanol y blodau a'r ffrwythau pereiddiaf
  A'r gwinwydd plethedig amdanaf yn do.
Pan gilia haul terwyn i fro gorllewinfyd
  A'r nos yn dynesu, a minnau y flin,
Eisteddaf i orffwys tan ddeildo tra hyfryd
  A gwrando'r eoslais ar lennydd y Seine.

Mi welaf ffynhonnau tryloywon yn tarddu
  Mewn agwedd ariannaidd ar ochr y bryn,
A nentydd grisialaidd trwy'r geinfro'n dolenu,
  Sisialant mewn mawredd yng ngwaelod y glyn;
Fe borthir yr egwan ar seigiau pêr freision,
  Adfywir ei ysbryd â dogn o win;
Adferir ei iechyd yn chwyth yr awelon
  Dan dewfrig y gwernydd ar lennydd y Seine.[31]

O Rouen hefyd y cyfrannodd ei gerdd 'Y Bore' i *Seren Gomer* ym 1845, ond yr oedd eisoes wedi dychwelyd i Bontypridd erbyn mis Mai y flwyddyn honno pan ddyfarnwyd ei 'Gân o Ganmoliaeth i Thomas Powell Yswain, am ei Anturiaeth Galonnog yn Agor Gwaith Glo Gelli-gaer, ac am ei Ymdrechion Clodadwy i Lesoli ei Gydgenedl' yn fuddugol yn Eisteddfod y Gelli-gaer. Egyr y bardd ei fawlgerdd drwy alw ar yr awen i'w gynorthwyo i ganu cerdd deilwng o'i arwr, ac mae'n dilyn y patrwm traddodiadol o foli cymwynaswr, trwy restru ei weithredoedd da a'i nawdd i'w gymdeithas:

O tyred, ferch Tydain, a'th gampau anwylgain,
  Na fydd yn anghywrain, rho'th bersain i'm swydd;
A chymorth iaith Llawdden, ac addysg gain addien,
  I blethu cerdd gymen yn llawen er llwydd

I Powell odidog, mewn campwaith goreurog,
 Un dewr a chalonnog, iawn enwog ei waith;
Y gwron rhagoraf a'i enw dianaf,
 Ei glod a ddyrchafaf 'nôl eithaf fy iaith;
Am hollti mynyddoedd a threiddio dyfnderoedd,
 Er llesiant i gannoedd ym mhlwyf Gelli-gaer.
Daeth ymdrech ddiflino a thrysor i'r Cymro
 O'r diwedd wrth chwilio amdano yn daer.

Pan oedd y gymdogaeth dan nawdd amaethyddiaeth,
 Ni chafwyd pob lluniaeth mor helaeth o hyd.
Ond ceid agoriadau hen ddrws ei thrysorau,
 Daw ffrwyth y gwythiennau i'r golau i gyd;
Boed llwyddiant i'r gwron am weini cysuron,
 Fe wnaeth y gŵr ffyddlon drallodion yn llai;
Ei weithwyr gaiff beunydd ddigonedd o fwydydd,
 A glo yn lle manwydd fydd tanwydd eu tai.
Daeth gwawr ar hwsmonaeth, adfywiodd trafnidiaeth,
 Marchnadfa cynhysgaeth bri toraeth y tir;
A Phowell, ŵr llonbryd, gwir ddoeth a goleufryd,
 Fu byw mewn llawenfyd a hawddfyd tra hir.

Mae mwg y simneiau ym min y mynyddau,
 Olwynog beiriannau'n golofnau o glod.
Tra byddo areithydd a brawdol wir brydydd,
 Ei enw mewn defnydd fydd beunydd yn bod;
Fe dreiddiodd yn ffyrning drwy greigiau cloëdig,
 Mynyddoedd tra hyllig, gwrthnysig eu gwedd.
Gwnaeth geuffyrdd celfyddgar drwy grombil y ddaear
 Lle'r erys y gweithgar yn hawddgar mewn hedd,
O olwg tes gwiwlon a gwenau haul tirion
 O glyw adar mwynion, acenion y côr;
Ei lwyddiant a'i gynnydd sy'n achos llawenydd,
 Bywiogrwydd trwy'r meysydd o'r mynydd i'r môr.

I Powell, ŵr medrus, mae clod yn ddyledus,
 Ei enw gorhoffus yn barchus y bo,
Tra byddo gwythiennau ym mherfedd y bryniau,
 Amrywiog drysorau y golau dan glo;

Mor ddewr yr anturiodd, a thraul nid arbedodd,
Ei feddiant ni phallodd ond rhoddodd ei ran
Er llesiant yr ardal a phawb dan ei ofal,
Ŵr doeth a dihafal i gynnal y gwan.
Boed iddo ddyrchafiaeth yn ôl ei deilyngaeth,
A briawl obrwyaeth yn helaeth mewn hedd.
Bydd cofiant amdano yn barchus gan Gymro,
A'i glod yn blodeuo pan byddo mewn bedd.[32]

Ceir awgrym mewn cerdd arall, sy'n dwyn y teitl 'Yr Ymadawiad', ac a gyhoeddwyd yn *Seren Gomer* yn nechrau 1846, fod y bardd yn aflonydd unwaith yn rhagor a'i bod yn fwriad ganddo ymfudo eto:

Mor drwm yw 'nghalon i wrth feddwl canu'n iach,
I fyned dros y lli a'th adael Alice fach;
Fe fydd fy mron yn brudd wrth deithio brig y don,
Bydd dagrau ar fy ngrudd yn hir oherwydd hon.
Pan estyn brig yr hwyr dros lethrau'r creigiau crog,
A mantell nos yn llwyr ymdaenu dros y glog,
A minnau yn y pant yn eithaf gwael fy llun
Yn rhodio min y nant yn unig wrth fy hun;
Fe gyfyd hiraeth prudd trwy giliau'r galon hon
Am Alice, deg ei grudd, i bwyso ar fy mron.
Un cysur i'm nid oes, blinderog yw fy nghôl,
Rhaid imi dreulio'm hoes mewn hiraeth ar dy ôl.
Cof am dy lygad llon, a'th wên ddiniwed fwyn
Rhydd imi brudd-der bron, heb neb i wrando'm cwyn;
Y gwallt modrwyog hardd addurna'th fynwes di
Byth mwy ni wêl y bardd, na'th agwedd ffraethlon di.[33]

Ni lwyddwyd i ddod o hyd i ragor o gynhyrchion Gwilym Llanwynno yng ngholofnau barddol y prif gylchgronau Cymraeg, ond mae'n debyg i'w bapurau ddod i feddiant Glanffrwd, er na wyddom bellach beth fu tynged y rheini. Bu'n teithio'r cymoedd yn gwerthu te wedi iddo ddychwelyd i Gymru, ond symudodd i Lantrisant yn ddiweddarach ac yno y bu farw o'r darfodedigaeth, yn ŵr ifanc pedair ar ddeg ar hugain oed ar 29 Mehefin 1848.[34]

Perthynai Walter Cosslett hefyd i'r un cylch barddol. Hanoedd ef o linach Edward Cosslett a anwyd ym Machen, sir Fynwy, ym 1750, gŵr a argyhoeddwyd dan weinidogaeth William Edwards y pontwr, ac a ddaeth yn drwm dan ddylanwad y diwygiad Methodistaidd.[35] Yn wir, fe'i cyfrifid gan John Hughes, hanesydd Methodistiaeth Cymru, fel 'y pregethwr hynotaf a fu ymysg y Methodistiaid yn sir Fynwy'[36] Daeth i'r amlwg fel pregethwr grymus, a'i ffraethineb a'i atebion parod yn ddihareb drwy Fynwy, ac etifeddwyd y doniau hyn gan ei ddisgynnydd Walter Cosslett a arddelai'r ffugenw ymhongar *Shakespeare Eglwysilan*, ac a adwaenid gan bawb ymhell ac agos fel *Shakespeare.* Fe'i ganwyd ym Machen ym 1795 a phan adawyd ef yn weddw o'i briodas gyntaf, priododd ag Anne Williams o'r Wern, ym mhlwyf y Rhisga, – hithau'n ferch i ffermwr a oedd mewn amgylchiadau cysurus. Symudodd y teulu i Fedwas, ac i Ben-yr-Heol ger y Groes-wen yn ddiweddarach, lle magodd lond tŷ o blant talentog fel beirdd a chantorion, – fel y cawn sylwi ymhellach, yn y man. Collodd ei olwg yn ei henaint ac aeth i fyw at ei fab Cyrus Cosslett ('Talelian') yn y Groes-wen, lle bu farw ar 23 Mai 1879.

Daeth Shakespeare yn ŵr amlwg ar lwyfannau eisteddfodau hanner cyntaf y bedwaredd ganrif ar bymtheg, a'i gerddi a'i faledi yn ddrych o'r bywyd gwledig a ffynnai yn y rhan hon o Forgannwg cyn datblygu'r diwydiant glo o ddifrif yn yr ardal. 'Adroddodd Mr Walter Cosslett, yr enwog Shakespeare Cymreig, amryw o ganeuon buddugawl o'i waith ei hunan, pa rai a barodd ddifyrwch mawr', medd yr adroddiad am Eisteddfod a gynhaliwyd yn y Groes-wen ym 1848.[37] 'Mewn cerdd ddigrif, byddai ef yn ei elfen, a rhagorai hefyd yn nosbarth y dychangerdd', medd y nodyn coffa iddo yn *Y Gwladgarwr*, pan fu farw ym mis Mai 1879. 'Yr oedd ei awen yn llawn o'r *sarcasm* mwyaf miniog'.[38] Cyhoeddwyd dwy gyfrol fechan o'i ganeuon, – *Blwch Difyrwch; Neu Adfywiad Anian* (Caerdydd, 1851), a *Cell Llawenydd; Sef Casgliad o Ganiadau Difyr* (Caerdydd, 1858). Baledi doniol a chaneuon ysgafn yw cynnwys y ddwy gyfrol fel ei gilydd, fel y mynegir ar wyneb-ddalen *Cell Llawenydd*, lle dywedir: 'Mae eu darllen yn foddion i yru y gofid ymaith, nid yn unig o giliau calon un dyn, eithr o galonau canoedd ar yr un pryd'.

Fel y gwnaeth Meudwy Glan Elái o'i flaen, canodd Shakespeare hefyd ddwy gerdd hela, – y naill 'Cân i Helgwn W. Lewis Yswain, Heath', a'r llall 'Cân i Helgwn Syr Charles Kemys Tynte o Gefn Mabli' a'r ddwy yn gerddi arobryn mewn eisteddfodau lleol.[39] Yr oedd canu clodydd mân ysweiniaid y fro yn beth cyffredin ymhlith y prydyddion hyn, a chanodd Shakespeare Eglwysilan fwy na'i gyfran o gerddi mawl i foneddigion yr ardal. Adroddir un stori ddigri amdano yn un o eisteddfodau'r tafarnau yn Ystrad Mynach un tro, pan osodwyd 'Cân o Glod i Price Penallta' yn destun i'r beirdd ganu arno, ac yn ôl telerau'r gystadleuaeth gwobrwyid y gân a gynhwysai fwyaf y geiriau 'Price Panallta'. Amod arall ynglŷn â'r gystadleuaeth oedd bod yn rhaid i'r buddugwr ei hun ei chanu yn yr eisteddfod. Anfonodd Shakespeare gân i mewn ar yr alaw 'Nos Galan', ac ni cheid yr un gair arall ynddi ar wahân i 'Price Panallta', a'r geiriau hynny wedi eu gosod fel y cytunent â nodau'r alaw. Pan alwyd arno i ddod ymlaen i'w chanu, dywedir iddo esgyn i'r llwyfan a'i wedd cyn sobred â sant, ac iddo ganu ei gyfansoddiad gyda brwdfrydedd anarferol:

Price Penallta, Price Penallta, Price Penallta, Price!
Price Penallta, Price Penallta, Price Penallta, Price!

Ac yn y blaen am rai penillion. Syfrdanwyd pawb, ac yn ôl yr hanes bu cryn fynd ar gân 'Price Penallta' yn yr ardal am nifer o flynyddoedd wedyn, a chafodd y bardd wobr o dair gini am ei drafferth.[40]

Baledi pen-ffair poblogaidd yw'r mwyafrif o ganeuon Shakespeare, a chafodd gyfle yn y rhain i sylwebu'n graff ar ei gymdeithas, ac i ddarlunio sefyllfaoedd digri a throeon trwstan yn ddeheuig ddigon. 'Yr oedd ei ganeuon yn boblogaidd iawn yn y cyfnod yr wyf yn sôn amdano', meddai Brynfab ym 1914. 'Clywais ei "Gân i *Borter* Bedwas" yn cael ei chanu gydag arddeliad yn y Piccadilly, ddydd Ffair Caerffili, dros ddeugain mlynedd yn ôl, ac ymhell wedi hynny'.[41] Cerdd arobryn un o eisteddfodau Bedwas oedd 'Cân Canmoliaeth i *Borter* Bedwas' lle cenir clodydd y ddiod, Pope y darllawydd a Gibbon y tafarnwr:

Holl weithwyr Cymru, fawr a mân,
Boed hysbys ichwi'n ddiwahân,
O'r clod gynigiaf ar fy nghân
  I *Borter* purlan Bedwas.
Ni cheir yn Lloegr, eang wlad,
Na thir y Gwyddyl, er eu brad,

Ail ddiod Gwalia, tref fy nhad –
  Caiff hwn fawrhad pob teyrnas.
Cheer up, my boys, and drink about,
The mild, unmixture Bedwas Stout;
We have in view a fair, look out,
  While Gibbon is in the cellar.

Mae'n wir iachusol er ein lles,
Atalia'r dwymyn, er ei gwres;
Mae gennym dystion rhyddion, res,
  A wiria'r hanes enwog;
Mae cleifion gwlad yn hel am hwn,
Ond ble mae ail i'w gael, nis gwn;
A'i enw ef, trwy'r byd yn grwn,
  'Nawr fechgyn byddwch g'lonnog.
To equal this, where can you find,
All them that tried are still behind;
That puts me now in fresh remind
  That Gibbon is in the cellar.

Wrth ddilyn y pladuriau dur,
Y cefnau gwan o dan eu cur,
Rhoi chwart o hwn i'r gweithwyr hur
  Fydd megis rhagfur iddynt;
Fe adnewydda'u nerth yn ôl,
A'i rym a ddal tra ar y ddôl
Heb ddim i ddisgwyl ar eu hôl,
  Gwir yw eu hollol helynt.
Once more again, who can deny,
For to exalt this Porter high,
To all the audience I'll reply
  That Gibbon is not a drinking.

Hir oes i Pope Yswain i fyw,
Ar y darllawdy byddo'n llyw;
A'r *Bedwas Stout* fo'n dal ei ryw,
  Mae heb ei gyfryw'n unman.
Boed gwŷr deheudir Gwent o'i du,
'Does neb yn groes i *Borter* cry',

Yr egwan wna yn arwr hy'
  Mae'i rinwedd felly 'mhobman.
And then we'll cheer and drink about,
And merrily boast the Bedwas Stout;
For Porter, if you are searching out
You'll always find it here.[42]

Ond yr oedd Shakespeare yn llawdrwm iawn ar y merched, a chanodd nifer o gerddi yn eu cystwyo am eu diogi, am eu gor-hoffter o de a'u tuedd i hel clecs ar hyd y tai. Canodd i'r 'Wraig Anynad' hefyd, lle'r edrydd hanes bachgen ifanc newydd briodi, a'r driniaeth arw a gawsai gan ei wraig, er i'r gŵr ifanc hwnnw, druan, geisio gwneud popeth i'w phlesio:

Os dechrau wnawn â phalu'r ardd,
  Dôi yno i 'ngw'ardd yn union
A dweud ynghylch y pys a'r ffa
  Nad felly y gwna'r cymdogion;
Os o'm dwylo wrth roi tail
  Y torrwn ddail *cabitjan*,
Neu fethu rhoddi'r tato'n iawn,
  Fy offrwm gawn i Satan,
Ac os cynigiwn ddweud yn gro's
  Cawn brofi co's y geiban.

'Nôl dod adre'n hwyr o'm gwaith,
  Yn ôl hir daith yn blino,
A newyn mawr er llawer cam
  Gan feddwl am orffwyso;
Cyn beiddio eistedd ar y stôl
  Hi 'ngyrrai'n ôl oddi yno,
Gan ddweud mai cwilydd mawr oedd dod
  Tuag adre heb go'd i ffwrno.
Os na châi bopeth wrth ei thast
  Dechreuai'r ast fonclusto.

Os bydda' i'n cynnig iddi gân,
  'Rwy'n methu'n lân a'i boddio,
Os dwedaf wrthi 'nghwyn yn drist,
  Rho hi un clust i wrando;

Mae'n well i ddyn fod mewn rhyw fan
   Yn llety'r anifeiliaid,
A phenderfynu gwneud ei nyth
   Fod yn eu plith yn wastad;
Neu dwll cwningen yn y graig
   Na chyda gwraig anynad.[43]

A chymdeithas a oedd yn graddol newid oedd hon gyda'r datblygiadau newydd yn y diwydiant glo yng nghymoedd Rhondda, a'r twf enfawr yn y boblogaeth a ddilynodd hynny. Mae'n bwysig cofio mai yn sgîl diwydiannu'r ardal y profwyd y gweithgarwch llenyddol mawr ym Mhontypridd a'r cylch yn ystod y bedwaredd ganrif ar bymtheg. Bu'r dylanwadau diwydiannol hyn yn fodd ynddynt eu hunain i hyrwyddo newidiadau sylfaenol ym mhatrwm diwylliannol y gymdeithas, – ac fel y chwyddodd y boblogaeth, felly hefyd yr amlhaodd y gweithgareddau diwylliannol. Cofiwn hefyd mai pobl ddwad oedd y mwyafrif o drigolion Cwm Taf, a chanddynt gefndiroedd diwylliannol a thafodieithol amrywiol weithiau, a magwraeth wledig yn aml. Bwriwyd hwy i waith ac amgylchfyd diwydiannol dieithr, ond a oedd, er hynny, yn dal cyswllt agos â'r bywyd gwledig. Mae cyfraniad y mewnfudwyr hyn felly yn allweddol bwysig. Gwŷr oedd y rhain fel John Thomas ('Ifor Cwm Gwŷs'), David Evans ('Dewi Haran'), John Thomas ('Ieuan Ddu'), ac Evan Davies ('Ieuan Myfyr'). I Bontypridd hefyd y daeth y tad a'r mab Evan James ('Ieuan ab Iago') a James James ('Iago ab Ieuan'). Ym mhlwyf Eglwysilan y ganwyd Evan James ym 1809, a bu'r teulu'n cadw melinau gwlân ym mhlwyfi Bedwellte, Y Gelli-gaer a Llanfabon. Symudodd Ieuan i gadw melin wlân ar Heolyfelin ym Mhontypridd tua chanol y pedwardegau, lle bu farw ym 1878. Yr oedd William James, ei fab, yn briod ag Amy, un o ferched William John ('Mathonwy'), un o'r amlycaf o ddilynwyr Myfyr Morganwg. Daeth Elizabeth, merch arall i Fathonwy, yn wraig i John Davies ('Ap Myfyr'), un o feibion yr Archdderwydd.[44] Codwyd yma do feirdd yn ddiweddarach, fel Thomas Essile Davies ('Dewi Wyn o Essyllt'), David Davies ('Dewi Alaw') a Thomas Williams ('Brynfab') – heb enwi ond ychydig.

Brodor o Bentregwenlais ym mhlwyf Llandybïe yn nwyrain sir Gaerfyrddin oedd Ifor Cwm Gwŷs, gŵr y dywedir amdano na chafodd fwy nag wythnos o ysgol erioed. Gadawodd yr ardal pan oedd yn un ar bym-

Evan James ('Ieuan ab Iago').

James James ('Iago ab Ieuan').

theg oed gan gartrefu yn ardal Tredegyr lle bu am beth amser yn torri glo, a chrwydryn fu Ifor fyth wedyn. Medd un a'i cofiai'n dda:

> Bu am gyfnod maith yn fath ar grwydryn ar hyd y cymoedd ym Morgannwg, ac os bu dyn erioed yn perthyn i'r urdd grwydrol, Ifor Cwm

Tŷ'r Ffatri, Heolyfelin, Pontypridd.

> Gwŷs oedd hwnnw. Nid crwydro o lys i lys yn ôl dull y beirdd yn y canrifoedd o'r blaen a wnâi, ond symud o le i le yn ôl ei amgylchiad, ei chwaeth, a chyn amled â hynny yn ôl y cyfle i weithio a wnâi Ifor. Cerddai o lofa i lofa, ac oni byddai'r talcen glo wrth ei fodd, symudai i'r lofa nesaf. Treuliodd y bardd flynyddoedd anterth ei fywyd ar grwydr o'r fath.[45]

Symudodd o Dredegyr i Ddowlais yn nechrau'r pedwardegau ac oddi yno i Gwm Gwŷs ym mlaenau Cwmtawe ychydig yn ddiweddarach, ac fel *Ifor Cwm Gwŷs* yr adwaenid ef fyth wedyn er iddo fyw am gyfnod yn Aberdâr cyn iddo symud drachefn i Bontypridd lle bu farw ym mis Rhagfyr 1866.[46]

Fel Shakespeare Eglwysilan, yn eisteddfodau tafarnau cymoedd Gwent a Morgannwg y daeth Ifor i'r amlwg fel cystadleuydd am y tro cyntaf. Bu'n diddanu torf o feirdd gan gynnwys Cynddelw, Nefydd a Nathan Dyfed mewn cyfarfod llenyddol yn yr *Halfway Inn*, y Gelli-groes, sef y dafarn a gedwid gan Aneurin Fardd, ym mis Ebrill 1853. Mewn cyfarfod tebyg a gynhaliwyd yn nhafarn y *Fair Oak* ar Waun yr Eirw – y dafarn a gedwid gan ei gyfaill mawr Meudwy Glan Elái, y gwobrwywyd Ifor am ei gân ddigri 'Siôn Sir Gâr a Dan y Cardi yn Mynd i'r *Great Exhibition*' ym 1851. Yn y gerdd hon y cafodd hwyl arbennig ar draul Cymreictod a diffyg Saesneg y Cymry gwladaidd ar eu taith i un o ddinasoedd Lloegr. Gwyddys hefyd i Ifor adrodd y gerdd boblogaidd hon yn Eisteddfod y Carw Coch yn Aberdâr ym 1853.[47] Yng nghyfarfod y *Fair Oak* hefyd y gwobrwywyd John Jones ('Ioan Emlyn') am ei gerdd adnabyddus 'Bedd y Dyn Tylawd'.[48] Ceir sôn am Ifor yn cystadlu hefyd yn eisteddfodau'r *Swan*, a'r Faner a'r Gwellaif ym Merthyr Tudful yn ystod yr un cyfnod. Ond yn eisteddfodau'r Carw Coch a gynhaliwyd yn nhafarn y *Red Stag* yn Aberdâr rhwng 1840 a 1861 y daeth Ifor i amlygrwydd fel bardd. Yno, ym 1853, y rhannodd y wobr am gyfres o englynion i Dŷ Marchnad Aberdâr ag Ieuan ab Iago awdur 'Hen Wlad Fy Nhadau', a brithir *Gardd Aberdâr*, sef cyfrol o gyfansoddiadau arobryn yr eisteddfod honno, â chaneuon ac englynion o'i eiddo. Saith mlynedd yn ddiweddarach, ym 1860, gwobrwywyd ef am ddwy gerdd ysgafn yn Eisteddfod Ystalyfera, ac ym 1861 cipiodd wobr am ddeuddeg o englynion ar 'Uniad Gogledd a Dehau Cymru yn yr Eisteddfod Gyffredinol, y Gyntaf o ba un a Gynhelir yn Aberdâr', yn yr ŵyl honno. Y mae cyfnodolion Cymraeg y cyfnod yn frith gan gerddi ac englynion o'i eiddo, a chyhoeddodd ddwy gyfrol o'i brydyddiaeth, sef *Ceinion Glan Gwenlais, Sef Ychydig o Gyfansodd-iadau Barddonol* (Dowlais, 1862) a *Difyrion Meddyliol: Sef Ychydig o Ganiadau Difyr* (Pontypridd, 1866).

CEINION
GLAN GWENLAIS,
SEF YCHYDIG O
GYFANSODDIADAU BARDDONOL,
GAN
IVOR CWMGWYS:
Y rhan fwyaf o honynt yn ddarnau Buddugol.
DOWLAIS.
ARGRAFFWYD GAN D. THOMAS A'I FAB,
1862.

'Ceinion Glan Gwenlais', Ifor Cwmgwŷs, 1862.

Gwiw inni gofio mai sefydliad cymharol ieuanc oedd yr eisteddfod yng nghymoedd diwydiannol y de yn ystod y cyfnod hwn, o'i gymharu â'r brwdfrydedd heintus a ddangoswyd tros y mudiad yn y gogledd, yn enwedig yn siroedd Meirionnydd, Dinbych a Fflint, lle bu cymaint bri ar eisteddfodau'r almanaciau yn ystod y ddeunawfed ganrif, gwyliau a fu'n gyfryngau i adfer y canu caeth yn y rhannau hynny o Gymru.[49] Y mae hyn yn esbonio paham y rhoddwyd mwy o sylw i grefft yr hen fardd gwlad yn eisteddfodau'r tafarnau yng nghymoedd y de, lle nad oedd cymaint bri ar fesurau cerdd dafod tan ail hanner y bedwaredd ganrif ar bymtheg. Y mae'n wir i Feudwy Glan Elái, Twm Cilfynydd ac eraill o feirdd eu cenhedlaeth lunio rhai englynion o bryd i'w gilydd, ond carbwl ddigon yw llawer o'r cynnyrch hwn, ac mae'n arwyddocaol mai caneuon a cherddi rhydd at ei gilydd yw cynnwys y blodeugerddi a olygwyd gan Brychan. O ganlyniad, daeth y cerddi ymddiddan a chaneuon wedi eu gosod ar hen alawon y baledwyr yn fesurau poblogaidd i ganu arnynt.

Tlodaidd ddigon fu byd Ifor Cwm Gwŷs, fodd bynnag. Gwyddys ei fod yn ŵr gwael ei iechyd, a'i fod yn methu â gweithio am gyfnodau meithion i gynnal ei wraig a'i ddeg plentyn, a cheir digon o dystiolaeth yn y wasg gyfnodol am dlodi ei amgylchiadau bydol. Medd un a'i hadwaenai'n dda:

> Cafodd lafurio yn galed o dan fyrdd o anfanteision; cododd deulu lluosog a chollodd ei iechyd yn llwyr rai blynyddoedd cyn ei farwolaeth, fel nas gallodd adael aur y byd hwn ar ei ôl, pan oedd yn trefnu ei dŷ i ymadael i'r daith bell.[50]

A dyma'r rheswm, mae'n debyg, paham y bu'n cystadlu mor aml ym mân eisteddfodau'r de, am fod ei enillion eisteddfodol yn cyfrannu gymaint at ei gynhaliaeth ef a'i deulu. Yr oedd ei gyfeillion pennaf oll yn llymeitwyr, gwŷr megis Gwilym Gelli-deg ac Ioan ab Gwilym, dau o brydyddion mwyaf poblogaidd cylch Merthyr Tudful. Edrydd un o'i berthnasau amdano'n llunio pryddest ar 'Y Groes' ac yn llymeitian wrth ei chyfansoddi, gan ychwanegu mai barn y beirniad, Gwilym Mai amdani, oedd mai hi oedd y bryddest orau yn y gystadleuaeth ond na fedrai ei gwobrwyo am fod gormod o sawr y breci arni.[51] Bywyd cymdeithasol yn ei agweddau digrif yw llawer o ganu Ifor, ac mae nifer sylweddol o'i ganeuon yn disgrifio llawer o arferion y bywyd gwledig, megis ei faled boblogaidd 'Ffair Llangyfelach', lle disgrifir rhai o ddigwyddiadau cyffrous a mynychwyr y ffair, – yn lladron, meddwon a Saint y Dyddiau Diwethaf.[52]

Cerddi ar ddull ymddiddan rhwng Gwilym a Rhisiart yw 'Cynhadledd y Fuwch a'r Ddafad', a ganwyd ar fesur tri thrawiad, ond efallai mai'r gerdd ymddiddan fwyaf diddorol o'i eiddo yw 'Cynhadledd y Gwragedd ar yr Achlysur o Gyflwyno ar Enedigaeth', cerdd arobryn Eisteddfod Ystalyfera, 1860, lle disgrifir yr arfer o 'gyflwyno' neu 'fynd i weld', fel y dywedid.[53] Yr oedd yn draddodiad gan wragedd siroedd Caerfyrddin a Morgannwg ymweld â phlentyn newydd-anedig, ac fel arfer cyflwynwyd rhoddion megis te, siwgr ac ymenyn i'r fam.[54] Yng Nghwm Rhondda a chylch Pontypridd, rhaid oedd rhoi cusan i'r baban, darn o arian yn ei law, a halen neu fara mewn tamaid o bapur.[55] Egyr Ifor ei gerdd drwy ddisgrifio'r arfer ei hun:

> Mae llawer o ddefodau mad a hen arferion yn ein gwlad
> Sydd o ddiddordeb, lles a bri, gan feithrin cariad rhyngom ni;
> Yr arfer o *gyflwyno* sydd ymhlith y Cymry ers lawer dydd,
> Mae'n hen, ac eto'n llawn o nwyf, ac yn blodeuo mewn llawer plwyf.
>
> Ar ôl i blentyn ddod i'r byd, mae'r gwragedd yn ymgasglu 'nghyd,
> Gan fynd yn llwythog tua'r lle, o wirod, siwgr gwyn a the

A llawer math o ddillad bach, a hen storïau lond y sach;
A phob un yn awyddus am gael gweld y babi bach a'i fam.

Pwnc y gerdd yw ymweliad nifer o wragedd, – Pali Hophi, Mari'r Gof, Sara Siôn, Siân o'r *Star*, Bess o'r Gilfach, Hannah o'r Tŷ Llwyd ac eraill â Mari'r Ddôl-gam a'i phlentyn-newydd anedig, a'r mân siarad a fu rhyngddynt:

O dri i bedwar y prynhawn, ceir gweled pawb yn ddiwyd iawn,
Ymrodda rhai i daclu'r bwrdd, a'r lleill i yrru'r plantach ffwrdd;
Rhoir clwt o deisen fras yn llaw y bachgen hynaf am fynd draw
I'r caeau i edrych a fydd ci yn erlid oen y ddafad ddu.
'Nôl gyrru'r plant o gylch y tŷ, eir at y gwledda'n ddigon hy',
Pan ddyry'r wraig fu'n trin y bwrdd ryw araith fer i ddechrau'r cwrdd.

Dychanu gwragedd y mae Ifor yn y gerdd hon, lle disgrifir hwy'n trin ac yn trafod eu cymdogion a'u cydnabod, ac mae'n arwyddocaol mai 'Hen Glecwr' a ddewisodd y bardd fel ffugenw i'w gyrru i'r gystadleuaeth.

Ann o'r Dorwen:
A glywsoch chi am Siân o'r Rhiw? Mae Wil a hithe'n ffaelu byw,
Mae Wil yn trio'i gwneud hi ma's ei bod hi'n bartnars gyda'r gwas.

Modryb Gwen:
A glywsoch chi am ferch Siôn Dan fu gynt yn forwyn yn y Llan?
Mae dan ei gofal medde nhwy, ond nid oes dyn a ŵyr o bwy.
A oedd neb yn ei charu hi?

Hannah o'r Tŷ Llwyd:
Nac oedd, medde nhw i fi.
Mae pwyo mawr ar hyd y wlad, gan lawer, pwy all fod ei dad.

Modryb Gwen:
Ni gawn briodas cyn bo hir, rhwng merch Bryn-cam a Thwm Glyn-hir.

Siân Bryn-lloi:
Mae rhai yn gweud ei bod hi'n llawn.

Modryb Mawd:
Mae Twm yn tendo'n ddiwyd iawn.

Mrs Rees:
Y gleber sy' ar hyd y wlad yw 'fod e'n pleso'i mam a'i thad,
A'u bod ar rentu'r Llety Clyd – i Twm a Sara i ddechre'u byd.

Siân o'r Star:
Mor gas yw gweled Nans o'r Llwyn. Mae'n hachan pawb, gan godi'i thrwyn;
Yr Hen Gyflwynwyr eilw hi, mewn gwawd a dirmyg arnom ni.

Mrs Rees:
Na hidiwch am yr hesben sur, nid ydyw ond diffrwytho'r tir.
Mae'n teimlo rhincod ar bob dant oherwydd na chaiff hithe blant!

Mynegi safbwynt y dyn cyffredin a chroniclo digwyddiadau doniol ar gân, mewn geiriau plaen, cartrefol, dealladwy a chwrs ambell dro, a wnaeth Ifor Cwm Gwŷs yn y cerddi hyn. Dyma'r math o ganu, wrth gwrs, a oedd yn boblogaidd yn y nosweithiau llawen a chyfarfodydd hwyliog y tafarnau, ond nid y bywyd gwledig yn unig a adlewyrchir yng ngwaith Ifor, ond y bywyd diwydiannol newydd yn ogystal. Ac mae nifer o'r cerddi a ganodd i sefyllfaoedd gweithfaol unwaith eto ar ffurf ymddiddan. Dyna 'Cân Ddigrif ar Ddull Ymddiddanion y Mwnwyr yn Ystod eu Tanddaearol Whiff' er enghraifft, un arall o gerddi arobryn Eisteddfod Ystalyfera, 1860. Mân siarad y glowyr ar adeg seibiant yn y lofa yw pwnc y gerdd, a hynny yn y dyddiau cyn gwahardd smocio yn y glofeydd.[56] Cerdd gyffelyb yw 'Badwyr Cwmtawe', cân anfuddugol yn Eisteddfod Ystalyfera ym 1859, sy'n trafod troeon trwstan ac arferion rhai o weithwyr Camlas Cwm-tawe.[57] Cyfrifid Ifor Cwm Gwŷs ymhlith prif feirdd Pontypridd a'r cylch yn ei ddydd, – yn ffigur yr un mor amlwg ar y llwyfan eisteddfodol ag yn nosweithiau llawen y tafarnau, a phan fu farw ym 1866 aeth nifer o'i gyfeillion ati i godi cronfa ariannol er mwyn sicrhau beddfaen teilwng iddo ym mynwent Capel Rhondda.[58]

Yr oedd David Evans ('Dewi Haran') hefyd yn un o'r bobl ddwad i dref Pontypridd. Fel yr awgryma'i ffugenw, ganwyd Dewi ym mhlwyf Llanharan ym Mro Morgannwg ym 1812, nid nepell o Fryncwtyn, Tre-os ym mhlwyf Llanganna, cartref John Howell ('Y Bardd Coch'), o Bencoed. Bu'n ffermio tir y Coedbychan yn Llanharan am rai blynyddoedd, ac oddi yno y priododd â Mary, merch William a Margaret Paul o Lanharan. Un o ferched John a Rebecca Miles, eto o Lanharan, oedd Margaret Paul, a'i mam hithau yn un o ferched Lewis Hopkin (?1708-71), y bardd o Landyfodwg, ac awdur *Y Fêl Gafod* a olygwyd gan John Miles, ei fab-yngnghyfraith, ac un o gyfeillion Iolo Morganwg, ym 1813.[59] Bu farw Mary, priod Dewi Haran, yn gynnar ym 1847 gan adael tri o blant, ac mae'n fwy na thebyg mai yn fuan wedyn y gadawodd Dewi y Coedbychan a symud i Bontypridd.[60] Yno yr ymsefydlodd mewn busnes fel arwerthwr, prisiwr a stiward tir yn Heol Taf, lle daeth ei swyddfa'n fan cyfarfod i wŷr llên a barddas fel ei gilydd, fel y cofiodd Thomas Williams ('Brynfab') flynyddoedd yn ddiweddarach:

David Evans ('Dewi Haran').

> Yr oedd ei swyddfa yn Heol Taf yn 'babell y cyfarfod' i bob dosbarth o ddynion, – o brynwyr a gwerthwyr gwartheg i feirdd cadeiriol. Nid oedd un bardd yn cyniweirio heibio ei swyddfa heb alw i mewn i gael sgwrs am helynt y byd barddol. Nid yn unig yr oedd y swyddfa yn gynullfan i feirdd y Bont, ond yr oedd beirdd yr ardaloedd cylchynol yn galw gydag ef ar ddiwrnod marchnad. Nid cynt nag y byddai bardd â'i big drwy'r drws, nag y byddai Dewi yn taflu ei ysgrifell a'r papurau o'r neilltu ac yn estyn cadair a phibell iddo. Yno y gwelais Lew Llwyfo gyda'i flwch snisin yn gwneud cam â'i drwyn urddasol, ac yno hefyd y bûm yn cyd-ysmygu ag Islwyn nes oedd y lle fel anadl coelcerth. Ni fu y fath Sanhedrin farddol mewn man o fyd â swyddfa Dewi Haran, ac eithrio efallai, siop Dewi Alaw yn yr un heol. Pan ddeuai cyfeillion i edrych am feirdd y Bont ar ddydd Mercher neu nos Sadwrn, yn y ddau le hynny yr oedd dod o hyd iddynt.[61]

Ond ni bu Dewi druan heb ei helyntion, oblegid ymhlith papurau Ieuan Myfyr yn y Llyfrgell Ganolog yng Nghaerdydd, ceir cyfres o englynion gan William John ('Mathonwy') yn dwyn y teitl 'Annerch Dewi Haran ar ei Ddyfodiad Allan o Garchar Caerdydd, Fis Hydref 1860'. Ni wyddys yn iawn beth oedd natur ei drosedd, ond mae'n fwy na thebyg mai ei ddyledion a fu'n achos ei gwymp. Dyna a gesglir o dderbyn tystiolaeth yr englynion, o leiaf:

I fydol gaeth drafodach – ariannol
A rhinwedd pob masnach;
Diau bydd i't Dewi bach
O'r hen gell droi yn gallach.

O lawn anghyfiawn ofid – y galon
A'r galar o'r erlid;
Yn llwyr dihengaist o'u llid
I wreiddiol gwmni rhyddid.[62]

Gwelodd cenhedlaeth Dewi Haran newidiadau mawr ym Morgannwg, ac fel y croniclodd Glanffrwd ei atgofion am fywyd gwledig a hamddenol plwyf Llanwynno ei blentyndod, felly hefyd y disgrifiodd Dewi Haran y newidiadau a welodd yntau. Mewn llythyr o'i eiddo a gyhoeddwyd yng ngholofnau'r *Gwladgarwr* ym 1869, dyry ddisgrifiad byw a diddorol o'r arfer o aredig ac o ganu i'r ychen ym Mro Morgannwg ei ieuenctid. Bu ef ei hun yn aredig gydag ychen; croniclodd rai o'r tribannau a glywodd gan gathreiwyr y Fro, a cheir tinc hiraethus a thrist ym mrawddegau clo ei lythyr:

> Rhyfeddol y cyfnewid sydd wedi cymeryd lle ar y byd er y peth oedd 45 mlynedd yn ôl, pan oedd y maesydd yn un *harmony* fawr gan leisiau'r cythreuwyr. Gwelais orfod gollwng yr ychain yn rhydd am 11 y boreu gan boethder yr haul, a'u dal am 4 yn y prydnawn, ac aredig nes y byddai'r haul wedi soddi yn môr y gorllewin. Dyna fel y treuliai bechgyn Morganwg yn neilltuol, eu dyddiau yn y meysydd, ond yn awr i grombil y ddaear â hwy cyn gynted ag y delont i oed. Llawer un a fagwyd i ddilyn yr aradr a'r ych sydd wedi mynd yn aberth i'r danchwa.[63]

Bu Dewi Haran yn gyfrannwr cyson i golofnau barddol cylchgronau a newyddiaduron y cyfnod hyd at ei farw ym mis Gorffennaf 1885. Canu i ddigwyddiadau bob dydd y gymdeithas yw prif nodwedd ei brydyddiaeth, a cheir ganddo nifer o gerddi mawl a marwnadau i rai o brif ffiguraau'r gymdogaeth. Diogelwyd nifer o'r cerddi hyn yn y wasg gyfnodol, megis ei gân 'I Ardalydd Bute am ei Haelioni yn Rhoddi Ysgol Rad i Blant Tlodion Llantrisant', a enillodd iddo'r wobr gyntaf yn Eisteddfod Llantrisant ym 1839, a 'Galareb er Coffadwriaeth am y Diweddar Ddr Edwards o Gaerffili', cerdd arobryn Eisteddfod y 'Cylch-lestrwyr' sef y *Cooper's Arms*, yn Ystrad Mynach ym mis Tachwedd 1848.[64] Mae'r ddwy gerdd, fel ei gilydd yn dilyn y patrwm traddodiadol o foli cymwynaswr, trwy restru ei weithredoedd da a'i nawdd i'w gymdeithas. Dyna yw byrdwn ei gerdd i'r Ardalydd Bute, er enghraifft:

O Awen! O Awen! Dihuna yn effro
   I dalu dy ddyled i noddwr y gwan,
Arferiad gan feirddion yw rhoddi canmoliaeth
   I rai sydd yn deilwng ohono, 'mhob man.
Ardalydd Bute deilwng, bendithion y gweiniaid
   A'i huchel ganmolant wrth dderbyn o'i nawdd,
A'r beirdd a'r prydyddion yn eilio carolau
   I un mor rhinweddol, ddull hynod mewn llawdd.

Y noeth sydd yn derbyn o'i wisgoedd clyd, cynnes,
   I'w gadw y gaeaf rhag oerfel yr hin,
Yr hwn sydd yn rhoddi sy'n derbyn i'w fynwes
   Yn dâl am elusen, melysach na'r gwin.
Rhad Ysgol Llantrisant sy'n dangos yn amlwg
   Mai cariad at weiniaid sy'n llanw ei fron,
Trwy roddi dysgeidiaeth i blant y tomenni –
   Mae ambell bregethwr yn hanu o hon.

Ond hwyrfrydig fu Dewi i gyhoeddi cyfrol o'i weithiau, ac aeth ei gyfaill Glanffrwd ati i gasglu ei gynhyrchion ynghyd a'u cyhoeddi'n llyfryn wrth y teitl *Telyn Haran, Sef Detholiad o Weithiau Barddonol Dewi Haran* (Pontypridd, 1878), – gwaith a gyflwynwyd 'with feelings of respectful devotion' i Arglwydd Tredegyr. Cerddi eisteddfodol arobryn yw'r mwyafrif o'r cerddi hyn, yn bryddestau hirwyntog, ac yn gerddi coffa i gyfeillion a chydnabod. 'Does yma fawr ddim o'r ysgafnder a'r digrifwch a nodweddai ganu Ifor Cwm Gwŷs a Shakespeare Eglwysilan, ac eithriad yw'r ddychangerdd i'r 'Grwgnachwr Eisteddfodol' sy'n cynnwys y llinellau hyn:

Rwgnachwr eisteddfodol, dywed pam
Yr ydwyt yn wastadol yn cael cam.
Wyt ddyn o ddawn a deall
'Does neb mi wn, mor gibddall
Na wêl yn ddigon diwall i't gael cam,
Ac os na chred neb arall – cred dy fam.

Ti gollaist yn Rhydfelen – meddet ti,
Drwy falais a chenfigen – meddet ti.
Fe wyddai'th feirniad mwyngu
Dy fod ti'n uwch i fyny
Nag ef ar fryn awenu – meddet ti.
Rhaid oedd i lawr dy dynnu – meddet ti.

Darllenaist dy farddoniaeth fel y mêl
Cyn mynd i'r gystadleuaeth, fel y mêl.
A bernaist hi yn orau
Fel gwnaeth dy fam a minnau,
Dylasai'r beirniad yntau – ie'n wir,
Wfft byth i feirniad dimai, – ie'n wir. [65]

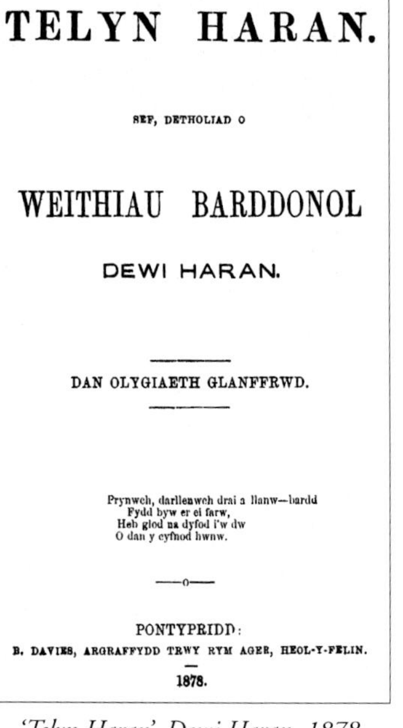
TELYN HARAN.

SEF, DETHOLIAD O

WEITHIAU BARDDONOL

DEWI HARAN.

DAN OLYGIAETH GLANFFRWD.

Prynwch, darllenwch drai a llanw—bardd
Fydd byw er ei farw,
Heb glod na dyfod i'w dw
O dan y cyfnod hwnw.

—o—

PONTYPRIDD:
B. DAVIES, ARGRAFFYDD TRWY RYM AGER, HEOL-Y-FELIN.

1878.

'Telyn Haran', Dewi Haran, 1878.

Yr oedd Dewi yn aelod brwd o'r frawdoliaeth farddol y daethpwyd i'w hadnabod fel 'Clic y Bont', sef cylch o feirdd a gynhwysai enwau adnabyddus fel Brynfab, Dewi Alaw, Dewi Wyn o Essyllt, Cosslett Cosslett ('Carnelian'), William Cosslett ('Gwilym Elian'), Thomas Cosslett ('Gwyliedydd'), a Cyrus Cosslett ('Talelian') – y pedwar yn feibion i Shakespeare Eglwysilan; John Davies ('Ap Myfyr'), Abraham Williams ('Elian'), John Williams ('Gwyndaf Elian'), Thomas Yorath ('Tawenog') a Richard Hughes ('Gwyngyll').[66] Daeth rhai o'r bechgyn hyn yn drwm dan ddylanwad William Williams ('Caledfryn') a ddaeth yn weinidog ar eglwys Annibynnol y Groes-wen ym 1858. Bum mlynedd yn ddiweddarach, ym 1863, dechreuodd olygu colofn farddol *Y Gwladgarwr*, yr wythnosolyn a gyhoeddwyd yn Aberdâr. Yng ngholofn farddol Caledfryn y cyhoeddwyd

Cosslett Cosslett ('Carnelian').

William Williams ('Caledfryn').

cynhyrchion nifer helaeth o brydyddion cymoedd Morgannwg yn ystod chwedegau'r bedwaredd ganrif ar bymtheg, a chan fod yr athro ei hun yn byw yn ardal y Groes-wen, daeth i gyffyrddiad personol â nifer o feirdd yr ardal. Yn eu plith yr oedd Jabez Edmund Jenkins ('Creidiol'), a dreuliodd gyfnod fel curad ym Mhontypridd ac a gyhoeddodd gyfrol o'i brydyddiaeth yn dwyn y teitl *Egin Awen* ym 1867. Yr oedd Creidiol hefyd yn awdur dwy o rieingerddi, *Dyddanion Min yr Hwyr: Sef Rhiangerdd – Emma Prys* (Pontypridd, 1862), a *Rhiangerdd: Gwenfron o'r Dyffryn* (Aberdâr, 1868).[67] Yna, ym mis Gorffennaf 1868 ymddangosodd y llythyr a ganlyn o'i eiddo ar dudalennau *Y Gwladgarwr:*

> Y mae yn hysbys bellach fod ym mwriad ugain o feirdd y Deheubarth i ddwyn allan gyfrol o farddoniaeth dan yr enw *Gardd y Beirdd*; pob bardd i ddarllen prawflenni ei waith ei hun, ac i gyfranu un bunt, er gwneyd i fyny £20, sef pris argraffu y llyfr. Dwy fil o gopïau sydd i'w hargraffu, a phob bardd i gael cant yr un. Ni fydd yn cael ei wneyd i fyny oll o waith prif feirdd megys Essyllt, Islwyn, Emlyn etc., eithr hefyd o waith beirdd yr ail ddosbarth. Tri ar ddeg sydd erbyn hyn wedi ateb yn gadarnhaol; felly os oes rhai eto a garent fod yn blanwyr blodau yn yr *Ardd Farddonol*, bydded iddynt yn ddioedi i ysgrifenu at yr eiddoch yn llenorol a chywir, Creidiol.[68]

Ymatebodd y beirdd yn ffafriol i'r gwahoddiad hwn, a'r mwyafrif ohonynt yn feirdd a fwriodd eu prentisiaeth dan oruchwyliaeth Caledfryn, ac ymddangosodd *Gardd y Beirdd gan Ugain o Feirdd Cymru* o wasg Thomas Williams ('Brân ap Llyr'), perchennog *The Star of Gwent*, yng Nghasnewydd, ym mis Ionawr 1869, ac ynddi, yn ôl addewid y rhagymadrodd – 'amrywiaeth dyddorol o flodau a llysiau dymunol' gan Glanffrwd, Dewi Wyn o Essyllt, Meudwy Glan Elái, a'r brodyr Carnelian a Gwilym Elian.

William Cosslett ('Gwilym Elian').

Fel y crybwyllwyd eisoes, ychydig o raen oedd ar ganu caeth y prydyddion cynnar, ond magodd beirdd ail hanner y bedwaredd ganrif ar bymtheg fwy o hyder wrth iddynt drin y gynghanedd, a dichon mai dylanwad Caledfryn a'i golofn farddol yn *Y Gwladgarwr* oedd yn bennaf cyfrifol am y datblygiad hwn. Gellir canfod dosbarth newydd o ganu yng ngwaith y beirdd hyn hefyd, sef eu hymdriniaeth â phynciau diwydiannol a phroblemau cymdeithasol, megis tlodi'r gweithiwr a gormes perchnogion y glofeydd a'r gweithfeydd haearn. Ni allent anwybyddu'r cyfnewidiadau diwydiannol na'r dyfeisiadau peiriannol newydd a welid o'u cwmpas. Canodd Gwilym Elian bryddest ar 'Ddefnyddioldeb Agerbeiriannau', er enghraifft, a chanodd Carnelian, ei frawd, a oedd yn löwr ei hun, awdl i'r 'Glöwr' ym 1896.[69] I'r un dosbarth o ganu y perthyn y llu caneuon mawl a ganwyd i berchnogion ac arolygwyr y glofeydd, fel eiddo Dewi Wyn o Essyllt, 'Deg Pennill o Glod i Mr Evan Williams, Arolygwr Gwaith Glo Mr Powell, Llanilltud Faerdref', a lluniodd Gwilym Elian awdl i'r un gŵr 'am ei Ymdrechion Diflino i Gael Allan y Gwythiennau Glo yn Rhydyrhelyg a Nantgarw'.[70] Cerdd gan Gwilym Elian hefyd, 'Cân ar Gyflafan y Cymer', yn coffáu'r 114 o lowyr a laddwyd yn un o lofeydd y Porth, Cwm Rhondda, a farnwyd yn orau yn Eisteddfod y Nadolig a gynhaliwyd yn Rhydfelen ym 1856.[71]

Thomas Essile Davies ('Dewi Wyn o Essyllt').

Hwyrach mai Dewi Wyn o Essyllt oedd y mwyaf uchelgeisiol o'r beirdd hyn. Fe'i ganwyd ym 1820 yn fab i felinydd o Ddinas Powys ym Mro Morgannwg, ond symudodd i gadw siop ym Mhontypridd ym 1874. Dywedir fodd bynnag, nad oedd fawr o siopwr, a'i fod yn rhy drwsiadus ei wisg i ymdroi ymysg y blawd, y caws a'r ymenyn. Yr oedd gan Ddewi gryn dipyn o feddwl ohono'i hun, – dandi ydoedd mewn gwirionedd, a gŵr balch, yr oedd yn well ganddo ymdroi ymhlith trigolion y dref na gweini o'r tu ôl i'w gownter. Yr oedd yn bur hoff o godi'r bys bach yn ogystal, a threuliodd lawer o'i amser, a gwariodd fwy fyth o'i arian, yn y *Butchers Arms* a thafarnau eraill y dref. Y diwedd fu i'r hwch fynd drwy'r siop a bu'n rhaid i'w pherchennog symud i lety yn y dref. Fel mae'n digwydd, pan alwodd yn nhafarn yr *Hewitt Arms*, Pencoedcae, ar 30 Ionawr 1891, syrthiodd y bardd yn farw yn gwbl ddirybudd. Yr oedd Dewi Wyn o Essyllt hefyd yn flaenor gyda'r Hen Gorff yng nghapel y Graig, a bu'n golygu *Yr Ymgeisydd* gydag Islwyn ym 1861, ac *Y Cylchgrawn* gydag Edward Matthews, Ewenni, ym 1862, – dau o gylchgronau misol ei enwad.[72] Ym 1874 y cyhoeddwyd detholiad o'i farddoniaeth a'i ryddiaith yn gyfrol swmpus bron chwe chan tudalen yn dwyn y teitl *Ceinion Essyllt.* Cyfansoddiadau buddugol ac anfuddugol mewn eisteddfodau led-led Cymru yw cynnwys y gwaith, yn awdlau meithion fel 'Llwyddiant, Mawredd a Gogoniant Prydain Fawr' a 'Merthyrdod Steffan', a phryddestau hirwyntog fel 'Buddugoliaethau y Meddwl Dynol ar y Greadigaeth Allanol', a farnwyd yn orau gan Eben Fardd yn Eisteddfod Iforaidd Treforys ym 1857.

Bu Dewi hefyd yn gyfrannwr i brif newyddiaduron y de yn ei ddydd a bu'n golygu *Y Gwladgarwr* (Aberdâr) ac *Y Fellten* (Merthyr Tudful) ar wahanol adegau, ac yng ngholofnau'r papurau hyn y câi gyfle i sgrafellu ei gyd-feirdd eisteddfodol. Bu gornest englynol gas a phigog rhyngddo a

Ifor Cwm Gwŷs, Ioan Emlyn a Dewi Wyn o Essyllt ymhlith y prifeirdd.

Meudwy Glan Elái, a hynny ar dudalennau'r *Gwladgarwr* yn ystod y chwedegau cynnar. Tafarnwr a phostmon oedd y Meudwy, a mynnodd Dewi edliw ei swydd iddo:

> Mi a adwaen y Meudwy – mai ei waith
> Yw mynd at bob trothwy
> I gario clec, a rhoi clwy'
> I frodyr clodforadwy.[73]

Ond collwr gwael fu Dewi Wyn erioed, ac ni allai ffrwyno'i dymer na'i ddicter pan gredai iddo gael cam dan law rhyw feirniad neu'i gilydd mewn eisteddfod. Dyna a ddigwyddodd ym 1884 pan gynhaliwyd yr Eisteddfod Genedlaethol yn Lerpwl. Cawsai Dewi ar ddeall mai ef oedd i'w gadeirio am awdl ar 'Gwilym Hiraethog', ond eiddo Dyfed a farnwyd yn orau, ac ef a gadeiriwyd. Ni faddeuodd Dewi iddo, a bu'n arllwys ei fustl ar bawb a phopeth yng ngholofnau *Tarian y Gweithiwr* am wythnosau lawer yn dilyn yr ŵyl. Fe'i cyhuddwyd gan y beirdd fwy nag unwaith o gystadlu gormod, a hynny mewn mân eisteddfodau yn ogystal â'r eisteddfodau taleithiol a chenedlaethol. Bu llythyru brwd yn *Y Gwladgarwr* yn ystod gaeaf 1882 ynglŷn â gwanc Dewi am wobrau eisteddfodol, ac yntau erbyn hynny yn hen law ar gystadlu ac yn fardd a enillodd ddegau lawer o lawryfon. Atebodd ei gyhuddwyr mewn erthygl faith yn dwyn y teitl 'Y Cystadleuwyr Achwyngar' yn yr un newyddiadur ar 8 Mawrth, 1882. Medd ef:

> Cwynir yn fawr fy mod yn cyfansoddi ar destynau bychain. Wel, paham felly, gan mai llenyddiaeth yw fy mhroffes? Ac os felly, ai nid rhesymol fy mod yn gwneyd y gorau ohoni? Nid wyf fi yn gweled neb mewn cystadlaethau eraill yn rhoddi eu manteision i fyny er mwyn neb na dim, eithr yn myned â'r un anifail i'r *show*, a'r un march i'r rhedegfa, hyd oni threchir ef gan arall. Ni welais i Emrys, Caledfryn, Eben Fardd, Hwfa Mon etc., erioed yn rhoddi cystadleuaeth i fyny er fy mwyn i, eithr cawsom barhau i lafurio yn ofer hyd oni ddaethom yn abl i gipio gwobr yn llwyr annibynol ar ffafr neb . . . Y mae llawer o'r achwynwyr hyn yn amddifad o athrylith ac yn ddiog o ysbryd. Y cyngor a roddaf fi yw ar iddynt ymdrechu, fel ag y gorfu i mi fy hun wneuthur, hyd oni chyrhaeddont y safle hwnw na bydd rhaid iddynt gwyno dim rhagor.

Ond yr oedd Dewi wrth ei fodd mewn ymryson a dadl, a gallai fod yn wirioneddol frathog pan fynnai.

Yr oedd ym Mhontypridd, felly, gylch bywiog o feirdd a llenorion erbyn ail hanner y bedwaredd ganrif ar bymtheg. Cyfarfyddent yn aml i drafod llên a barddas yn y *Llanover Arms*, a cheir adroddiadau lu am eu gweithgareddau yng ngholofnau'r newyddiaduron lleol.[74] Mewn nodyn yn *Y Gwladgarwr* ar 8 Mawrth 1878, gwahoddwyd beirdd yr holl ardaloedd cyfagos i gyfarfod arbennig yn y dafarn ar y dydd Mercher dilynol, a cheir adroddiad llawn am eu trafodaethau yn rhifyn 22 Mawrth. Yn ôl yr adroddiad hwnnw daeth beirdd cymoedd Taf a Chynon ynghyd i giniawa a phwyllgora, a phenderfynwyd y dylid cyhoeddi dyddiadur arbennig at wasanaeth beirdd a cherddorion. Ymhellach:

> Yr oedd pawb oedd yn bresenol yn unfrydol am ei gael, a bu llawer o siarad a chynllunio yn nghylch y modd mwyaf effeithiol i gael yr amcan i ben. Dymunir ar i bawb sydd yn teimlo dyddordeb yn y peth, i wneyd eu

goreu i arloesi y ffordd i'w ddwyn allan, ac i anfon ffrwyth eu hymdrechion, yn nghyd â rhyw awgrymiadau at y gorchwyl erbyn y cyfarfod nesaf. Y cynllun a fwriedir i'w ddwyn allan ydyw i 20 neu 30 i danysgrifio punt yr un, ac i bob un gael hyn a hyn o gopïau. Ac os ceir fod rhagolygon gweddol o'n blaen, penderfynir cael golygydd neu olygwyr yn Nghaerdydd, ac anfonir apeliad cyffredinol at feirdd a llenorion Cymru am gyfeiriadau yr holl frawdoliaeth yn nghyd â rhyw ddefnyddiau a debygid a fyddai yn taro i fod yn y dyddiadur. Yn awr ynte *boys*, hai ati o ddifrif.[75]

Brynfab oedd ysgrifennydd y frawdoliaeth hon, – yntau'n frodor o Gwmaman, Aberdâr, ond a symudodd i ffermio tir Hendre Prosser ym mhlwyf Eglwysilan tua 1873. Ymdaflodd i ganol bywyd llenyddol yr ardal a bu'n gystadleuydd cyson mewn eisteddfodau lleol a chenedlaethol fel ei gilydd. Y mae'r *Geninen Eisteddfodol* yn frith gan ei gerddi arobryn, yn englynion, telynegion, awdlau, cywyddau a phryddestau, a barnwyd ei awdl 'Gwlad y Bryniau' ymhlith y goreuon yn Eisteddfod Genedlaethol 1909 a gynhaliwyd yn Llundain y flwyddyn honno Yr awdl hon a roes inni'r englyn adnabyddus:

Thomas Williams ('Brynfab').

O wlad fach, cofleidiaf hi, – angoraf
Long fy nghariad wrthi:
Boed i foroedd byd ferwi,
Nefoedd o'i mewn fydd i mi.

Penodwyd Brynfab yn olygydd colofn farddol *Tarian y Gweithiwr*, yn olynydd i Ddafydd Morganwg, ym mis Ionawr 1880, ac ym 1912 dechreuodd gyhoeddi cyfres o gerddi a chaneuon, yn arbennig ar gyfer plant yn yr un newyddiadur. Yn y *Darian* hefyd y cyhoeddwyd ei nofel gyfres

'Pan Oedd Rhondda'n Bur', sy'n rhoi darlun rhamantus, braidd, am orffennol y Cwm yn y cyfnod cyn-ddiwydiannol, a bu'n cynnal colofn 'O'r Ysgubor' yn yr un papur am flynyddoedd lawer.[76] Brynfab oedd un o'r rhai olaf o'r hen do o feirdd ym Mhontypridd, ac mae ei atgofion am feirdd ac eisteddfodau cymoedd Morgannwg a gyhoeddwyd yn y wasg gyfnodol o bryd i'w gilydd yn ddogfennau gwerthfawr i'r hanesydd llên a'r hanesydd cymdeithasol.[77] 'Iddo ef, yn anad neb arall, y rhodded dawn parod gwŷr y Gloran', medd Dyfnallt amdano. 'Trwy gydol ei oes, ni chollodd ddim o acen y dafodiaith, a meddai ar naturioldeb diffwdan, gwreiddioldeb bachog, cragwri ac ysmaldod heintus'.[78]

Cythruddwyd nifer o fân feirdd Morgannwg gan weithgareddau 'Beirdd y Bont' a'u cyfarfodydd. Dyma sylwadau un o ohebwyr *Y Gwlad-garwr* yn rhifyn 19 Ebrill 1878, er enghraifft:

> Beirdd Pontypridd! Pwy o Gaerdydd i Gaergybi, ie o Ynysybwl i Athen, nad ydyw wedi clywed amdanynt yn ystod y misoedd diwethaf? Mae eu clod yn ngenau pawb, a hanes eu gweithrediadau a'u gorchestion yn britho tudalenau newyddiaduron ein gwlad, yn Gymraeg a Saesneg, ac ieithoedd eraill am wn i. Beirdd y Bont yn gwledda, penderfynu, dadlau, awgrymu, condemnio . . .Yn wir, gellir dysgwyl y bydd dylanwad gweithrediadau y Senedd Awenyddol hon yn cyrhaedd ymhell tuhwnt i Gymru, – i Loegr, beth bynag am yr America.

Yr oedd y gohebydd hwn yn drwm ei lach ar y frawdoliaeth farddol ym Mhontypridd am ei bod yn arfer ganddi gynnal ei chyfarfodydd mewn tŷ tafarn, a rhagwelai Daniel Griffiths ('Brythonfryn'), un o ohebwyr *Y Gwladgarwr*, a gŵr na allai gysgu'r nos os na fyddai wedi bod mewn ymrafael â rhywrai neu'i gilydd yn ystod y dydd, 'y bydd yn rhaid i holl feirdd Cymru fod yn *subordinate* i'r Senedd hon cyn hir'.[79] Ond parhau i gynnal eu cyfarfodydd yn y *Llanover Arms* a wnaeth y beirdd, a daeth eu cyrddau barddol yno yn rhan annatod o fyth y dref.

Ond y ddraenen fwyaf pigog yn ystlys y cwmni hwn, yn ddiddadl, oedd William Henry Dyer ('Mabonwyson'). Y mae bron pawb sydd wedi traethu ar feirdd Pontypridd a'r cylch wedi cyfeirio at Fabonwyson droeon, ond ychydig iawn o wybodaeth a roddir amdano, a thasg anodd iawn erbyn heddiw yw dod o hyd i fanylion ei yrfa.[80] Er hynny, gellir olrhain amryfal droeon yr yrfa honno yng ngholofnau papurau newydd Morgannwg, ac ni fyddai trafodaeth ar draddodiad llenyddol y dref yn gyflawn heb air amdano. Fe'i ganwyd yn Y Bont-faen, ym Mro Morgannwg, tua 1837, ond ni wyddys dim am ei ddyddiau cynnar rhagor na'i fod yn byw yn y Cymer, Cwm Rhondda, ym mis Medi 1856, pan gymeradwywyd ef i aelodau pwyllgor Coleg Michael D. Jones yn Y Bala gan gwrdd chwarter Cyfundeb eglwysi Annibynnol Dwyrain Morgannwg fel 'dyn ieuanc gobeithiol o gymeriad diargyhoedd'.[81] Dywedir mai yn eglwys Annibynnol Libanus, Craig Berth-lwyd, y codwyd ef i bregethu, eithr gwadu hynny'n bendant a wnaeth Thomas Edwards, hanesydd swyddogol yr achos yno, ym 1933.[82] Arwyddocaol hefyd yw geiriau awduron *Hanes Eglwysi Annibynol Cymru* yn eu nodyn ar Libanus. 'Ni chodwyd yma neb i bregethu y byddai crybwyll ei enw o un anrhydedd i Ymneillduaeth nac i grefydd', yw'r sylw swta sy'n digwydd yno.[83] Beth bynnag, derbyniwyd Mabonwyson yn fyfyriwr i'r Coleg ar 26 Medi 1856, ond prin y gellir dweud iddo gael gyrfa lwyddiannus yno, gan iddo orfod ymadael â'r sefydliad hwnnw chwe mis yn ddiweddarach, ym mis Mawrth 1857. Yr oedd pethau'n ddrwg iawn rhyngddo a Michael D. Jones, Prifathro'r Coleg, ac ef mae'n debyg a'i cynghorodd i ymatal rhag gweiddi wrth iddo draddodi ei bregethau. Ychwanegodd y prifathro y byddai'n dod i'w wrando'n pregethu mewn eglwys yn ymyl Y Bala y Sul dilynol. Felly y bu, a chymerodd Mabonwyson yr adnod 'Llefa â'th geg ac nac arbed', yn destun i draethu arno.[84]

Ymadawodd â'r Bala i fyw gyda'i fam yn ardal Mynwent y Crynwyr, ac yno, y mae'n debyg, y dechreuodd arddel y ffugenw 'Mabonwyson'. Ceir portread diddorol ohono gan Huw Morris yn ei gyfres 'Oriel y Beirdd' a gyhoeddwyd yn *Y Gwladgarwr* ym 1877:

> Dyn tal, cul a chyhyrog, igam ogam ac afrosgo ei symudiadau, a'i ymddangosiad yn rhyfeddach na phawb. Ymddengys bob dydd yn ei wisg orau, – cot hir o frethyn du, a llodrau a gwasgod o frethyn *plod*, ac ar ei ben gwelir mam holl hetiau'r deyrnas. Mae yn eithriad yn mhlith y llwyth barddol. Efe yw yr unig un sydd yn gallu byw ar lenyddiaeth. Ni fwriadodd Rhagluniaeth iddo enill ei fywoliaeth trwy chwys ei wyneb, eithr trwy ei dalent. Prif lythyren ei fywyd ydyw V, a hono yn y maint mwyaf a welwyd erioed. Mae yn ysgolhaig gwych ac yn well athronydd na neb o'i gydfeirdd, yn ôl ei dystiolaeth ei hun.
>
> Fel eisteddfodwr, nid oes neb wedi cystadlu cymaint ag ef, ac yn y blyn-

> yddau a aethant heibio byddai yn llwyddo yn lled aml i gipio gwobrwyon. Enillodd lawer o bres am farwnadau a chaneuon clod; ond rhywsut y mae duwies ffawd wedi gwgu arno yn ddiweddar: y beirniaid yn anwybodus ac yn methu gweled gwerth cynyrch ei awen doreithiog. Bydd yn cael cam bob tro y bydd yn aflwyddianus, a gwae y neb a ddywedo yn amgen. Efe yw yr unig glerfardd sydd yn byw yn bresenol, a phan fydd rhywun eisieu cân o glod, ni raid iddo ond anfon at y bardd hwn.[85]

Daeth Mabonwyson i'r amlwg fel bardd am y tro cyntaf yng ngholofn farddol Caledfryn yn *Y Gwladgarwr*, yn ystod y chwedegau, ond nid ymddengys bod gan y gŵr o'r Groes-wen fawr o amynedd ag ef chwaith. Pan gyhoeddwyd ei gân 'Cadair Fagu fy Mam', sef cerdd arobryn un o eisteddfodau Caerdydd, yn rhifyn 9 Ebrill 1864, fe'i cyhuddwyd o lên-ladrad am fod ynddi ddarnau cyfain o gân Ifor Cwm Gwŷs i'r 'Gadair Wellt'. Yna, yn rhifyn 28 Ionawr 1865, o'r un papur, cyfaddefodd Caledfryn ei fod 'yn ffaelu canfod unrhyw bwynt na dim i roddi unrhyw addysg', mewn cân arall o'i waith. Er hynny, bu'n cyd-feirniadu ag Ifor Cwm Gwŷs mewn cyfarfod llenyddol a gynhaliwyd yn y Gyfeillion, ym mis Gorffennaf 1866, ac ef oedd yn cloriannu'r cyfansoddiadau mewn cyfarfod tebyg a gynhaliwyd yn y *Victoria Inn* ym Mynwent y Crynwyr y mis Medi dilynol.[86] Symudodd i Lanfabon wedyn, a gwyddys iddo fod yn cadw ysgol am gyfnod byr ar Benyrheolgerrig ger Merthyr Tudful cyn iddo ddychwelyd i Fynwent y Crynwyr drachefn. Trigai gyda'i fam ar y Graig Berth-lwyd erbyn dechrau'r saithdegau.[87] Yr oedd eisoes wedi cyhoeddi llyfryn o'i gyfansoddiadau ym 1865 pan ymddangosodd *Yr Awenydd* o wasg W. Morgan Evans yng Nghaerfyrddin, a'r englyn hwn gan Ddafydd Morganwg yn cymeradwyo'r gwaith i'r darllenwyr ar y clawr:

> O arched pawb gynhyrchion – awen bert
> Ein bardd Mabonwyson;
> Maeth, cryfder a braster bron
> Yw ei nwyddau newyddion.

Darnau buddugol ac anfuddugol mewn cyfarfodydd llenyddol a gyhoedd-wyd yn *Y Gwladgarwr* yw'r mwyafrif o gerddi'r *Awenydd*, a chyflwynodd Mabonwyson hwy i'w 'gydwladwyr hoff fel testunau adroddiadol', gan obeithio 'y byddant o les i bawb o'u darllenwyr'. Adolygwyd y gwaith gan neb llai na Dewi Wyn o Essyllt, a bu yntau'n fawr ei ganmoliaeth. 'Y mae ynddo rai caniadau o arddull delynegol ag a ddarllenir gyda difyrwch a blas', meddai, 'cynwysant *pathos* barddonol, gan nad beth am *feddyl-ddrych*. Gellir dweud nad oes dim ag sydd yn wrthun ac yn dramgwyddus i chwaeth goeth a dysgybledig oddifewn i gloriau y llyfr'.[88] Ceir yn y llyfryn gerddi ymddiddan, caneuon o fawl i ddiwydianwyr lleol, marwnad i Dwm Cilfynydd a phryddest ar 'Undeb Crefyddol'. Cyfieithodd ddetholiad o'r cerddi Cymraeg i'r Saesneg yn ogystal, a hynny 'for the sake of the English ladies and gentlemen who have kindly subscribed to the work'. Gwŷr a gwragedd bonheddig oedd y rhain fel H. Hussey Vivian, Abertawe, Nicholl Carne o Gastell Sain Dunwyd, Iarlles Waddolog Dwnrhefn a Richard Fothergill, y diwydiannwr o Gastell Hensol. Canodd gerdd ar destun 'Ymfudiaeth' hefyd sy'n cynnwys y llinellau hyn:

Ymfudiaeth! Mae'i henw yn swyno calonnau
  Rhyw luaws o ddynion nes morio ymhell,
Ac yn y porthladdoedd canfyddir y miloedd
  Mewn brys mawr yn myned i geisio gwlad well;
A mawr ydyw'r synnu a'r siarad a glywir
  Gan wreng a bonheddig, mewn tref ac mewn gwlad,
Ac ysbryd ymfudo bob dydd sy'n cynyddu,
  A chefnu mae'r gweithwyr ar ormes a brad.

Dylanwad Ymfudiaeth a deimlir ym Mhrydain
  Er lles cyffredinol y gweithwyr da'u clod;
Ei pharch sy'n cynyddu, a'i gwerth gaiff ei deimlo,
  Hwy mawr a ganmolant a charant ei nod;
Oherwydd deallant fod llesiant anhraethol
  I'r meistriaid a'r gweithwyr o bob tu i'r môr;
Trwy hyn galluogir ein henwog fasnachaeth
  I dalu ei threuliau, a rhywfaint yn stôr.

Ym Mhrydain y clywir rhai cannoedd o filoedd
  Yn ochain yn athrist mewn tlodi o hyd,
A miloedd Amerig ro'nt daer wahoddiadau
  I bawb ddyfod trosodd i wella eu byd;
Awstralia, New Zealand, Columbia Brydeinig,
  A gwych Galiffornia wnaeth hefyd yn rhwydd

Agoryd eu dorau am flwyddi tra meithion,
A llawer o ddynion trwy hynny ga'dd lwydd.[89]

Yr oedd gan Fabonwyson ei hun gryn ddiddordeb mewn ymfudiaeth, oblegid, ar ei gyfaddefiad ef ei hun, ei uchelgais mawr oedd ymfudo i'r Taleithiau Unedig. Lluniodd nifer o ysgrifau ar y testun i'r *Gwladgarwr* yn ogystal, a bu'n bygwth gadael Cymru droeon dros y blynyddoedd. Serch hynny, cyff gwawd a chocyn hitio fu Mabonwyson i bawb ar dudalennau'r papur, ac er na chyfeiriodd neb o'i gyfoedion yn bendant at ei wendid, gellir casglu fod Mabonwyson wedi'i gaethiwo i'r ddiod, ac mai dyna fu achos ei gwymp yn y diwedd. Erbyn canol saithdegau'r ganrif, ef a gadwai golofn glecs Llanfabon yn *Y Gwladgarwr*, colofn y rhoddid iddi'r pennawd 'Llith o'r Bwthyn Barddol'. Rhoes wybod i bawb o ddarllenwyr y papur ym mis Ebrill 1875 ei bod yn fwriad ganddo gyhoeddi detholiad arall o'i brydyddiaeth yn dwyn y teitl *Y Cysawd Barddol*, a hwnnw'n cynnwys caneuon a osodwyd i gyfansoddiadau cerddorol gan Joseph Parry ('Pencerdd America') a'r telynor Thomas Dafydd Llewelyn ('Llywelyn Alaw').[90] Yn y cyfamser, ymddangosodd adroddiad yn *Y Gwladgarwr* am ymosodiad milain ar Fabonwyson a'i fam, yn eu cartref ar y Graig Berth-lwyd yn ystod haf 1875, a hynny gan John Edwards, David Thomas a Benjamin Williams, tri o wŷr ifainc yr ardal. Fe'u gwysiwyd i ymddangos gerbron ynadon Caerffili, ac yn ôl adroddiad y papur:

> Ymddengys fod yr erlynydd (yr hwn sydd yn adnabyddus i luaws o'n darllenwyr fel llenor a bardd), yn nghyd â'i fam, wedi cael mis o rybudd i ymadael â'r tŷ, ond oherwydd iddynt fethu cael lle cyfleus i symud iddo, nid ymadawsant â'u preswylfod ar yr amser penodedig. Aeth Mabonwyson oddicartref am rai dyddiau yn ddiweddar, ac yn ei absenoldeb, taflwyd yr hen wraig a'i dodrefn i ben yr heol, ond penderfynodd y bardd, ar ei ddychweliad, i wthio y drws i mewn, ac ail-feddianu y bwthyn. Yn union ar ôl hyn, ymosodwyd ar y bardd a'i fam gan y diffynwyr, y rhai a aethant at y tŷ, ac a daflasant i mewn dywarch gan niweidio y dodrefn a thori rhai llestri.[91]

Gorchmynnwyd i'r tri ymosodwr dalu dirwy o chweugain yr un am eu trosedd, neu eu carcharu am gyfnod o bythefnos. 'Dyn gwael fuasai yn codi ei ddwrn a tharo hen frawd eiddil fel Mabonwyson, a gwaelach fyth ei guro â thywyrch a cheryg', meddai un o ohebwyr *Y Gwladgarwr*, wythnos yn ddiweddarach. 'Pe cawswn i fod ar y fainc, mwy na thebyg y cawsent fyned i Gaerdydd i falu gwynt, heb gyfleusdra i dalu dirwy o unrhyw fath yn y byd'. A rhoes yr anogaeth hon i'r bardd: 'Tuchangerdd iddynt, frawd, a chofia osod ynddi ddigon o dân a brwmstan, fel y llosgo yn dda ar glustiau y canibaliaid cythreulig'.[92] Daeth i'r amlwg yn y man, fodd bynnag, mai tŷ rhent oedd y Bwthyn Barddol, nad oedd yr ardreth wedi ei dalu ers saith mis, a bod y bardd a'i fam mewn cryn ddyled. Bu cryn ddadlau ar dudalennau'r *Gwladgarwr* tros yr wythnosau dilynol ynghylch 'Yr Erledigaeth ar Mabonwyson', gyda rhai o'i blaid ac eraill yn ei erbyn. Ond yng nghanol mis Awst 1875, hysbysodd Mabonwyson ei fod ef a'i fam, bellach wedi symud 'i le mwy barddonol, agos mor ffrwythlon â Gwlad Canaan, heb ond y defaid a'r ŵyn, y gwartheg ieuainc a'r ceffylau bychain yn pori ar ei lechweddau, a bydd yma le tawel i mi i ddwyn allan *Y Cysawd Barddol*, yr hwn a gynwys ddetholion fy marddoniaeth am y blynyddau diweddaf'.[93] Bu pethau'n gymharol ddistaw am rai misoedd wedyn, ond yn niwedd mis Gorffennaf 1876, cyhoeddwyd llythyr gan y bardd yn *Y Gwladgarwr* yn hysbysu pawb o'r darllenwyr ei fod ar fin ymadael i'r Taleithiau a'i fod yn apelio am gyfraniadau i'w alluogi i dalu costau'r daith:

> Y mae cydymdeimlad â dyn mewn cyfyngder yn sicr o fod yn un o'r rhinweddau penaf a berthyn i'r natur ddynol; a chan fy mod inau wedi bod dan law gorthrymwyr Pharoaidd ers blwyddyn bellach, yr wyf o dan angenrheidrwydd i apelio am eich cydymdeimlad gan fy mod yn benderfynol o fyned i'r Amerig yn union, os y gwnewch weled yn dda fy nghynorthwyo . . . Felly, anwyl garedigion, gadewch i mi lwyddo gyda chwi unwaith am byth i wneyd fy nghais trwy anfon *stamps* neu *post-office orders* i mi mor fuan ag y byddo yn bosibl, oblegyd bwriadaf gychwyn yn mhen chwech wythnos o bellaf, o'r dydd y darllenwch hwn. A chan mai gwasanaethu fy nghenedl a fydd fy amcan yn y Gorllewin, hyderaf yn eich cywirdeb, ymorphwysaf ar eich ffyddlondeb, ac ymddiriedaf yn eich gallu, eich cydymdeimlad a'ch cydweithrediad uniongyrchol, a bydd rhagluniaeth dyner Duw yn sicr o'ch gwobrwyo.[94]

Yna, ym mis Hydref yr un flwyddyn cynhaliwyd cyfarfod llenyddol arbennig yn y *Maltster's Arms* ym Mhontypridd 'ar achlysur o ymadawiad

Mabonwyson â gwlad ei enedigaeth'. Noddwyd y cyfarfod hwnnw gan aelodau o'r 'Clic' dan lywyddiaeth Dewi Haran, a Mabonwyson ei hun oedd beirniad y cyfansoddiadau. Cynigiwyd gwobrau hael am y cerddi gorau ar 'Deimlad a Cholled y Genedl ar ôl y Bardd a'r Ysgolor Enwog Mabonwyson'; 'Llawenydd a Rhagorfraint yr Americaniaid yn Nyfodiad Mabonwyson i'w Cyfandir'; 'Beddargraff Mabonwyson Pe Diwgyddai Iddo Foddi yn y Môr'; ac araith ar 'Fywyd ac Athrylith Mabonwyson'. Yn ôl yr adroddiad am rialtwch y noson honno a gyhoeddwyd yn y wasg:

> Cafwyd mwynhad neillduol gyda'r gwaith nos Wener, a dydd Sadwrn drachefn ail-ymunodd rhai o'r brodyr i edrych dros y cyfrifon; a chlywais nad oedd pethau yn myned yn mlaen mor llyfn yn y cwrdd hwn â'r un nos Wener. Pobl annhrefnus ydyw beirdd i drin pres, ac yn yr amgylchiad hwn yr oedd y taliadau wedi llyncu i fyny cryn gyfran o'r derbyniadau, a phan aed ati i gyflwyno y gweddill i'r Bardd, yr oedd y swm mor fychan fel y ffromodd hwnw yn aruthr, ac ni fynai mohonynt, eithr tystiai nad oedd yr hyn a gynigid yn deilwng o'i safle ef fel bardd, nac ohonynt hwythau fel ei gyfeillion. Yn y cyfwng hwn daeth prif-fardd o'r Bont yn mlaen, ac ar ôl dadleu brwd beth oedd oreu i'w wneyd, deuwyd i'r penderfyniad mai y cynllun goreu oedd troi y *balance* gwrthodedig yn ginio, ac uwchben yr ŵydd a'r moethau ereill huliedig ar y bwrdd, anghofiwyd yr annghydfod, ac os ysbeiliwyd llogell Mabon – fe lanwyd ei gylla.[95]

Hwyrach mai ar yr achlysur anffodus hwn yr ymosododd y bardd ar aelodau'r 'Clic', a dweud amdanynt: 'Dewi Wyn o Essyllt yn ciatw ticyn o siop yn Llanfana, a dim ond sepon a thriacl odd ganddo fa, a'i hen siop e' i gyd yn y ffenast. Dewi Haran, cetyn o dilwr ac ocsiwnêr, a gwed celwdd odd i waith a, a fe wertha'i fam am ddima. Dewi Alaw yn hwcstera ar hyd y Bont, a hen geffyl a chart a brynws y Clic iddo fa, a'r hen geffyl mor dena fel y gallech whare tiwn ar i asenna fa. Carnelian, rhyw dicyn o golier yn gwitho mewn hen lefel fach ar ochr y Graig Wen, a ddim yn torri dicon o lo i giatw tân barbwr i fynd, – a Brynfab yn ciatw tamaid o ffarm ar ochr Mynydd Eglwysilan y gallwn ei chuddio hi â'm het'.[96] Ond nid gŵr i ddigalonni oedd Mabonwyson, oblegid aeth rhai o wŷr Treherbert a'r Bargoed ati gyda'r un brwdfrydedd dros y misoedd dilynol i drefnu tystebau ac i godi arian i'w gynorthwyo ar ei daith. Ar 9 Tachwedd, 1876, cynhaliodd beirdd a llenorion Treorci gyfarfod arbennig i anrhegu'r bardd yn y *Cardiff Hotel.* Yno 'yr oedd seindorf bres y Mri Morris a George yn chwareu o flaen y *Cardiff* nes yr oedd y bryniau yn adseinio', a chyflwynwyd 12s. 10c. i Fabonwyson i'w gynorthwyo 'i farchogaeth y don'.[97] Ond aros yng Nghymru a wnaeth Mabonwyson er y mynych sôn am ymfudo. Daeth gohebydd o'r enw 'Rheinallt' i'r maes ym mis Ionawr 1877 ac apeliodd yntau am gymorth ariannol i'r bardd i'w alluogi i gyhoeddi'r *Cysawd:*

> Nid yw mân ohebwyr yr wythnosolion Cymreig yn ddim amgenach na gwybed Mehefin yn ymyl eryr mawr adeiniog, o'u cydmaru â'r Bardd o Fynwent y Crynwyr; mae efe fel haul yn pelydru yn nghanol twr o sêr dilewyrch.

> Mewn miloedd o flynyddoedd
> Mewn oesau ar ôl hyn,
> Y ceir mewn llyfrgelloedd
> Gyfrolau du a gwyn,
> Yn adrodd hynt enwogion
> Ein Tywysogaeth ni,
> Bydd enw Mabonwyson
> Ar gael yn mhlith y llu.

Parhau i chwilio am nawdd a chasglu enwau tanysgrifwyr i'r *Cysawd Barddol* fu hanes Mabonwyson dros y misoedd dilynol. Ymwelodd ag ardal yr Ystrad yng Nghwm Rhondda yn niwedd 1877, lle bu'n lletya yn Llys y Graig, cartref y Dr Idris Naunton Davies, un o wŷr mwyaf dylanwadol y Cwm yn ystod ail hanner y bedwaredd ganrif ar bymtheg. Perthynai Idris Naunton Davies i un o deuluoedd enwocaf Cwm Rhondda. Mab ydoedd i Evan Davies ('Ieuan ap Dewi'; 1801-1850), meddyg glofa Walter Coffin yn y Dinas, a golygydd *Y Meddyg Teuluaidd*, cylchgrawn meddygol dwyieithog, y cyhoeddwyd ei bedwar rhifyn ym Merthyr Tudful rhwng misoedd Ionawr ac Ebrill 1827. Priododd â Catherine Naunton, un o ferched David Naunton, gweinidog Nebo, eglwys y Bedyddwyr yn Ystradyfodwg. Daeth Henry Naunton Davies, y mab hynaf, yn feddyg ac yn ŵr amlwg ym mywyd cyhoeddus Cwm Rhondda. Bu â rhan flaenllaw yn yr ymdrechion i geisio achub glowyr trychineb glofa'r Tŷ Newydd ym

1877, a dyfarnwyd iddo fedal gyntaf y Gymdeithas Feddygol am ei wroldeb yn trin y clwyfedigion. Meddyg hefyd oedd ei frawd, Idris Naunton Davies, noddwr Mabonwyson. Ymfudodd i Mahanoy City, Pennsylvania, ym 1867 ond dychwelodd i Gaerfyrddin ym 1872, a phenodwyd ef yn feddyg glofa'r Pentre yng Nghwm Rhondda yn fuan wedyn. Cyfrannodd lawer i'r wasg gyfnodol Gymraeg ac arddelai'r ffugenw 'Amosydd Glan Ffrwd'. Bu farw ym mis Rhagfyr 1887.[98]

Gwelodd Mabonwyson gopi o gyfrol Richard D. Thomas ('Iorthryn Gwynedd'), *Hanes Cymry America*, yng nghartref Idris Naunton Davies, a chododd awydd ymfudo arno unwaith yn rhagor. Adeg yr ymweliad hwn, mae'n debyg, y llwyddodd i ddwyn perswâd ar Naunton Davies i'w noddi ac i weithredu fel trysorydd y gronfa a sefydlwyd i gwrdd â'r costau argraffu. Yr oedd dros 300 o drigolion Morgannwg wedi tanysgrifio i'r *Cysawd Barddol* erbyn mis Mai 1880, ar gyfaddefiad y bardd ei hun, ac apeliodd unwaith eto am ragor o danysgrifwyr. 'Anwyl frodyr llenyddol, a Chlic y Bont *included*', meddai, 'rhoddwch help llaw i un o'ch brodyr anghenus'. Hysbysodd ddarllenwyr *Y Gwladgarwr* ym mis Medi yr un flwyddyn bod *Y Cysawd* 'i wneyd ei ymddangosiad ymhen ychydig wythnosau', – ond nis cafwyd, fodd bynnag, er mawr siom i garwyr llên a barddas mae'n ddiamau.[99] Ychydig o sôn a fu am Fabonwyson dros y misoedd dilynol; yn wir, ni chafwyd yr un cyfraniad ganddo i golofnau'r *Gwladgarwr* ar ôl 21 Ionawr, 1881. Ond ar 27 Medi y flwyddyn honno ymwelodd y newyddiadurwr Owen Morgan ('Morien') â Wyrcws Pontypridd, a rhoes ddisgrifiad manwl o'r hyn a welodd yno:

Owen Morgan ('Morien').

> Wedi esgyn y grisiau o geryg, aethum dros dramwyfa fer, a chefais fynediad i ystafell hir. Ar yr ochr ddeheu i'r fynedfa, yr oedd lle tân, gyda meinciau wedi eu rhanu yn yr ochr, ac yma yr oedd hen ddynion yn

eistedd yn dawel. Mor ofnadwy o welwlas yr oeddynt yn ymddangos. Yr oedd rhai o'r dyoddefwyr yn barchedig mewn oed, wedi bod unwaith yn ddynion priod â phlant, aelwydydd hapus a chylch cartrefol, ond yr oll wedi eu blaenori i'r wlad fawr a rhyfeddol tuhwnt i'r bedd, â'u gadael yn ddiobaith. Yma yr oedd hen löwr o Benygraig, yr hwn oedd wedi treulio yn agos i ddeugain mlynedd yn ngwasanaeth Mr Walter Coffin. Nid oedd ganddo na pherthynasau na chyfeillion. Gerllaw iddo ef, mewn gwely, y caed glöwr arall yn wir lasaidd ac un o'r gweinyddwyr yn ceisio rhoddi llaeth iddo i'w lyncu. 'A oes pregethwr yn dyfod yma ar brydiau?', gofynais. 'Nac oes', oedd yr atebiad mewn llais egwan. 'Y mae'n debygol', meddai un ohonynt, 'fod gan y pregethwyr ormod i'w wneyd i ddyfod yma'.

Gerllaw yr oedd Mabonwyson y bardd, yn ddios gyda meddwl annrhefnus, gan ei fod yn gweiddi ar ben ei lais 'Dyma le i fardd! Dyma fan i awen!' yn olynol, yn ymddangos fel pe bai mewn ymrafael â rhywun, gan ei fod yn pwtian yn afresymol mewn modd cynhyrfus. Yr oll a allesid ei wneyd allan oedd 'Y diawliaid'. Darfu imi agoshau at ei wely. Gwnaeth barhau i siarad rhywbeth gyda hydreigledd mawr. Yn y man torrodd allan i ganu yn nwyfus. Awgrymais enwau personau neillduol gyda pha rai yr oedd ar delerau anheddychlawn. Torrodd allan mewn eiliad i ailadrodd yn Gymraeg fynegiant o sarugrwydd, sef 'Ach!' Bryd hynny dechreuais adrodd yn dawel yr emyn Cymraeg adnabyddus:

> Golchwyd Magdalen yn ddisglair
> A Mannasseh'n hyfryd wyn,
> Yn y dŵr a'r gwaed a lifodd
> O ystlys Iesu ar y bryn;
> Pwy a ŵyr na olchir finnau?
> Pwy a ŵyr na fyddaf byw?
> Mae rhyw drysor anchwiliadwy
> O ras yng nghadw gyda Duw.

Gwnaeth yr anffodusion wrando yn sylwgar, a chyn imi ddibenu yr oedd wyneb yr anffodus Mabonwyson wedi ei orchuddio â dagrau. Beth mae blaenoriaid y bobl yn ei feddwl, tybed, am yr hyn a awgrymodd un o'r trueiniaid am danynt? Gobeithio gwelant yn dda roi eu presenoldeb yno yn y dyfodol. Yr ydym yn fynych yn clywed fod yr un parch yn ddyledus i'r wraig â'r un *hatling* fel yr hon sydd â chant. Os felly, dangoser hyny tuag at y cyfryw yn yr amgylchiad pruddaidd dan sylw. Os ydym yn blant i'r un Tad, yr ydym yn etifeddion hefyd.[100]

Wyrcws Pontypridd lle bu farw Mabonwyson.

Hysbyswyd darllenwyr *Y Gwladgarwr* ar 25 Tachwedd yr un flwyddyn bod Mabonwyson yn ei fedd er dechrau'r mis, ac yntau'n bump a deugain oed, ac yn ôl pob tystiolaeth bu farw o wenwyn alcohol.[101]

Treuliodd un arall o feirdd y Bont gyfnod yn Wyrcws y dref hefyd, a David Davies ('Dewi Alaw') oedd hwnnw. Yn frodor o ardal y Ceinewydd yn sir Aberteifi, fe'i prentisiwyd fel saer llongau yn y Cei cyn iddo symud i Ferthyr Tudful ac yna i Bontypridd, lle bu'n saernïo badau ar gyfer Camlas Aberdâr. Datblygodd yn gerddor o gryn allu, bu'n aelod brwdfrydig o'r Côr Mawr dan arweiniad Griffith Rhys Jones ('Caradog'), a chyfansoddodd rai caneuon ac anthemau.[102] Ymadawodd â Phontypridd yn gynnar ym 1864 pan symudodd i weithio i un o weithfeydd haearn Stockton on Tees. Cynhaliwyd cyfarfod yn Neuadd Ddirwestol Pontypridd i'w anrhegu cyn ei ymadawiad, ac yn ôl yr adroddiad a gyhoeddwyd am y noson honno, dywedir:

> Y mae colli un fel Dewi Alaw yn golled anrhaethol i gymdeithas, yn enwedig mewn cysylltiadau â cherddoriaeth. Y mae yn eithaf hysbys bellach i Gymru benbaladr, fod y cyfaill hwn wedi llafurio dan gryn lawer o anfanteision, ond trwy ymdrech ddiflino, y mae wedi cyrhaedd safle uchel fel cyfan-

soddwr ym mysg y genedl, safle nad oes ond ychydig o'r dosparth gweithiol wedi ei gyrhaedd.[103]

Dychwelodd Dewi i Bontypridd drachefn ym mis Awst 1868, a threuliodd weddill ei oes yn y dref, yn aelod selog o'r Clic.[104] Dysgodd grefft argraffydd, a chynhyrchodd ei wasg fân bosteri, tocynnau a rhaglenni eisteddfodau a chymanfaoedd canu i gapeli, eglwysi ac amryfal gymdeithasau'r dref. Ef a sefydlodd *Y Gerddorfa: Cylchgrawn Misol at Wasanaeth Cerddoriaeth a Barddoniaeth Gymreig*, ei gyd-olygu ar wahanol adegau â D. Emlyn Evans, a'i argraffu ar ei wasg ei hun yn ei swyddfa yn Heol Taf. Ymddangosodd 90 o rifynnau o'r *Gerddorfa* rhwng mis Medi 1872 a diwedd 1881, a bu rhai o brif gerddorion Cymreig y cyfnod yn gyfranwyr iddo, gwŷr fel John Ambrose Lloyd, John Thomas, Llanwrtyd, Emlyn Evans a Joseph Parry.[105] Dirywio'n raddol a wnaeth iechyd Dewi Alaw yn ystod nawdegau'r ganrif, a chollodd flas ar fywyd wedi iddo gladdu ei wraig. Bu'n rhaid iddo fynd i Wyrcws Pontypridd yn gynnar ym 1912, ac aeth ei gyfaill Brynfab ati i drefnu ailargraffu rhai o'i anthemau a'i ganeuon mwyaf poblogaidd, a chodi cronfa ariannol i'w gynorthwyo. Collasai Dewi ei olwg erbyn hynny, a bu farw ym mis Gorffennaf 1914. Ddwy flynedd yn ddiweddarach, dadorchuddiwyd cofgolofn iddo ym mynwent Glan Taf, pan ddaeth Brynfab, Gwyndaf Elian, Gwyngyll, Ifano Jones ac eraill o brif feirdd a llenorion Pontypridd a'r cylch ynghyd i deyrngedu uwch ei fedd.[106]

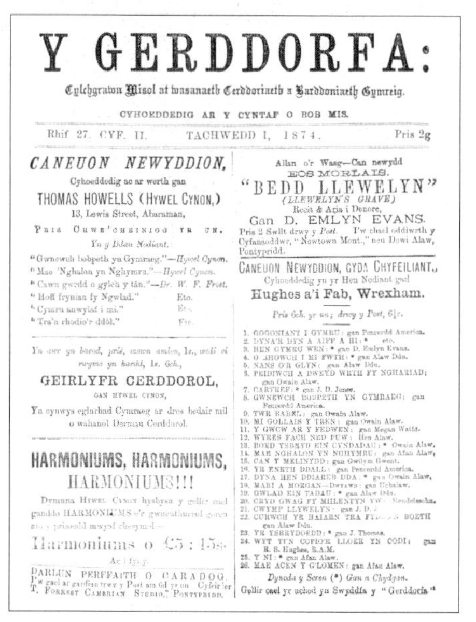

Y GERDDORFA:

Cylchgrawn Misol at wasanaeth Cerddoriaeth a Barddoniaeth Gymreig.

CYHOEDDEDIG AR Y CYNTAF O BOB MIS.

Rhif 27. CYF. II. TACHWEDD 1, 1874. Pris 2g

CANEUON NEWYDDION,

Cyhoeddedig ac ar werth gan

THOMAS HOWELLS (HYWEL CYNON,)

13, Lewis Street, Abaraman,

PRIS CHWE'CHEINIOG YR UN.

Yn y Ddau Nodiant.

"Gwnewch bobpeth yn Gymraeg."—*Hywel Cynon.*
"Mae 'Nghalon yn Nghymru."—*Hywel Cynon.*
"Cawn gwrdd o gylch y tân."—*Dr. W. F. Frost.*
"Hoff frynian fy Ngwlad." Eto.
"Cymru anwylaf i mi." Eto.
"Tra'n rhodio'r ddôl." Eto.

Yn awr yn barod, pris, mewn amlen, 1s., wedi ei rwymo yn hardd, 1s. 6ch.,

GEIRLYFR CERDDOROL,

GAN HYWEL CYNON,

Yn cynwys eglurhad Cymraeg ar dros bedair mil o wahanol Dermau Cerddorol.

HARMONIUMS, HARMONIUMS,

HARMONIUMS!!!

Dymuna HYWEL CYNON hysbysu y gellir cael ganddo HARMONIUMS o'r gwneuthuriad goreu am y prisoedd mwyaf rhesymol—

Harmoniums o £5 : 15s.

Ac i fyny.

DARLUN PERFFAITH O CARADOG.
I'w gael ar gardiau trwy y Post am 6d yr un. Cyfeirier T. FORREST CAMBRIAN STUDIO," PONTYPRIDD.

Allan o'r Wasg—Can newydd
EOS MORLAIS.

"BEDD LLEWELYN"

(LLEWELYN'S GRAVE)

Recit & Aria i Denore,

Gan D. EMLYN EVANS.

Pris 2 Swllt drwy y *Post*. I'w chael oddiwrth y Cyfansoddwr, "Newtown Mont.," neu Dewi Alaw, Pontypridd.

CANEUON NEWYDDION, GYDA CHYFEILIANT,

Cyhoeddedig yn yr Hen Nodiant gan

Hughes a'i Fab, Wrexham.

Pris 6ch. yr un; drwy y Post, 6½c.

1. GOGONIANT I GYMRU: gan Pencerdd America.
2. DYNA'R DYN A AIFF A HI: * eto.
3. HEN GYMRU WEN: * gan D. Emlyn Evans.
4. O RHOWCH I MI FWTH: * gan Alaw Ddu.
5. NANS O'R GLYN: gan Alaw Ddu.
6. PEIDIWCH A DWEYD WRTH FY NGHARIAD: gan Owain Alaw.
7. CARTREF: * gan J. D. Jones.
8. GWNEWCH BOBPETH YN GYMRAEG: gan Pencerdd America.
9. TWR BABEL: gan Owain Alaw.
10. MI GOLLAIS Y TREN: gan Owain Alaw.
11. Y GWCW AR Y FEDWEN: gan Megan Watts.
12. WYRES FACH NED PUW: Hen Alaw.
13. BOED YSBRYD EIN CYNDADAU: * Owain Alaw.
14. MAE NGHALON YN NGHYMRU: gan Afan Alaw.
15. CAN Y MELINYDD: gan Gwilym Gwent.
16. YR ENETH DDALL: gan Pencerdd America.
17. DYNA HEN DDIAREB DDA: * gan Owain Alaw.
18. MARI A MORGAN—Deuawd: gan Uchalaw.
19. GWLAD EIN TADAU: * gan Alaw Ddu.
20. CRYD GWAG FY MHLENTYN YW: Mendelssohn.
21. CWYMP LLYWELYN: gan J. D. [illegible]
22. CURWCH YR HAIARN TRA FYDD YN BOETH gan Alaw Ddu.
23. YR YSBRYDOEDD: * gan J. Thomas.
24. WYT TI'N COFIO'R LLOER YN CODI: gan R. S. Hughes, R.A.M.
25. Y NI: * gan Afan Alaw.
26. MAE ACEN Y G'LOMEN: gan Afan Alaw.

Dynoda y Seren (*) Gan a Chydgan.

Gellir cael yr uchod yn Swyddfa y "Gerddorfa"

'Y Gerddorfa' a olygwyd ac a argraffwyd gan David Davies ('Dewi Alaw').

Daeth Pontypridd hefyd yn gyrchfan i'r derwyddon ac yn brif ganolfan i weithgarwch carfan o wŷr a feddwodd ar y myth derwyddol. Prif gyn-

Dadorchuddio cofeb Dewi Alaw, 1916.

heiliad y traddodiad hwn oedd Evan David neu Evan Davies fel y daethpwyd i'w adnabod yn ddiweddarach, ac ymhlith y pennaf o'i ddilynwyr yr oedd Dewi Haran, John Evans ('Ieuan Wyn') a William John ('Mathonwy') heb enwi ond ychydig o feirdd y fro. Nid yn unig y llyncodd Ieuan Myfyr y cyfan o syniadau Iolo Morganwg ynghylch derwyddiaeth, ond aeth ati ei hun i lunio'r gybolfa ryfeddaf a welwyd mewn print erioed am darddiad derwyddiaeth a Christionogaeth, a mawr fu ei ddylanwad ar feirdd a phryd-yddion y dref a'r pentrefi cyfagos. Fe'i ganwyd mewn ffermdy o'r enw Y Cornel Du ym mhlwyf Llangrallo ar 6 Ionawr 1801, er iddo ef ei hun honni mai ar ddydd Nadolig 1800 y gwelodd olau dydd gyntaf.[107] Treuliodd ei fachgendod ar fferm ei dad, a phan fu hwnnw farw drwy ddamwain ym Mharc Tre-groes ym Mhen-coed, ailbriododd ei fam, ac aeth y mab i fyw at ei ewythr yn ffermdy Gwern Tarw.[108] Symudodd oddi yno i fyw ar Gefn Hirgoed yn y Coety lle'r ymunodd â'r achos Annibynnol a gyfarfyddai ym Methel, Heol-y-cyw. Codwyd ef i bregethu yno, a bu'n cynorthwyo'r Parchedig William Jones o Ben-y-bont ar Ogwr gyda'i bedair eglwys yn ystod pedwardegau a phumdegau cynnar y bedwaredd ganrif ar bymtheg.[109]

Yr oedd Myfyr eisoes wedi dechrau cystadlu yn yr eisteddfodau yn gynnar, ac ef a sefydlodd Gymdeithas Cymreigyddion Llanilid, yr oedd Dewi Haran, Gwilym Ilid, John Howell ('Y Bardd Coch'), a'i fab David

Howell ('Llawdden') – y Deon Howell yn ddiweddarach, yn aelodau ohoni.[110] Cofiai Llawdden flynyddoedd yn ddiweddarach, am y gwersi a gafodd ar gerdd dafod gan Ieuan Myfyr. 'Most of the instruction I ever had in the art of Welsh poetry I had from him', meddai.[111] Bu hefyd yn cystadlu yn eisteddfodau Cymreigyddion y Fenni, a gwyddys iddo anfon awdl ar destun 'Dinistr Jerusalem' i Eisteddfod Daleithiol Powys, ym 1824, pan wobrwywyd Eben Fardd am ei awdl adnabyddus. Bu'n fuddugol mewn dwy gystadleuaeth bwysig ym mhumed Eisteddfod Merthyr Tudful ym 1826 pan farnwyd ei awdl-farwnad 'Coffadwriaeth am y Bardd Diweddar, William Moses, o Ferthyr Tudful: Neu, Gwilym Tew o Lan Taf', yn orau, ynghyd â'i gywydd hirfaith 'Cwymp Goliath Gawr yn yr Ornest a fu Rhyngddo a Dafydd Mab Iesse, Wedi Hynny, Dafydd Brenin Israel'.[112] Fe'i gwobrwywyd hefyd am gyfres o englynion 'I'r Llydawiaid' yn Eisteddfod Cymreigyddion y Fenni ym 1838.[113] Yr oedd hefyd yn bresennol mewn gorsedd a gynhaliwyd gan William Jones ('Cawrdaf'), yn Eisteddfod Cymreigyddion Cadair Morgannwg yn Y Bont-faen ar 22 Mawrth 1839.

Ond yr oedd Ieuan Myfyr ymhlith y ffyrnicaf o wrthwynebwyr y mudiad dirwestol a ddaethai i gymaint bri led-led Cymru tua'r adeg hon, ac fel cymedrolwr, gwrthododd ardystio o blaid llwyrymwrthod â diodydd meddwol. O ganlyniad i'w ddaliadau, heriwyd ef i gymryd rhan mewn dadl gyhoeddus ar ddirwest, a'r gŵr a benodwyd i ddadlau yn ei erbyn oedd y Parchedig John Jones, neu 'Jones Llangollen' fel yr adwaenid ef, – yntau'n weinidog gyda'r Annibynwyr ac yn ddadleuwr heb ei ail.[114] Cynhaliwyd 'Dadl Ddirwest Llantrisant' fel y daethpwyd i'w hadnabod, ar 18 a 19 Tachwedd 1842, a hynny ym marchnad y dre. Penodwyd nifer o fyfyrwyr o Goleg yr

RHESYMAU

E. DAVIES (IEUAN MYFYR),

DROS EI YMDDYGIAD

YN PEIDIO LLAW-ARWYDDO ARDYSTIAD Y TITOTALYDDION.

CYFRAN O BA RAI A DRADDODODD YN

NADL LLANTRISANT,

YR HON

A GYNNALIWYD RHYNGDDO EF A'R PARCH. JOHN JONES, LLANGOLLEN,

Ar y 18fed a'r 19eg o Dachwedd, 1842.

Ac ynddynt y dangosir fod Egwyddor a Chynllun y Gymdeithas Ditotalyddol yn anghyson â'r Ysgrythyrau Santaidd.

"Na feddwer chwi gan win yn yr hyn y mae gormodedd." Eph. 5. 18.
"Sefwch gan hyny yn y rhyddid â'r hon y rhyddhaodd Crist chwi." Gal. 5. 1.

"Gair Duw yn agoriad in',
Gair Duw y goreu dewin." O. OWAIN.

ABERTAWY:

ARGRAFFWYD GAN E. GRIFFITHS, HEOL FAWR.

1842.

'Rhesymau E. Davies (Ieuan Myfyr) Dros ei Ymddygiad yn Peidio Llaw-Arwyddo Ardystiad y Titotalyddion', 1842.

Annibynwyr yn Aberhonddu i gofnodi pob gair o'r hyn a ddywedwyd yno, a chyhoeddwyd adroddiad llawn a manwl o weithrediadau'r ddau ddiwrnod, yn llyfryn trigain o dudalennau yn dwyn y teitl *Adroddiad o'r Ddadl ar Ddirwest a Gynnaliwyd yn Llantrisant Tachwedd 18 a 19 1842 Rhwng y Parch. John Jones, Rhydybont a Mr Evan Davies (Ieuan Myfyr), Llangrallo*, a'i argraffu yn swyddfa David Rees yn Llanelli.[115] Daeth rhai miloedd ynghyd i wrando ar y ddau yn dadlau dros eu hegwyddorion, a chafwyd adroddiadau dramatig o faes y gad yn y prif gylchgronau Cymraeg.

Tystiolaeth yr Ysgrythurau oedd sail dadleuon y ddau, a chafwyd mynych ddyfynnu o adnodau'r Beibl, yr Hen Destament a'r Testament Newydd, drwy gydol y drafodaeth. Mynnai Ieuan Myfyr ar y naill law fod esiampl Crist yn yfed gwin, ac yn troi'r dŵr yn win, yn dystiolaeth bendant yn erbyn llwyrymwrthod. Ymhellach, ystyriai ei bod yn warth ar gymeriad Cristion i ardystio o blaid yr egwyddor, am ei fod wedi addunedu i Dduw i fyw yn sobr pan dderbyniwyd ef yn aelod eglwysig, ond credai ei fod yn beth iawn i ddyn digrefydd ardystio. Ar y llaw arall ystyriai John Jones na allai diodydd meddwol fod yn llesol i neb, a seliodd ei ddadl ar nifer o adnodau o lyfrau Numeri, Deuteronomium, Diarhebion a'r Pregethwr yn yr Hen Destament, gan ddyfynnu o'r Hebraeg gwreiddiol. Ac er i'r dadlau a'r taeru rhwng y ddau a'u cefnogwyr barhau am ddeuddydd, prin fod neb damaid callach yn y diwedd. Yn wir honnodd dau o brif haneswyr y mudiad dirwest yng Nghymru i'r ymgecru hwn wneud drwg mawr i'r mudiad, a hynny yng nghyfnod ei anterth.[116]

Symudodd Ieuan Myfyr i Bontypridd tua 1846 lle sefydlodd ei fusnes ei hun ac agor siop oriadurwr, – a thramwyo'r cymoedd y bu weddill ei oes, yn gwerthu a thrwsio clociau.[117] Yr oedd yn oriadurwr eithriadol o fedrus, fel y dengys y diagramau astrus o berfeddion clociau a luniodd ac a ddiogelir ymhlith ei bapurau yn y Llyfrgell Ganolog yng Nghaerdydd, ond yr oedd hefyd yn fathemategydd a chanddo wybodaeth helaeth am symudiadau'r sêr a'r planedau. Eithr yr hyn a'i corddai ers rhai blynyddoedd oedd derwyddiaeth. Rhoes y gorau i Gristionogaeth a phregethu, er iddo barhau'n aelod o eglwys Annibynnol Sardis, Pontypridd, am gyfnod. Yn ôl un traddodiad, digiodd Ieuan Myfyr wrth swyddogion eglwys Sardis, am na chafodd alwad barhaol i olynu'r Parchedig Griffith Jones (1804-1883), pan symudodd hwnnw i wasanaethu'r achos Annibynnol ar

Gefn Cribwr ym 1851. Yr oedd Griffith Jones yn dad-yng-nghyfraith i Ddaniel Owen, Llwyn Onn, Y Bont-faen, un o gyfeillion Myfyr, fel y cawn weld ymhellach maes o law. Diddorol yw sylwadau'r Deon Howell ('Llawdden') am ansawdd pregethu Ieuan Myfyr. 'I have a host of most pleasing recollections of him', meddai. 'I have a vivid recollection of the last sermon I heard him preach, from the text "Na fydd gyfranog o bechodau rhai ereill". He was a dry preacher, but analytical, sententious, and intensely practical. Diametrically opposed to his religious views, as I had been for many years past, I never questioned his sincerity or the intense earnestness of his convictions'.[118] Yn fuan wedi cyhoeddi ei gyfrol *Hynafiaeth y Delyn* ym 1860, cyhoeddwyd cyfres o englynion gan fardd a'i galwai ei hun yn 'Ysbryd Iolo' yng ngholofnau *Seren Cymru*, wythnos-olyn y Bedyddwyr, yn condemnio Myfyr am ei ffiloreg:

Hen boenau Annibynwr, – dyn unwaith
Dan enw pregethwr;
A fagodd arch ryfygwr –
Ffrwyth aeddfed o ged y gŵr.

Cauodd, peidiodd pwlpudau – ac agor
I'r cegwm sych-ddoniau;
Erch fu rheg ei geg, ŵr gau,
A bloeddiad ei gableddau.[119]

Cythruddwyd Ieuan Myfyr gan yr englynion 'iselwael ac enllibus' hyn, ac fe'u hatebwyd mewn llythyr a gyhoeddwyd yn y *Seren* ychydig fisoedd yn ddiweddarach. Ymhlith pethau eraill dywedodd:

> Mae'n wir i mi, druan o honof, fod yn Annibynwr, ond nid Annibynwr poenus i neb, eithr Annibynwr ffyddlon a dichlynaidd, ac i mi fod yn bregethwr, a phregethwr cymmeradwy, ac a berchid gyda phob enwad, am lawer o flynyddoedd, i'r hon alwedigaeth yr aeuthum, nid drwy ymwthio iddi, fel llawer, ond ar daer gymhelliad y gweinidog a'r eglwysi y perthynwn iddynt. Gwrthodais gasglu bob amser, ond i'r tlawd; a gwrthodais fyned i Goleg Homerton; a gwrthodais bob awydd a derchafiad eglwysig, hyd yn nod bod yn gydweinidog â Mr W. Jones, a hyny ar ei gais ef ei hun a phobl ei ofal, am y gwyddwn y byddai rhaid i mi fod yn weinidog yn ôl ffasiwn lygredig yr oes, a gwneyd crefft o bregethu . . .

> Dilynais yr un rheol wedi fy symudiad i Bontypridd, lle y bûm yn wasanaethgar iawn ac yn anwyl gan bawb yn Sardis.
>
> Ni roddais achos cynghor na cherydd oddiwrth neb o'r frawdoliaeth grefyddol erioed, chwaethach achos i gau y pwlpudau i'm herbyn. Na, parhaodd pob drws pwlpud o led y pen, gyda'r gwahoddiadau serchocaf i mi eu llenwi, hyd yr amser y bu i mi ymwrthod â'r pwlpudau o'm tu fy hun; a hyny mewn canlyniad i'm hargyhoeddiad trwyadl a dwfn o sylfaen dywodlyd yr athrawiaeth a bregethid ynddynt – gan fod fy sêl yn fawr bob amser dros yr hyn a dybiwn yn wirionedd, ac na allaswn bregethu yn hwy heb ragrithio – y penderfynais, a hyny pan oedd yr eglwys a minau yn nghofleidiau y serch a'r anwyldeb gorau i'n gilydd, roi i fyny fy mhroffes ac ymadael yn anrhydeddus.[120]

Yr oedd Myfyr yn hen gyfarwydd â damcaniaethau Iolo Morganwg, ac adwaenai ei fab, Taliesin ab Iolo, yn dda. Yn wir, fe'i trwyddedwyd yn fardd gan ab Iolo yng Ngorsedd y Maen Chwŷf ym 1834. Pan fu farw Taliesin ym 1847, canodd Ieuan Myfyr gerdd goffa iddo 'Wrth Weld ei Angladd yn Myned Gyda'r Agerdd-beiriant Drwy Bontypridd, Chwefror 10 1847'. Cerdd ymddiddan ydyw rhwng Angel Gwarcheidiol y Maen Chwŷf a Chymru:

Yr Angel:
Pam Cambria hoff, Arglwyddes Cerdd
Yn wywllwyd mae'th genhinen werdd,
  A'th awen deg yn wleb ei grudd?
Paham yn ddistaw aeth dy feirdd?
Pam mae'th gerddorion dawnus, sydd
Yn dwyn telynau arian heirdd,
  O'th amgylch oll mor ddwys a phrudd?

Cambria:
Am nad yw mwy f'Archdderwydd doeth,
Cadeirfardd Gwent – llyw'r Orsedd goeth,
  Ab Iolo, y Pen athro llon:
Taliesin dlysawg – haul fy llys,
Mewn amdo mae y funud hon
Yn mynd i'w fedd, heb ail ar frys
  I'w gael o'i ôl, – trist yw fy mron.[121]

Ym 1838, ychydig flynyddoedd cyn i Ieuan Myfyr gartrefu ym Mhontypridd, ffurfiwyd pwyllgor yn lleol gan aelodau o Gymdeithas y Maen Chwŷf gyda'r amcan o godi mil o bunnoedd er 'amddiffyniad a chadwraeth y Maen Chwŷf ar Goed-pen-maen', gyda Philip Thomas o Ynysangharad, prif reolwr gwaith cadwyni Pontypridd, yn drysorydd iddo, a'r Dr William Price o Lantrisant yn ysgrifennydd. Eu hamcan oedd atal rhagor o ddifrod i'r garreg siglo wedi i rywrai neu'i gilydd geisio ei distrywio rai blynyddoedd ynghynt. Bwriad y Gymdeithas oedd codi tŵr can troedfedd o uchder ar y safle, ac yn ôl yr adroddiad a gyhoeddwyd ar dudalennau *Seren Gomer:*

> Pan oedd poblogaeth y gymmydogaeth hon yn parhau i ddilyn amaethyddiaeth, nid oedd y Maen Chwŷf yn sefyll mewn dim llawer o berygl o gael ei niweidio, gan fod y parch a ddilynai i lawr o dad i fab, trwy y gwahanol genedlaethau, yn ddigon i'w achub rhag llaw dinystr. *Ond nid yw felly yn awr.* Nid oes gan y llengoedd o law-weithwyr, gweithwyr cywrain, a dyeithriaid ag ydynt yn barhaus yn dyfod i'r lle hwn o bob parth, un meddylddrych o barch i'r deml hardd-deg hon. O dan y teimladau hyn, gosodwyd gerbron Cymdeithas y Maen Chwŷf i adeiladu tŵr crwn o gan troedfedd o uchder, trwy danysgrifiadau cyhoeddus, yn agos i'r Maen Chwŷf. Y lle tu fewn i'r tŵr i gael ei ranu i wyth o ystafelloedd i gadw pethau hen a chywrain, a golygfa daergan *(camera obscura)* ar ei ben. Gwelir o ben y tŵr hwn y terfyngylch am ddeng milltir o bob ffordd. Fod tŷ helaeth i gael ei adeiladu i Fardd y Gymdeithas i drigo ynddo, fel y gallo ofalu am y Deml. Y draul at yr adeiladau hyn a fwriwyd yn fil o bunnau. Bydd taliadau y tŵr oddeutu can punt yn y flwyddyn, a chyda'r rhan fwyaf o'r swm hwn bydd i'r Gymdeithas sefydlu ysgol, yr hon a geidw ei Bardd, i'r dyben o ddysgu plant y tlodion, ac aiff y gweddill i dalu traul y sefydliad. Trwy y modd hwn bydd i'r Maen Chwŷf, nid yn unig gael ei gadw, ond hefyd bydd fel peiriant mawr gwareidd-dra, yn goffadwriaeth-fan, yn rhiant i'r tŵr a adeiladwyd i'w ddiogelwch, ac i daenu bendithion addysg i drigolion diwyd y Dywysogaeth.[122]

Atodwyd enwau nifer o danysgrifwyr i'r adroddiad hwn, ac yn eu plith yr oedd Charles Tanfield Vachell, un o sefydlwyr Cymdeithas Naturiaethwyr Caerdydd, Taliesin ab Iolo, Meudwy Glan Elái, Evan Davies, y meddyg a'r Undodwr o'r Dinas, Cwm Rhondda, a Francis Crawshay. Yr oedd hwn yn gynllun uchelgeisiol, a dweud y lleiaf, ond ni ddaeth dim ohono a pharhau i ddirywio a wnaeth y safle ar Goed-pen-maen. Siomwyd William Price gan fethiant ei gynllun a chystwyodd fonedd Morgannwg am eu difaterwch yng ngholofnau *The Glamorgan, Monmouth and Brecon Gazette and Merthyr Guardian:*

> *What* in the sacred name of the most profound ignorance, sways and possesses you to refuse or withold your patronage and protection to that monument of the infant industry and wisdom of your immortal progenitors, *to whom you owe your very existence as a civilized people.*[123]

Erbyn diwedd 1839 yr oedd Price wedi gorfod ffoi rhag yr awdurdodau i Ffrainc, oherwydd y rhan amlwg a chwaraeodd yng ngweithgareddau'r Siartiaid, ac ni chlywyd rhagor am Dŵr y Maen Chwŷf. Ond cydiodd y chwiw dderwyddol yn ei gyfaill Francis Crawshay, un o feibion William Crawshay II, o'r Gyfarthfa ym Merthyr Tudful, a rheolwr gwaith haearn Trefforest. Dyn od oedd yntau hefyd: cododd dŵr ar Gomin Hirwaun ym 1849, ac mae'n debyg mai i'r un cyfnod y perthyn y cylch o feini hirion a gododd ar y darn tir lle'r adeiladwyd Coleg Technegol Morgannwg (Prifysgol Morgannwg heddiw), ym 1955.[124]

Cyfareddwyd Ieuan Myfyr gan y garreg siglo ar Goed-pen-maen hefyd, ac aeth ati gyda chryn frwdfrydedd i wau o'i chwmpas y dychmygion a'r ffantasïau rhyfeddaf. Credai mai dyma'r fan lle cynhaliai derwyddon Morgannwg eu gorseddau barddol gynt, a'i uchelgais mawr oedd gweld

Y cylch derwyddol a godwyd gan Francis Crawshay yn Nhrefforest.

adfer y Maen Chwŷf a'i safle i'w hen ogoniant. Tua dechrau 1849, y mae'n debyg, y penderfynodd Ieuan Myfyr a rhai o'i gyfeillion fynd ati i ailgodi ac atgyweirio'r safle eu hunain, a rhoes y Myfyr rwydd hynt i'w ddychymyg a'i freuddwydion wrth iddo geisio ail-greu safle'r Maen Chwŷf. Cododd ddau gylch o feini hirion o gwmpas y garreg siglo, – y cylch mewnol yn cynnwys pedair carreg ar ddeg, a'r cylch allanol yn cynnwys wyth ar hugain o gerrig. Cynlluniodd lwybr troellog o 37 o feini hirion ar lun sarff yn arwain at gylch llai i'r gogledd orllewin o'r Maen Chwŷf. Y cylch bychan hwn oedd pen y sarff gyda dau lygad, ac islaw'r pen gosododd dair carreg ar lun y Nod Cyfrin (/|\). Y mae dylanwad cyfrolau'r hynafiaethydd William Stukeley i'w gweld ar y cyfan. Honnodd ef bod cysylltiad agos rhwng y derwyddon a'r patriarchiaid Beiblaidd, a'i bod yn arfer ganddynt hwy godi temlau ar lun seirff. Credai Ieuan Myfyr hefyd mai ffurf Iddewig ar dderwyddiaeth oedd Cristionogaeth a bod y grefydd Gristionogol ei hun wedi ei sylfaenu ar Hindŵaeth. Aeth Myfyr ati i ymddiddori fwyfwy yng nghrefyddau'r dwyrain. Darllenodd yn helaeth yn y maes, gan gynnwys cyfrolau Syr William Jones *Asiatick Researches: or, Transactions of the Society Instituted in Bengal for Inquiring into the History and Antiquities, the Arts, Sciences and Literature of Asia.*

Trawsffurfiwyd y Maen Chwŷf o ganlyniad i ddychymyg a gweithgarwch Myfyr, a rhaid bod y fenter wedi costio'n ddrud iddo mewn amser, llafur ac arian, ond gwireddwyd ei freuddwyd o adfer y safle i'r hyn y credai ef oedd ei gyflwr cyntefig gwreiddiol. Dechreuodd gynnal defodau derwyddol ar y Maen Chwŷf bedair gwaith y flwyddyn ar y 'pedwar Alban', sef Alban Eilir (21 Mawrth), Alban Hefin (21 Mehefin), Alban Elfed (21 Medi) ac Alban Arthan (21 Rhagfyr), – sef y termau a luniwyd gan Iolo Morganwg ei hun. A bu aelodau Cymdeithas Cymreigyddion y Maen Chwŷf yn flaenllaw yn y seremonïau hyn. Hyd y gellir barnu, ar 21 Mehefin, 1849, y cynhaliwyd y gyntaf o'r defodau hyn pan ddaeth Ieuan Myfyr a nifer o'i gyfeillion ynghyd i 'agor Gorsedd Beirdd Ynys Prydain ar y Maen Chwŷf, o fewn Cylch Swynion Ceridwen'. Dyma sut y disgrifiodd un o ohebwyr *Seren Gomer* yr achlysur:

> Wedi rhoddi yr Orseddfa a phob peth mewn trefn ysplenydd, ar ddydd yr Alban Hefin diweddaf, daeth plaid yr Awen ynghyd yn lliosog yn y lle, ar awr gyntefig anterth; pryd yr aeth Ieuan Myfyr yn droednoeth o fewn

> Cylch y Meini Gwynion ac yr esgynodd yr Orsedd, sef y Maen Chwŷf, a chleddyf cudd yn ei law; lle y'i diweiniodd yn go chwith, gan ei roddi i orphwys ar yr Orsedd, a baner wen heddwch a chwyfiai gerllaw. Yna aeth yn mlaen gan udganu y Corn Gwlad tua phedwar ban y byd, gan gyhoeddi yn 'Ngwyneb haul a llygad goleuni' y 'Waedd' arferol am agoriad Gorsedd – a bod Eisteddfod a Gorsedd Cadair Essyllwg, a Gorsedd Beirdd Ynys Prydain, i gael eu cynnal yn y lle ar y Maen Chwŷf o fewn Cylch Ceridwen yn mhen un dydd a blwyddyn; sef, dydd yr Alban Hefin nesaf; lle y bydd hawl i bawb parth Awen, Buchedd a Gwybodau, a geisiant fraint a thrwydded wrth Gerdd Dafawd, gyrchu yn awr gyntefig anterth, a chynnal gan haul; lle na fydd nerth arf yn eu herbyn. Yna gan derfynu y ddefod, ymaflodd yn y cleddyf gerfydd ei flaen, a dychwelodd ef i'w wain, ac offrymodd weddi yr Orsedd.[125]

Yna, cafwyd araith faith gan Ieuan Myfyr oddi ar y garreg siglo pan ddiolchodd i bawb a fu'n gymorth iddo gyda'r gwaith o atgyweirio'r safle 'a gweithio yn egniol nes ei gwblhau'. Rhoddodd amlinelliad wedyn o hanes yr Orsedd drwy'r oesoedd, o ddyddiau Gomer ap Iapheth, ŵyr Noa, hyd at y Cynfeirdd a'r Gogynfeirdd. Ond yn fwy na hynny, honnodd mai 'Gorsedd y Maen Chwŷf ar lan Taf, yn hen dywysogaeth Essyllwg', oedd yr hynaf a'r bwysicaf o bob gorsedd, a bod ganddi awdurdod dros holl orseddau eraill Beirdd Ynys Prydain. Rhagwelai Ieuan Myfyr oes newydd yn gwawrio ar farddas yng Ngwent a Morgannwg yn dilyn adfer Gorsedd y Maen Chwŷf i'w hurddas cyntefig. Bwriadai anrhydeddu beirdd a llenorion a phrif gymwynaswyr llên a barddas drwy eu hurddo i un o dair urdd. Yr oedd yn ofynnol i ymgeiswyr am urdd Ofydd fod yn hyddysg yn y gwyddorau a'r celfau. Mynnai fod pawb a ymgeisiai am urdd Derwydd 'yn hyddysg yn ngwersi moesoldeb a rhinwedd', ac ystyriai fod pob gweinidog crefyddol 'dan yr urdd honno yn barod'. Urdd bardd oedd yr uchaf o'r urddau hyn, a disgwylid i ymgeiswyr 'wybod dwned y Gymraeg ac ansawdd rheolau barddoniaeth'.

Cynhaliwyd defod arbennig arall ar y Maen Chwŷf ar Alban Hefin 1853, pan urddwyd Ieuan Myfyr yn 'Arch Dderwydd Ynys Brydain', gan honni mai ef oedd gwir etifedd Iolo Morganwg a'i fab Taliesin, ac mai iddo ef yr ymddiriedwyd 'cyfrinion Barddas' ar ôl marwolaeth Taliesin, chwe blynedd ynghynt. Y gyfriniaeth hon, 'Cyfrinach Beirdd Ynys Prydain', fel y'i gelwid, oedd hen ddysg y penceirddiaid a thraddodiadau'r derwyddon. Croniclwyd digwyddiadau'r diwrnod hwnnw mewn adroddiad a gyhoeddwyd yn *Y Gwladgarwr*, dair blynedd ar hugain yn ddiweddarach:

> Trwy awdurdod yr Orsedd agored, cyhoeddwyd Ieuan Myfyr (ond bellach Myfyr Morganwg) gan y Parch. J. E[mlyn] Jones Ll.D., B.B.D. yn Archdderwydd Ynys Brydain, a rhoddwyd y Corwgl Gwydrin wrth ysnoden wen yn nghrog ar ei fynwes, yr hwn Gorwgl Gwydrin *(a badge of honour of the Arch-druid)* a gawd mewn bedd Derwyddol er's 400 o flynyddoedd yn ôl gerllaw Llandaf, ac yno er's mwy na 2000 o flynyddoedd yn ôl. Yn ôl hyny, gan longyfarch yr Archdderwydd, dywedai Ieuan Grychgoch:
>
> Wyt Gadeir-fardd Gwent dalentog – a gwas
> Y GAIR Duw pelydrog (= /|\);
> Archdderwydd byw a rhywiog,
> Menw a Llyw y Meini Llog.[126]

Dr William Price yng ngwisg y bardd cyntefig, gydag ŵy yn ei law dde a Choelbren y Beirdd yn gerfiedig ar y wialen yn ei law chwith.

Cythruddwyd y Dr William Price gan y datganiad hwn, gan iddo hawlio'r teitl 'Archdderwydd' iddo ef ei hun, a phigog fu'r berthynas rhwng y ddau fyth wedyn.

Cynhaliwyd y defodau gorseddol hyn ar y Maen Chwŷf ar Goed-pen-maen, bedair gwaith y flwyddyn rhwng 1849 a 1878, a brithir gwasg gyfnodol a newyddiadurol Gymraeg y cyfnod ag adroddiadau manwl a digrif am brif weithgareddau'r Myfyr a'r fintai fechan o feirdd y fro a'i dilynai. Yn eu plith yr oedd Dewi Haran, Gwilym Ilid, Ieuan ab Iago, Iago Emlyn a Nathan Dyfed. Urddwyd rhai o brif feirdd y genedl yn aelodau o Orsedd y Maen Chwŷf o bryd i'w gilydd hefyd, megis Cynddelw, Glasynys, Ioan Emlyn, Dewi Wyn o Essyllt ac Ieuan ab Iago. Gwnaeth Eben Fardd gais i'w urddo'n aelod o Orsedd Glan Taf ym 1854, ac fe'i cystwywyd yn gyhoeddus am ei ffolineb o lwyfan Eisteddfod Treforys gan neb llai na John Jones ('Talhaiarn'):

John Emlyn Jones ('Ioan Emlyn').

> I recollect reading a ludicrous description in the *Amserau* some two or three years ago, of the ceremonies at Gorsedd Glan Tâf – such as walking bare-headed and bare-footed through the tail of the *Sarph Dorchog* and other senile mummeries. I burst into a loud laugh, and said to myself – By St George, before I would walk bare-headed and bare-footed through the tail of this imaginary coiled serpent, and be guilty of the other puerilities of this Gorsedd, I would eschew strong drink and take to small beer for the rest of my life . . . To add to my astonishment, I saw a letter a few weeks ago from my friend Eben Fardd, who is a good man and a great poet – applying for a degree from this Gorsedd. This bothered me completely, for I could not possibly conceive how any degree he might receive from this Gorsedd, or any other, could confer honour upon him or add one bright spot to the lustre of his genius. My advice to my brother bards is this – for Heaven's sake my dear boys, bury the Gorsedd, coiled serpent and all, and don't write their elegy.[127]

Yr un oedd byrdwn ei neges mewn llythyr a yrrodd at Eben Fardd y mis Hydref dilynol:

> Chwi a welwch yn y *Carnarvon and Denbigh Herald*, yn yr adroddiad o Eisteddfod Treforris, fy mod wedi rhoi *clec* a *chompliment* i chwi ar yr un gwynt. Ond gan fod y *compliment* yn ddeng-waith mwy na'r *clec*, yr wyf yn disgwyl eich maddeuant. Darllenwch lythyr 'Myfyr', ac os rhoddwch unrhyw gred ynddo fo a'i Sarph Dorchog ar ôl hyny, fe fydd y byd ar ben, oblegid can' ffarwel i ddoethineb a rheswm, os Myfyr sydd i riwlio'r beirdd. Ni hidiwyf gloncwy am hen bot piso Rhufeinig a dwy neu dair o lythrenau fel traed brain arno. Ond os y bydd unpeth hen yn dda, yn odidog, neu'n harddwych, fe ga barch a serch genyf, ond nid heb hyny.[128]

Daeth John Williams ('Ab Ithel') dan gyfaredd dysgeidiaeth Myfyr hefyd, a chredai mai ef oedd etifedd yr wybodaeth gyfrin a drosglwyddwyd ar dafod leferydd gan y beirdd, dros y canrifoedd, o'r naill genhedlaeth i'r llall. Daeth y ddau yn gryn gyfeillion, fel y dengys llythyrau Ab Ithel at Fyfyr, a ddiogelir bellach yn y Llyfrgell Ganolog yng Nghaerdydd. Y diwedd fu anrhydeddu Ab Ithel ag urdd bardd *in absentia* ar y Maen Chwŷf ar 21 Mehefin 1856.[129] Ddwy flynedd yn diweddarach ym 1858, cafodd Myfyr gyfle pellach i ledaenu ei gredoau oddi ar lwyfan Eisteddfod Llangollen, yr ŵyl a drefnwyd gan Ab Ithel ei hun. Myfyr a fu'n tra-arglwyddiaethu mewn rhodres mawr yn yr eisteddfod honno. 'Yr oedd pob arwydd i'w ganfod tua dechreu yr eisteddfod mai Myfyr oedd i fod yn oracl y cyfarfod', medd gohebydd *Yr Amserau*. 'Efe a fyddai yn gweinyddu yn mhob swydd, wrth bob gwŷs a gwawdd a gorsedd, ac ystôl a chadair a mainc, a bod pob peth i gael ei ddwyn yn mlaen yn ôl awdurdod a threfn Cadair Morganwg; a bod holl ddefodau pob cylch a maes yn y Gogledd, wrth gorn gwlad i gael eu symmud allan oddiar y ffordd, fel sothach diwerth o hyny allan, a bod trefn olynaidd, awdurdodol, gyfallwyol Morganwg i gael eu sefyllfa o hyn allan hyd ddydd y farn fawr yn Mhowys a Gwynedd'.[130] Yno yn eisteddfod Llangollen y gwelwyd y casgliad rhyfeddaf o wŷr a gwragedd a gafwyd ar unrhyw lwyfan erioed. 'Yr oedd pob dyn od yng Nghymru wedi dyfod yno', atgofiai Isaac Foulkes flynyddoedd yn ddiweddarach.[131] Ffurfiwyd gorymdaith o'r derwyddon ar ddiwrnod cyntaf yr ŵyl, ac yn ôl yr adroddiad a gyhoeddwyd yn *Seren Cymru:*

> O'u blaen, cludid baner fawr, âg arni ddarlun hen ddraig goch Prydain. Dilynid y rhai hyn gan faneri a llumanau y tair urdd, y rhai a gerddent mewn gynau neu fentyll, gan wisgo y cenin a'r twysenau ŷd, a berllysg yn eu dwylaw. Yr oedd rhai wedi ymwisgo yn nghyflawn ddullwedd henafol yr hen Gymry, megis y Dr Price, Pontypridd, yr hwn, gyda barf barchedig batriarchaidd, oedd wedi ei ddilladu mewn gwyrdd, wedi ei ymgylchu âg ysgarlad; ac am ei ben yr oedd cap o groen llwynog, yn ôl defod a moes y cynamseroedd. Miss Price, merch y doethawr, a eisteddai ar gadfarch, a marchogwisg o ysgarlad am dani, a phenwisg o groen llwynog am ei phen. Rhai boneddwyr a wisgent wasgodau aml-liwiog, âg arnynt ymadroddion cyssegredig yn llythyrennau hynafol Coelbren y Beirdd. Yr oedd yn olygfa tra rhyfedd i edrych ar yr orymdaith yn myned dros yr hen bont, i faes gerllaw y dref, lle yr oeddid wedi penderfynu agor yr Orsedd.[132]

Yno hefyd yr oedd Myfyr Morganwg ag ŵy derwyddol wrth linyn ar ei fynwes, sef y 'Corwgl Gwydrin' y crybwyllwyd amdano eisoes, ac a gynhwysai, yn ôl yr Archdderwydd, ysbrydion plant Ceridwen.

Dychanwyd hyn oll gan Ellis Owen Ellis ('Ellis Bryncoch') mewn cartŵn o'i waith a gyhoeddwyd yng nghyfres 'Yr Arddangosfa Farddonol'

Cartŵn gan Ellis Owen Ellis, yn dangos Myfyr Morganwg yn eistedd ar y 'Corwgl Gwydrin', a John Williams ('Ab Ithel') yn ei ymyl.

gan 'Barnum' yn *Y Punch Cymraeg* ym mis Mawrth 1859. Yno, darlunnir Myfyr Morganwg fel ceiliog yn eistedd ar yr ŵy, sydd eisoes wedi deor ar y casgliad rhyfeddaf o angenfilod. Uwch ei ben y mae'r nod cyfrin, a malwoden yn araf ddringo trosto, corryn ynghrog wrtho ac ystlum yn hofran o'i gwmpas. Gerllaw y mae Ab Ithel yn ei wenwisg glerigol a chyfrol yn ei law chwith, wedi ei hysgrifennu yng nghoelbren y beirdd, sef y wyddor ffug a luniwyd gan Iolo Morganwg. Fel yr eglurodd 'Barnum' ei hun:

> Er mwyn bod o wasanaeth i fyd tywyll, tybiasom mai buddiol oedd egluro y cyfrinion rhyfeddol hwn, trwy roddi Ceiliog Giâr Ceridwen – yr Archdderwydd ei hun 'wedi ei ysprydoli', i eistedd ar yr ŵy nes ei ddeor, ac felly i gynwys y cyfrinbeth hwn gael ei wneyd yn amlwg. Chwychwi a welwch pa mor lwyddianus y buom ni: dyna chwi Farddesau bach faint a fynoch chwi yn cribo dros ymyl y nyth. Dewisodd ein cyfaill Ab [Ithel] fod yn noddwr iddo tra yn myned trwy y cyfyngder teuluaidd hwn, a hyderir y bydd y llwyddiant a ddilynodd ei ymdrechion yn ddigon o dâl iddo am y llafur a gymerodd.[133]

Eisteddfod Llangollen, er cymaint y twrw a fu yn ei chylch, a gysylltodd yr Orsedd â'r Eisteddfod fodern am y tro cyntaf a bu cryn wrthwynebiad i ddysgeidiaeth baganaidd y Myfyr ac Ab Ithel gan brif eisteddfodwyr y cyfnod. Yn wir, cynhaliwyd cyfarfod arbennig ar noson gyntaf yr eisteddfod pan ddaeth nifer o feirdd a llenorion ynghyd i gwyno bod y nod cyfrin yn cael llawer gormod o sylw ar lwyfan yr ŵyl, a'i fod i'w weld ar bob baner a llen. Yn eu plith yr oedd William Roberts ('Nefydd'), Robert John Pryse ('Gweirydd ap Rhys'), John Emlyn Jones ('Ioan Emlyn'), Hugh Hughes ('Tegai') a John Jones ('Mathetes'). Yno hefyd y gwelwyd Thomas Stephens, yr ysgolhaig o Ferthyr, a wnaeth gofnod manwl o holl weithgareddau'r cyfarfod. Cafodd Thomas Stephens gam dybryd yng nghystadleuaeth y prif draethawd yn Llangollen. Y testun a osodwyd oedd 'Darganfyddiad yr Amerig gan Fadog ab Owain Gwynedd', a hynny dan feirniadaeth D. Silvan Evans a Myfyr. Er mai eiddo Stephens oedd y traethawd gorau, mynnodd Ab Ithel na ellid ei wobrwyo am mai amcan y gystadleuaeth oedd *profi'r* testun, a'i *wrthbrofi* a wnaeth yr awdur.[134] Gwysiwyd Myfyr Morganwg i'r cyfarfod hwn hefyd, a hynny i'w holi ynghylch y 'cyfrinion'. Holwyd ef yn ddygn a chaled ynghylch ei gredoau, ond atebodd ef 'mai ofer fyddai egluro y gwirionedd, os byddai rhagfarn neb yn attal yr argyhoeddiad o hono'.[135] Pan ofynnodd Tegai iddo pa un ai Barddas neu'r Ysgrythurau oedd safon y gwirionedd, mynnodd Myfyr bod Barddas yn rhagori 'am ei fod yn hŷn na'r Beibl'. Brawychwyd pawb, ond digiodd Myfyr a phwdodd, gan ddatgan mai ei unig elynion oedd 'gweinidogion Ymneillduol a llysoedd eu heglwysi', a therfynwyd y cyfarfod ar hynny.

Evan Davies ('Myfyr Morganwg').

Yr oedd Myfyr Morganwg erbyn hyn wedi ymwrthod â chrefydd, yn ogystal â barddoni a chystadlu mewn eisteddfodau. Treuliodd weddill ei oes yn ymchwilio i'r 'cyfrinion' a dirgelion crefyddau'r dwyrain a'u cysylltiadau tybiedig â dechreuadau Cristionogaeth a derwyddiaeth. Bu dan gollfarn droeon gan wŷr y wasg a'r pulpud; fe'i cyfrifid gan rai fel diniweityn a chan eraill fel ynfytyn, eithr cytunai pawb a'i hadwaenai mai gŵr diniwed a gonest ydoedd. 'The old man is a harmless old enthusiast, of blameless life, and simple tastes and habits', meddai Llywarch Reynolds yr ysgolhaig o Ferthyr amdano, ac fe'i disgrifiwyd fel 'gŵr ffein iawn a Chymro aiddgar', gan Tom Jones, Trealaw'.[136] Fel 'simple-minded but learned Archdruid, a poet and a scholar' y cyfeiriodd James Bonwick ato ym 1894, ac yn ôl tystiolaeth neb llai na Griffith John Williams 'gŵr hynod a galluog', ydoedd, 'heb fod yn llawn cymaint o ffŵl ag a dybir yn gyffredin'.[137] Aeth Myfyr ati felly, i geisio darbwyllo'r cyhoedd o wirionedd ei honiadau ar dudalennau'r wasg gylchgronol ac yng ngholofnau'r newyddiaduron Cymraeg. Yr oedd eisoes wedi ymateb yn hallt i'r gyfres o erthyglau gan Thomas Stephens ar Iolo Morganwg, a gyhoeddwyd yn *Yr Ymofynydd*, cylchgrawn yr Undodiaid, ym 1852-1853, a'r hyn a'i cythruddodd fwyaf ynglŷn â'r gyfres hon oedd cynnwys yr erthygl a gyhoeddwyd yn rhifyn mis Awst 1852.[138] Rhoes Stephens sylw manwl i'r nod cyfrin (/|\) yn yr erthygl honno, gan ddangos yn glir mai creadigaeth Iolo ydoedd, ac nad oedd unrhyw sail i ddamcaniaethau carlamus y saer maen o Drefflemin yn ei gylch. Cyfeiriodd hefyd at 'droednoethiaid y Maen Chwŷf', ac nad oedd dysgeidiaeth Myfyr a'i ddilynwyr 'ond gweddillion o dwyll ac anwybodaeth oesoedd o dywyllwch a choelgrefydd'. Ymddangosodd degau lawer o lythyrau ac erthyglau gan Myfyr ar dderwyddiaeth yn y wasg newyddiadurol dros y blynyddoedd, megis yn *Y Gwladgarwr*, ac wedyn yn *Tarian y Gweithiwr.*[139] Digiodd golygydd *Y Gwladgarwr*, – William Thomas ('Islwyn'), mae'n fwy na thebyg, – pan gyhoeddodd Myfyr gyfres o erthyglau yn Saesneg yn *The Western Mail* ym 1874. 'Mae yn ddrwg genym fod y ffwlbri hyn yn ymddangos yn y *Mail*', meddai Islwyn, 'oblegid fe all Saeson feddwl fod hwn yn *representative man*, yr hyn yr ydym ni yn ei wadu'.[140]

Ysgrifennodd a chyhoeddodd nifer o gyfrolau swmpus yn ogystal, a hynny mae'n debyg ar ei gost ei hun, gweithiau fel *Hynafiaeth y Delyn Mewn Cysylltiad â Gorsedd Hu neu Drwn y Beirdd* (Pontypridd, 1860); *Gogoniant Hynafol y Cymmry: Sef Arddangosiad o Gyfrin-ddysg Hynaf y Byd Allan o Gyfrinion Gorsedd Beirdd Ynys Brydain* (Pontypridd, 1865), a *Hynafiaeth Aruthrol y Trwn Neu Orsedd Beirdd Ynys Brydain a'i Barddas Gyfrin* (Pontypridd, 1875). Gorchmynnodd Myfyr bod copïau o'r cyfrolau hyn i'w gosod yn ei arch a'u claddu gydag ef pan fyddai farw, ac felly y gwnaed. Ymddangosodd ei *Ecce Diabolus. Some Observations Upon that Horrible and Cruel Ordinance in Devil Worship, Bloody Sacrifices and Burnt Offerings*, dan olygyddiaeth Morien gan y *Truth Seeker Company* yn Efrog Newydd. Ni cheir dyddiad wrtho, ond mae'n debyg mai yn ystod nawdegau'r ganrif y cyhoeddwyd ef, ac mae'n ddiddorol

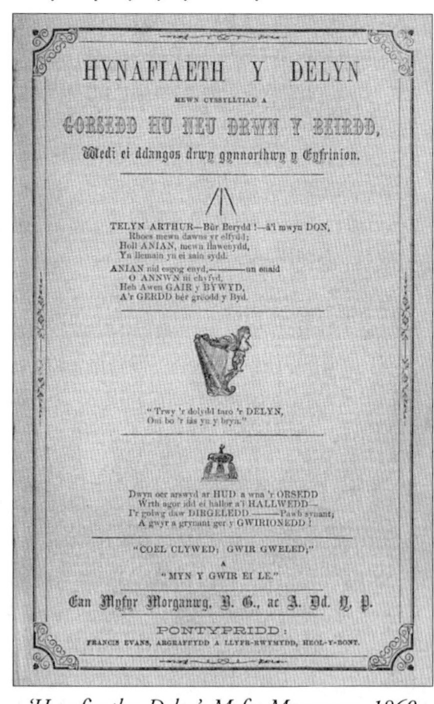

HYNAFIAETH Y DELYN

MEWN CYSSYLLTIAD A

GORSEDD HU NEU DRWN Y BEIRDD,

Wedi ei ddangos drwy gynnorthwy y Cyfrinion.

TELYN ARTHUR—Bûr Berydd !—â'i mwyn DON,
Rhoes mewn dawns yr elfydd;
Holl ANIAN, mewn llawenydd,
Yn llemain yn ei sain sydd.

ANIAN nid esgog enyd,————un enaid
O ANNWN ni chyfyd,
Heb Awen GAIR y BYWYD,
A'r GERDD bêr greodd y Byd.

"Trwy 'r dolydd taro 'r DELYN,
Oni bo 'r iâs yn y bryn."

Dwyn oer arswyd ar HUD a wna 'r ORSEDD
Wrth agor idd ei hallor a'i HALLWEDD—
I'r golwg daw DIRGELEDD ———Pawb synant;
A gwyr a grynant ger y GWIRIONEDD !

"COEL CLYWED; GWIR GWELED;"

A

"MYN Y GWIR EI LE."

Gan Myfyr Morganwg. B. G., ac A. Dd. Y. P.

PONTYPRIDD:

FRANCIS EVANS, ARGRAFFYDD A LLYFR-RWYMYDD, HEOL-Y-BONT.

'Hynafiaeth y Delyn', Myfyr Morganwg, 1860.

sylwi mai fel 'The Very Rev. Evan Davies (Myfyr Morganwg)' y cyfeirir at yr awdur ar wyneb-ddalen y gwaith hwn. Prin y byddai hynny wedi plesio Myfyr o gwbl; yr oedd ef, erbyn diwedd ei oes, wedi llwyr wrthgilio ac wedi ffyrnigo'n fawr yn erbyn crefydd gyfundrefnol, fel y gwelir o'r rhagymadrodd maith a rhyfygus a luniodd i *Hynafiaeth Aruthrol y Trwn:*

> Mae y gorphwylldra ofergoelus a phenboeth ag oedd yn fywyd i'r Eglwys gynt, yn marw yn rhwydd, ac y mae ei bywyd crefyddol braidd wedi myned, fel nad yw hi yn bresenol, ond hen geubren fawreddog ddarfod-edig. 'Oh, na!', meddai rhyw un, 'y mae hi ar gynnydd, yn tyfu ac yn blaguro yn rhwydd; edrycher fel mae capelau yn lluosogi, pregethwyr yn amlhau, a'r casgliadau mawrion sydd yn cael eu gwneud bob blwyddyn i ddwyn eu hachos yn mlaen'. Nid yw yr holl bethau yna ond pethau allanol crefydd – a heb fod yn ddim amgen na'r eiddiorwg gwyrddlas yn cynnyddu, ac yn blaguro ar y geubren. Gynt pregethid yn ddifrifol ac mewn gofal mawr am achub eneidiau, a dyna oedd y safon gynt am lwyddiant cwrdd mawr, yr amcan pa faint o rif a argyhoeddwyd yno; ond yn awr, yr hyn sydd yn mesur llwyddiant y cwrdd yw y swm o *soverigns* gawd yno ar y diwedd. Achub llogellau pobl yw yr amcan yn awr, nid eneidiau. Arian, arian, arian, yw y gri a'r amcan o hyd; ac nid yw y defnydd wneir o Iesu Grist yn awr ond plufyn ar y bach i bysgota arian.[141]

Yr oedd yn fwriad gan Myfyr Morganwg gyhoeddi dilyniant i *Hynaf-iaeth Aruthrol y Trwn*, a chafwyd amlinelliad o'r gwaith arfaethedig hwnnw yn y 'Rhagdraeth' i'r gyfrol gyntaf. 'Eir yn mlaen yn mhellach', meddai, 'yn ôl dangos holl amseryddiaeth (*chronology*) maith y Brahmiaid megys mewn *nutshell* – i ddangos rhai o'r traddodiadau hynafol ag oedd yn bodoli yn Ngroeg am Orsedd Beirdd Ynys Brydain, yn hir cyn gormes y Rhufeiniaid'. Wedyn, bwriadai drafod ei ymweliad â 'Chaer Ambawr' a 'Chôr Gawr' (sef Avebury a Stonehenge), a hynny yng nghwmni Daniel Owen, Y Bont-faen. Ni wyddys pa bryd yr ymwelodd Myfyr â'r henebion hyn, a hwn yw'r unig gyfeiriad a welwyd sy'n ei grybwyll. Yr oedd Daniel Owen (1829-1896) o Lwyn Onn, Y Bont-faen, yn ŵr o bwys a dylanwad ym Mro Morgannwg ac yng Nghaerdydd yn ystod chwarter olaf y bedwaredd ganrif ar bymtheg. Bu'n gweithio ym melin wlân Rhys Evans, un o frodyr Thomas Evans ('Tomos Glyn Cothi'), ar Donyrefail ym mhlwyf Llantrisant am gyfnod, a symudodd oddi yno i felin wlân Ieuan ab Iago ar Heolyfelin ym Mhontypridd yn ddiweddarach. Ymfudodd i Awstralia ym 1856, a dywedir iddo ddod yn ŵr o gryn gyfoeth, ond dychwelodd i Gymru wyth mlynedd yn ddiweddarach.[142] Wedi iddo ddisgrifio 'temlau' Caer Ambawr a Chôr y Cewri, a thrafod 'gwrhydri Morien Fardd yn llwyr lethu y Gristnogaeth Iddewig', yr oedd Myfyr am draethu ar Arthur a'r Ford Gron, y Cynfeirdd, beirdd Tir Iarll ym Morgannwg, ac eisteddfodau'r dalaith honno, i lawr drwy'r oesoedd hyd at ddyddiau Iolo Morganwg. Bwriadai drafod gorseddau'r eisteddfodau a gynhaliwyd ar y Maen Chwŷf rhwng y blynyddoedd 1814 a 1875 mewn pennod arall, gan ddarparu 'llin-âch yr Orsedd, ddolen wrth ddolen dros y saith canrif diweddaf'. Yr oedd hwn yn gynllun uchelgeisiol unwaith yn rhagor, ond hyd y gwyddys, nis cyflawnwyd. Er bod cyfeiriadau lu at nifer o'r pynciau hyn ymhlith ei nodiadau a'i bapurau a ddiogelir yn y Llyfrgell Ganolog yng Nghaerdydd, nid oes ynddynt ddim am amryfal weithgareddau Gorsedd y Maen Chwŷf.

Mae'r cyfrolau a gynhyrchodd Myfyr Morganwg bellach yn brin eithriadol, ac anaml iawn y gwelir hwy mewn na rhestr na chatalog yr un o'n llyfrwerthwyr ail-law. Diddorol yn y cyswllt hwn yw'r sylwadau a ysgrifennodd William Jones ('Wiliam Siôn o Gefn Cribwr') yn ei gopi ef o *Hynafiaeth Aruthrol y Trwn Neu Orsedd Beirdd Ynys Brydain a'i Barddas Gyfrin*, ym 1930:

> Yn i hen ddyddia, bu'n dlawd iawn ar Myfyr, yn ôl a geso i gen Morien, nes i hwnnw, ac yntau ar staff y *Western Mail*, ddylanwadu ar *Lord Bute* i roi rhodd-dâl iddo o bunt yr wthnos. Chi welwch yn y rhagdraeth i'r llyfyr hyn, fod Myfyr yn golycu cyhoeddi llyfyr pellach ar y pwnc, ond wna'th a byth ma'n debyg. Dim pocad falla, ne ddigalondid wrth weld y gyfrol hyn yn ca'l i throsglwyddo i'r tân gan offeiriadaeth Ymneilltuol Morganwg. Yn ôl a gl'was i gen y nhâd, ar ôl y nhâdcu, darbwyllwd y rhai brynws hwn i ddod â'r cwbwl i mewn, a gwnawd tân o honi nhw. Ychydig oedd y rhai oedd yn ddicon goleuetig i weld fod o bosib lawer o betha gwerthfawr yndo, ac am hynny yn gwrthod 'i aberthu. Am hynny, dipyn o gamp yw dod o hyd i gopi yn awr. Y sawl sydd ag e, g'newch yn fowr o hono, catwch a'n itha diocal nes delo'r dydd bydd pawb ddicon yddysg i weld i werth a, ag yn alluog i wahanu'r grawn o'rwth yr us, a doti syniada'r hen gawr yn 'u lle a'u trefan priotol. Ma mwy yndo na ma llawar yn 'i feddwl.[143]

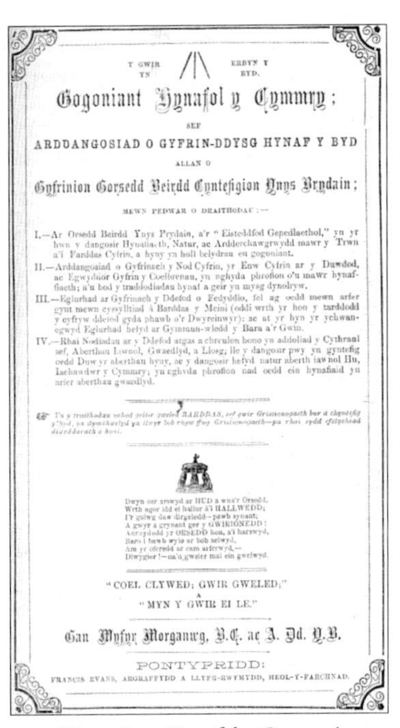

Y GWIR YN /|\ ERBYN Y BYD.

Gogoniant Hynafol y Cymmry;

SEF

ARDDANGOSIAD O GYFRIN-DDYSG HYNAF Y BYD

ALLAN O

Gyfrinion Gorsedd Beirdd Cyntefigion Ynys Brydain;

MEWN PEDWAR O DRAITHODAU:—

I.—Ar Orsedd Beirdd Ynys Prydain, a'r "Eisteddfod Genedlaethol," yn yr hwn y dangosir Hynafiaeth, Natur, ac Ardderchawgrwydd mawr y Trwn a'i Farddas Cyfrin, a hyny yn holl belydrau eu gogoniant.

II.—Arddangosiad o Gyfrinach y Nod Cyfrin, yr Enw Cyfrin ar y Duwdod, ac Egwyddor Gyfrin y Coelbrenau, yn nghyda phrofion o'u mawr hynafiaeth; a'u bod y traddodiadau hynaf a geir yn mysg dynolryw.

III.—Eglurhad ar Gyfrinach y Ddefod o Fedyddio, fel ag oedd mewn arfer gynt mewn cysylltiad â Barddas y Meini (oddi wrth yr hon y tarddodd y cyfryw ddefod gyda phawb o'r Dwyreinwyr): ac at yr hyn yr ychwanegwyd Eglurhad hefyd ar Gymmun-wledd y Bara a'r Gwin.

IV.—Rhai Nodiadau ar y Ddefod atgas a chreulon hono yn addoliad y Cythraul sef, Aberthau Lawnol, Gwaedlyd, a Llosg; lle y dangosir pwy yn gyntefig oedd Duw yr aberthau hyny, ac y dangosir hefyd natur aberth iawnol Hu, Iachawdwr y Cymmry; yn nghyda phrofion nad oedd ein hynafiaid yn arfer aberthau gwaedlyd.

Dwyn oer arswyd ar HUD a wna'r Orsedd,
Wrth agor idd ei hallor â'i HALLWEDD;
I'r golwg daw dirgeledd—pawb synant;
A gwyr a grynant ger y GWIRIONEDD!
Anrhydedd yr ORSEDD hon, a'i harswyd,
Baro i bawb wylo ar bob aelwyd,
Am yr oferedd ar cam arferwyd,—
Diwygier!—na'n gweler mal ein gwelwyd.

"COEL CLYWED; GWIR GWELED;"
A
"MYN Y GWIR EI LE."

Gan Myfyr Morganwg, B.C. ac A. Dd. Y.B.

PONTYPRIDD:
FRANCIS EVANS, ARGRAFFYDD A LLYFR-RWYMYDD, HEOL-Y-FARCHNAD.

'Gogoniant Hynafol y Cymmry',
Myfyr Morganwg, 1865.

Rhaid bod y tair cyfrol, *Hynafiaeth y Delyn*, *Gogoniant Hynafol y Cymmry*, a *Hynafiaeth Aruthrol y Trwn*, wedi achosi cryn lafur a gofid i gysodwyr swyddfeydd argraffu Francis Evans a David J. Hopkin ym Mhontypridd, pan argraffwyd hwy ym 1860, 1865 a 1875. Mae i'r gyfrol gyntaf dros 30 o dudalennau, i'r ail 120 o dudalennau, ac i'r drydedd gyfanswm o 264 o dudalennau. Mae'r cyfan wedi ei argraffu mewn print eithriadol o fân, a chynnwys y tri gwaith nifer o eiriau mewn llythyren Roegaidd ynghyd ag addurniadau a diagramau disynnwyr sy'n cynnwys symbolau fel /|\ Δ Ø Θ Ψ Φ Ω ☼. Crybwyllwyd eisoes fod Myfyr yn gyfarwydd â nifer o weithiau dylanwadol y cyfnod, megis *Asiatick Researches*, William Jones yr Orientalydd. Gwyddys hefyd bod copïau o chwe chyfrol safonol yr ieithydd a'r Orientalydd, Friedrich Max-Müller, *Rig-Veda With Commentary* (1849-73) yn ei feddiant, a'i fod yn gyfarwydd â gweithiau yr Asyriolegydd Syr Henry Creswicke Rawlinson, a'r Eifftolegydd John Gardner Wilkinson, gan ei fod yn cyfeirio at gyhoeddiadau'r gwŷr hyn fwy nag unwaith.

Ond tasg eithriadol o anodd yw darllen cyfrolau Myfyr. Pan ddarllenodd *The Institutes of Hindu Law: or, the Ordinances of Menu, According to the Gloss of Cullúca*, a gyfieithwyd i'r Saesneg o'r Sanscrit gwreiddiol, gan Syr William Jones, ac a gyhoeddwyd yn Calcutta ym 1796, aeth dychymyg Myfyr yn drech nag ef. Mynnodd mai Menu yr Hindŵiaid oedd Menw ap Teirgwaedd, un o gymeriadau'r chwedl Gymraeg *Culhwch ac Olwen*, ac aeth ati yn *Hynafiaeth Aruthrol Trwn* i wau o'i gwmpas y ffantasïau rhyfeddaf.[144] Yn wir, y mae ceisio dilyn yr holl drywyddau a'r holl gyfeiriadau a geir yng ngweithiau Myfyr at y duwiau Celtaidd a'u cysylltiadau tybiedig â'r duwiau Hindŵaidd, y patriarchiaid fel Noah,

Japheth a Gomer, y cymeriadau chwedlonol fel Menw ap Teirgwaedd, Gwron ap Cynfarch, Hu Gadarn, Ceridwen, Alawn a Phlennydd – heb sôn am y derwyddon, – yn gryn gamp. Y mae'r cyfan, mewn gwirionedd, yn un gybolfa ryfeddol nad oes modd gwneud pen na chynffon ohono o gwbl. Nid oes ryfedd i Fyfyr roi'r cyngor hwn mewn llythyr at y Parchedig Lewis Jones, dyddiedig 15 Ionawr 1872, yntau'n un o offeiriaid Y Rhyl a golygydd *Y Dywysogaeth*, pan gyflwynodd gopi o *Gogoniant Hynafol y Cymmry* yn rhodd iddo:

> Yn ôl yr edrychwch trosto, chwi welwch mai nid llyfr hawdd i bob un roddi barn gywir arno ydyw. Rhaid ei ddarllen yn fyfyriol a dwys, rhywbeth yn gyffelyb i'r modd y darllenech *Euclid Elements* gynt, gan ymdrechu dyall yn dda, natur a chyfansoddiad yr Orsedd yng nghyd â'i harwydd-luniau, a'i chymmeriadau ffugurol a swyddogol, gan ofalu dyall rhanau blaenaf y llyfr o hyd mewn llwybr i allu dyall ei ranau dilynol. Efallai y tramgwyddwch wrth rai gosodion ynddo, ond nid oes help am hyny; herwydd dyweyd a gwybod y gwir sydd oreu yn y *long run* . . .Y mae yn llawn bryd bellach, i'r byd dysgedig gael gwybod 'Y Gwir yn ei Erbyn', ac yr wyf wedi rhyfeddu at lwfrdra yr hen Iolo a Thaliesin, na fuasent wedi dadguddio mwy o Gyfrinach anmhrisiadwy yr Orsedd yn eu dydd. Ond y mae yn wir bod y perygl o'u cyhoeddi yn llawer mwy y pryd hwnnw nag yn awr.[145]

Er i nifer o brif lenorion y cyfnod geisio goleuo Myfyr ynglŷn â'i ffolinebau, ni chymerodd unrhyw sylw ohonynt. 'Gwyddai ef yn iawn pa beth a gredai, ac yr oedd ganddo farn bendant am hanes a hynafiaeth yr Orsedd', medd yr Athro Griffith John Williams amdano.[146]

Parhaodd Myfyr a'i ddilynwyr i gynnal eu defodau gorseddol ar y Maen Chwŷf bedair gwaith y flwyddyn am yn agos i ddeng mlynedd ar hugain, a hynny er mawr ofid i weinidogion Ymneilltuol glannau Taf. Bu llythyru brwd yn y wasg newyddiadurol drwy gydol y cyfnod hwn, a gweinidogion yr ardaloedd yn bygwth tân a brwmstan ar y dref, am ei bod yn gartref i baganiaeth ac ofergoel. Cyhoeddwyd llythyr gan D. M. Williams o Goed-pen-maen yn *Y Gwladgarwr* yn ystod haf 1875, yn condemnio'r defodau gorseddol ar y Maen Chwŷf yn ddiarbed, a galwodd gyfarfod o weinidogion yr ardal i drafod 'yr ynfydion sydd yn cymeryd mantais oddiwrth ddirywiad a thywyllwch anwybodaeth y natur ddynol, i hau hadau anffyddiaeth, a phlanu egwyddorion gwrthfeiblaidd yn meddyliau rhai gweiniaid ac ieuainc, a hyny gydag hyfdra dieflig, haeriadau dibrawf, a thwyll-resymau sarffaidd, er arwain y rhai wrandawant arnynt i ddinystr a cholledigaeth'.[147] Yr oedd 'Samson', sef Daniel Griffiths ('Brythonfryn'), golygydd yr un newyddiadur, eisoes wedi lleisio barn debyg yn dilyn un o arddangosiadau Myfyr Morganwg, Dewi Haran a beirdd eraill yr ardal ar y Maen Chwŷf y mis Mehefin cynt, a rhoes y rhybudd hwn iddynt:

> Y mae yn syn genym feddwl fod hen ŵr fel Dewi Haran, sydd â'i farf a'i wallt yn gwynu, ei gam yn byrhau, ac arwyddion eglur fod niwloedd prydnawn bywyd yn ymgrynhoi yn entrych ei ffurfafen; fod hen ŵr fel efe, meddaf, yn ceisio ategu cyfundraeth sydd yn goel-grefyddol, paganaidd, ac enaid ddamniol. Bydd Dewi Haran, Myfyr, a minau yn fuan ar draeth difrifol bytholfyd – pan egyr o'n blaen olygfeydd annarluniawl tragywyddoldeb – ond cyn rhoi y cam i eilfyd, dymunaf yn ddidderbynwyneb, yn nghariad yr Efengyl, rybuddio y ddau o ganlyniadau difrifddwys ac ofnadwy eu coleddiad o gyfundraeth, yr hon, gan nad oes sylfaen iddi yn oraclau nef, sydd yn rhwym o fod yn ddamniol a chyfeiliornus. Cofiwn yn dda ddigon, bump a deng mlynedd ar ugain yn ôl, weled yn y cylchgronau misol benillion o duedd grefyddol ac efengylaidd, ac enw Dewi Haran wrthynt. Ble mae'r sêl a'r cariad cyntaf, Dewi?
>
> Myfyr hefyd, ble mae y pregethu? Beth a ddaeth o'r gyfundraeth y canech am dani ac y pregethech ei herthyglau y pryd hwnw? A rydodd yr aur coeth? A yw gogoniant wedi ymadael? A yw hen draethodau cochliwiedig Calfaria wedi myned yn ddiflas? A yw dorau y drugareddfa wedi eu bylltio? A yw môr mawr dwyfol dosturi wedi sychu, fel y mae yn rhaid i Myfyr a Dewi Haran fyned i godi dwfr o hen bistyll afiach Derwyddiaeth? Na! Na! Na! Mae'r memrwn dwyfol mor ffres a gwanwynol ag erioed. Y mae afon bur o ddwfr y bywyd yn llifeirio heddyw i draeth sychedig ein daear ni, gyda'r un cyflawnder ymlifol ag erioed. Y mae genych eich dau eneidiau fel finau. Anwyl gyd-deithwyr i draethau anfarwoldeb, goddefwch gair o gynghor a gair o ofyniad. A ydych yn credu am foment fod hen bont graciog, falliog, bydredig ac uffernol Derwyddiaeth yn ddigon cryf i'ch cario yn iach dros gulfor ystormus angau? A feiddiwch chwi yn ngwyneb goleuni llachar-ddwyfol Testament y nef, droi yn ôl eto at hen ganwyllau brwyn y Derwyddon? Na ato'r nefoedd a'r ddaear, ac na ato gwerth eich eneidiau. Sefwch, ystyriwch, myfyriwch, pwyllwch, ymgynghorwch.[148]

Owen Morgan ('Morien').

Ond cafodd Myfyr amddiffynnydd glew ym mherson Owen Morgan ('Morien'), y gŵr a ymwelodd â Mabonwyson yn Wyrcws Pontypridd. Yn fab i Thomas a Margaret Morgan o Ben-y-graig, Cwm Rhondda, aeth Morien i weithio mewn siop yng Nghaerfaddon am saith mlynedd cyn dychwelyd ohono i Gaerdydd yng nghanol y chwedegau, lle bu'n gweithio am gyfnod yn siop ddillad James Howell yn Heol y Santes Fair. Dechreuodd weithio fel newyddiadurwr gyda'r *Western Mail* flwyddyn wedi sefydlu'r newyddiadur, ym mis Hydref 1870, a daeth i gryn amlygrwydd ym 1877 pan gyfrannodd gyfres o adroddiadau cyffrous i'r *Times* yn Llundain pan dorrodd y dŵr i mewn i lofa'r Tŷ-newydd yng Nghwm Rhondda. Ymwelodd â'r Taleithiau Unedig a Gwlad Belg fwy nag unwaith, a hynny yng nghwmni aelodau o Sefydliad Haearn a Dur Prydain Fawr, ond ymddeolodd o'i ddyletswyddau fel newyddiadurwr ym mis Hydref 1899.

Yr oedd Morien yn newyddiadurwr dawnus, a buasai detholion o'i ysgrifau callaf, sy'n trafod traddodiadau ac arferion gwerin Morgannwg, yn ogystal â chyfresi o bortreadau bywiog o rai o gymeriadau bro ei febyd yng Nghwm Rhondda, a gyhoeddwyd yn *The Western Mail* a *The Weekly Mail*, yn ddifyr odiaeth.[149] Ond yr oedd yntau, hefyd, yn frwd tros dderwyddiaeth a bu'n cynnal breichiau Myfyr droeon yn ei lythyrau i'r wasg Gymraeg. Ef a apeliodd at yr Arglwydd Bute a'r Arglwydd Merthyr am roddion i gynnal Myfyr yn ei lesgedd a'i henaint.[150] Aeth gorseddogion y Maen Chwŷf ati hefyd i gasglu arian ar gyfer tysteb iddo. Cyflwynwyd honno iddo, sef siec gwerth £140 12s. mewn cyfarfod arbennig a gynhaliwyd yn y *Butchers Arms*, Pontypridd, ym mis Rhagfyr 1875.[151] Dair blynedd yn ddiweddarach, anrhydeddwyd ef gan yr *American University of Philadelphia and Eclectic Medical College of Pennsylvania*, pan ddyfarnodd y sefydliad hwnnw iddo radd D.C.L. (*Doctor of Civil Laws*) er anrhydedd ac, 'fel tystiolaeth o edmygedd yr holl athrofa o'i athrylith a'i ddysgeidiaeth, ac fel arwydd o'r gwerth mawr a osodent ar y darganfyddiadau y mae wedi eu gwneyd yn nghyfrinddysg grefyddol yr hen genedl Frytanaidd'. Medd Morien am yr amgylchiad hwnnw:

> Am fod yr Americaniaid yn adnabyddus â mi, fel gohebydd y *Western Mail*, ataf fi yr anfonwyd yn gyfrinachol i hysbysu yr hyn oedd ar droed, ond nad oeddwn i hysbysu i'r Archdderwydd. Felly, i mi y danfonwyd y *diploma* a llythyrau dyddorol gydag ef, a gorchymyn i mi ei gyflwyno i Brifathraw Ynys Brydain yn y cyfarfod nesaf yn y Cylch Gwyngil, o fewn llys Ceridwen a dadblygion y Sarff Dorchog ar lan Taf. Felly yno, tra y Bardd yn sefyll yn y Llygad Goleuni, a chyswllt y pelydr ar y Maen Arch, yr Alban Arthan ddiweddaf, cefais yr anrhydedd o'i gyflwyno iddo yn ngwydd torf luosog o feirdd a llenorion.[152]

Fodd bynnag, ychydig wythnosau'n ddiweddarach dadlennwyd mai teitl ffug oedd D.C.L. Myfyr Morganwg, mai mewn swyddfa fechan yn 514, Pine Street, Philadelphia, y lleolid yr *American University of Philadelphia and Eclectic Medical College of Pennsylvania*, a bod y Dr J. Buchanan, pennaeth y sefydliad, 'yn eithaf adnabyddus yn y *District Court House*'.[153] Bu Buchanan, mae'n debyg, yn gwerthu graddau o bob math, a graddau mewn meddygaeth yn fwyaf arbennig, i bawb a'u chwenychai. Yr oedd gwerthu graddau gan brifysgolion ffug yn rhemp yn y Taleithiau Unedig yn ystod chwarter olaf y bedwaredd ganrif ar bymtheg, a cheir digon o dystiolaeth yng ngwasg Gymraeg y cyfnod am weinidogion a phregethwyr o Gymru a 'anrhydeddwyd' â phob math o ddoethuriaethau.[154] Graddau mewn meddygaeth oedd arbenigaeth y Dr Buchanan o Philadelphia, a daeth yn destun pryder i nifer o feddygon dilys a thrwyddedig, bod cymaint o gwacyddion yn ymarfer gwaith meddyg. Dyna a gymhellodd y Dr Ludwig Bruck i gyhoeddi *The Australian Medical Directory and Hand Book, With an Appendix Comprising the Names of All Known Unregistered Medical Practitioners Throughout the Colonies, and Also a Complete List of American Medical Colleges, Extinct and Existing, Not Recognised*, ym 1886. Mae'r *American University of Philadelphia and Eclectic Medical College of Pennsylvania*, a ddyfarnodd radd D.C.L. i Myfyr yn ymddangos yn y rhestr hon.[155] Gwyddys i Forien dalu $30.00 am radd D.C.L. Myfyr Morganwg, ond mae'n deg nodi ar yr un pryd mai yn ei ddiniweidrwydd y gwnaeth hynny. Ni cheir tystiolaeth ychwaith i'r Myfyr arddel ei deitl o gwbl, ac mae'n ffaith ddadlennol na soniodd Morien yr un gair am y radd yn ei fywgraffiad o'r Archdderwydd yn *History of Pontypridd and Rhondda Valleys.*

Bu Morien mewn helynt mawr ym 1881 pan fu'n amddiffyn Myfyr a'i gredoau, ac yn dadlau ag 'Elias o Ben Carmel', – sef y Parchedig Edward Davies, Rhymni, y mae'n fwy na thebyg, – yng ngholofnau *Tarian y Gweithiwr.* Ymunodd eraill â'r ddadl honno, gan gynnwys Brythonfryn, a fygythiodd dân, brwmstan a barn ar Fyfyr a Morien, yn ôl ei arfer. Heriodd hwy fel hyn:

> Os yw Morien yn mynd i arddelwi y ffydd dderwyddol, paham na cheidw ffurf addoliad, a gwasanaeth yr hen grefydd baganaidd hono yn mlaen? Dywedai Julius Caesar iddo ef weld hen dderwyddon Prydain pan ddaeth yma ryw 55 mlynedd cyn Crist, yn offrymu aberthau dynol i'w duw neu dduwiau dychmygol. Paham nad ai Morien a Myfyr â rhyw glamp o dderwydd i'w aberthu a'i losgi'n fyw ar allor y Garreg Siglo yn Mhontypridd? Dyma fel y byddent yn ffyddlon i'w crefydd a'u traddodiadau. Ie frawd, sobrwydd sydd yn gweddu i chi a minau, ac nid *humbug* fel sydd genych yn y *Mail, Y Darian* a'r *Gwladgarwr.* Ond gwrando. Mae dydd yn dy ymyl di a minau, pan fydd dorau amser yn cau, a phorth mawr llydan tragwyddoldeb yn ymagor, a thithau a minau yn cael ein hyrddio yn mlaen. Cofia, ni wna *humbug* derwyddiaeth y tro y pryd hwnw.[156]

Ond yr oedd defodau gorseddol y Maen Chwŷf eisoes wedi darfod erbyn hynny, ac mae'n debyg mai ym 1878 y cynhaliwyd yr olaf o'r seremonïau hyn ym Mhontypridd y bu gan Myfyr Morganwg ran mor amlwg ynddynt. Ymneilltuodd Myfyr, a bu farw yng nghartref Elizabeth, ei ferch-yng-nghyfraith, yn Heolyfelin, ym Mhontypridd, ddeng mlynedd yn ddiweddarach ar ddydd Iau, 23 Chwefror 1888, ac yntau'n bedwar ugain ac wyth mlwydd oed 'wedi ymwahanu oddiwrth eisteddfodwyr a chrefyddwyr, o herwydd nad oedd yn cydolygu â'r cyfryw ar bynciau neillduol'.[157] Yr oedd pob un o'i wyth plentyn eisoes wedi ei ragflaenu, ac ni bu rhai pobl yn ôl o ddannod hynny i'r hen ŵr, gan ddatgan yn y wasg newyddiadurol mai barn Duw arno am ei gableddau a'i baganiaeth fu'r profedigaethau hyn. Cynhaliwyd ei angladd ar y dydd Mawrth canlynol, pan ddaeth miloedd lawer o drigolion Morgannwg ynghyd, gan gynnwys nifer o weinidogion Ymneilltuol, i dalu'r gymwynas olaf ag un o'r cymeriadau rhyfeddaf a welodd tref Pontypridd erioed. Cafodd angladd Cristionogol; cludwyd ei gorff i fynwent eglwys Glyn Taf, lle darllenwyd y gwasanaeth angladdol o'r Llyfr Gweddi Gyffredin gan y Parchedig Rowland Jones, offeiriad y plwyf, a chanwyd 'Bydd myrdd o ryfeddodau' gan aelodau o'r gynulleidfa.[158] Cyhoeddodd Morien fanylion ewyllys y Myfyr yn *The Western Mail* ychydig ddyddiau'n ddiweddarach:

> On the 20th of this month, he signed the will which he had caused to be made some time before. After disposing of his library and articles of furniture, the will contains the following: 'I bequeath to Morien all my writings and papers, knowing as I do that he is the best qualified to deal with them properly, and to make the Druidic philosophy of our Cambrian ancestors known to the world. I bequeath also to him my large oak chair, known as the Chair of Gwent and Morganwg (*Cadair Gwent a Morganwg*), together with the Druidic Mundane Egg (*Corwgl Gwydrin*), a genuine treasure, and worn in remote times by each of the succession of Druidic High Priests of the Druidic hierarchy in the Isle of Britain. I leave also to him two of my framed pictures. One, a printed satire on my Druidic researches and discoveries, which was composed by the late Mr Thomas Stephens, Merthyr (author of *The Literature of the Kymry*), and others. The other picture represents me as the hen Ceridwen sitting on the said Mundane Egg'. The will further states that the said mundane egg came strangely into his possession many years ago, when about to reopen the throne of King Arthur on Pontypridd Common. It seems that the Druidic egg was at the time it was heard of for the first time by the Welsh literati the theme of endless jokes which annoyed him terribly.[159]

Ni wyddys beth fu tynged Cadair Gwent a Morgannwg na'r Cwrogl Gwydrin wedi dyddiau Morien.[160] Hwyrach mai copi teipiedig o ddychan Thomas Stephens, *Gorsedd Beirdd Ynys Prydain a'i Heisteddfod ar y Maen Chwŷf Wrth Lan Taf, Mehefin y 23ain 1850*, a argraffwyd yn wreiddiol gan Rees Lewis ym Merthyr Tudful, yw'r deipysgrif a ddiogelir ymhlith papurau W. M. Jones, Cilfynydd, yn y Llyfrgell Ganolog yng Nghaerdydd.[161] Ac mae'n rhaid mai copi o'r cartŵn gan Ellis Owen Ellis ('Ellis Bryn Coch'), a gyhoeddwyd yn wreiddiol yn *Y Punch Cymraeg*, ym mis

Mawrth 1859, yw'r darlun y cyfeirir ato. Gadawodd Myfyr gruglwyth o bapurau a llawysgrifau ar ei ôl hefyd. 'Pa un ai colled neu ennill i'r byd iddynt aros heb eu cyhoeddi, nis medraf benderfynu', ebe Cadrawd, yr hynafiaethydd o Langynwyd amdanynt. 'Ond fy mhrofiad fy hun yw, y gwna'r byd y tro lawn cystal hebddynt'.[162]

Er i ohebydd *Tarian y Gweithiwr* honni mai'r Dr William Price, Llantrisant, oedd gwir olynydd Myfyr fel Archdderwydd Gorsedd y Maen Chwŷf, cyhoeddodd *The Western Mail*, ar 27 Chwefror 1888, fod Morien eisoes wedi meddiannu'r teitl hwnnw. Bu'r cyhoeddiad hwnnw, fel y gellid ei ddisgwyl, efallai, yn destun trafodaeth frwd yn y wasg Gymraeg. 'Pa fodd y medr Morien wisgo'r teitl o Arch Dderwydd, heb i'r beirdd ei urddo yn Ngorsedd?' oedd ymholiad un o ohebwyr *Cyfaill yr Aelwyd.* 'Ni allasai Myvyr chwaith, er yn dymuno gwneud efallai, drosglwyddo iddo'r swydd ar ei ôl, mwy nag y geill Archesgob Caergaint urddo esgob ar ei ôl yntau'.[163] Yr oedd y cyfan yn gryn bryder i Gymdeithas Gorsedd yr Eisteddfod Genedlaethol, a dyma paham, y mae'n debyg, y gwahoddwyd Morien i annerch cynulliadau'r Orsedd yn yr Eisteddfodau Cenedlaethol a gynhaliwyd yn Lerpwl ym 1884, ac yng Nghaernarfon ym 1886. Yna, ym 1888, urddwyd ef yn 'dderwydd' ym Mhrifwyl Wrecsam, pan roddwyd iddo'r teitl 'Gwyddon Tir Iarll'. Fel y sylwodd y Dr Geraint Bowen, 'bu hyn oll yn ergyd i'w deyrngarwch i Orsedd y Maen Chwyf'.[164] Daeth torf o dair mil o bobl ynghyd i wylio defod gyntaf Gorsedd y Beirdd, a gynhaliwyd ar y Maen Chwŷf, pan ymwelodd y Brifwyl â Phontypridd ym 1893. Yno y croesawodd Morien yr Archdderwydd Clwydfardd i ddringo i ben y garreg siglo, a hynny nid heb gryn drafferth, am fod Clwydfardd yn henwr 93 mlwydd oed, ar y pryd. Yn ôl yr adroddiad am weithgareddau'r Orsedd, a gyhoeddwyd yn *Y Geninen:*

> Lle iawn i gynal Gorsedd yw y Maen Chwŷf: y mae yn curo hyd yn nod Gastell Caernarfon. Y mae yno faen llog y gall deg-ar-hugain o feirdd o'r dosbarth blaenaf sefyll arno, a theimlo eu hunain yn cael eu hysgwyd, gan mor gysegredig yw y fan. Y gamp yw esgyn y maen: – rhaid cael rhywbeth heblaw dychymyg chwim i wneyd hyn. Bu yno dipyn o golli amser gyda chael Clwydfardd i ben y maen foreau yr Orsedd. Yr oedd yr hen Archdderwydd wedi dod yno mewn trowsus newydd; ac yr oedd yn fwy gofalus o'i drowsus newydd nag o'i hen gymalau. 'Meindiwch rhag imi rwygo fy nhrowsus', oedd ei weddi gyntaf ar ei liniau ar y maen bob

boreu. Llwyddwyd hefyd i gael yr hen greadur i fyny ac i lawr heb un ddamwain bob boreu, er fod y maen yn siglo dano.[165]

Gwyddys i Forien gynnal defodau gorseddol ar y Maen Chwŷf am gyfnodau hefyd, a threuliodd weddill ei oes yn lledaenu'r un syniadau hynod ag eiddo Myfyr Morganwg, a'u cyhoeddi yn y newyddiaduron Cymreig.[166] Ymwelodd â Chôr y Cewri ac Avebury yn ystod haf 1876, a chroniclodd fanylion ei daith mewn cyfres o erthyglau a gyhoeddwyd yng ngholofnau'r *Gwladgarwr* yn ystod y misoedd dilynol.[167] Cyhoeddodd Morien gyfres o gyfrolau sylweddol hefyd, – o ran eu maint, beth bynnag a ddywedir am eu cynnwys, – megis *Sketches About Wales* (Caerdydd, 1875), *Pabell Dofydd: Sef Eglurhad ar Anianyddiaeth Grefyddol yr Hen Dderwyddon Cymreig* (Caerdydd, 1889), *The Royal Winged Son of Stonehenge and Avebury* (Pontypridd, d.d.), *The Light of Britannia: The Mysteries of Ancient British Druidism* (Caerdydd, 1893), a *Guide to the Gorsedd or Round Table and the Order of the Garter* (Caerdydd, *c.* 1899). Ef hefyd oedd awdur *History of Pontypridd and Rhondda Valleys* (Pontypridd, 1903), cyfrol brin erbyn heddiw, sy'n cynnwys llawer o fanylion difyr am gymeriadau'r dref a'r pentrefi cyfagos, yn ogystal, wrth gwrs, â ffantasïau'r awdur ei hun ynghylch enwau lleoedd yr ardal a derwyddiaeth. Fe'i heriwyd gan neb llai na John Morris-Jones hefyd, pan gyhoeddodd ef gyfres o bum erthygl ar yr Orsedd yn *Cymru*, misolyn poblogaidd Owen M. Edwards, ym 1896.[168] Dangosodd yn y gyfres hon nad oedd sôn o gwbl am yr Orsedd na'i defodau 'drwy ganrifoedd y Canol Oesoedd, na chyfeiriad ati mewn hanes, na chwedl, na barddoniaeth, na chyfraith, hyd yn oed yng nghopïau Gwent a Morgannwg o gyfreithiau Hywel Dda'. Atebwyd y sylwadau hyn gan Forien ei hun, a hynny mewn cyfres o saith o erthyglau yn yr un cylchgrawn, lle

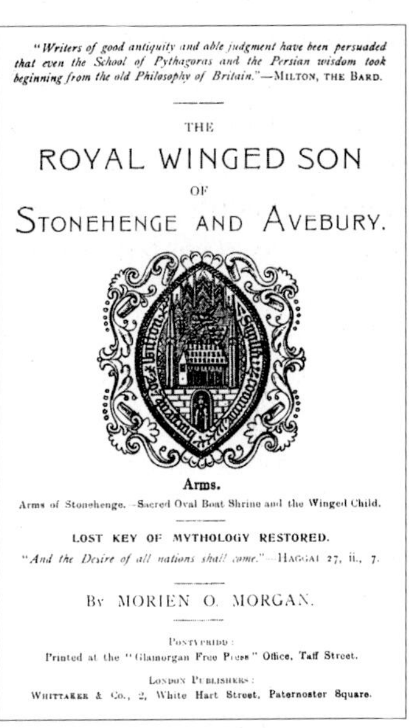

"*Writers of good antiquity and able judgment have been persuaded that even the School of Pythagoras and the Persian wisdom took beginning from the old Philosophy of Britain.*"—MILTON, THE BARD.

THE

ROYAL WINGED SON

OF

STONEHENGE AND AVEBURY.

Arms.

Arms of Stonehenge.—Sacred Oval Boat Shrine and the Winged Child.

LOST KEY OF MYTHOLOGY RESTORED.

"*And the Desire of all nations shall come.*"—HAGGAI 27, ii., 7.

BY MORIEN O. MORGAN.

PONTYPRIDD:
Printed at the "Glamorgan Free Press" Office, Taff Street.

LONDON PUBLISHERS:
WHITTAKER & Co., 2, White Hart Street, Paternoster Square.

'The Royal Winged Son of Stonehenge and Avebury', Morien.

Tref Pontypridd ar droad yr ugeinfed ganrif.

ceisiodd ddangos 'yn enw Hu Gadarn a'i gorff Taliesin', mai ofer oedd dadleuon 'y Dagon Cymreig o Fangor'.[169] Ond daeth traddodiad derwyddol y dref, traddodiad a barhaodd am yn agos i gant ac ugain o flynyddoedd, i'w derfyn gyda marwolaeth Morien ym mis Rhagfyr 1921. Ac fel Myfyr Morganwg o'i flaen, cafodd yntau angladd Cristnogol hefyd, a chladdwyd ei weddillion ym mynwent capel Saron, Trefforest. Yr oedd nifer fawr o wŷr blaenllaw y genedl yno, gan gynnwys yr Archdderwydd Dyfed, a draddododd deyrnged o barch i Archdderwydd ymadawedig Gorsedd y Maen Chwŷf.[170]

Y mae i Bontypridd a'r cylch, felly, draddodiad diwylliannol bywiog, a hwnnw'n ymestyn o gyfnod y tribanwyr a'r baledwyr fel Meudwy Glan Elái, Twm Cilfynydd a Shakespeare Eglwysilan, hyd at ddyddiau Ifor Cwm Gwŷs, mynychwyr eisteddfodau'r tafarnau, disgyblion Caledfryn a 'Chlic' y Bont. Cofiwn hefyd mai'r gwŷr hyn oedd prif gynheiliaid y wasg newyddiadurol ym Morgannwg, ac mae tudalennau'r *Gwladgarwr*, *Y Gwron a'r Gweithiwr* a *Tarian y Gweithiwr* mewn cyfnod diweddarach yn dyst i'r berw llenyddol a diwylliannol a ffynnai yn yr ardaloedd hyn yn ystod ail hanner y bedwaredd ganrif ar bymtheg. Am ryw reswm, yma hefyd y cafodd y myth derwyddol droedle cadarn, – traddodiad a'i hamlygodd ei hun yng ngweithiau a gweithgareddau Myfyr Morganwg, William Price o Lantrisant gerllaw, Francis Crawshay o Drefforest, a Morien. Y mae'n demtasiwn gofyn beth yn union a yrrodd y gwŷr hyn, a'r rheini'n ddynion galluog ar lawer ystyr, i ymroi gymaint, nid yn unig i gynnal y myth hwn, ond i ychwanegu ato'r ffantasïau rhyfeddaf yn ogystal. Y mae'r cyfan yn brawf diymwad nad oedd Cymru'r bedwaredd ganrif ar bymtheg yn wlad mor ddi-liw ac anniddorol ag y tybir yn gyffredin.

NODIADAU

1. Ar *Llanwynno*, Glanffrwd, gweler Morfydd Owen, 'Rhagymadrodd i *Lanwynno*, Glanffrwd', yn J. E. Caerwyn Williams, gol., *Ysgrifau Beirniadol, VI* (Dinbych, 1971), 160-75; Trefor M. Owen, *'Llanwynno' a Phortreadau Bro* (Abertawe, 1983). Am fraslun o hanes tref Pontypridd a'r pentrefi cyfagos gweler Owen Morgan ('Morien'), *History of Pontypridd and Rhondda Valleys* (Pontypridd, 1903), ond i'w ddefnyddio â chryn ofal; John Jenkins, gol., *Pontypridd – Bro'r Eisteddfod* (S.l., 1973); David A. Pretty, *Rhwng Dwy Afon* (S.l., 1991).
2. Gweler J. Dyfnallt Owen, 'Awen y Rhondda Gynt', *Trafodion Anrhydeddus Gymdeithas y Cymmrodorion*, 1945, 50-6. Cyhoeddwyd hefyd yn H. T. Jacob, *Atgofion* (Abertawe, 1960), 45-7. Pwysleisiodd Dr E. Wyn James mai llafar oedd y traddodiad hwn, ac enghreifftiodd ei ddadl drwy ddyfynnu tribannau a glywodd gan y Dr Ceinwen H. Thomas yn yr Eglwys Newydd yng ngwaelod Cwm Taf ym 1990, ond a luniwyd yn wreiddiol yn nhafarn y Star, Gellidawel, rywbryd cyn 1835. Hyd y gwyddys, ni chofnodwyd y tribannau hyn gan eu hawduron erioed. Gweler ei erthygl ddifyr 'Hwbwb yng Nghymoedd Taf a Rhondda', *Canu Gwerin*, 17 (1994), 28-41.
3. Tom Jones (Trealaw), 'Thomas Hywel Llywelyn: Y Sa'r a'r Pretydd', *Y Llenor*, 18 (Gaeaf 1939), 242-56.
4. Ceir enghreifftiau o'r math yma o brydyddu yn nyffryn Aman, sir Gaerfyrddin, a Blaenau Cwmtawe yn ystod yr un cyfnod. Gweler [Jonah Morgan], 'Hen Brydyddion Cwmaman a Llangiwc', *Y Beirniad*, 4 (1863), 204-20; J. D. Hugh Thomas, 'The Industrialisation of a Glamorgan Parish', *Cylchgrawn Llyfrgell Genedlaethol Cymru*, 19 (1975), 204; Huw Walters, *Canu'r Pwll a'r Pulpud: Portread o'r Diwylliant Barddol Cymraeg yn Nyffryn Aman* (Abertawe, 1987), 60-1.
5. Ceir manylion am gynnal cwlstrin ym Mro Morgannwg gan Roy Denning yn ei bennod 'Sports and Pastimes', yn Stewart Williams, gol., *Saints and Sailing Ships* (Cowbridge, 1962), 53. Gweler hefyd: Trefor M. Owen, *Welsh Folk Customs* (Cardiff, 1959), 169-71; Elfyn Scourfield, 'References to *Y Ceffyl Pren* (the Wooden Horse) in South-West Wales', *Folklore*, 87 (1976), 60-2; T. Llew Jones, 'Y Ceffyl Pren', *Llafar Gwlad*, 37 (Haf 1992), 4-6; Rosemary A. N. Jones, 'Women, Community and

Collective Action: The *Ceffyl Pren* Tradition', yn Angela V. John, gol., *Our mothers' Land: Chapters in Welsh Women's History 1830-1939* (Cardiff, 1991), 17-42.

6. William Jones, 'Tomos ap Gwilym, Cilfynydd', Llyfrgell Ganolog, Caerdydd, Llsgr. 4.939.
7. Geraint a Zonia Bowen, *Hanes Gorsedd y Beirdd* (Abertawe, 1991), 88, 93, 108.
8. Mair Elvet Thomas, *Afiaith yng Ngwent: Hanes Cymdeithas Cymreigyddion y Fenni, 1833-1854* (Caerdydd, 1978), 70. Cyhoeddwyd nodyn i'w goffáu yn *Y Gwladgarwr*, 2 Gorffennaf 1864, lle dywedir: 'Mae'n deilwng o sylw mai Brychan oedd y bardd hynaf wrth fraint a defawd yn Nghymru. Urddwyd ef yn fardd wrth fraint a defawd, yn Ngorsedd y Maen Chwŷf gan Iolo Morganwg yn y flwyddyn 1818'. Ceir portread byr ohono gan William Williams ('Myfyr Wyn') yn D. Myrddin Lloyd, gol., *Atgofion am Sirhywi a'r Cylch* (Caerdydd, 1951), 4-5. Gweler hefyd Charles Ashton, *Hanes Llenyddiaeth Gymreig o 1651 hyd 1850* (Lerpwl, 1893), 609-11, a'r cyfeiriadau a geir yn y mynegai yn Sian Rhiannon Williams, *Oes y Byd i'r Iaith Gymraeg: Y Gymraeg yn Ardal Ddiwydiannol Sir Fynwy yn y Bedwaredd Ganrif ar Bymtheg* (Caerdydd, 1992).
9. John Ballinger a J. Ifano Jones yn eu *Cardiff Free Libraries. Catalogue of Printed Literature in the Welsh Department* (Caerdydd, 1898), a gamarweiniodd R. T. Jenkins i briodoli'r cyfieithiad Cymraeg o *Lyfr Mormon* iddo yn y cofnod amdano yn *Y Bywgraffiadur Cymreig Hyd 1940* (Llundain, 1953), 122-3.
10. 'Marwolaeth Cilfynydd', *Y Gwladgarwr*, 16 Mehefin, 1864. Gweler hefyd sylwadau Thomas Morgan ('Llyfnwy') yn ei golofn 'Teithiau yr Hen Bacman', *ibid.*, 23 Gorffennaf, 1864.
11. Gweler O. V. Williams, 'Gwilym Morganwg', *Glamorgan Family History Society Journal*, 30 (1993), 8-11; 31 (1993), 6-7.
12. J. Ifano Jones, *A History of Printing and Printers in Wales to 1910* (Cardiff, 1925), 265-6.
13. Geraint a Zonia Bowen, *op. cit.*, 48, 65-6, 88.
14. Am ymdriniaeth ddifyr â'r beirdd hyn gweler E. G. Millward, 'Merthyr Tudful: Tref y Brodyr Rhagorol', yn Hywel Teifi Edwards, gol., *Merthyr a Thaf* (Llandysul, 2001), 9-56.
15. Iolo Mynwy, 'Marwnad Gwilym Morganwg', *Seren Gomer*, 19 (Mai 1836), 145. Gwilym Grawerth, 'Cân Goffadwriaeth Gwilym Morganwg', *ibid.*, 19 (Mawrth 1836), 83.
16. Taliesin Williams ('Taliesin ab Gwilym'), gol., *Awen y Maen Chwŷf, yn Cynnwys Awdlau, Cywyddau, Caniadau, ac Englynion gan y Diweddar Dderwyddfardd Thomas Williams (Gwilym Morganwg)* (Merthyr Tudful, 1890), 46-8.
17. Ar weithgarwch Stukeley gweler: 'Templa Druidum', yn A. L. Owen, *The Famous Druids: A Survey of Three Centuries of English Literature on the Druids* (Oxford, 1962, 101-37; 'Avebury, Stonehenge and the Druids', yn Stuart Piggott, *William Stukeley: An Eighteenth-Century Antiquary*, argraffiad diwygiedig (London, 1985), 79-109; '"Much Greater, than Commonly Imagined": Celtic Druids and the Universal Religion', yn David Boyd Haycock, *William Stukeley: Science, Religion and Archaeology in Eighteenth-Century England* (Woodbridge, 2002), 160-88.
18. Roy Denning, 'Druidism at Pontypridd', yn Stewart Williams, *Glamorgan Historian, I* (Cowbridge, 1963), 139-40. Gweler hefyd *'Y Maen Chwŷf*, or Rocking Stone, in the Vale of Taff, Glamorganshire', *The Saturday Magazine*, 164 (24 January, 1835), 23-4.

19. John Davies ('Brychan'), *Llais Awen Gwent a Morganwg* (Merthyr Tudful, 1824), 11.
20. Llsgr. Llyfrgell Genedlaethol Cymru, 21178E. 'Letters to Taliesin ab Iolo', Rhif 885.
21. Ceir rhai adroddiadau am weithgareddau'r Gymdeithas yn *Seren Gomer*, 21 (Chwefror 1838), 59; 22 (Mai 1839), 152; 29 (Mehefin 1846), 285.
22. John Davies, gol., *Blwch i'r Cantorion* (Abertawe, 1816), 29, 36-8.
23. John Davies, *op. cit.*, 30-1, 46-9.
24. Cyhoeddwyd y gân hon, a enillodd wobr i'w hawdur mewn cyfarfod llenyddol yn Ystrad Mynach, mewn blodeugerdd o waith Twm, yn dwyn y teitl *Yr Awen Berorol* (Aberdâr, 1860), 12-13.
25. *Gardd Aberdâr yn Cynnwys y Cyfansoddiadau Buddugol yn Eisteddfod y Carw Coch, Aberdâr* (Caerfyrddin, 1854), 217-22.
26. Evan Richards, *Perllan Gwyno* (Merthyr Tydfil, 1832), 30-5. Edrydd Dr T. F. Holley hynt a helynt cŵn hela'r Glôg ym mhlwyf Llanwynno, yn *The Glôg Squires* (Merthyr Tydfil, d.d.). Cynnwys y gyfrol hon nifer o ganeuon hela gan fân brydyddion yr ardal. Gweler er enghraifft tt. 65-9; 203-5; 209-16.
27. W. Glanffrwd Thomas, *op. cit.*, 212.
28. *Ibid.*, 197-8.
29. Fe'i cyhoeddwyd hi hefyd yn *Y Diwygiwr*, 9 (Gorffennaf 1844), 221.
30. Brian Wagstaffe 'Welsh Ironworkers in France', *Glamorgan Family History Society Journal*, 51 (September 1998), 14-15.
31. Gwilym Llanwynno, 'Glennydd y Seine', *Seren Gomer*, 27 (Rhagfyr 1844), 370.
32. *Ibid.*, 28 (Gorffennaf 1845), 210.
33. 'Yr Ymadawiad', *ibid.*, 29 (Ionawr 1846), 20.
34. 'Marwolaethau: Thomas Williams', *Seren Gomer*, 31 (Awst 1848), 255. Canwyd dwy farwnad iddo gan ei gyfoedion. Mae eiddo Dewi Haran, 'Galareb am y Diweddar Fardd Thomas Williams ('Gwilym Llanwynno'), Pontytypridd, Morganwg', *Y Bedyddiwr*, 12 (Gorffennaf 1853), 211-12, yn olrhain dylanwad Gwilym Morganwg arno – 'Yr hwn a fu iddo yn athro a thad'. Mae marwnad Thomas Lewis, Pontypridd, 'Cân o Goffadwriaeth am Mr T. Williams ('Gwilym Llanwynno')', *Y Bedyddiwr*, 8 (Awst 1849), 242, yn disgrifio'i weithgarwch fel un o aelodau mwyaf blaenllaw Cymdeithas y Maen Chwŷf.
35. Penodwyd gŵr o'r enw 'Corslett' (brodor yn wreiddiol o Westphalia yng ngogledd yr Almaen), i oruchwylio'r gweithfeydd haearn yng nghyffiniau Brynbuga, gan Schutz a Humphrey, tua 1568. Daeth ei ddisgynyddion yn ofaint o fri yng ngefeiliau haearn Machen a Chaerffili yn ystod yr ail ganrif ar bymtheg, ac ymsefydlodd aelodau o'r teulu yn Landyfân, ym mhlwyf Llandybïe, sir Gaerfyrddin, lle yr oedd gŵr o'r enw Thomas Cosslett yn oruchwyliwr y gwaith haearn yno yn niwedd y ddeunawfed ganrif. Y mae'r cyfenw wedi ei gyfyngu, fwy neu lai, i ardaloedd Machen a Chaerffili ar ffiniau Morgannwg a Mynwy, yn ogystal â'r ardal sy'n cyfateb i hen Gwmwd Is-Cennen, yn nwyrain sir Gaerfyrddin. Gweler Gomer M. Roberts, *Hanes Plwyf Llandybïe* (Caerdydd, 1939), 205; John a Sheila Rowlands, *The Surnames of Wales* (Birmingham, 1996), 86-7.
36. John Hughes, *Methodistiaeth Cymru, III* (Wrecsam, 1856), 387-90. Gweler hefyd William Thomas ('Islwyn'), 'Edward Cosslett', *Y Traethodydd*, 31 (1877), 75-87; Abraham

Morris, 'Castleton: the Home of Edward Cosslett', *Cylchgrawn Hanes y Methodistiaid Calfinaidd*, 15 (Medi 1930), 85-97.

37. 'Eisteddfod y Groeswen', *Seren Gomer*, 31 (Mehefin 1848), 190.
38. *Y Gwladgarwr*, 30 Mai, 1879.
39. *Cell Llawenydd* (Caerdydd, 1858), 15-18, 35-7.
40. Adroddir yr hanes gan J. Rhys ('Ap Nathan'), 'Bywyd Llenyddol Pontypridd a'r Cylch yn y Bedwaredd Ganrif ar Bymtheg', Llyfrgell Genedlaethol Cymru, Llsgr. Eisteddfod Genedlaethol Cymru, Aberpennar, 1946, Rhif 13, 29.
41. Brynfab, 'Cell Llawenydd', *Tarian y Gweithiwr*, 24 Medi, 1914.
42. 'Cân o Ganmoliaeth i *Borter* Bedwas', *Cell Llawenydd* . . ., 5-6.
43. 'Cân y Wraig Anynad', *Blwch Difyrwch* (Caerdydd, 1851), 7.
44. Gweler Llyfrgell Genedlaethol Cymru, 'The Biographical Index of W. W. Price, Aberdâr', XIII, 28. Mae'r llyfryddiaeth ar Ieuan ab Iago a'i fab Iago ab Ieuan yn sylweddol, ond gweler yn arbennig: Daniel Huws, 'Ieuan ab Iago', *Cylchgrawn Llyfrgell Genedlaethol Cymru*, 16 (Gaeaf 1969), 172-83. W. Rhys Nicholas, 'The Authors of "Hen Wlad Fy Nhadau": Evan James (1809-1878) and James James (1833-1902)', yn P. F. Tobin, J. I. Davies, gol., *The Bridge and the Song: Some Chapters in the History of Pontypridd* (Bridgend, 1991), 29-43, a'r cyfeiriadau a welir yno.
45. J. Rhys ('Ap Nathan'), *op. cit.*, 36.
46. Ceir amlinelliad o'i yrfa gan Huw Walters, yn *op. cit.*, 64-75. Gweler hefyd Beti Rhys, 'Ifor Cwm Gwŷs', *Y Casglwr*, 39 (Nadolig 1989), 7.
47. *Gardd Aberdâr* . . ., 251-2.
48. Cyhoeddwyd cerdd Ioan Emlyn, yn *Seren Gomer*, 13 (Mehefin 1854), 179. Ceir hanes ei chyfansoddi gan Gwilym Elian yn '"Bedd y Dyn Tylawd"', *Y Geninen*, 25 (Hydref 1907) 277-8. Bu Ioan Emlyn yn weinidog gyda'r Bedyddwyr ym Mhontypridd rhwng mis Mawrth 1852 a mis Awst 1853. Gweler David Bowen ('Myfyr Hefin'), *Ioan Emlyn* (Abertawe, 1924).
49. Helen Ramage, 'Eisteddfodau'r Ddeunawfed Ganrif', yn Idris Foster, gol., *Twf yr Eisteddfod* (Abertawe, 1968), 26; Hywel Teifi Edwards, *Yr Eisteddfod* (Llandysul, 1976), 32.
50. John Jones Davies ('Ieuan Ddu Allt-wen'), 'Y Diweddar Ifor Cwm Gwŷs', *Y Gwladgarwr*, 14 Medi, 1872.
51. Ann Rees, 'Ifor Cwm Gwŷs', *Cymru*, 26 (Ionawr 1904), 44.
52. Ifor Cwm Gwŷs, *Difyrion Meddyliol* (Pontypridd, 1866), 18-21.
53. *Gardd y Gweithiwr; Sef y Cyfansoddiadau Gwobrwyedig yn Eisteddfod Ystalyfera, Mehefin, 25, 26 1860* (Abertawe, 1860), 182-4; Ifor Cwm Gwŷs, *Difyrion Meddyliol* (Pontypridd, 1866), 15-20.
54. Ceir ymdriniaeth ar yr arfer gan William Roberts ('Nefydd'), *Crefydd yr Oesoedd Tywyll* (Caerdydd, 1852), 52. Trefor M. Owen, *Welsh Folk Customs* (Caerdydd, 1959), 146. Cyhoeddwyd cerdd ddigrif William Evans ('Wil o'r Mynydd') 'Gwledd De ar ôl Genedigaeth Merch Susi, Glyn-ffwdan: Ychydig o'i Hanes yn Nghyd ag Enwau Rhai o'r Boneddigesau ag oedd yn Bresenol', yn *Y Gwladgarwr*, 20 Hydref, 1860. Am boblogrwydd cyfarfodydd tebyg ymhlith gwragedd y cyfnod, gweler Rosemary Jones, 'Sfferau ar Wahân?: Menywod, Iaith a Pharchusrwydd yng Nghymru Oes Vctoria', yn

Geraint H. Jenkins, gol., *Gwnewch Bopeth yn Gymraeg: yr Iaith Gymraeg a'i Pheuoedd, 1801-1911* (Caerdydd, 1999), [175]-205. Trafodir y cyrddau te gan E. G. Millward yn *'Gym'rwch Chi Baned?' Traddodiad y Te Cymreig* (Llanrwst, 2000), lle ceir detholiad o gân Cyrus Cosslett ('Talelian'), 'Y Clwb Te', 48-9. Ffynnodd yr arfer o 'fynd i weld', neu'r *visit*, fel y'i gelwid mewn rhai cylchoedd, ymhlith gwragedd y cymunedau Cymreig yn America hefyd. Cystwyodd Ioan Huws o Remsen, 'yr arferiad atgas a dychrynllyd o fyned i gael *visit'* ymhlith merched Efrog Newydd, mewn erthygl yn dwyn y teitl 'Chwedlau Gwrachaidd Gwragedd y *Visit'*, a gyhoeddwyd yn *Y Cyfaill o'r Hen Wlad yn America*, 4 (Rhagfyr 1841), 361. Fe'i hatebwyd gan 'Gwraig o Swydd Oneida', yn ei herthygl hithau, 'Amddiffyniad i Wragedd y *Visit'*, *ibid.*, 5 (Chwefror 1842), 46-7.

55. Tom Jones (Trealaw), 'Llên Gwerin Morgannwg', *Y Darian*, 4 Hydref, 1928.
56. *Gardd y Gweithiwr*, 180-181; *Difyrion Meddyliol*, 24-9.
57. *Difyrion Meddyliol*, 29-31. Am ymdriniaeth bellach â rhai o'r cerddi hyn gweler Hywel Teifi Edwards, 'Gardd y Gweithiwr', yn *Cwm Tawe* (Llandysul, 1993), 170-1, 174-81.
58. Gweler llythyrau Gwilym ab Ioan, Ieuan Ddu, Nathan Dyfed ac eraill, yng ngholofnau'r *Gwladgarwr*, rhwng 13 Ebrill a 17 Awst 1872.
59. Lemuel J. Hopkin-James, *Hopkiniaid Morganwg* (Bangor, 1909), 379-80.
60. Cofnodir marwolaeth Mary yn *Y Diwygiwr*, 12 (Mehefin 1847), 195.
61. Thomas Williams ('Brynfab'), 'Beirdd y Bont: Dewi Haran', *Tarian y Gweithiwr*, 7 Mai 1914.
62. Y Llyfrgell Ganolog, Caerdydd Llsgr. 2.949. Papurau Evan Davies ('Myfyr Morganwg').
63. Dewi Haran, 'Yr Ychain yn Aredig', *Y Gwladgarwr*, 13 Tachwedd 1869. Huw Walters, 'Rhagor am Ganu i'r Ychen: Tystiolaeth Dewi Haran', *Canu Gwerin*, 22 (1999), 52-9.
64. Cyhoeddwyd y naill gerdd yn *Y Diwygiwr*, 11 (Ebrill 1846), 120, a'r llall yn *Y Bedyddiwr*, 8 (Ionawr 1849), 21, a *Seren Gomer*, 32 (Ionawr 1849), 21.
65. *Telyn Haran* (Pontypridd, 1878), 51-3.
66. Gwyddys bod o leiaf un ferch yn prydyddu yn y dref hefyd, sef 'Gwenddydd Glan Rhondda'. Ceir rhai o'i cherddi yn *Seren Gomer*, 31 (Tachwedd 1848), 339; *Y Gwladgarwr* (Aberdâr), 10 Ionawr, 4 Ebrill, 6 Mehefin, 1863. Awgrymir gan Brynfab yn *Tarian y Gweithiwr*, 23 Gorffennaf 1914, iddi ymfudo naill ai i Daleithiau Unedig America neu i Awstralia. Gweler hefyd ei nodyn arni yn 'Beirdd y Bont', *Y Geninen*, 30 (Ionawr 1912), 67-9. Tybed ai hi yw'r 'Gwenddydd' "(Mrs T. Davies, Lyons Street, Ballarat)"', a enillodd y wobr gyntaf am draethawd ar y testun 'Dyledswydd Mam at ei Phlant', yn Eisteddfod Ballarat, Awstralia, ym 1867, ac a gyhoeddwyd yn *Yr Australydd*, 2 (Chwefror 1868), 169-75? Am eraill o feirdd yr ardal gweler: Brynfab, 'Ap Myfyr', *Y Geninen*, 15 (Gŵyl Ddewi 1897), 52-4. C. Tawelfryn Thomas, 'Gwilym Elian', *Y Geninen* 24 (Gŵyl Ddewi 1906), 57-61. Idem, 'Carnelian', *Y Geninen* 29 (Gŵyl Ddewi 1911), 10-11. Brynfab, 'Yn Angladd Elian', *Tarian y Gweithiwr*, 24 Hydref, 1912. D. M. Davies ('Gwynwawr'), *Cannwyllau'r Genedl: Dewi Alaw, Gwyndaf Elian, Gwyngyll* (Aberaman, 1919). Idem, 'Tawenog y Cerddor a'r Bardd', *Tarian y Gweithiwr*, 17 Mehefin, 1926. Joan N. Harding, 'Dau Frawd o Sir Fynwy [Carnelian a Gwilym Elian]', *Barn*, 212 (Medi 1980), 261-3. Diogelir

nifer fawr o gyfansoddiadau Gwilym Elian ymhlith papurau'r Parchedig C. Tawelfryn Thomas yn Llyfrgell Genedlaethol Cymru.

67. Ef hefyd oedd awdur *Vaynor: Its History and Guide* (Merthyr Tydfil, 1897). Y mae casgliad o'i brydyddiaeth ymhlith ei bapurau yn y Llyfrgell Ganolog yng Nghaerdydd (1.654). Ceir bywgraffiad byr ohono yn William Morgan, *The Vaynor Handbook* (Merthyr Tydfil, 1893), 63.
68. 'Gwaith yr Ugain Bardd', *Y Gwladgarwr*, 18 Gorffennaf, 1868.
69. J. E. Jenkins, gol., *Gardd y Beirdd* (Casnewydd, 1869), 25-7; Cosslett Cosslett, *Awdl y Glöwr* (Aberdâr, 1896). Hon oedd awdl fuddugol Eisteddfod Heolyfelin, Aberdâr, a gynhaliwyd ym mis Chwefror 1896.
70. *Cyfansoddiadau Buddugol Eisteddfodau Llanilltyd Faerdref, 1871, 1874* (Pontypridd, 1874), 56-9. *Y Diwygiwr*, 24 (Mawrth 1859), 89-90.
71. *Seren Gomer*, 41 (Tachwedd 1858), 510-11.
72. Ceir disgrifiadau llyfryddol manwl o *Y Cylchgrawn* ac *Yr Ymgeisydd* gan Huw Walters yn *Llyfryddiaeth Cylchgronau Cymreig, 1851-1900* (Aberystwyth, 2003), 125-6, 327-8.
73. Brynfab, 'Dewi Wyn o Essyllt', *Tarian y Gweithiwr*, 18 Mehefin 1914.
74. Ceir darlun difyr o rai o'r cyfarfodydd hyn gan Beti Rhys, 'Bywyd Llenyddol Pontypridd a'r Cylch', *Y Traethodydd*, 145 (Gorffennaf 1990), 148-50.
75. Ni wyddys beth a ddaeth o'r cynllun hwn, ond nid dyma'r cynnig cyntaf at gyhoeddi dyddiadur arbennig ar gyfer beirdd a cherddorion oblegid ymddangosodd *Dyddiadur Llenyddol, neu Lawlyfr yr Eisteddfodwyr*, ym 1873. Gweler Aneirin Lewis, 'Gwlad Beirdd a Cherddorion', *Y Casglwr*, 35 (Awst 1988), 14. Cyhoeddwyd hefyd yn W. Alun Mathias ac E. Wyn James, gol., *Dysg a Dawn: Cyfrol Goffa Aneirin Lewis* (Caerdydd, 1992), 61-3.
76. Cyhoeddwyd *Pan Oedd Rhondda'n Bur* yn llyfryn yn Aberdâr ym 1912.
77. Ceir trafodaeth ar ei fywyd a'i waith gan Ddafydd Morse, 'Thomas Williams (Brynfab, 1848-1927)', yn Hywel Teifi Edwards, *Cwm Rhondda* (Llandysul, 1995), 134-52.
78. J. Dyfnallt Owen, *op. cit.*, 61.
79. 'Y Senedd Awenyddol', *Y Gwladgarwr*, 17 Medi, 1878.
80. Ceir pennod ddiddorol am y traddodiadau lleol am Fabonwyson gan Thomas Evans, 'The Welsh Poet', *The Story of Abercynon* (Casnewydd, 1976), 64-9.
81. Llsgr. Llyfrgell Genedlaethol Cymru, 15508D, D. J. Williams, 'Hanes Coleg Bala-Bangor a'i Athrawon a'i Fyfyrwyr o'i Ddechreuad hyd y Flwyddyn 1942', 76.
82. Thomas Edwards, *Canmlwyddiant Eglwys Libanus, Craigberthlwyd: Hanes yr Eglwys* (Merthyr Tudful, 1933), 28.
83. John Thomas, Thomas Rees, 'Libanus, Llanfabon', *Hanes Eglwysi Annibynol Cymru, II* (Lerpwl, 1872), 401.
84. Thomas Edwards, *op. cit.*, 28.
85. Huw Morris, 'Oriel y Beirdd', *Y Gwladgarwr*, 14 Rhagfyr 1877.
86. *Ibid.*, 28 Gorffennaf, 1866; *ibid.*, 22 Medi 1866.
87. F. J. Pedler, *History of the Hamlet of Gellideg* (Merthyr Tydfil, 1930), 66. Cyhoeddwyd cerdd o'i waith 'Ymadawiad Mabonwyson â Mynwent y Crynwyr', yn *Y Gwladgarwr*, 1 Chwefror 1868.

88. Dewi Wyn o Essyllt, *'Yr Awenydd'*, *Y Gwladgarwr*, 4 Tachwedd, 1865.
89. 'Ymfudiaeth' *Yr Awenydd* (Caerfyrddin, 1865), 23.
90. *Y Gwladgarwr*, 30 Ebrill 1875.
91. 'Ymddygiad Cywilyddus yn Llanfabon', *ibid.*, 4 Mehefin, 1875.
92. Gweler 'Manion Cymreig', *ibid.*, 11 Mehefin 1875.
93. 'Yr Erledigaeth ar Mabonwyson', *ibid.*, 13 Awst 1875.
94. 'Apeliad Difrifol at Fy Nghydgenedl, *ibid.*, 21 Gorffennaf 1876.
95. 'Mabonwyson a'i Frodyr Awenyddol', *ibid.*, 20 Hydref 1876.
96. Dafydd Morse, 'Glanffrwd a Chlic y Bont', yn David A. Pretty, gol., *op. cit.*, 102.
97. 'Noswaith Gyda Mabonwyson', *Y Gwladgarwr*, 17 Tachwedd 1876; 'Ymadawiad Mabonwyson', *ibid*, 24 Tachwedd 1876; 'Bargoed: Noswaith Gyda Mabonwyson', *ibid.*, 25 Rhagfyr 1876.
98. Ceir portread ohono gan Sem Phillips, 'Idris Davies M.D.', *Y Cenhadwr Americanaidd*, 32 (Chwefror 1871), 57. Gweler hefyd J. Jenkins ('Gwentfab'), 'Cofeb am y Diweddar Ddoctor Idris Naunton Davies, Llysygraig, Ystrad, Rhondda', *Seren Gomer*, 10 (Ionawr 1889), 31-7. Am gyfraniad nodedig y teulu hwn i fyd meddygaeth, gweler erthygl Nigel Naunton Davies, 'Two and a Half Centuries of Medical Practice: A Welsh Medical Dynasty', yn John Cule, gol., *Wales and Medicine* (Llandysul, 1975), 216-21.
99. 'Llith o'r Bwthyn Barddol', *ibid.*, 7 Mai, 10 Medi, 1880.
100. 'Ymweliad â Thlodty Pontypridd', *ibid.*, 14 Hydref, 1881. Yno yn 'ystafell yr hen wragedd', y cyfarfu Morien â gweddw Richard Edwards ('Dic Tamar'), y glöwr wyth ar hugain oed a lofruddiodd ei fam, Tamar Edwards, ym Merthyr Tudful ym 1842. Cuddiodd ei chorff o dan y gwely, ond fe'i darganfuwyd gan ei merch-yng-nghyfraith ychydig ddyddiau'n ddiweddarach pan glywodd 'rhyw arogl ddrewedig yn dyfod oddiyno'. Gweler: 'Llofruddio Mam Gan ei Mab', *Seren Gomer*, 25 (Mehefin 1842), 183; 'Brawdlys Morganwg: Prawf Dic Tamar am Lofruddio ei Fam', *ibid.*, (Awst 1842), 248-9. Dienyddiwyd Dic Tamar yng ngharchar Caerdydd ar 23 Gorffennaf 1842. Gweler 'Dienyddiad Dic Tamar', *ibid.*, 25 (Medi 1842), 283. Bu'r llofruddiaeth a'r dienyddiad yn destun baled boblogaidd o waith Dafydd Jones, Llanybydder, sef *Cân Alarus yn Rhoddi Hanes Gweithred Erchyll a Gyflawnwyd ym Merthyr Tudful Ddiwedd Mis Ebrill Diwethaf, gan Richard Edwards (Dic Tamar), Sef Lladd ei Fam. Dienyddiwyd ef Dydd Sadwrn Gorffennaf 23, 1842* (Caernarfon, 1842).
101. 'Nodiadau Nedi Morris: Bu Farw Mabonwyson!', *Y Gwladgarwr*, 25 Tachwedd, 1881. Croniclodd Mary Jenkins, o'r Graig Berth-lwyd, hanes ei farwolaeth mewn llythyr at ei mab, Mesach, a ymfudodd i Queensland, Awstralia, chwe blynedd ynghynt ym 1875. Medd hithau, mewn cyfieithiad o'r llythyr Cymraeg gwreiddiol: 'I have to tell you that the old character Mabonwyson has come to the end of his earthly journey since Thursday, 1st November. He died after suffering a long illness in the Pontypridd Workhouse. He was moved there some months before his death by the Parish Officers. He had lost his sight, and he was wandering in his mind weeks before his death. Old Mabon had weathered many a storm in this old world, but now he lies in the talons of the grave. Peace to his dust'. Gweler 'Letters From Mary Jenkins

of Pentwyn, Craigberthlwyd, Llanfabon Parish, to Her Son, Mesach in Australia', *Glamorgan Family History Society Journal*, 5 (1984), 25.

102. Dewi Alaw a gyfansoddodd y ganig boblogaidd *Gwnewch Bopeth yn Gymraeg*, i eiriau Mynyddog, a gyhoeddwyd gyntaf ym 1872.
103. 'Pontypridd', *Y Gwladgarwr*, 16 Ebrill 1864.
104. 'Nos Ymadawol Dewi Alaw â Stockton-ar-Dees', *ibid.*, 28 Chwefror 1869.
105. Ar brif nodweddion y cylchgrawn, gweler Rhidian Griffiths, 'Y Gerddorfa', *Y Casglwr*, 47 (Awst 1992), 2. Ceir disgrifiad llawn o'i natur a'i gynnwys gan Huw Walters yn *Llyfryddiaeth Cylchgronau Cymreig, 1851-1900* (Aberystwyth, 2003), 164-5.
106. 'Dewi Alaw, Pontypridd', *Tarian y Gweithiwr*, 23 Gorffennaf, 6 Awst 1914; D. M. Davies ('Gwynwawr'), *Cannwyllau'r Genedl: Dewi Alaw, Gwyndaf Elian, Gwyngyll* (Aberaman, 1919), 5-20.
107. 'Born on Christmas day (old style), being Sun-day at 5 min. past 1h A.M. 1800', yw'r geiriau a geir ar wyneblun ei gyfrol, *Hynafiaeth Aruthrol Trwn, neu Orsedd Beirdd Ynys Brydain a'i Barddas Gyfrin* (Pontypridd, 1875).
108. Yn ôl Morien: 'Myvyr's father met with a tragic death in the presence of two of his sons. They were engaged in Tregroes Park, by the permission of the Thomas family, in gathering cones from the trees, and the father had climbed up into one of the trees for the purpose of shaking the branches that the cones might fall for his sons to gather them, when he fell close to Myvyr, and died instantly, after gasping for breath once or twice. Gweler yr adroddiad 'Death of Archdruid', *The Western Mail*, 24 Chwefror 1888.
109. Isaiah John, 'Hanes Dechreuad a Chynydd Eglwys Gynulleidfaol Bethel, ger Peny-bont, Morganwg', *Y Diwygiwr*, 27 (Chwefror 1862), 48-9; Thomas Rees a John Thomas, *Hanes Eglwysi Annibynol Cymru, II* (Lerpwl, 1872), 213-24. Diogelir casgliad o'i bregethau yn Llsgr. 1.540 yn y Llyfrgell Ganolog yng Nghaerdydd.
110. Gweler y gyfres o ysgrifau dienw, 'John Howell, Pen-coed, Llangrallo, Morganwg', *Y Cylchgrawn*, 19 (Gorffennaf 1880), 229-32; (Awst 1880), 266-9; (Medi 1880), 303-6; (Hydref 1880), 372-4. Roger L. Brown, *David Howell: A Pool of Spirituality. A Life of David Howell (Llawdden)* (Denbigh, 1998), 258. Bu John Howell yn cystadlu'n aml yn Eisteddfodau Cymreigyddion y Fenni, ac enillodd bedair o wobrau yn y gwyliau hyn rhwng 1835 a 1838. Gweler Mair Elvet Thomas, *op. cit.*, 63.
111. 'Canon David Howell B.D. and Myfyr Morganwg', *The Western Mail*, 2 Mawrth 1888.
112. *Awenyddion Morganwg, Neu, Farddoniaeth Cadair Merthyr Tudful, ym Mraint Cadair a Gorsedd Pendefigaeth Morganwg, a Gwent ac Erging, ac Euas, ac Ystrad Yw* (Merthyr Tydfil, 1826), 85-94, 95-126.
113. Cyhoeddwyd 'Yr Englynion Buddugawl i'r Llydawiaid yn Eisteddfod y Fenni, 1838', yn *Seren Gomer*, 22 (Mai 1839), 144.
114. Yr oedd John Jones, brodor o Helygain yn sir y Fflint, eisoes wedi cymryd rhan mewn dadl gyhoeddus ar fedydd trochiad yn Rhymni ym mis Tachwedd 1841 pan ddaeth tua phedair mil ar ddeg o drigolion Gwent a Morgannwg ynghyd i wrando arno ef a'r Parchedig Gabriel Jones, Prifathro Coleg y Bedyddwyr yn Hwlffordd, yn ymgodymu â'i gilydd.

115. Tua'r un cyfnod y cyhoeddodd y pamffledyn *Dirwest: Samson yn Ngafael â'r Ddwy Golofn, yn Tynu y Tŷ ar Ben Arglwyddi y Philistiaid* (Caerfyrddin, d.d.), sy'n brin eithriadol erbyn heddiw. Cedwir copi ohono ymhlith papurau ei ŵyr, Ivor Aneurin Davies, yn Llsgr. Llyfrgell Genedlaethol Cymru, 9508D.
116. Gweler John Thomas, *Jubili y Diwygiad Dirwestol yn Nghymru* (Merthyr Tydfil, 1885), 138-9; D. D. Williams, *Hanes Dirwest yng Ngwynedd* (Lerpwl, 1921), 41. Ceisiodd Myfyr amddiffyn ei safbwynt yn *Rhesymau E. Davies (Ieuan Myfyr), Dros ei Ymddygiad yn Peidio Llaw-arwyddo Ardystiad y Titotalyddion, Cyfran o Ba Rai a Draddododd yn Nadl Llantrisant, yr Hon a Gynnaliwyd Rhyngddo ef a'r Parch. John Jones, Llangollen* (Abertawy, 1842).
117. Gwobrwywyd Aneurin Fardd am y 'Roesaw-Gân Oreu i Ieuan Myfyr, ar ei Ddyfodiad i Artrefu yn Mhontypridd' yn Eisteddfod Pontypridd a gynhaliwyd ar 10 Awst 1846. Gweler *Seren Gomer*, 29 (Medi 1846), 285.
118. 'Canon David Howell B.D. and Myfyr Morganwg', *The Western Mail*, 2 Mawrth 1888.
119. 'Ysbryd Iolo', 'Julian Cylch Abred', *Seren Cymru*, 16 Mawrth 1860.
120. Myfyr Morganwg, 'At Olygydd y Farddoniaeth yn *Seren Cymru*', *ibid.*, 15 Mehefin 1860.
121. *Seren Gomer*, 31 (Gorffennaf, 1848), 212.
122. [William Price], 'Y Maen Chwŷf', *Seren Gomer*, 21 (Hydref 1838), 298-300. Mae'n debyg i'r Dr William Price gylchlythyru mân foneddigion Morgannwg, yn apelio am danysgrifiadau at ei gynllun, ac argraffwyd copi o'r cylchlythyr hwn yn *The Cardiff Times*, 23 Mehefin 1888. Gweler hefyd Cyril Bracegirdle, *Dr William Price: Saint or Sinner* (Llanrwst, 1997), 122-4.
123. *The Glamorgan, Monmouth and Brecon Gazette and Merthyr Guardian*, 21 Medi 1839.
124. C. O. Jones-Jenkins, 'Francis Crawshay and Trefforest', yn Huw Williams, gol., *Pontypridd: Essays on the History of an Industrial Community* (Cardiff, 1991), 13-29. Gweler hefyd T. F. a V. A. Holley, 'Francis Crawshay, 1811-1878', *Merthyr Historian*, 4 (1989), 163-8.
125. 'Cyhoeddiad Eisteddfod', *Seren Gomer*, 32 (Medi 1849), 283.
126. 'Bardd Cyfrin', 'Yr Archdderwydd a Gorsedd Beirdd Ynys Prydain', *Y Gwladgarwr*, 16 Mehefin 1876.
127. 'Trevorris Eisteddvod', yn *Gwaith Talhaiarn. The Works of Talhaiarn in Welsh and English* (Llundain, 1855), 414-15.
128. Llsgr. Llyfrgell Genedlaethol Cymru, Cwrtmawr 73C. Llythyr dyddiedig 7 Hydref 1854.
129. Gweler 'Congress of Bards, Pontypridd', *The Cambrian Journal*, Alban Hevin 1856, 201-4. Ceir trafodaeth ar rai o'r gorseddau hyn ym mhennod Geraint a Zonia Bowen, 'Gorsedd y Maen Chwŷf a Gorsedd Taliesin, 1850-1904', *op. cit.*, 167-87. Canodd Myfyr nifer o englynion coffa i Ab Ithel pan fu farw ym 1862, ac fe'u cyhoeddwyd yng ngholofn farddol Alaw Goch yn *Y Gwladgarwr*, 20 Medi 1862.
130. 'Eisteddfod Llangollen a Chyfrinion Barddas', *Yr Amserau*, 20 Hydref 1858. Cyhoeddwyd adroddiadau tebyg gan 'Glewlwyd Gafaelgar' yn 'Eisteddfod Fawr Llangollen', *Seren Gomer*, 41 (Tachwedd 1858), 503-5; (Rhagfyr 1858), 547-9.

131. Isaac Foulkes ('Llyfrbryf'), *John Ceiriog Hughes: Ei Fywyd, Ei Athrylith, a'i Waith* (Lerpwl, 1887), 45.
132. 'Eisteddfod Llangollen', *Seren Cymru*, 2 Hydref 1858.
133. 'Yr Arddangosfa Farddonol', *Y Punch Cymraeg*, 2 (5 Mawrth 1859), 6. Ceir copi o'r cartŵn ymhlith papurau Robert Parry ('Robyn Ddu Eryri'). Gweler Llsgr. Llyfrgell Genedlaethol Cymru, 8570A.
134. G. J. Williams, 'Ab Ithel', yn Aneirin Lewis, gol., *Agweddau ar Hanes Dysg Gymraeg: Detholiad o Ddarlithiau* (Caerdydd, 1969), 257-60.
135. 'Eisteddfod Llangollen a Chyfrinion Barddas', *Yr Amserau*, 20 Hydref 1858.
136. Gweler y llythyr a ysgrifennodd Reynolds ar ddydd Gwener y Groglith 1880, yn y copi o *Hynafiaeth Aruthrol y Trwn*, a gyflwynodd yn rhodd i Henri Gaidoz. Llsgr. Ll.G.C 11,726C. Tom Jones, 'Rhondda 'Slawer Dydd', *Y Darian*, 1 Mehefin 1933.
137. James Bonwick, *Irish Druids and Old Irish Religions* (London, 1894), 3; G. J. Williams, 'Eisteddfod Llangollen, 1858', *Trafodion Cymdeithas Hanes Sir Ddinbych*, 7 (1958), 151.
138. Thomas Stephens, 'Iolo Morganwg', *Yr Ymofynydd*, 5 (Ebrill 1852), 77-92; (Mehefin 1852), 149-53; (Awst 1852), 182-7; (Medi 1852), 197-203; (Hydref 1852), 221-6; (Tachwedd 1852), 221-50; (Rhagfyr 1852), 269-75. Ymatebodd Myfyr Morganwg i'r erthyglau hyn mewn cyfres faith o lythyrau a gyhoeddwyd yn *Seren Gomer* rhwng 1853 a 1854, ac fe'u hadargraffwyd yn gyfrol, *Amddiffyniad y Bardd Cyfrin i Hynafiaeth y Nod Uchod /|\ yn Ngwyneb Haeriadau T. Stephens (Gwyddon) o Ferthyr* (Caerfyrddin, 1855).
139. Ymosodwyd ar Fyfyr gan ohebydd dienw a arddelai'r ffugenw 'Guilelimus' mewn cyfres o ddwsin o erthyglau yn dwyn y teitl 'Yr Archdderwydd a'i Honiadau' yn *Y Gwladgarwr*, rhwng 30 Gorffennaf 1875 a 31 Mawrth 1876. Atebwyd y rhain mewn cyfres arall o dair ar hugain o erthyglau meithion gan Fyfyr Morganwg yn yr un newyddiadur, rhwng 8 Hydref 1875 a 14 Ebrill 1876, pan benderfynodd y golygydd roddi taw ar y cyfan.
140. 'Yr Archdderwydd a'i Farddas', *Y Gwladgarwr*, 5 Medi 1874.
141. 'Rhagdraeth', *Hynafiaeth Aruthrol y Trwn Neu Orsedd Beirdd Ynys Brydain a'i Barddas Gyfrin* (Pontypridd, 1875), xii.
142. Gweler Thomas Morgan, *Hanes Tonyrefail: Adgofion am y Lle a'r Hen Bobl* (Caerdydd, 1899), 63-4. Iddo ef a Lascelles Carr, y gwerthodd Ardalydd Bute *The Western Mail* a *The Weekly Mail* ym 1877, a pharhaodd y bartneriaeth hon hyd at farwolaeth Daniel Owen ym mis Mehefin 1896. Adroddir yr hanes yn *Jubilee of 'The Western Mail', 1869-1919* (Caerdydd, 1919), 3, 12. Priododd ei ferch â'r llawfeddyg adnabyddus y Dr Naunton Wingfield Davies (1852-1925), a oedd hefyd yn nofelydd ac yn ddramodydd, ac yn aelod arall o'r teulu o feddygon o Ystradyfodwg.
143. Ganwyd Wiliam Siôn ym Mhwll-y-Parc, ger y Ton-du ym 1874, ond symudodd y teulu i fyw ar Gefn Cribwr pan oedd yn ddwy flwydd oed. Bu'n löwr am flynyddoedd cyn iddo gartrefu yn y Cymer yn Nyffryn Afan, a'i brif ddiddordeb oedd copïo llawysgrifau yn Llyfrgell Ganolog Caerdydd. Copïodd 'Lyfr Hir Llanharan' a gopïwyd yn wreiddiol gan Lywelyn Siôn o Langewydd, – gŵr yr honnai Wiliam Siôn ei fod ymhlith ei hynafiaid. Bu farw Wiliam Siôn ym 1947, ac adroddir ei hanes gan Gomer M. Roberts, 'Llawysgrif Wiliam Siôn o Gefn Cribwr', *Y Genhinen*, 16 (Gaeaf

1965-1966), 20-9. Y mae copi Wiliam Siôn o *Hynafiaeth Aruthrol y Trwn Neu Orsedd Beirdd Ynys Brydain a'i Barddas Gyfrin* bellach ym meddiant yr awdur.

144. Gweler yn arbennig 'Pennod XXIII: Lle dangosir bod hyd yn nod y Llinachau hyny o gyndadau'r byd, fel eu traddodwyd i lawr i ni yn Ysgrythyrau yr ARIAID – hynafiaid yr Hindwod; a chan SANCHONIATHO, yr hen hanesydd PHOENIC-AIDD; ac hefyd yn Ysgrythyrau yr IUDDEWON, yn darddedig o hen linach ffugyrol a swyddol y TRWN neu Orsedd Beirdd Ynys Brydain', *Hynafiaeth Aruthrol y Trwn*, 100-55.
145. Llsgr. Llyfrgell Genedlaethol Cymru, 7940B. Llythyrau at Lewis Jones, Y Rhyl, golygydd *Y Dywysogaeth*.
146. G. J. Williams mewn adolygiad ar gyfrol Beriah Gwynfe Evans, *The Bardic Gorsedd*, yn *Y Llenor*, 3 (Gaeaf 1924), 259.
147. D. M. Williams, 'Cyfarchiad at Weinidogion Pontypridd a'r Cylchoedd', *Y Gwladgarwr*, 2 Gorffennaf 1875.
148. 'Samson', 'Dewi Haran Nid *Hero*', *ibid.*, 4 Mehefin 1875.
149. Croniclwyd prif gamre ei yrfa mewn adroddiad am ei farw yn *The Western Mail*, 17 Rhagfyr, 1921 a *The Rhondda Leader*, 22 Rhagfyr 1921. Gweler hefyd deyrngedau John Griffith, a J. Llewelyn Thomas iddo yn *Y Genhinen*, 40 (Ebrill 1922), 100-3.
150. Edrydd Morien hanes yr apêl am y cymorth ariannol at Arglwydd Bute ac Arglwydd Merthyr yn 'More About Myfyr Morganwg', *The Western Mail*, 25 Chwefror 1888.
151. 'Tysteb Myfyr Morganwg', *Y Gwladgarwr*, 31 Rhagfyr 1875. Medd y gohebydd wrth gloi ei adroddiad: 'Gobeithio y caiff Myfyr flynyddau eto i fwynhau y dysteb, ac y defnyddia hi er gogoniant Cristionogaeth, ac nid er gwyngalchu Paganiaeth'.
152. Owen Morgan ('Morien'), 'Myfyr Morganwg a'i Deitl', *ibid.*, 17 Mai 1878. Gweler hefyd 'Myfyr Morganwg D.C.L.', *ibid.*, 28 Rhagfyr 1877.
153. 'Masnach y Ffugdeitlau', *ibid.*, 3 Mai 1878.
154. Ar hyn gweler erthygl ddifyr Roger L. Brown, 'The Tale of the D.D.', *The Journal of Welsh Religious History*, N.S. 3 (2003), 69-77.
155. Am wybodaeth bellach, gweler Philippa Martyr, 'When Doctor's Fail: Ludwig Bruck's List of Unregistered Practitioners (1886)', *The Electronic Journal of Australian and New Zealand History.* <http://www.jcu.edu.au/aff/history/articles/bruck.htm>. Darllenwyd 15 Mawrth, 2004.
156. Brythonfryn, 'Morien a'i Ffwlbri', *Tarian y Gweithiwr*, 7 Gorffennaf, 1881.
157. 'Marwolaeth Myfyr Morganwg', *Tarian y Gweithiwr*, 1 Mawrth 1888. Morien, 'Death of the Archdruid', *The Western Mail*, 24 Chwefror 1888; 'The Late Myfyr Morganwg: Touching Tributes to His Memory from Welsh Bards and Scholars', *ibid.*, 25 Chwefror 1888.
158. 'Funeral of Myfyr Morganwg: Imposing Ceremony', *The Western Mail*, 29 Chwefror 1888. Cyhoeddwyd nodyn byr o deyrnged iddo gan Glanffrwd yn *Cyfaill yr Aelwyd*, 8 (Ebrill 1888), 69.
159. Morien, 'More About Myfyr Morganwg', *ibid.*, 25 Chwefror 1888.
160. Cyhoeddwyd adroddiad diddorol yn un o newyddiaduron Morgannwg ym 1934, yn sôn bod cadair eisteddfodol a fu'n eiddo i Fyfyr Morganwg, ym meddiant Charles George Faull, un o or-wyrion yr Archdderwydd, o'r Graig-wen, Pontypridd. 'The

chair, which is in a very good state of preservation, is regarded as a family heirloom', medd y gohebydd, 'and has passed from one member of the family to the other. Gweler 'An Interesting Pontypridd Heirloom', *The Glamorgan County Times*, 20 Ionawr 1934. Fodd bynnag, difrodwyd y gadair hon flynyddoedd lawer yn ôl, am ei bod wedi ei rhidyllio gan bryf coed. Cafwyd y wybodaeth hon gan Mr Derek Faull, un o ddisgynyddion Myfyr, o'r Glyn-coch, Pontypridd, ym mis Medi 2003.

161. Llsgr. Llyfrgell Ganolog Caerdydd 4.939.
162. [Thomas Christopher Evans] Cadrawd, 'Yr Holiadur Cymreig', *Cyfaill yr Aelwyd*, 8 (Mai 1888), 94.
163. 'Yr Holiadur Cymreig', *ibid.*, 8 (Awst 1888), 187.
164. Geraint Bowen, 'Archdderwydd, y Teitl a'r Swydd', *Cylchgrawn Llyfrgell Genedlaethol Cymru*, 24 (Haf 1986), 379. Er hynny fel 'Archdderwydd yn ôl Braint a Defod' y cyfeirir ato ar glawr ei lyfryn *Pabell Dofydd* a gyhoeddwyd ym 1889.
165. 'Craig yr Hesg', 'Eisteddfod Genedlaethol Pontypridd', *Y Geninen*, 11 (Hydref 1893), 257. Gweler hefyd David Griffith, *Right Man, Right Time: David Griffith 'Clwydfardd', the First Archdruid of Wales* (Bradford on Avon, 2000), 148.
166. 'Marwolaeth Myfyr Morganwg', *op. cit.*, 1 Mawrth 1888. 'Morien Appointed Archdruid', *The Western Mail*, 27 Chwefror 1888.
167. 'Morien yn Nghôr Gawr a Chaer Ambawr', *Y Gwladgarwr*, 28 Gorffennaf; 4, 11, 18 Awst; 1, 8 Medi 1876.
168. John Morris-Jones, 'Gorsedd Beirdd Ynys Prydain', *Cymru*, 10 (Ionawr 1896), 21-9; (Chwefror 1896), 133-40; (Mawrth 1896), 153-60; (Ebrill 1896), 197-204; (Mehefin 1896), 293-9. Cyhoeddwyd crynodeb o'r ymdriniaeth hon wrth y teitl 'Derwyddiaeth Gorsedd y Beirdd', yn *Y Beirniad*, 1 (1911), 67-72.
169. Owen Morgan ('Morien'), 'Hynafiaeth Aruthrol Gorsedd Beirdd Ynys Prydain', *Cymru*, 10 (Mehefin 1896), 331-3; 11 (Gorffennaf 1896), 42-5; (Awst 1896), 93-6; (Medi 1896), 114-16; (Hydref 1896), 184-6; (Tachwedd 1896), 238-42; 12 (Chwefror 1897), 143-6.
170. 'Burial of Morien: Dyfed's Glowing Eulogism', *South Wales News*, 21 Rhagfyr 1921. Fodd bynnag, y mae derwyddiaeth, a diddordeb y werin a'r miloedd ynddi, yn fyw ac yn iach yng Nghymru a thu hwnt, fel y gwelir yng nghyfrol ddifyr Glyn Daniel, *Writing For Antiquity: An Anthology of Editorials from 'Antiquity'* (Llundain, 1992). Cafwyd argraffiad ffacsimili o gyfrol Morien, *The Royal Winged Son of Stonehenge and Avebury*, dan y teitl *The Mabin of the Mabinogion*, gan wasg Whittaker, Llundain, ym 1990, a chynhelir yr *Ancient Mysteries Archive*, gwefan boblogaidd ar y rhyngrwyd, gan Naveed Bhatti, o 'Sefydliad Morien = Morien Institute', ym Mangor. Gweler <http://www.morien-institute.org/index.htm>.

AWSTRALIA: GWLAD LAWN O DRYSORAU

Ceisiais ddangos mewn man arall mai problemau'r gymdeithas ddiwydiannol yw byrdwn canu'r bardd-löwr ym mlynyddoedd canol y bedwaredd ganrif ar bymtheg.[1] Tlodi'r gweithwyr, amodau gwaith anfoddhaol a gormes perchnogion y glofeydd a'r gweithfeydd haearn, yw prif bwnc ei ganu. Dyna yw thema cerdd George Lewis ('Eiddil Llwyn Celyn'; 1803-1853), 'Cwyn Hen Weithiwr Tanddaearol', er enghraifft, sy'n gerdd hunangofiannol i raddau helaeth, a'r bardd yn sôn amdano'n grwt yn gweithio yn un o lofeydd Cwmaman, sir Gaerfyrddin.[2] Rhestrir yn y gerdd hon y peryglon y bu'n rhaid i Eiddil Llwyn Celyn eu hwynebu yn y lofa; sonia am y 'cwymp' yr arswydai pob glöwr rhagddo, y danchwa a oedd mor gyffredin ym mhyllau'r de, yn ogystal â'r llifogydd. Ac ar wahân i'r amodau gwaith anfoddhaol hyn, yr oedd yn ofynnol i'r glöwr frwydro'n ddygn am ei gyflog hefyd, a hynny mewn cyfnod pan oedd yn haws gan berchnogion y glofeydd ostwng cyflogau ar adegau o ddirwasgiad yn y diwydiant glo na'u codi ar adeg o gynnydd. Gormeswyd y gweithwyr gan drefniadau'r *truck* yn ogystal, – sef yr arfer o orfodi'r glowyr a'u teuluoedd i brynu angenrheidiau bywyd, yn fwyd ac yn ddillad, yn siopau'r perchnogion, a'r rheini yn eu tro, yn cadw cost y nwyddau yn ôl o'r gyflog. Yr oedd y math yma o ganu cwyn yn dra chyffredin yng nghymoedd y de drwy gydol y bedwaredd ganrif ar bymtheg, fel y gwelir yng ngholofnau barddol y newyddiaduron Cymraeg. Cyfeiriodd Syr Ben Bowen Thomas hefyd at nifer o faledi'r cyfnod sy'n perthyn i'r dosbarth hwn o ganu.[3]

Problemau'r gymdeithas ddiwydiannol, felly, yw byrdwn y canu hwn, ac o ganlyniad i'r gwelliannau a gafwyd mewn trafnidiaeth ar fôr ac ar dir yn ystod yr union gyfnod hwn, daeth gwledydd a chyfandiroedd newydd yn atynfa ac yn waredigaeth i nifer o weithwyr Cymru. Bu'r Taleithiau Unedig yn boblogaidd gan Gymry'r ardaloedd gwledig yn ystod hanner cyntaf y bedwaredd ganrif ar bymtheg, ond gyda datblygu'r meysydd glo carreg yn nhalaith Pennsylvania yn ystod ail hanner y ganrif, tyrrodd glowyr a gweithwyr haearn cymoedd y de i ardaloedd Scranton, Hazleton, Kingston a Wilkes Barre.[4] Ychydig o Gymry, mewn cymhariaeth, a ymfudodd i Awstralia cyn 1850, ond gyda darganfod mwyn copr yn ne'r wlad, ac aur yn nhalaith Victoria ychydig yn ddiweddarach, bu cynnydd sylweddol yn nifer y Cymry a ddewisodd gartrefu ar y cyfandir.[5] Arwydd o'r diddordeb cynyddol hwn yn Awstralia ymhlith yr ymfudwyr Cymreig yw'r ddwy gyfrol a gyhoeddwyd i'w cyfarwyddo yn eu hanturiaeth, sef eiddo John Williams ('Glanmor'), *Awstralia a'r Cloddfeydd Aur* (Dinbych, 1852), a David William Pughe, *Gwlad yr Aur; Neu Gydymaith yr Ymfudwr Cymreig i Australia* (Caernarfon, 1852?).

Adlewyrchir y datblygiadau hyn ym maledi Cymraeg y cyfnod ac yng nghanu'r bardd-löwr yn ogystal, a gwelir cynnydd sylweddol yn nifer y baledi a'r cerddi sy'n ymwneud ag ymfudiaeth i Awstralia, yn ystod y

GWLAD YR AUR;

NEU,

GYDYMAITH YR YMFUDWR CYMREIG

I

AUSTRALIA:

YN CYNNWYS

Hanes y Cyfandir Australaidd, y Trefedigaethau Prydeinig ynddo, ac Ardaloedd yr Aur, eu Tir, Hinsawdd, Masnach, Cyflogau, Deddfau, &c., &c.; yn nghyda lluaws o Ffeithiau o ddyddordeb a phwys arbenig i'r Ymfudwr.

GAN D. AP G., AP HUW, FEDDYG.

HEFYD,

CAN YR YMFUDWR,

GAN EBEN FARDD.

CAERNARFON:

ARGRAFFWYD, CYHOEDDWYD, AC AR WERTH GAN H. HUMPHREYS, CASTLE SQUARE.

'*Gwlad yr Aur; Neu Gydymaith yr Ymfudwr Cymreig i Australia*', (*Caernarfon, 1852?*).

Baled: 'Morgan Bach a'i Fam yn Ymddiddan yn Nghylch Myned i Awstralia'.

pumdegau cynnar. Un o faledi mwyaf poblogaidd y cyfnod oedd eiddo Isaac Thomas, y saer coed a'r ymgymerwr angladdau o Aberdâr, *Morgan Bach a'i Fam yn Ymddiddan Ynghylch Myned i Awstralia.* A'r un prydydd a ganodd *Dychweliad Morgan Bach o Awstralia, a'i Fam, Gwen o'r Gurnos yn Methu ei Adnabod.*[6] Cerdd gynnar, hefyd, yw eiddo William Lewis, un o frodyr Eiddil Llwyn Celyn, y crybwyllwyd ei enw eisoes. Ei theitl yw 'Cynhadledd: Pa Un Orau, Myned i Awstralia Neu Beidio', – cerdd ar ddull ymddiddan rhwng Meurig a Morgan, a farnwyd yn orau yn Eisteddfod y Carw Coch, Aberdâr, ym mis Awst 1853.[7]

Meurig:
Awstralia! Awstralia! Gwlad lawn o drysorau,
O! na chawn fy hebrwng i'th euraid drigfannau;
Cawn yno ddigonedd i'm cadw rhag tlodi,
Nid byw fel yng Nghymru dan bwn yn ymboeni.

Os meddwl llesoli fy hunan a'm teulu,
Rhaid mynd trwy beryglon mewn gobaith gorchfygu;
Peryglon a thrallod a welais yng Nghymru
Heb ddim yn y diwedd ond angen a thlodi.

Cais Morgan ddwyn perswâd ar ei gyfaill i aros yng Nghymru, ond os yw'n gwbl benderfynol o ymfudo, yna dylai gartrefu ymhlith ei gyd-Gymry yn America:

Morgan:
Os am wneud rhyw lesiant tymhorol i'th deulu,
Dos draw i'r Amerig os 'madael â Chymru.
Ti elli gael yno fro fras i breswylio
A llawer gwir gyfaill rydd gymorth mewn taro.

Ond, ceir yn Awstralia gyfleoedd newydd i'r sawl sy'n barod i fentro, ac fel cynifer o'i gydymfudwyr, gobaith Meurig yw darganfod aur, ymgyfoethogi, a dychwelyd i Gymru'n ddiweddarach i fyw ar ei gyfoeth:

Meurig:
Mae aur yn Awstralia, – cael gafael ar hwnnw
Ac adref i Gymru mewn meddiant o'r elw.

Am gynnig fel yna 'does neb all fy meio,
Mi wn gaf anrhydedd mewn llawnder os llwyddo.

Ac er gwaethaf ymbiliau cyson a thaer Morgan, mae Meurig yn gwbl ddidroi'n ôl yn ei fwriad i ymfudo.

Cymeriadau dychmygol yw Meurig a Morgan, wrth gwrs, a'u profiadau, fel y'u croniclir yng ngherdd William Lewis, er yn gyffredin i gerddi ymfudo eraill y cyfnod, yn ffrwyth dychymyg y bardd ei hun. Ond ceir rhai cerddi ymddiddan ar thema ymfudiaeth i Awstralia rhwng prydyddion go iawn yn ogystal, megis eiddo Daniel Williams a Dafydd King. Mab John a Gwenllian Williams, o'r Cwm-teg ym mhlwyf Llangïwg yn sir Forgannwg, oedd Daniel Williams. Fe'i ganwyd ym 1837, ond ychydig iawn a wyddys am ei ddyddiau cynnar, rhagor na'i fod yn löwr yn un o lofeydd yr ardal. Fodd bynnag, y mae ar glawr lawysgrif o'i eiddo a ddiogelir bellach yn Adran y Casgliadau yn Llyfrgell Genedlaethol Cymru, ac a luniwyd, y mae'n debyg, ychydig flynyddoedd cyn marw o'i hawdur ar 18 Mai 1865.[8] Cynnwys y llawysgrif hon draethawd yn dwyn y teitl 'Hanes y Gwterfawr, ei Thrigolion, eu Mhasnach a'u Crefydd o'r Flwyddyn 1800 Hyd Ddiwedd y Flwyddyn 1860', o waith Daniel Williams ei hun, lle y croniclir datblygiadau diwydiannol a chrefyddol ym mhentref Brynaman yn ystod hanner cyntaf y bedwaredd ganrif ar bymtheg. Y mae'n fwy na thebyg i'w awdur baratoi'r traethawd ar gyfer cystadleuaeth eisteddfodol yn wreiddiol, er na wyddys bellach pa eisteddfod oedd honno. Ond yn ogystal â'r traethawd, cynnwys y llawysgrif nifer o gerddi a phenillion ar destunau amrywiol o waith Daniel Williams.[9]

Y pwysicaf, a'r mwyaf diddorol, o blith y cyfansoddiadau hyn yw'r gerdd ymddiddan o waith Daniel Williams a'i gyfyrder Dafydd King o Drecynon, Aberdâr. Ganwyd Dafydd ym 1841, yn un o feibion David a Margaret King o Gwm-twrch ym mhen uchaf Cwmtawe. Yr oedd Margaret, ei fam, yn ferch i Ddafydd William o'r Ddôl-gam, Cwmllynfell, un o gymeriadau hynota'r ardal.[10] Chwiorydd iddi oedd Ann Williams, mam yr ysgolfeistr a'r emynydd Watkin Hezekiah Williams ('Watcyn Wyn'; 1844-1905), a Sarah Davies, mam y bardd-bregethwr Ben Davies (1864-1937), o'r Pant-teg, Ystalyfera. Mae'n berthnasol sylwi yn y cyswllt hwn i

Watkin Williams, un o frodyr Daniel, ymfudo i ardal Bae Morton yn Ne Cymru Newydd ym 1860. Yno y cyfarfu ag Ann Daniels o Gwm-twrch, a phriodwyd hwy ar 7 Mai 1864. Yn ddiweddarach, prynodd Watkin ddarn o dir ar y gwastadedd, yng ngogledd orllewin De Cymru Newydd, yn agos i'r ffin â thalaith Queensland, ac yno y sefydlodd ddwy orsaf i ffermio defaid, a'u henwi yn *Cwm-teg* a *Brynaman*.[11]

Fel yng ngherdd ymddiddan Meurig a Morgan gan William Lewis, cais Daniel Williams ddwyn perswâd ar Ddafydd King i ymwrthod â'r syniad o ymfudo i Awstralia. America, fel y gwelsom, oedd cyrchfan y mwyafrif llethol o'r ymfudwyr Cymreig cyn canol y bedwaredd ganrif ar bymtheg, a chan mai i Awstralia yr arferid alltudio troseddwyr a gondemnid i gyfnod o benydwasanaeth, yr oedd gan y cyfandir newydd gysylltiadau annymunol iawn ym meddyliau nifer o Gymry. Yn ogystal â hynny, cymerai'r fordaith i Awstralia hyd at bedwar mis neu fwy, ac yr oedd honno'n fordaith beryglus yn aml iawn, gydag afiechydon yn gyffredin, heb sôn am stormydd geirwon a thywydd enbyd. Ond prif fyrdwn cerdd Daniel Williams yw dieithrwch y wlad newydd, a'r siomedigaeth a ddaw yn sicr i ran ei gyfyrder yng nghanol dieithraid di-gred. Gwlad y breintiau mawr yw Cymru ar y naill law, a'r capel a'r ysgol Sul yn ganolog yn ei bywyd, tra bo Awstralia ar y llaw arall yn gwbl amddifad o'r sefydliadau hyn. Eithr atebir pob un o'r dadleuon hyn gan Ddafydd King. Pwysleisia ef gyfoeth y wlad, ei thiroedd breision a'r cyfle a rydd i bob ymfudwr i ddechrau bywyd newydd. Ac er mai gwrthymfudwr digymrodedd yw Daniel Williams yn nechrau'r gerdd, a'i bortread o Awstralia yn un cwbl negyddol, y mae'n barod i gyfaddef erbyn ei diwedd, o ailystyried y dadleuon, nad ffôl o syniad yw ymfudo wedi'r cyfan. Dyfynnir y gerdd yn llawn yma:

Ymddiddan Rhwng Daniel Williams a Dafydd King
Ynghylch Myned i Awstralia

Daniel:
Dafydd King, fy nghyfaill cu, a ydwyt yn ymado
Â gwlad dy enedigaeth lon, at estron i breswylio?
Mae'r ffordd yn arw ac yn hir i eang dir Awstralia,
O, aros yma gyda ni ar hyd glogwyni Gwalia.

Dafydd:
Ymadael wnaf fy nghyfaill cu oddi ar glogwyni Gwalia,
Newid fy hen gyfeillion llon am ffyddlon aur Awstralia.
Er bod hen Gymru, gwlad y gân, fel tân yn twymo'r awen,
Mae'n dlawd i fyw, er hyn i gyd, heb olud dan yr aden.

Os caf fi nerth drwy allu'r Iôr, af dros y môr a'i donnau,
Ac ymgryfhaf wrth forio draw, hi ddaw yn amser chwarae.
Caf syllu mwy ar allu'r Iôr, mor ddewr cynhyrfa'r dyfroedd,
A'r awel, O! mor fwyn y daw o law aur wlad y cyhoedd.

Daniel:
Mae'n wir fod aur melynion, mad, i'w cael yng ngwlad Awstralia,
A bod i ddyn fanteision gwell i gael y llogell lawna';
Ond nid oes un aderyn bach yn canu'n iach a llawen,
Aflafar leisiau ddaw i'th glyw gan bob rhyw berchen aden.

Ond yma mae yr adar mwyn ar frig y llwyn yn datgan
Alawon pêr nes swyno dyn i uno yn y gytgan;
Y gog a'r wennol, dyfod wnânt, adwaenant eu tymhorau,
Arwyddant inni bod yr haf gerllaw, a'i braf wrthrychau.

Bydd hiraeth am dy annwyl wlad yn rhwygo'r teimlad tyner,
A'r galon wan yn rhoddi llam wrth feddwl am yr amser
Pan oeddet gynt yn chwarae'n fwyn, yn gweld yr ŵyn yn chwarae,
A dringo'r talgrib fynydd serth lle treigla'r certh raeadrau.

Nid oes un man mewn byd mor hardd, i'r bardd â Chymru lawen,
Pob dôl a mynydd, bryn a phant sy'n denu plant yr awen
I ganu cerddi i Gymru lân, y gwaith a'n gwir ddiddana,
O! aros, aros gyda ni ar hyd glogwyni Gwalia.

Dafydd:
Os nad oes yno gân y gog, os diog yw'r holl adar,
Ceir yno goedydd deiliog, llawn, bob dydd gawn ar y ddaear.
Yn llawn o ddail y mae pob llwyn a'i swyn anghyfnewidiol
A ddena'r bardd i ganu cerdd i werddlif goedydd siriol.

Ac o'r dyffrynnoedd ffrwythlon sydd ar ddolydd hardd meillionog,
Lle chwarae'r ŵyn yn well, yn wir, nag ar hen dir caregog –

Sy' yng Nghymru lon. O! tyrd yn awr 'gael gweld mawr ryfeddodau
Sydd yn Awstralia, helaeth wlad, lle na chawn frad yn ddiau.

Daniel:
Na, nid felly, gyfaill mwyn, gwnawn gydymddwyn â ffaeledd,
Os ffaeledd hefyd 'ellir gael yng Nghymru hael ei rhinwedd;
Gwlad annwyl yw, lle treigla hedd tangnefedd pur, diddanus,
Gwlad rydd ei rhyddid i bob gradd heb ladd na llid bradwrus.

Hen wlad, lle mae'th gyfeillion gwir sydd yn dy gywir garu,
Y rhai fu'n treulio bore'u dydd yn ddedwydd yn dy gwmni;
Y wlad lle clywaist gan dy fam sôn gyntaf am y Ceidwad
A ddaeth i lawr i'r Ganaan gun i gadw dyn amddifad.

Do, cefaist yma addysg iach ar aelwyd fach dy riaint,
A llawer cyngor sobor, dwys, gan rai dan bwysau henaint.
Bydd cofio amdanynt yn eu bedd, lle maent mewn hedd yn huno,
Yn ennyn serch at Walia lon o fewn dy galon eto.

Ac yma mae yr ysgol Sul, ei haddysg fil ragora
Ar ddim a elli gael yn wir yn helaeth dir Awstralia.
O! nac ymfuda i wlad mor bell i dywell gell peryglon,
Ond aros yma mewn mwynhad o freintiau gwlad y Brython.

Dafydd:
Os ydyw Cymru'n hael ei rhin i rai ar fin newynu,
I blant ei thir yr ydym ni yn rhoi'r anrhydedd hynny;
Gwell ydyw gwlad Awstralia draw am gadarn law ei hunan,
Gall hon, o'i chelloedd eang, bras, roi blasus fwyd i'r truan.

Ac O! mae Cymry cedyrn, mad, i'w cael yng ngwlad Awstralia,
Rhai rydd i mi ddiddanwch pur hen ddifyr fechgyn Gwalia.
Ac O! na ddeuai mwy o'r rhain sy'n llefain am ymfudo
I allu cyrraedd hyd y tir lle ceir dedwyddwch ynddo.

Mae'n wir mae 'Nghymru, gan fy mam, y clywais am yr Iesu,
Oherwydd ynddi cefais i fy ngeni a fy magu;
Peth tarawiadol iawn yw hyn, ond mae yn syn fod dynion
Yn dewis hen gartrefle tlawd gan wawdio pell gysuron.

Mae gwlad Awstralia'n well yn wir na chyfyng diroedd Gwalia,
Ceir yno dyddyn mawr am lai na chae at gloron yma;
Ac yno mae cynghorwyr dwys dan bwys dylanwad nefol,
Mae'r lle yn wir yn ffafriol iawn am gymwys ddawn genhadol.

Mae'n wir fod yno lawer iawn anghyfiawn a dichellgar
Yn byw mewn hunan mawr o hyd, â'u bryd oll ar y ddaear.
Ein dyled ninnau at y rhain yw bod yn gywrain ddoethion,
A dwedyd am y Ceidwad mwyn fu'n dwyn gwaradwydd dynion.

Mae'r Beibl yno yn ein hiaith, a'r Hwn a'i gwnaeth sydd yno,
A'r ysgol fel yng Nghymru'n fyw ddangosa Duw'n ddiflino;
Goleuo mae y wlad yn wych dan lewyrch haul Cyfiawnder,
A diau daw y wlad i fri fel Cymru fwyn ar fyrder.

Ymhen blynyddoedd, O! fel bydd gwyddorau wedi ffynnu,
A chelfyddydau ddaw â hon 'fwy cyson wlad na Chymru.
Bydd llawer iawn â'u bryd pryd hyn am ddod o'r glyn lle'u magwyd,
Ac yn eu plith y byddi di, gwell iti'n awr ymysgwyd.

Daniel:
'Rwy'n gweld bod rhai yng Nghymru, frawd, yn dlawd eu hamgylchiadau,
Ac nid oes gwlad is heulwen dêr heb rai mewn prinder weithiau;
Ond eto 'rwyf yn teimlo nerth a gwerth dy holl resymau
Yn annog dyn i'r gwledydd pell, er caffael gwell amodau.

Fe roed y ddaear eang, faith, oll at wasanaeth dynion
I'w thrin yn addas at y gwaith o ddwyn pob lluniaeth maethlon;
Gwell ydyw gadael Cymru fach er iached ei hawelon,
A hynny'n unig am ei bod yn orlawn o drigolion.

Dymunaf lwydd it gyfaill mad i fynd i wlad Awstralia,
A chasglu rhan o'i chyfoeth drud, hyn wna dy fryd ddedwydda'.
Ac O! na ddeued drwg un dydd i wneud yn brudd dy feddwl,
Os gwnei ymddiried yn dy Dduw diflanna pob rhyw gwmwl.

Dy bennaf gais bob amser fo yng nghanol bro estronol
Yn gwrthwynebu pechod cas gan chwennych dinas nefol;

Llewyrched maes dy olau câr er gwasgar anwybodaeth,
A thywys rhai, mewn cyflwr gwael, i afael iachawdwriaeth.

Ffarwel, fy nghyfaill Dafydd King, yn ddyfal dring i fyny
I dir enwogrwydd yn y byd, a'th fryd ar wneud daioni.
Ni cheisiaf fyth â rhwystro neb i deithio wyneb anian,
O na! Ni fyddaf fyth mor ffôl, dof ar dy ôl yn fuan.

Ond eto i gyd, os caf fi fyw, fy meddwl yw yn ddiau
Mai dod yn ôl i Walia wnawn i dreulio nawn fy nyddiau,
Ac yno huno yn y bedd mewn hedd ymysg fy nhadau,
Ac esgyn fwy i'r wynfa glaer i chwarae'r aur delynau.

Dafydd:
Da gennyf yw, fy nghyfaill cu, fy mod i wedi'th ennill
I ddod i maes i'r gwledydd pell sy'n berchen celloedd gweddill;
Ac os caf innau nerth gan Dduw, fy meddwl yw, yn ddiau
Dod 'nôl i Gymru'n well fy ngwedd, 'gael hedd ymhlith fy nhadau.

Ffarwel yn awr fy nghyfaill mwyn, a Chymru swynol hefyd.
Ffarwel, ymadael raid i mi er bod dy gwmni'n hyfryd;
Os na chawn eto gwrdd ynghyd o fewn y byd presennol,
Aeddfeder ni i'r wlad lle cawn gydganu yn dragwyddol.

Ysywaeth, ni cheir dyddiad wrth y gerdd ymddiddan hon, ond y mae'n bosib mai ar farwolaeth ei fam, Margaret, ar 19 Ionawr 1863, y daeth i feddwl Dafydd King ymfudo i Awstralia.[12] Yn rhifyn 21 Mawrth 1863 o'r *Gwladgarwr*, ceir cerdd gan un o feirdd Trecynon, – 'Cyflwynedig i'm Cyfaill Dafydd King, yr Hwn Sydd ar Fyned i Awstralia', ond gwyddom hefyd i Ddaniel Williams, Cwm-teg, anfon copi o'i gerdd ymddiddan ef a'i gyfyrder at William Williams ('Caledfryn'), i'w chyhoeddi yng ngholofn farddol yr un newyddiadur. Penodwyd Caledfryn yn olygydd y golofn yn gynnar ym 1863, a gosododd safonau uchel i'r beirdd a'r prydyddion o'r cychwyn cyntaf. Ond nid oherwydd ei diffyg safon na'i hannheilyngdod y gwrthododd Caledfryn gyhoeddi'r gerdd yn ei golofn, fel yr eglurodd yn geryddgar ddigon, yn rhifyn 30 Mai o'r newyddiadur: 'Costiodd llythyr, yn cynwys cân ymddyddan rhwng Daniel Williams a Dafydd King ddwy geiniog. Anfoned yr awdwr ddau stamp'. Erbyn hynny, fodd bynnag, yr oedd Dafydd King eisoes wedi cychwyn ar ei daith i Awstralia, a hynny yng nghwmni ei dad a'i ddwy chwaer, Ann a Sarah.

Gadawsant Gymru ar 21 Ebrill 1863, gan hwylio o Lundain ar 2 Mai, a chyrraedd Port Phillip, Melbourne, ar 25 Awst, lle'r oedd un o frodyr Dafydd yno i'w cyfarfod. Croniclodd Dafydd hanes y fordaith mewn llythyr a gyhoeddwyd yng ngholofnau'r *Gwladgarwr* ym mis Tachwedd 1863:

Golden Point,
Forest Creek.

Medi 22 1863.

Anwyl berthynasau a chyfeillion gwladgarol.

Esgusodwch fi am na chawsoch hanes ein taith o Aberdâr i Awstralia y mis diweddaf. Gan nad yw o un pwys i chwi, barnwyf yn ddoethach myned drosti yn fyr iawn, er mwyn i chwi gael ychydig o'n hanes yma, a'n golygiadau ar y wlad.

Wedi bod yn hir yn y trên, cawsom ein hunain yn Llundain ym mrig hwyr Mercher, yr 22ain o Ebrill; ac yn lle gwylltu i fyned i'r *East India Docks* gyda rhai o'r *cabs* a'n cymhellent, gofynasom i un o'r *porters* pa fodd oedd y ffordd oreu i wneud. Yr oedd genym saith bocs i gyd, ac yr oedd hyny yn dipyn, heblaw y saith neu wyth o lestri pridd lled drwm oedd i'w cario. Galwodd y *porter* am ddyn, yr hwn a ddaeth â *waggon*, ac a'n cludodd oll am 10 swllt, – tua 9 milldir o ffordd ebe nhw. Dechreu lled dda onide? Gan na chychwynodd y llong ar y 25ain, yn ôl yr addewid, cawsom hamdden i weled y ddinas tan ddydd Gwener y 1af o Fai. Gadawsom ei rhyfeddodau oll y dydd hwn, ond gwelem olygfeydd hyfryd wrth deithio ar yr afon i Gravesend, lle y buom noswaith yn aros i gael ein pasio.

Dydd Sadwrn, yr ail o Fai, dechreuasom ar ein taith hirfaith, ac ni fu *stop* mwy, oni buasai pall ar y gwynt, nes y cyrhaeddasom Melbourne ar y 25ain o fis Awst. Taith hir onide? Ie, ond taith hynod o ffortunus. Yr oeddem gerllaw 200 o eneidiau ar y bwrdd, o'r hyn ni fu cymaint ag un farw, nac un gael ei eni. Gallasem feddwl fod ocheneidiau rhyfeddol y Salmydd, yn y seithfed salm ar ôl y cant, yn ein clustiau yn barhaus, yn dweud 'O! na folianent yr Arglwydd'. Nid oedd nemor un yma yn meddwl dim am y fath beth. Cynaliwyd ychydig o wasanaeth Eglwys Loegr yma ar y dechreu, ond rhyfedd mor sychlyd ydoedd. Nid oedd ond ein hunain o Gymry ar y bwrdd, sef fy nhad, fy nwy chwaer a minau, W. Williams, ei wraig a'i blentyn, a Margaret Davies. O ie, yr oedd yno Gymro o forwr – un o Aberaman, Aberdâr. Ei enw yw Thomas James, ac y mae oddeutu 23ain oed. Yr oedd yn forwr da, ac yn Gymro caredig; nid oedd achos cywilyddio ei arddel. Y mae wedi gadael y môr, ac yn gweithio yma yn awr. Bu ar y môr rhwng tair a phedair blynedd.

Ein taith ynte eto. Cawsom dywydd hyfryd am 12eg wythnos, a'r rhan fwyaf o hono na ddychymygodd bardd erioed ei well. Yr oedd yn lled dwym dan y *line*, fel y dywedir, ond nid agos mor boeth ag y meddyliem. Y gweddill o'r daith, o'r Cape yn mlaen, cawsom dywydd lled oer, a gwell gwynt, onid gormod yn fynych. Daethom i Bort Phillip y dydd a nod-wyd, pryd y daeth perthynasau i edrych am eu gilydd. Yn mhlith y lliaws badau oedd o amgylch y llong, clywem lais rhywun yn ymofyn am danom ni. Mynodd ein gweled. Dyna lle'r oeddem ninau yn edrych er cael adnabod fy mrawd, ond methasom yn glir; ond pan ddaeth i'r llestr, gwnaethom adnabyddiaeth yn fuan. Y mae ef a'i wraig wedi bod yn hynod garedig tuag atom. Ond methais i â chael gwaith yno, sef yn Seabastopol Hill, Ballarat. Cafodd nhad le ar y ffarm gyda W. Phillips, tad-yn-nghyfraith fy mrawd. Y mae Ann wedi cael lle yn agos yno, a Sarah gyda nhw yn y tŷ, a'r gweddill yno rhywle. Yr wyf yn gobeithio eu bod yn ei gwneud yn dda yno erbyn hyn. Ymadawais i a Tom James oddiyno ddydd Sadwrn, y 5ed o Fedi, a galwasom am ein cyfeillion yn y Yandoit, ac arosasom ychydig yn gysurus iawn yno. Wedi hyny, daethom i gael gweled y cyfeillion sydd yma, lle yr ydym wedi cael gwaith, ac wedi dechreu gweithio yn y gloddfa aur. Yr wyf fi yn gweithio efo Gwilym Môn, yr hwn sydd yn fardd galluog, a'i wallt yn llwydwyn o herwydd rhifedi ei flynyddoedd; ac eto y mae ei gorff yn gadarn, a'i feddwl yn alluog i gydchwareu â beirdd hedegog eu hawen. Mae llawer o fechgyn y gân yn ei adwaen yn dda yn Nghymru. Mae ei deulu yn aros eto yn sir Fôn.

Y wlad ynte o'r diwedd. Pan ei gwelsom gyntaf o'r llong, yr oedd yn edrych yn swynol. Yr oeddem yn ymlawenhau wrth weled ei choedydd deiliog yn nghanol y gauaf, a braidd na synem oll wrth weled y cledrbeiriant yno yn ei cherdded hi mor eon â phe buasai yn ei enedigol wlad; a phan oeddem yn cerdded o Ballarat yma, oddeutu haner can milldir, weithiau trwy goedwigoedd tewfrig, a phryd arall hyd hen heolydd, yr un fath â hen heolydd y plwyf yn Nghymru, a'r rhai hyny heb eu gwella er's haner can mlynedd, weithiau gwelem wastadedd breision yn wyrddlas, a'r un fath y twmpathau yn wyrdd, wedi cadw ei harddwch er gwaethaf y gauaf du. Yr oedd hwn yn oerach a gwlybach na'r un gauaf a welwyd gan y rhai a adnabyddwyf. Nid oeddwn yn erfyn clywed canu yn y coedwigoedd hyn, fel y dywedir yn gyffredin. Cawsom ein siomi yn hyn, yr oedd yma ganu lled lew, ond nid yr un tonau a genir gan adar Cymru, mae'n wir, ac nid yr un wisg oedd ganddynt ychwaith. Cymaint a hynyna yn awr ar ansawdd y wlad, gan addaw y cewch fwy yn fuan.

Y cyflogau yn gyffredin tua'r cloddfeydd aur yma yw, o ddwy i dair punt yr wythnos. Pris y can yma yw, o 32 i 34 o sylltau y cwd, sef dau cant pwys; ymenyn, o 1s 3c i 1s 6c y pwys; y caws, o 1s i 2s; y cig ffres, o 3c i 5c a than hyny. Gwerthir esgidiau yma yn y *stores* fel eu gelwir, mor rhad ag yn Nghymru yn agos; pa un a ydynt cystal nis gwn. Yr un fath y dillad parod hefyd.

Terfynaf yn awr gan addo un mwy hanesyddol y tro nesaf. Yr ydwyf fi wrth fy modd yma eto, a'r un fath y lleill.

Ein cof a'n serch gwresocaf atoch,
D. King.[13]

Gwyddom i Ddafydd King barhau i ysgrifennu at ei berthnasau yng Nghymru, gan gynnwys ei gyfyrder Daniel Williams, Cwm-teg, eithr fel y crybwyllwyd eisoes, bu farw Daniel ar 18 Mai 1865. Ond methwyd â dod o hyd i'r un llythyr arall o eiddo Dafydd a gyhoeddwyd yn y wasg Gymraeg yn ystod y cyfnod hwn, ar wahân i adroddiad manwl o'i eiddo, yn croniclo gweithrediadau Eisteddfod Sebastopol Hill, a gynhaliwyd ar 23 Mai 1864.[14] Digwydd ei enw yn rhestrau cystadleuwyr yr eisteddfodau a'r cyfarfodydd llenyddol a gynhaliwyd gan Gymry Ballarat o bryd i'w gilydd ac a gyhoeddwyd ar dudalennau cylchgronau Cymraeg Awstralia, megis *Yr Australydd*, er enghraifft, ond ychydig a wyddom am hynt a helynt aelodau'r teulu yn Awstralia wedi iddynt ymadael â Chymru. Ymddengys, fodd bynnag, mai gŵr bregus ei iechyd oedd Dafydd King, a dichon mai hyn a'i cymhellodd i ymfudo i hinsawdd gynhesach Awstralia yn y lle cyntaf. Gwaethygu a wnaeth ei iechyd yno, ac fe'i cynghorwyd gan ei feddyg, yn gynnar ym 1866, i ddychwelyd i Gymru. Ymadawodd â'i dad a'i chwiorydd, a hwyliodd ar fwrdd *The Great Britain* ar 15 Mai y flwyddyn honno, gan gyrraedd cartref W. R. Jones, ei frawd-yng-nghyfraith, ym Mrynaman, ar 25 Gorffennaf. Yno y bu farw bedwar diwrnod yn ddiweddarach, yn ŵr ifanc pum mlwydd ar hugain oed. Claddwyd ef ym meddrod ei fam ym mynwent newydd Hen Gapel Cwmllynfell.[15]

Ym 1867, cyhoeddwyd cerdd ymddiddan arall o waith y ddau gyfyrder, a hynny ar dudalennau *Yr Australydd*, y misolyn Cymraeg a sefydlwyd gan William Meirion Evans i wasanaethu Cymry Awstralia, ac a gyhoeddwyd ar wahanol adegau yn Smythesdale, Ballarat a Melbourne rhwng 1866 a 1872.[16] Eiddo Daniel Williams a gyhoeddwyd gyntaf, a hynny yn rhifyn mis Hydref. Holi ynghylch amodau byw a gweithio yn Awstralia, o'u cymharu â sefyllfa'r gweithiwr cyffredin yng Nghymru, yw byrdwn ei gerdd, yn ogystal â rhyfeddodau natur y wlad, – ei choedwigoedd a'i mynyddoedd, ei nentydd a'i hafonydd, ei hanifeiliaid a'i hadar. Cyhoeddwyd ateb Dafydd King yn rhifyn mis Rhagfyr o'r un cylchgrawn, a cheisio ateb holiadau ei gyfyrder a wna yntau. Fel y gellid ei ddisgwyl, o ystyried chwaeth yr oes, ceir nodyn moesol yn y ddwy gerdd fel ei gilydd. 'Crefydd Iesu', ys dywed Daniel, a ddylai fod uchaf, a chyfeddyf Dafydd yntau fod hynny'n werthfawrocach o lawer na holl gyfoeth a golud Awstralia.[17]

Dau brydydd gwlad oedd Daniel Williams a Dafydd King, a'u cerddi ymddiddan yn perthyn i draddodiad y canu cymdeithasol, a oedd mor gyffredin yn nyffryn Aman a'r cylch drwy gydol y bedwaredd ganrif ar bymtheg. Prin fod gwerth llenyddol i'w cyfansoddiadau, ond prin chwaith y gellir eu diystyru fel dogfennau diddorol i'r hanesydd cymdeithasol. Argreffir y ddwy gerdd yn llawn yma:

Daniel Williams yn Annerch ei Gyferdderon
yn Awstralia

Fy annwyl gyferdderon llon
   Sy' 'mhell o dirion Walia
Yn grwydraid er ys amser hir
   Yn anial dir Awstralia,
Ni chefais gennych wir foddhad
O eisiau mwy o hynt y wlad.

Mae'n wir fod eich llythyrau gwych
   Yn rhoddi drych diwyrni
O fasnach gwlad, a hynt yr aur,
   A llawer gair bach digri';
Ond nid yw'ch holl ysgrifau hardd
Yn llenwi dymuniadau'r bardd.

Pe meddwn ar adenydd chwim
Yr eryr cyflym, nerthol,
Ehedeg wnawn uwch eigion maith
Ar wibiog daith awyrol,
Ac fe osodwn droed i lawr
Nes amgylchynu'ch ardal fawr.

Ac yna cawn â golwg glir
I weld y tir yn gyfan,
A syllu ar bob gwrthrych cu, –
Ond rhaid i'm dewi weithian.
Defnyddio wnaf y du a'r gwyn
I'ch annerch â'r gofynion hyn.

A ydych chwi'n Awstralia bell
Yn byw yn well nag yma?
Ai yno, ynte gyda ni
Yr oeddych chwi ddedwydda'?
A oes diddanwch yno i'w gael
Yn debyg fel yng Ngwalia hael?

A oes hynodrwydd yno'n bod
Yn rhyfeddodau anian,
Ac yn y creaduriaid sydd
Ar hyd eich meysydd llydan?
A yw tymhorau'ch blwyddyn chwi
Yn debyg fel maent gyda ni?

A yw y gog a'r wennol fach
Yn nhymor iach y gwanwyn
Yn dyfod yno atoch chwi
I ganu yn bereiddfwyn?
A yw'r ehedydd hoyw hy'
Yn pyncio yn yr awyr fry?

A yw y dryw a'r taclus binc
A'u melys dinc i'w clywed?
A brith yr had, a'r cwmfflis tlws
O flaen eich drws i'w gweled?

Ac eraill lu o adar mân
A welsoch gynt yng Nghymru lân?

A yw'r fwyalchen, gymen, gu,
  A'r deryn du pigfelyn,
A'r fronfraith fwyn ar fore braf
  Yn nechrau'r haf, fel telyn
Yn seinio eu boreol gerdd
Nes atsain cyrrau'r goedwig werdd?

A yw eich cŵn a'ch cathod chwi,
  A'ch hwyaid, ieir a gwyddau,
A hwythau'r gwartheg blithion, gwâr,
  Sy'n pori ar y caeau,
A'ch geifr sydd ar lethrau'r graig
Yn debyg fel tu yma i'r aig?

A yw yr ŵyn yn prancio'n llon
  Gerllaw, ar fron y mynydd,
Tra pori wna eu mamau mwyn
  Ar ddôl a thwyn yn ddedwydd,
Fel gwelsoch hwy y dyddiau fu
Ar hyd glogwyni'r Mynydd Du?

A oes perllannau ffrwythlon, chweg,
  A dolydd teg, meillionog?
A welir yno flodau'r dydd
  I wneud eich ffridd yn dlysiog?
Ac ambell glogwyn uchel ben
Fel cribog fryniau'r Ynys Wen?

A feddwch chwi y lili lân
  I wella gra'n eich gerddi?
A'r teim a'r caru'n-ofer hardd,
  A'r isop a'r rhosmari,
A'r teg rosynnau coch a gwyn
Sy'n perarogli'r gerddi hyn?

Oes yno ambell eneth frysg
  Yn rhodio 'mysg y blodau,

A'i chân yn llwyr wefreiddio'r fro,
   Fel merched Cymru olau,
Sy' a'u llais mor bur, mor lân o bryd
Ag Efa gynt ym more'r byd?

A ydyw sain y gornant fach,
   A sŵn yr iach awelon,
Yn rhoddi ichwi wir foddhad
   Fel maent yng ngwlad Caswallon,
Nes peri i chwi ambell waith
Anghofio helbul daear faith?

Ond fy ngofyniad pennaf yw –
   A ydyw crefydd Iesu
Yn hoffach yn eich golwg chwi
   Na dim ag y'ch chwi'n 'feddu?
A ydych chwi mewn goror bell
Yn dyfal geisio gwlad sydd well?

Fy nghyfyrdderon glew a glân
   Gwnewch bawb ei gân i'm hateb,
Nes delo'r dyddiau, hyfryd hedd,
   Caf weled gwedd eich hwyneb.
Os cwrddwn ar y ddaear hon
O cawn, ni gawn gyfeillach lon![18]

* * *

Ateb Dafydd King i'w Gyferdder
yng Nghymru

Fy mwyn gyferdder doeth a da
   Sy'n byw yng Ngwalia olau,
Dy lythyr llawn o'r awen fyw
   A'th amryw ofyniadau
A'm temtia'n awr i ddechrau cân,
'Ta sut y daw hi yn y bla'n.

Mae anawsterau mawr yn bod
   Wrth geisio dod i'r safon
A hawlia'th gân farddonol, dlos,
   Sy'n aros am atebion, –
Ond beth yw'r rhain i'r rhwystrau dardd
Wrth geisio boddio awen bardd?

Pe hedai'r bardd drwy'r awyr fry
   Fel eryr cry', diflino,
A chanfod holl hinsoddau'r byd
   Yn symud oddi tano,
Ymhlith yr oll, ni welai well
Na hinsawdd bur Awstralia bell.

Pe safai'n hir uwchben y wlad
   I wneud coffâd o'i phethau,
A chadw'n gyson yn ei gof
   Ei fanwl ofyniadau,
Fe ddodai i lawr ar ddu a gwyn
Beth tebyg i'r penillion hyn.

Mae Cymry'n byw'n Awstralia bell
   Yn well nag oeddynt yna;
Am fod eu rhyddid annwyl hwy
   Yn fwy nag oedd yng Ngwalia:
A'u gobaith am ddyfodol ffawd
A'u cwyd fel teyrn, tra eto'n dlawd.

Lle gwelir Cymru'n llechu'n llawn
   Mae'n orlawn o bleserau,
Yn cynnwys breintiau gwlad y gân,
   A'i diddan hen ddefodau:
Mae gwir ddedwyddwch yma i'w gael
'R un ffunud ag yng Ngwalia hael.

Ond trwm yw dweud mai 'chydig sydd
   O lefydd fel a nodwyd,
Yng nghorff y wlad mae llu yn byw
   Heb gofio Duw'n eu bywyd;

Ac O! Pa faint, pan fore gwyd
Heb wybod fan 'gael pryd o fwyd.

Ynghylch hynodrwydd penna'r wlad
   Fel cread arwynebol, –
Nid ydyw yn rhamantus iawn
   Fel gwlad y ddawn farddonol;
Rhyw wastatiroedd eang, hardd,
Sydd yma i ddenu awen bardd.

Ni welir yma gornant fach
   A'i dyfroedd byw iachusol
Yn chwarae 'nghadarn freichiau'r graig,
   Cyn mynd i'r aig gartrefol:
Na nemor greigiau uchel ben
Fel cribog fryniau'r Ynys Wen.

Mae yn y creaduriaid sydd
   Ar hyd ein meysydd prydferth,
Hynodrwydd tlysaf fedd y byd,
   Ond braidd i gyd yn ddiwerth
Am fiwsig mwyn i swyno'r wlad,
Fel pencerdd adar Cymru fad.

Nid ydyw'r gog ar fore mwyn
   O lwyn i lwyn yn canu;
Ac nid yw'r hedydd hoyw, hy'n
   Yr awyr fry'n difyrru.
Ond daw y wennol atom ni
I'n croeso hefo'i thwi, twi, twi.

Mae'r hen bioden gymen, gall,
   A'i diwall eiriau lloffa,
Yn canu yn y goedwig hon,
   A chyfion yw ei choffa;
Fel meistres pawb o'r adar mân
I roddi inni bob o gân.

Am enwi'r lleill, gwaith ofer yw,
   I'th glyw maent yn estronol;

Ni chofia'r bardd, â dweud y gwir,
  Mo'u henwau hir, Seisnigol;
Ond gŵyr mai 'chydig yma sydd
A ganant gerdd ym mrigau'r gwŷdd.

Y mae ein cŵn a'n cathod ni,
  A'n hwyaid, ieir a'n gwyddau,
A'r gwartheg blithion, hefo'u lloi
  Yn troi o'u cylch dan chwarae,
A'r march wrth odre'r bryn ynghyd,
'Run fath ag y'nt yng Nghymru glyd.

Ac am y geifr, dyma'r wlad
  Maent bron mor rhad â'r cloron
Ceir nani efo'i myn bach tlws
  Am agos hanner coron;
Ond nid oes yma lethr graig
I'w dringo, fel tu yna i'r aig.

Yn hyn o fan ni welir ŵyn
  Ar ben y twyn yn prancio,
Fel 'gwelsom yno lawer gwaith,
  Y dyddiau a aeth heibio:
Lle gwelir yma ddafad gu,
Fe welir miloedd gyda'r llu.

Y mae perllannau gyda ni'n
  Rhagori ar sydd yna;
Fe godir yma ffrwythau pur
  Nas codir yn Britannia;
Fel *grapes* ac *orange*, ffrwythau chweg,
A harddant ein perllannau teg.

Ac am y blodau tlysion, hardd
  A llysiau'r ardd sydd yna,
Maent yn ein dedwyddoli ni
  Fel gyda chwi yng Ngwalia;
O oes, mae blodau coch a gwyn
Yn perarogli'r gerddi hyn.

Fe rodia llawer ledi frysg
Ymysg y blodau peraidd,
A thwff ohonynt yn ei llaw
Gan seinio cân Seisnigaidd,
Nes ydynt bron â swyno'r bardd
I uno'r ganig yn yr ardd.

Ychydig iawn o ferched cu
O Gymru, yma ganant;
Ond lle y maent ar hyd y wlad,
Yn ddinacâd dangosant
Eu bod yn awr yn medru cân,
Fel oeddynt gynt yng Nghymru lân.

Mae yma gorau hyddysg iawn
Yn orlawn o gynghanedd,
'Run fath ag sydd yng Nghymru bur,
I'r hon maent yn anrhydedd;
'Does yma neb a swyna'r llu
Wrth ganu fel y *Welsh choir* cu.

Ond wrth derfynu hyn o gân
Fy nghyfaill glân a medrus,
Mae gennyf un peth hoffwn ddweud
A'i wneud i'r byd yn hysbys,
Bod crefydd Iesu'n well gen i
Na'r golud hwn a'r bydol fri.

Lle bynnag b'om mewn hyn o fyd,
Mae tristyd yn ein trosi,
A pha mor dda y byddo'r wlad
Mae oernad blinder arni;
Yr hyn a'n gwna'n Awstralia bell
I chwennych cyrraedd gwlad sydd well.[19]

NODIADAU

1. Huw Walters, *Canu'r Pwll a'r Pulpud: Portread o'r Diwylliant Barddol Cymraeg yn Nyffryn Aman* (Abertawe, 1987), 201-37.
2. *Gardd Aberdâr, yn Cynwys y Cyfansoddiadau Buddugol yn Eisteddfod y Carw Coch, Aberdâr, Awst 29, 1853* (Caerfyrddin, 1854), 206-8.
3. Ben Bowen Thomas, *Drych y Baledwr* (Aberystwyth, 1958), 74-82.
4. Gweler William D. Jones, *Wales in America* (Cardiff, 1993).
5. Myfi Williams, *Cymry Awstralia* (Llandybïe, 1983), 17-31, 135-42; Lewis Lloyd, *Australians from Wales* (Caernarfon, 1988), 144-247; Idem, 'Some Cases of Working-group Migration from Wales to Australia', yn Gavin Edwards a Graham Summer, gol., *The Historical and Cultural Connections and Parallels between Wales and Australia* (Lampeter, 1991), 69-92; William D. (Bill) Jones, 'Welsh Identities in Ballarat, Australia, During the Late Nineteenth Century', *Cylchgrawn Hanes Cymru*, 20 (Rhagfyr 2000), 283-307.
6. Un o feibion Nathaniel Thomas o'r Cwm-du, ger Talyllychau, oedd Isaac Thomas (1826-1893). Bu'n saer badau ar gamlas Morgannwg am gyfnod, cyn iddo sefydlu mewn busnes fel ymgymerwr angladdau yn Aberdâr ym mhumdegau cynnar y bedwaredd ganrif ar bymtheg, ac fel yr 'Hen *Undertaker*' yr adwaenid ef gan bawb o drigolion Cwm Cynon. Dywedir iddo saernïo dros 28,000 o eirch rhwng 1851 a'i farw ym mis Gorffennaf 1893. Yr oedd yn brydydd ac yn dribannwr parod, a chyhoeddwyd nifer o'i gyfansoddiadau yng ngholofnau newyddiaduron Cymraeg y de. Gweler 'Marwolaeth Isaac Thomas', *Tarian y Gweithiwr*, 13 Gorffennaf 1893; Ben Morus, *Enwogion Aber Dâr* (Llanbedr Pont Steffan, 1910), 56.
7. *Gardd Aberdâr, op. cit.*, 233-6.
8. Llsgr. Llyfrgell Genedlaethol Cymru, 22031A. Ceir adysgrif o'r un llawysgrif yn Llsgr. Llyfrgell Genedlaethol Cymru, Ffacs. 215.
9. Yn eu plith: 'Penillion ar Gerddoriaeth', ff.7-8, a gyhoeddwyd hefyd yn *Y Gwladgarwr*, 13 Mehefin 1863, 7; 'Cân i'r Cenhadwr', ff.9-12; 'Pryddest ar Paul a Silas', ff.24-37; 'Penillion Dirwestol', ff.38-40.
10. 'Marwgoffa: David Williams, Ddôl-gam, Cwmllynfell', *Y Diwygiwr*, 22 (Mawrth 1858), 93-4.
11. Bu farw Watkin Williams ym mis Mai 1890, ac Ann, ei wraig, ym mis Tachwedd 1913. Ganwyd iddynt ddeuddeg o blant rhwng 1865 a 1886. Gweler Kath Mahaffey, gol., *Pioneers of the North West Plains, Volume II* (Canberra, 1982), 114-17. Y mae un o ddisgynyddion Watkin, sef Ioan Williams, ynghyd â'i feibion Tim a Richard, yn parhau i ffermio defaid ar dir Cwm-teg heddiw.
12. Gweler yr adroddiad a gyhoeddwyd yn *Y Byd Cymreig*, 5 Chwefror 1863. Canodd Dafydd farwnad i'w fam – 'Galar-gân ar ôl Margaret King, yr Hon a Fu Farw Ionawr 19eg 1863, yn 53 mlwydd oed', ac fe'i cyhoeddwyd yng ngholofn farddol *Y Gwladgarwr*, 18 Ebrill 1863.
13. 'Llythyr o Awstralia', *Y Gwladgarwr*, 28 Tachwedd 1863.

14. 'Eisteddfod yn Awstralia', *ibid.*, 23 Gorffennaf 1864, 3. Yr oedd cryn weithgarwch diwylliannol ymhlith Cymry Awstralia drwy gydol y cyfnod hwn fel y dengys astudiaeth Aled Jones a Bill Jones, 'The Welsh World and the British Empire, *c.*1851-1939: An Exploration', yn Carl Bridge a Kent Fedorowich, gol., *The British World: Diaspora, Culture and Identity* (London, 2003), 65-70.
15. *Y Gwladgarwr*, 11 Awst 1866, 7.
16. Ceir disgrifiad llyfryddol manwl o'r cylchgrawn hwn yn Huw Walters, *Llyfryddiaeth Cylchgronau Cymreig, 1851-1900* (Aberystwyth, 2003), 28-9.
17. Cynhwyswyd rhannau o'r cerddi hyn gan J. Oliver Stephens yn ei gyfres o ysgrifau sy'n dwyn y teitl 'Cymry'r Pellafion', *Y Dysgedydd*, 111 (Mawrth 1932), 76-7.
18. *Yr Australydd*, 2 (Hydref 1867), 93-5.
19. *Ibid.*, 2 (Rhagfyr 1867), 141-3.

JOHN DYER RICHARDS A THEULU'R WAUN LWYD

Dangosodd y Prifardd Alan Llwyd yn ei gofiant i Hedd Wyn, *Gwae Fi Fy Myw*, mai un o gyfeillion agosaf y bardd oedd ei weinidog, y Parchedig John Dyer Richards. Daeth J. D. Richards i'w adnabod yn dda, a chanddo ef, yn ôl ei gofiannydd, y ceir un o'r portreadau cywiraf o Hedd Wyn.[1] Yr oedd John Dyer Richards yn etifedd i'r diwylliant barddol Cymraeg bywiog, a ffynnodd ar un adeg yng nghwr dwyreiniol maes y glo carreg yn sir Gaerfyrddin, a phwrpas y nodyn hwn yw manylu ychydig ar ei gysylltiadau teuluol ac ar ei yrfa ef ei hun.

Fe'i ganwyd yn y Waun Lwyd, fferm tua phedair ar ddeg o erwau ym mhentref Saron ym mhlwyf Llandybïe, ar 21 Mawrth 1877, yn fab i Job a Mary Richards. Un o ferched Dafydd Dyer o Ben-yr-heol, ger Salem ym mhlwyf Llandeilo Fawr, oedd ei fam, a hithau'n wyres i Thomas Dyer o Gapel Isaac. Yng nghartref y Thomas Dyer hwn, gŵr y cyfeiriodd y Dr John Thomas, Lerpwl, ato fel 'hen grefyddwr cynnes', y traddododd Thomas Rees, Abertawe, hanesydd yr Annibynwyr ac awdur *A History of Protestant Nonconformity in Wales* (Llundain, 1861), ei bregeth gyntaf ar noson waith ym mis Mawrth 1832.[2] Un o chwiorydd Mary oedd Ann Dyer o Flaen-nant-hir ym mhlwyf Llandybïe. Priododd hithau â John Walters o Gwmaman, sir Gaerfyrddin, a mab o'r briodas hon oedd y Parchedig D. Eurof Walters (1875-1942), a fu'n weinidog gyda'r Annibynwyr yn Llanymddyfri, Merthyr Tudful, Abertawe, ac wedyn yng Nghroesoswallt a Lerpwl.[3] 'Yr oedd Eurof Walters, wedi cael cwrs academig disglair, ac yn ysgolhaig o allu mawr a wnaeth gyfraniad sylweddol at fywyd crefyddol Cymru trwy ei ysgrifennu toreithiog', medd R. Tudur Jones amdano. 'Mae'n un o'r dynion nad yw'r cyhoedd wedi llawn sylweddoli maint ei weithgarwch'.[4]

Perthynai'r tad, Job Richards, i hen deulu'r Waun Lwyd, er mai yn nhyddyn Pen-rhiw gerllaw'r Derwydd, ym mhlwyf Llandybïe, y magwyd

Job Richards o'r Waun Lwyd.

ef, yn un o feibion John Richards – 'Siôn Waun Lwyd' fel yr adwaenid ef, a'i wraig Catherine (Cati). Yr oedd Cati yn un o ferched Job Roberts ('Job y Calchwr'), ac Ann, ei wraig, o'r Gelli Garn, ym mhlwyf Llandybïe.[5] Bu aelodau o deulu'r Waun Lwyd ymhlith prif gynheiliaid eglwys Annibynnol y Gellimanwydd yn Rhydaman, er diwedd y ddeunawfed ganrif, a rhoes mwy nag un ohonynt oes o wasanaeth i'r achos yno. John Richards (1835-1910), un o frodyr Job, oedd hanesydd cyntaf yr achos yng Ngellimanwydd.[6] Yn ddirwestwr selog, yr oedd hefyd yn un o swyddogion y gyfrinfa leol o Urdd y Gwir Iforiaid. Yn ôl awdur dienw yr ysgrif a gyhoeddwyd i'w goffáu yn *Y Diwygiwr*, ym 1910:

> Ni chafodd fanteision addysgol gwych i gychwyn bywyd, eto, bu gall â'r hyn a gawsai, a chyflawnodd lawer iawn o waith â defnyddiau prin. Yn wir, nid cam â'i goffa fyddai dweyd iddo fod yn fath o gyfreithiwr cyffredinol yn y cylch am gyfnod hir. Yr oedd ymgynghori ag ef yn angenrhaid, a bu ei sylwadaeth drwyadl, ynghyd â'i brofiad, yn gymorth anhebgor lawer tro. Troes ei law at lu o bethau yn ei ddydd; bu Côr Saron, fel yr adwaenid ef, yn gorph peryglus iawn un cyfnod o dan ei faton ef. Hyd y gwyddom ni, yr oedd yn ddirwestwr o'r crud, a bu ar y blaen ar hyd ei oes dan fenyr Gobeithluoedd a chymdeithasau tebyg.[7]

Un arall o frodyr Job oedd David Richards (1828-1885), a fu'n grydd yn Rhydaman, ac yn ysgrifennydd eglwys Gellimanwydd am gyfnod o dair ar ddeg ar hugain o flynyddoedd. Un o'i feibion yntau, a chefnder i John Dyer Richards, oedd Evan Richards (1853-1916), a brentisiwyd fel crydd gyda'i dad, ond wedi iddo ddechrau pregethu ym mis Hydref 1871, fe'i hanfonwyd i'r Ysgol Ramadeg a gedwid gan Rees Gershon Levi yn Llangadog, sir Gaerfyrddin. Bu yno tan 1873, pan dderbyniwyd ef yn fyfyriwr i'r Coleg Coffa yn Aberhonddu, lle treuliodd gyfnod o dair blynedd, cyn ei ordeinio'n weinidog ar eglwysi Annibynnol Seion a Charmel, Porth-tywyn, ym mis Ionawr 1877. Ychwanegwyd eglwys newydd Libanus, y Pwll, Llanelli, at ei ofalaeth ym mis Chwefror 1882.[8] Bu hefyd yn cadw ei ysgol ei hun yn ystod y cyfnod hwn, lle darperid hyfforddiant mewn nifer helaeth o bynciau. Archwiliwyd yr ysgol gan W. E. Rees, ym mis Gorffennaf 1881, a chyhoeddwyd manylion llawn am ei gweithgareddau mewn adroddiad yn un o newyddiaduron cylch Llanelli:

> *Achddu Villa Grammar School*
>
> I had the pleasure of conducting the Midsummer Examination of the above school for the year 1881. Papers were set on the following subjects: Latin, Greek, Arithmetic, Algebra, Geometry, Mensuration, English History, Grammar, Analysis and Composition, Modern Geography, Physics, Geology, Physical Geography and Botany. The answers given to some of them were eminently satisfactory, notably to the Classics, English Grammar and Arithmetic. The answers to all the papers evidenced careful, accurate and painstaking tuition; the masterly way in which the seniors handled their various subjects, showing that they had been fully apprehended by them. The juniors, too, manifested beyond all expectations that ready and intelligent acquaintance with their subject, which can only accrue from sound training. The results of the oral examinations were very good. It afforded me great pleasure to mark that the education imparted by Mr Richards is throughout judicious – both in the selection of subjects, and in the exact attention bestowed on those which more directly prepare for mercantile pursuits. It is refreshing to observe this, for it is too often the case that these and kindred subjects are neglected in Middle Class Schools, in a vain effort to impart a wide knowledge of the Classical languages. The Achddu Villa Grammar School is doing decidedly effective work in Burry Port and its neighbourhood; the education afforded thereat being at once a substantial supplement to that given in the elementary schools, and a sound basis of acquirement for commercial and professional life.[9]

Yr oedd gan Evan Richards ddiddordeb arbennig mewn addysg, a chymerodd ran flaenllaw ym mrwydrau addysgol yr ardal pan sefydlwyd y byrddau ysgolion o ganlyniad i Ddeddf Addysg 1870. Safodd nifer o weinidogion Ymneilltuol y cylch pan gynhaliwyd etholiad i ddewis aelodau ar Fwrdd Ysgol plwyf Pen-bre ym 1880. Etholwyd pedwar ohonynt, ynghyd ag offeiriad y plwyf, a dau ŵr lleyg, sef Alexander Davies a John Elkington. Ysgol Genedlaethol, a dderbyniai nawdd yr Eglwys Wladol, oedd Ysgol y *Copperworks* ym Mhorth Tywyn, a Sais uniaith o'r enw Owen S. Nash oedd ei phrifathro. Yng nghyfarfod cyntaf y Bwrdd Ysgol newydd, ymosododd Evan Richards ar brifathro'r Ysgol Genedlaethol, gan gymharu canlyniadau'r ysgol ag ysgolion eraill yn yr ardal. Cynigiodd, ymhellach, y dylid gostwng cyflog Owen Nash o £10 y flwyddyn, ac eiliwyd ei gynnig gan John Rogers, gweinidog eglwys Annibynnol Jerusalem, Porth Tywyn. Ni phenderfynwyd dim ynghylch tynged Nash y noson honno, ond yng nghyfarfod nesaf y Bwrdd, y mis Medi dilynol, darllenodd y cadeirydd lythyr gan y prifathro yn cyhoeddi ei ymddiswyddiad, gan ychwanegu ei fod eisoes wedi derbyn swydd gyffelyb yn Noc Penfro. Wrth i aelodau o'r Bwrdd drafod telerau swydd ei olynydd, mynnodd Alexander Davies ac Evan Richards y dylid penodi Cymro Cymraeg yn brifathro, ond gwrthodwyd y cynnig hwnnw gan yr aelodau eraill. O ganlyniad, penodwyd Sais arall, o'r enw Chard, yn brifathro'r ysgol, a hynny'n bennaf, oherwydd ymrafael enwadol. Eithr fel y sylwodd un sylwebydd, 'O leiaf, yr oedd Evan Richards wedi dangos ei ochr'.[10]

Nodweddid gweinidogaeth Evan Richards gan brysurdeb mawr. Paratôdd gohebydd dienw *The Llanelly and County Guardian* adroddiad manwl i'w gyhoeddi yn y newyddiadur, pan alwodd yn eglwys Seion, Porth Tywyn, un nos Sul dymhestlog ym mis Ionawr 1882. Dywedodd, ymhlith pethau eraill:

> The Rev. Evan Richards, though comparatively young, has a rather severe cast of countenance. We do not exaggerate when we say that he is one of the most active ministers in Pembrey. He is a pastor of three churches, is master of a middle-class school, and also a member of the School Board. To the pulpit, the school, and the Board, he brings an ardent nature, an active and original mind. Also a temperance worker, he is much respected, both in and outside his fold. Seion church being a mixed one, he preaches the same sermon in English and Welsh. He has too much of the Welshman to make his English sermons as effective as his ones in Welsh, lacking fluency; but in the vernacular his words appeared to flow spontaneously, and he revelled in all the glories of the *Hwyl.* He was very original, and his illustrations were apt and striking. If all his sermons are equal to that

> on the occasion of our visit (and we are informed that they are), his people can congratulate themselves on possessing a most effective preacher.[11]

Symudodd Evan Richards i Gwm Rhondda ym mis Mai 1883 pan dderbyniodd alwad i fugeilio eglwys Annibynnol Ebeneser, Tonypandy, ac ymfwriodd ar unwaith i fywyd gwleidyddol y Cwm. Penodwyd ef yn Llywydd Cymdeithas Lafur a Rhyddfrydol Cwm Rhondda, daeth i adnabod William Abraham ('Mabon') yn dda, ac fe'i hetholwyd yn aelod o Gyngor Dosbarth Ystradyfodwg.[12] 'Ar y llwyfan, dadleuodd ddadl y werin orthrymedig drwy barch ac amharch', medd golygydd *Y Cennad Hedd* amdano, pan fu farw ym mis Chwefror 1916. 'Gan angerddoldeb ei sêl dros addysg rydd, a chrefydd rydd a dirwest, ni allai na dywedyd yr hyn oedd ar ei galon yn wyneb ei wrthwynebwyr'.[13]

Evan Richards, Tonypandy.

Am Job Richards, tad John Dyer Richards, ychydig iawn a wyddys am ei ddyddiau cynnar. Fe'i ganwyd ym mis Mawrth 1831, ac er na chafodd ond ychydig o ysgol, – gwyddys, er enghraifft, iddo weithio'n grwt fel glöwr, – llwyddodd i'w ddiwyllio ei hun ddigon i'w alluogi i gadw ysgol am gyfnod yn Llanelli. Ar anogaeth ei weinidog, Rhys Powell, Capel Isaac, aeth i goleg Michael D. Jones yn Y Bala ym 1861.[14] Ymadawodd â'r Bala ym mis Mawrth 1862, a derbyniodd lythyr cymeradwyaeth gan Michael D. Jones a John Peter ('Pedr Fardd'), lle dywedir:

> Bu Mr Job Richards o dan ein gofal ni yn ymbaratoi gogyfer â'r weinidogaeth. Bu yn llwyddianus fel myfyriwr, ac yn gymeradwy fel dyn a Christion. Gadewir ei ddoethineb fel dyn, a'i ddoniau pregethwrol, i lefaru drostynt eu hunain. Cafodd gymeradwyaeth uchel gan ei weinidog ac eraill ar ei ddyfodiad yma, a chadwodd i fynu ei air da yn ystod ei arosiad gyda ninau.[15]

Ond, am ryw reswm, ni chymerodd ofal yr un eglwys wedi iddo ymadael â'r coleg yn Y Bala ym 1862, ac nid yw'n hollol glir beth fu ei hanes am y tair blynedd nesaf. Fodd bynnag, fe'i penodwyd yn ysgolfeistr ym Mhontfathew, yn ardal Bryn-crug, ger Tywyn, sir Feirionnydd, ym 1865, a gwyddys bod ganddo farn bendant ynglŷn â gofynion addysgol ei gyfnod. Daeth yn drwm dan ddylanwad Isaac Pitman a'i gyfundrefn newydd ynglŷn ag orgraff yr iaith Saesneg, ac mae'n debyg iddo ddilyn rhai o gyrsiau llawfer Pitman yn ystod y chwedegau cynnar. Penderfynodd gymhwyso rhai o egwyddorion Isaac Pitman ynglŷn ag orgraff y Saesneg at y Gymraeg hefyd. Ffurfiodd ei orgraff ei hun yn

Y Rhawd Cyntav o Gymraeg a Seisneg.

THE FIRST COURSE

OF

WELSH AND ENGLISH;

Being a Graduated Series of Inductive Lessons in both Languages.

BY

JOB RICHARDS, SCHOOLMASTER,

PONTVATHEW.

London:

F. PITMAN, PHONETIC DEPOT, 20, PATERNOSTER ROW, E. C.

WREXHAM: R. HUGHES AND SON.

CHESTER: J. PARRY AND SON. LLANDILO: D. W. AND G. JONES.

1865.

'Y Rhawd Gyntav o Gymraeg a Seisneg', John Richards, 1865.

ôl yr egwyddorion a dybiai ef a oedd yn gyfaddas i'r gwahanol seiniau sydd i'r llafariaid a'r cytseiniaid. Rhoes fynegiant i'r syniadau hyn mewn cyfrol fechan ddwyieithog o'i waith yn dwyn y teitl *Y Rhawd Gyntav o Gymraeg a Seisneg. The First Course of Welsh and English; Being a Graduated Series of Inductive Lessons in Both Languages*, a gyhoeddwyd ar y cyd gan Gwmni Pitman, Llundain, D. W. a G. Jones, Llandeilo, a J. Parry a'i Fab, Caerlleon, ym 1865. Dyma a ddywed yn ei ragymadrodd i'r gwaith:

> Vel ei unig esgusawd dros gynyg y llyvr bychan hwn i'r cyhoedd, dymuna'r awdur grybwyll ei vod, pan yn dechrau evrydu'r Iaith Seisneg, yn teimlo yn vawr, angen am ryw law-lyvr gwahanol i ddim a veddem mewn Cymraeg a Seisneg ar y pryd. Wrth ddechrau evrydu'r Iaith Ffrengig, rai blynyddoedd wedi hyny, drwy gyvrwng *Hall's First French Course*, hofodd gynllun y gwaith hwnw gymaint, vel y pendervynodd wneud prawv o'r un cynllun, er cynorthwyo'r Cymro i evrydu'r Iaith Seisneg, neu'r Sais i evrydu'r Iaith Gymraeg. Ar ôl gwneud prawv arno am rai misoedd er ei voddlonrwydd ei hun, yn ei ysgol ei hun, y mae yn awr, ar gais amryw o gyveillion a welsant y gwaith mewn llawysgriv, yn ei gynyg i'r cyhoedd;

> gan hyderu ei vod wrth hyny yn gwneud rhyw wasanaeth i achos addysg yn y Dywysogaeth. Os caif y *rhan gyntav* hon groesaw, a bywyd ac iechyd yr awdwr eu harbed, cyhoeddir *ail ran* yn vuan. Dymunir ar yr evrydydd i veistroli'r *Davlen adlawol* cyn dechreu ar y *preithiau*; a meistroli'r *braith gyntav* cyn cychwyn at yr ail, gan vod pob praith ddilynol yn ymddibynu, i ryw raddau, ar furviau gramadegol cynwysedig mewn preithiau blaenorol.[16]

Cwynodd David Rees, gweinidog eglwys Capel Als, Llanelli, am orgraff ryfedd Job Richards, mewn adolygiad ar y gwaith, yn *Y Diwygiwr* ym mis Medi 1865:

> Mae y llyfryn bychan hwn wedi ei droi allan yn hynod ddestlus; mae yr argraffwaith yn dda iawn; ond y ieithwedd sydd yn rhy chwyddedig. *Y Rhawd Gyntav!* Peth rhyfedd na buasai yr awdwr yn defnyddio geiriau a ddeallir ac a arferir yn gyffredin, megys y rhes, neu y gyfres gyntaf . . . Yr ydym yn mhell o ganmol rhyw faldod llenyddol o'r fath ag sydd i'w weled yn sillebiaeth y llyfryn bychan hwn. Mewn llawer o bethau ereill, y mae yn addas at yr amcan ei bwriedir, sef dysgu Seisneg i Gymro.[17]

Er hynny, cafwyd ail argraffiad o'r un gwaith, eto o swyddfa Isaac Pitman, ym 1889, a hwnnw'n dwyn y teitl *Y Gwersur Cyntav*, y tro hwn. Wrth iddo gyflwyno'r llyfryn i sylw'r cyhoedd dywed Job Richards:

> Mae awdur y llyvryn byxan hwn, ar ôl blynyddoedd o broviad yn y gwaith o addysgu, yn teimlo yn berfaith argyhoeddedig, mai gormes avreidiol ar veddwl tyner y plentyn, yw ei orvodi i ddysgu'r oll o'r wyddor, yn ei holl amrywiol furviau, cyn dexrau ei gwasanaeth. Gallwn yn hawdd iawn ddeall vod hyn yn gwasgu yn drwm iawn ar y plentyn Cymreig, pan goviom mai dim ond rhyw awr, neu awr a haner ar brydnawn Sul, yw'r holl amser a ganiateir iddo ev, yn gyfredin, ar gyver dysgu ei iaith ei hun.
>
> Rhwystr arall ag y mae llawer, heb law yr awdur yn cydnabod y byddai yn ddymunol ei symud, yw'r tebau dyblyg, megis *ch*, *dd*, *ff*, *ng* etc. Euthum i gryn draul i gael tebau yn lle'r dyblygion hyn. Gan vod *ph* ac *ff*, yr un o ran sain, gadewais *ph* allan vel yn avreidiol. Arverais *v* ac *f* yr un vath ag yn Seisneg, gan wybod o broviad y bydd hyny yn vantais i'r plentyn, wrth droi o'r naill iaith i'r llall. Arverais *u* yn lle *y* yn *yw*, *byw*, *dwy*, *hwy*, *mwy;* rhenais y wyddor hevyd yn wersi mân – dim mwy na thair llythyren newydd ar y tro.[18]

Gwiw inni gofio mai yn ystod y blynyddoedd wedi cyhoeddi'r 'Llyfrau Gleision', sef adroddiad y comisiynwyr a benodwyd i archwilio i gyflwr addysg Cymru, y dechreuodd y Cymry fagu cymhlethdod ynglŷn â'u delwedd yng ngŵydd y byd. Dyma'r pryd y dechreuwyd coleddu'r syniad mai drwy addysg a gwybodaeth gyffredinol y gallai'r Cymro uniaith, cyffredin, ddringo'n gymdeithasol a dod ymlaen yn y byd. Ond yn bwysicach na hynny, yr oedd yn rhaid iddo ddysgu Saesneg, ac yr oedd pob math o rwystrau yn ei atal rhag gwneud hynny'n llwyddiannus. Tybiai nifer o Gymry'r cyfnod, a Saeson hefyd o ran hynny, mai'r rhwystr pennaf i ddysgu darllen Saesneg oedd orgraff y Gymraeg a'r Saesneg fel ei gilydd. Yr amlycaf o'r Saeson hyn, wrth gwrs, oedd Isaac Pitman ei hun. Yr oedd Pitman eisoes wedi cyhoeddi ei *Phonography, or Writing by Sound* mor gynnar â 1840, a chafwyd nifer fawr o argraffiadau pellach o'r un gwaith drwy gydol y bedwaredd ganrif ar bymtheg. Sefydlodd y *Phonetic Institute* yng Nghaerfaddon ym 1843, a chychwynnodd gylchgronau fel *The Phonotypic Journal* a *The Phonetic Journal* yn ystod y pedwardegau er hyrwyddo'i wyddor newydd. Ei amcan drwy'r cyfan oedd cael gan y cyhoedd Seisnig, fabwysiadu dull o ysgrifennu Saesneg a gynrychiolai sŵn geiriau yn hytrach na'u tarddiad.

Daeth rhai Cymry'n drwm dan ddylanwad syniadau Pitman, – gwŷr fel Hugh Hughes ('Tegai'), Samuel Evans ('Gomerydd') a Robert John Pryse ('Gweirydd ap Rhys'). Yr oedd Gweirydd wedi dechrau ar y dasg o lunio *Geiriadur Cynanawl Seisnig-Cymreig ac Eglurydd yr Iaith Saisoneg a Chymraeg* mor gynnar â 1833, sef geiriadur a roddai'r 'cynaniad mewn llythreniad adnabyddus'. Ond methiant ariannol fu'r fenter hon, ac ni chyhoeddwyd ond un rhan o'r gwaith yn unig. Yna, ym 1847, hysbysodd Thomas Gee, yr argraffydd o Ddinbych, y rhoddai wobr o ddeg gini am draethawd ar 'Y Cyfarwyddyd Gorau i Gymro i Ddysgu yr Iaith Saesneg', ac o'r tri thraethawd ar ddeg a ddaeth i law, eiddo Gweirydd ap Rhys a ddyfarnwyd yn orau. Cyhoeddwyd y gwaith yn gyfrol gan Thomas Gee ym 1849. Nid oes ryfedd, felly, gyda'r holl weithgarwch hwn ynglŷn â darparu cyfarpar addas i'r Cymro uniaith ddysgu Saesneg, i Job Richards, ac yntau'n athro ysgol, fynd ati i lunio'r ddau lyfryn hyn, a chymell athrawon i'w defnyddio yn eu hysgolion.

Bu orgraff y Gymraeg yn destun dadlau lawer ymhlith Cymry'r bedwaredd ganrif ar bymtheg, ac mae'n werth cofio i Beriah Gwynfe Evans, yntau, geisio newid yr orgraff yn ystod wythdegau'r ganrif. Ond methiant llwyr fu ymdrechion Job Richards, Beriah Evans a phawb arall a fu'n ymhél ag orgraff y Gymraeg yn ystod y cyfnod hwn. Ac nid David Rees, Llanelli, oedd yr unig un i'w gythruddo gan orgraff y llyfrynnau hyn, oblegid ceir digon o dystiolaeth yn y wasg gylchgronol a newyddiadurol iddi arwain Job Richards i ddyfroedd dyfnion fwy nag unwaith. Ef oedd y gohebydd lleol i rai o wythnosolion y de megis *Y Gwladgarwr* a *Tarian y Gweithiwr*, dau o bapurau Aberdâr, ac arferai ei orgraff bersonol ei hun wrth lunio adroddiadau i'r newyddiaduron hyn. Cythruddwyd y Dr John Thomas, Lerpwl, golygydd *Y Tyst*, gan gyfraniadau Job Richards hefyd, ac ym mis Rhagfyr 1877 rhoes y rhybudd pendant hwn i'r gohebydd o Landybïe: 'Bygythia ein cysodwyr wrthod copïau ein cyfaill os na ddefnyddia y llythyreniaeth gyffredin'.[19]

Ar wahân i'w gyfraniadau achlysurol i rai o newyddiaduron a chylchgronau enwadol y cyfnod, ynghyd â'r ddau lyfryn a drafodwyd eisoes, yr unig beth arall o'i waith sydd ar gof a chadw yw'r gân ar fesur tri thrawiad a gyfansoddodd i Mary Dyer o Ben-yr-heol, yn ystod cyfnod eu carwriaeth. Hyd y gwyddys, hon yw'r unig gerdd o'i eiddo sydd wedi goroesi:

Fy ngeneth fwyn dirion, hyd atat 'rwy'n anfon
Ychydig gyfarchion yn swynion fy serch;
Mae bod mewn unigedd ar ddyn yn ddialedd,
A hefyd yn drosedd ar draserch.

Mae'r meddwyn drygionus amdanat heb orffwys,
Gan geisio'n ofalus dy hudo, 'r un lân,
Er mwyn dy fodloni gan addo'th briodi,
Heb ddim ond drygioni'n ei amcan.

Ond gwybydd, ferch heini, cyn meddwl priodi
Pa faint fydd raid iti ei feddu'r pryd hyn;
Cei weld y bydd eisiau cyn nemor o ddyddiau
Rhyw lawer o bethau i'r bwthyn.

Bydd eisiau pren gwely, cedenog flancedi,
A chroglen o'i ddeutu, a'i daclu yn dda.
Rhaid cael stolau teir-tro'd, a chloc wyth niwrnod
A thegil a thebot a thwba.

Bydd eisiau cael llestri, a seld i ddal 'rheini,
A llwyarn i godi y llydy yn lân;
Rhaid hefyd cael megin a sach i ddal eisin,
Bydd eisiau cael sesbin a sosban.

Bydd eisiau cael crochan, un mawr ac un bychan,
A morthwyl, a thalian, a ffetan go fawr;
Rhaid cael hefyd gwdyn i fyned i'r felin,
A llawer dodrefnyn go ddrudfawr.

Er mwyn bod yn gymen, bydd rhaid i't gael aden,
A blwch i ddal halen, a llawlen a llwy;
Pâl, picfforch a phicas, a phinswrn a phincas,
A rhaw, matog, matras a modrwy.

Bydd eisiau cael cyrfyll, llif, bwyall ac ebill,
Canhwyllau a chyllyll, a phedyll a ffwrn;
Rhaid hefyd cael dwbler a phiol a phiser,
A dysgl a soser a siswrn.

Bydd eisiau cael piser i gario dŵr syber,
A llestri mân lawer gogyfer â'r gwaith;
Rhaid hefyd gael 'sgidiau a dillad heb dyllau,
A gwlân i wau sanau, ysywaeth.

Ac er mwyn coginio rhaid cael padell ffrio,
Bwyd, diod, dybaco, a digon o de.
Bydd bara ac enllyn, cig, caws ac ymenyn
Ac ambell 'sgadenyn yn eisie.

Bydd rhaid hefyd prynu mân ddillad i'r babi,
A mantell i'w fagu, – bydd hynny cyn hir.
Bydd eisiau yn ddiball, yr hyn a'r peth arall,
Mae hynny i'r anghall yn eglur.

Bydd cannoedd o bethau tra chostus yn eisiau,
A thithau yn ddiau yn methu eu cael;
Gan hynny, ystyria, cyn delo'r awr waetha'
Rhag myned i'r drofa ar drafael.

Ond nid yw hi eto ond megis ar wawrio,
  Neu rybudd cyn taro at beth ddaw i'th ran;
Os na wnei di wrthod y meddwyn yn briod
  Mae gwenwyn yng ngwaelod y cwpan.[20]

Y mae'n gerdd fach gymen, naturiol a llithrig, a cheir ynddi nifer o eiriau tafodieithol lleol, fel *tegil* (tecell), *llwyarn* (llwy haearn), *ffetan* (sach o ddefnydd bras), *sesbin* (siasbin/*shoehorn*), *llydy* (lludw), *llawlen* (napcyn), *cyrfyll* (boncyff) a *thalian* (haearn smwddio ac ynddo le gwag i dderbyn gwresogydd, at grychu les a ffriliau ar ddilladach). A llwyddodd canig Job Richards yn ei hamcan i ddenu Mary Dyer yn wraig iddo, oblegid priodwyd hwy ar 23 Chwefror 1875, ac aethant i fyw i'r Waun Lwyd. Yr oedd ef yn ŵr deugain a thair oed ar y pryd, a Mary yn wraig ifanc un ar hugain oed.

Ni wyddys pa bryd yr ymadawodd Job Richards ag ardal Bryn-crug yn sir Feirionnydd, ond bu'n brifathro dros dro yn Ysgol Frytanaidd y Brynmawr, yn Rhydaman, rhwng 1867 a 1868.[21] Gwyddys i'w yrfa fel ysgolfeistr ddod i ben erbyn 1876, oblegid ym mis Mawrth y flwyddyn honno fe'i hordeiniwyd yn weinidog ar eglwys yr Annibynwyr ym Moriah, Tŷ-croes, ger Rhydaman. Yn dilyn y twf ym mhoblogaeth yr ardal gydag agor maes y glo carreg a suddo nifer o byllau newydd, sylweddolwyd yn fuan bod angen codi rhagor o gapeli yn yr ardal, a gwahoddwyd Job Richards i fugeilio'r achos newydd hwn yn y Tŷ-croes.[22] Ymddeolodd o'r weinidogaeth ym 1879 a bu farw un mlynedd ar ddeg yn ddiweddarach ar 22 Rhagfyr 1890, yn ŵr cymharol ifanc, 59 oed, gan adael Mary, ei wraig, a saith o blant yn fychain.[23] Bu Mary yn weddw am drigain mlynedd, a bu farw yn y Waun

Mary Richards, y Waun Lwyd, yn ei henaint.

Lwyd, yn 97 oed ar 5 Rhagfyr 1950.[24] Chwalwyd y Waun Lwyd ynghyd â nifer o dyddynnod eraill y fro ym 1955 gyda dyfodiad y gweithfeydd glo brig i'r ardal.[25]

Un o hynafiaid John Dyer Richards oedd y prydydd cynhyrchiol Dafydd Richard o'r Waun Lwyd. Ni wyddys dim amdano rhagor na'i fod yn brydydd gwlad o gryn fedr, y cyhoeddwyd nifer o'i ganeuon ar dudalennau *Almanac* John Harris, Caerfyrddin, ym mlynyddoedd olaf y ddeunawfed ganrif. Yr oedd gosod problemau mathemategol a dychmygion ar gân yn un o nodweddion amlycaf yr almanaciau Cymraeg, a pharhaodd y gweithgarwch hwn yn boblogaidd hyd ddiwedd y ddeunawfed ganrif. Bu gosod a datrys y posau hyn ar gân yn ddifyrrwch poblogaidd ymhlith prydyddion cylch dyffryn Aman hwythau, a chyhoeddwyd nifer o ddarnau o'r math yma gan Ddafydd Richard ac eraill yn almanaciau'r cyfnod.[26] Prin y gellid dweud, fodd bynnag, bod unrhyw werth yn y cynnyrch hwn, ar wahân, efallai, ei fod yn rhoi cyfle i werin gwlad lunio difyrrwch diniwed ar gân.

Ond cyhoeddwyd tair cân o waith Dafydd Richard yn *Almanac* John Harris a oedd yn fwy sylweddol eu naws a'u cynnwys na'r posau hyn, a hynny rhwng y blynyddoedd 1795 a 1797. Ymddangosodd 'Cân Newydd ar yr Amser', sy'n trafod helyntion y Chwyldro Ffrengig, yn *Almanac* 1795.[27] Flwyddyn yn ddiweddarach, cyhoeddwyd cerdd hir o'i waith yn *Almanac* 1796, lle'r ymosododd ar Babyddiaeth. Mewn nodyn o ragymadrodd i'r gerdd, dywed: 'Bydded hyspys i'r darllenydd, i awdur y gân ganlynol gael ei gyffroi gan un ag oedd yn selog iawn ymhlaid Pabyddiaeth, ac a roddodd enllib ar yr awdur ar gam, trwy ddywedyd ei fod yn groes i Lywodraeth a Chyfreithiau'r Deyrnas, ar ba achosion y gwnaeth ei ymddiffyniad fel y canlyn'.[28] Y mae i'r

Vox Stellarum & Planetarum:

SEF,

Lleferydd y SER Gwibiog a Sefydlog;

NEU,

ALMANAC

GOGLEDD A DEHEUDIR CYMRU.

Am y Flwyddyn o Oed y BYD — — 5900
O Oed ein IACHAWDWR — — 1796
O Deyrnasiad Brenin SIORS III. — — 36
Ac yn FLWYDDYN NAID.

YMHA UN Y CYNHWYSIR

Pob Peth perthynol i'r ORUCHWILIAETH, megis Dyddiau'r Mis a'r Wythnos, Gwyliau safadwy a symmudol, Newidiadau, Llawn a Chwarterau'r Lleuad, beunyddiol Godiad a Machludiad yr Haul a'r Lleuad, Torriad y Dydd a Dechreu'r Tywyll Nos, Diffygiadau, sywedyddawl Farnedigaethau ar Gwarterau'r Flwyddyn, Amcan am y Tywydd oddiwrth Symmudiadau a Thremmiadau'r Planedau, Ffeiriau a Marchnadoedd CYMRU, ynghyd â llawer o Bethau eraill perthynol i'r Gelfyddyd.

Y SEITHFED ALMANAC o GASGLIAD

JOHN HARRIS,

DYSGAWDWR RHIFYDDIAETH *yng* Nghydweli.

CAERFYRDDIN,

Ar werth gan I. DANIEL, yn *Heol-y-Farchnad*; ac ar werth *(ar yr un Tileran)* gan Mr. NORTH, yn Aberhonddu.

Ar werth hefyd, gan Mr. Beedles, Pont-y-Pwl; Mr. Thomas Llantrisant; Mr. Owen Rees; Mr. Rees, New-Inn; Mr. Caleb Thomas, Llandysil; Mr. W. Thomas, Arberth; Mr. W. Thomas, Talychen; Mr. David Morgan, Cil-y-Cwm; Mr. David Evans, Boncath; Mr. Evans, Eglwyserw; Mr. S. Davies, Llangyfelach; Mr. Prydderch, Llanelly; Mr. Potter, a Mr. Geo. Jenkins, Hwlffordd; Mr. Griffith, siopwr, Aberteifi; a Mr. Edward Jones, Sir Forganwg.

[*Pris* NAW-CEINIOG.]

'Almanac' John Harris, Caerfyrddin.

gerdd hon ugain o benillion digon bygythiol eu naws a'u tôn tuag at Eglwys Rufain a'r Pab, a cheir ynddi ymosodiadau ar Tom Paine yn ogystal:

> Caiff Paine ei alw i gyfri pan ddelo'i waith i ben
> Nôl cwpla'r hyn a ddwedodd, arfaethodd Brenin nen;
> Ac oni bydd ei galon yn union ger bron Duw
> Caiff fel Senachrib gwympo trwy ddwylo rhai o'i ryw.[29]

Marwnad i Griffith Morgan, o'r Glyn-hir, ym mhlwyf Llandeilo Tal-y-bont, yw'r drydedd gerdd a gyhoeddwyd yn *Almanac* 1797. Yr oedd ef yn ŵr cysurus ei fyd a argyhoeddwyd dan weinidogaeth Daniel Rowland, Llangeitho, yng nghapel Llanlluan ym mhlwyf Llandybïe, a bu'n flaen-llaw gydag achosion y Methodistiaid yn y Gopa Fach ac yn y Betws, Rhydaman, hyd ei farw ym 1795.[30] Canwyd nifer o farwnadau gan feirdd cylch dyffryn Aman yn niwedd y ddeunawfed ganrif a dechrau'r bedwaredd ganrif ar bymtheg ac yr oedd i'r cerddi hyn swyddogaeth gymdeithasol bendant. Ychydig iawn o gyfathrach oedd rhwng y gwahanol ardaloedd a'i gilydd yn y cyfnod hwn, ac ni chyhoeddwyd papurau newydd na chylchgronau i ddarparu newyddion am ddigwyddiadau'r dydd. Yr oedd y marwnadau felly, fel y baledi hwythau, yn gyfrwng i ledaenu gwybodaeth, ond yn fwy na hynny, yr oedd coffáu arweinydd crefyddol fel Griffith Morgan yn fodd i gryfhau'r gyfathrach rhwng credinwyr a'i gilydd. Gwelwyd hwy hefyd fel cyfryngau i ledaenu'r credoau efengylaidd, a hynny drwy ddisgrifio taith ysbrydol aelod crefyddol drwy'r byd i'w wobr yn y nefoedd, lle'r oedd y cyfeillion hynny a'i blaenorodd yn ei ddisgwyl. Ebe Dafydd Richard yn ei farwnad i Griffith Morgan:

> Yn awr mae gyda'i hen gyfeillion aeth ryw ddyddiau bach o'i fla'n
> Gyda Rowlands ddewr a Williams aeth i ma's i'r tonnau tân, –
> Fu yma'n *handlo* cleddy'r Ysbryd, Gair y bywyd, tarian ffydd,
> Yn sefyll ar adwyau Seion fel milwyr dewrion yn eu dydd.

Y peth pwysig, wrth gwrs, oedd fod gobaith i eraill fynd yr un ffordd â'r ymadawedig drwy ddilyn ei esiampl, ac mae'r foeswers hon unwaith yn rhagor yn nodwedd amlwg yng ngherdd Dafydd Richard:

Rhaid i ninnau yn nyffryn gofid aros ennyd ar ei ôl,
Dduw, na ad ni i dreulio'n hamser fel yr hen forynion ffôl.
Cymhwysa ninnau ar y ddaear, aeddfeda'n serch, aeddfeda'n byd
O nifer gwenith dy ysgubor cyn daw'r awr i'n casglu 'nghyd.

Diweddir y farwnad â'r bardd yn nyddu dyddiad marw'r ymadawedig ar gân, a hynny'n ddigon trwsgl ac anghelfydd wrth iddo geisio cadw at yr odlau a'r patrymau mydryddol gwreiddiol:

Un fil a saith gant warant wiwglod, yn awr yw o'd ein Harglwydd ni
Naw deg meddant yn ddiffuant, a phump yn bendant, dyna hi.
Ar y ddeunawfed dydd o Ragfyr gan ado'r frwydr yn ei glod,
Y glaniodd Morgans drwy'r Iorddonen yn un ar ddeg a deugain o'd.

Eithr 'Cân Newydd ar yr Amser', heb unrhyw amheuaeth, yw cyfansoddiad mwyaf diddorol Dafydd Richard. Fel y crybwyllwyd eisoes, y Chwyldro yn Ffrainc yw testun y gerdd, ac er nad oes fawr o werth llenyddol iddi, y mae'n mynegi barn a rhagfarn un o brydyddion gwlad cylch dyffryn Aman ynglŷn â'r Chwyldro. Dilyn patrwm arferol caneuon gwrth-chwyldro'r cyfnod y mae'r gerdd hon, ac fel y nododd J. J. Evans, yn erbyn y Chwyldro y mae'r mwyafrif o'r cerddi hyn 'canys y mae gwerin gwlad yn ei chrynswth yn bur wlatgar'.[31] Fe'i hargreffir yma'n llawn:

Cân Newydd ar yr Amser

Drigolion gwlad Brytania, rai dewra yn eich dydd
Deffrowch a dewch i 'styried yr amser blin y sydd;
Trwy'n hynys ni mae'n ddistaw, terfysgoedd blin sydd draw,
A miloedd sydd yn cwympo drwy'r cleddyf ar bob llaw.

Trugaredd rad anfeidrol yn awr na buasem ni
O fewn i'r ynys nesaf,* lle mae'r aruthrol gri:
Terfysgoedd a rhyfeloedd, a gwrthryfeloedd sydd,
A phob dyn byw mewn pryder o'u bywyd nos a dydd.

Er cael rhybuddion beunydd, ar ôl rhybuddion prudd
Ar draul ein doeth athrawon, rai dewrion yn ein dydd,

I ado'n drwg arferion a'n coeg amcanion cas
Sy'n galw ar Dduw yn fore am hogi'r cleddau glas.

Er clywed am ryfeloedd, sôn am ryfeloedd pell
'Ry'm ni'n ymorol mymryn am fod un gronyn gwell;
Po hwyaf gawn ein harbed trwy'n drwg fucheddau draw,
Mae achos gennym ofni, mai tryma' i gyd y daw.

O cofiwn eiriau'n Harglwydd trwy'r Efengylau gwir,
Lle dengys Ei gyfiawnder a'i drugareddau pur;
Sef am y dynion hynny o achos buchedd gas,
Lle syrthiodd Tŵr Siloam ar bennau'r rhai di-ras.

Ai achos bod y rheini yn bechaduriaid mwy
Y daeth y farnedigaeth mor dosted arnynt hwy?
Nage, nage, dyellwch, 'rwy'n dwedyd i'ch ar go'dd
Oni byddwch edifeiriol difethir chwi 'run modd.

Gan hynny, O Frytaniaid, yn gryno yma 'nghyd,
Rhown heibio'n coeg deganau a'n gwag bleserau i gyd.
Erfyniwn ar Dduw beunydd, penllywydd ar bob llu,
Nas delo'r cledd dialus i mewn i'n hynys ni.

Gwyn fyd a welai'r amser addawyd yng Ngair Duw
I 'Fengyl Iesu 'hedeg a chael gogonedd gwiw;
A holl derfysgoedd daear yn ddistaw drwy bob lle,
Pe byddai hyn yn unol â'i sanctaidd feddwl E'.

Troi'r waywffon yn bladur, dymunol fyddai'i gwedd,
A'r holl gleddyfau'n sychau, arwyddion hardd o hedd;
Ac enw'r Iesu'n glodfawr trwy holl deyrnasoedd byd,
O Dduw! Prysura'r amser! O brysia'r dedwydd ddydd!

Dduw cadw Siors y Trydydd yn llywydd ar ein gwlad
Amddiffyn e'n wastadol rhag pob gelynol frad;
Bydd iddo'n ben cynghorwr, dadleuwr ar ei ran,
A phawb o'r tŷ brenhinol rhinweddol ymhob man.

*Ffrainc

Y mae'n sicr i Ddafydd Richard ganu nifer o gerddi a chaneuon yn ei ddydd, ond y cyfansoddiadau hyn o'i eiddo, a gyhoeddwyd yn *Almanac-iau* John Harris, yn unig sydd wedi eu cadw. Y mae'n fwy na thebyg mai ef yw'r 'D.R.', a ganodd yr 'Ychydig Bennillion o Ddiolch i Dduw am Gynnal ag Ymddiffyn y Brenhin a'r Deyrnas, Rhag Syrthio'n Ysglyfaith i Lidiowgrwydd Ffiaudd Ffraingc, Ynghyd â Deusyfiad ir Bobl yn Gyff-redin i Ymddwyn ei Beichiau yn Amyneddgar', ac a gyhoeddwyd yn *Almanac* Mathew Williams, y mesurydd tir o'r Rhos-maen, Llandeilo Fawr, ym 1798.[32]

Yr oedd John Dyer Richards, felly, yn disgyn o deulu nodedig: ei dad, Job Richards, yn ddyn diwylliedig o gryn wreiddioldeb ac annibyniaeth barn, ei gefnder, Evan Richards, yn ŵr o argyhoeddiadau cryfion, a'i hen dad-cu, Dafydd Richard, yn bryd-ydd gwlad a roes fynegiant croyw i'w ddaliadau ar gân. Ac nid yw'n syn-dod, efallai, i J. D. Richards ei hun etifeddu rhai o ddoniau ei deulu a'i hynafiaid. Crwt tair ar ddeg oed ydoedd pan fu farw ei dad yn mis Rhagfyr 1890. O ganlyniad, bu'n rhaid iddo fynd i weithio am gyfnod i un o lofeydd yr ardal. Ac yntau'n perthyn i deulu o Annibynwyr selog, nid yw'n syndod iddo ddechrau pregethu yn eglwys y Gellimanwydd, Rhydaman, yn mis Mai 1897, a hynny ar anogaeth ei weinidog, Isaac Cynwyd Evans. Dyma'r cyfnod hefyd y dechreuodd brydyddu a llenydda, a chyhoeddwyd rhai o'i ganeuon cynharaf yng ngholofn farddol *Tarian y Gweithiwr*.[33]

John Dyer Richards yn ŵr ifanc.

Y cam naturiol nesaf oedd mynd yn fyfyriwr i Ysgol y Gwynfryn a gedwid gan Watcyn Wyn yn nhref Rhydaman. Dyma, wrth gwrs, oedd y drefn arferol i fechgyn addawol y gymdogaeth. Fe'u cyflyrid, i raddau helaeth, i feddwl am y weinidogaeth fel galwedigaeth gymwys i'w dilyn. Wedi'r cyfan yr oedd holl fywyd nifer o'r bechgyn ifainc hyn yn troi o gwmpas gweithgareddau'r capeli a'r eglwysi, – eu gwasanaethau crefyddol, eu cyrddau gweddi a'u cyfarfodydd llenyddol. Meithrinwyd hwy o'r crud, bron, i ddysgu adnodau ar eu cof, i weddïo'n gyhoeddus, i gystadlu ar lwyfan ac i ddadlau'n ddeheuig, – mewn gair — i feithrin y 'ddawn gyhoeddus'. Ceisiais olrhain twf a datblygiad y bardd-bregethwr ym maes y glo carreg ar droad y ganrif mewn man arall, a digon yw nodi yn y fan hon i ddylanwad Watcyn Wyn a'i athrawon, yn ogystal â holl naws ac awyrgylch Ysgol y Gwynfryn, gynhyrchu to o bregethwyr ifainc yr oedd cystadlu a barddoni yn fwyd ac yn ddiod iddynt.[34]

Ymhlith cyd-fyfyrwyr John Dyer Richards yn y Gwynfryn yr adeg hon yr oedd rhai o'r beirdd-bregethwyr mwyaf adnabyddus, fel William Alfa Richards, John Toriel Williams, W. D. Roderick a Morgan Llewelyn. Fel mae'n digwydd, yr oedd prifathro'r Gwynfryn yn un o gyd-olygyddion *Y Diwygiwr*, misolyn Annibynwyr y de, ar y pryd, a brithir tudalennau'r cylchgrawn â chyfraniadau gan egin feirdd a llenorion yr ysgol yn ystod y cyfnod hwn. Traethodau ar bynciau moesol ac adeiladol, yn ôl chwaeth yr oes, yw nifer ohonynt, megis eiddo J. D. Richards 'Gwerth Cymeriad', a gyhoeddwyd yn rhifyn mis Awst 1895, a 'Stori'r Hen Sêt', a ymddangos-odd yn rhifyn mis Rhagfyr 1899. Mwy diddorol yw ei draethawd arobryn yn Eisteddfod y Gors-las, 1898, sef 'Y Moddion Goreu i Ochelyd *Strikes*', a ymddangosodd yn rhifynnau mis Hydref a mis Tachwedd 1898 o'r *Diwygiwr*. Ymadawodd ag Ysgol y Gwynfryn ym 1899, gan gofrestru fel myfyriwr yn y Coleg Coffa, yn Aberhonddu. Fe'i hordeiniwyd yn weinidog gyda'r Annibynwyr yn Nhrawsfynydd, yn olynydd i Ddyfnallt, ym mis Awst 1903. Ac mae'n werth cofio yn y cyswllt hwn, bod Dyfnallt hefyd yn ei ystyried ei hun yn etifedd i'r traddodiad llenyddol a gychwynnwyd gan Watcyn Wyn a'i gyfoedion yn y weinidogaeth. Medd ef: 'Y capel oedd symbylydd diwylliant mewn awen a chân, a phan ddaeth Watcyn Wyn a Ben Davies i uno galwedigaeth bardd â galwedigaeth pregethwr, newidiwyd awyrgylch barddoniaeth y cylch.'[35]

Ymroddodd y gweinidog ifanc gydag afiaith i'w ddyletswyddau yn Nhrawsfynydd. Medd D. Huws Jones amdano:

> Efe ydoedd cychwynnydd ac arweinydd pob mudiad o bwys yng nghylch-oedd addysg, gwleidyddiaeth a chrefydd. Yr oedd urddas a nerth yn ei safiad ar lwyfan eisteddfod, ac yn ei bulpud; a bu'n llaw a llygad, calon ac

John Dyer Richards a'i deulu ym 1918.

> enaid pwyllgorau a mudiadau mawr a mân. Erys y festri braf, a'r Neuadd Gyhoeddus yn ddau gofadail gwych o'i graffter a'i frwdfrydedd, a chysylltir ei enw i'r oesau a ddêl ynglŷn â choffa Hedd Wyn.[36]

Dangosodd Alan Llwyd bod John Dyer Richards yn aelod pwysig o'r cylch barddol lleol y byddai Hedd Wyn yn ymdroi ynddo, ac mae'n ddiddorol sylwi mai'r blynyddoedd a dreuliodd fel gweinidog yn Nhrawsfynydd oedd cyfnod ei anterth fel bardd ac eisteddfodwr. Daeth yn gystadleuydd mynych a phergylus iawn yn eisteddfodau'r de a'r gogledd fel ei gilydd, a gwyddys i luosogrwydd ei gadeiriau eisteddfodol ddatblygu'n 'broblem deuluol', ys dywedodd D. Huws Jones, erbyn dechrau'r Rhyfel Mawr.[37] Enillodd gadair Eisteddfod Blaenau Ffestiniog ym 1909 am bryddest ar y testun 'Addewid', dan feirniadaeth Dyfnallt. Dyfarnwyd ei bryddest 'Gobaith' yn fuddugol gan T. H. Parry-Williams yn Eisteddfod Corwen ym 1913, a rhoes W. J. Gruffydd y gadair iddo am ei bryddest 'Dafydd ap Gwilym' yn Eisteddfod Llundain ym 1913. Cyhoeddwyd y gweithiau arobryn hyn yn *Y Geninen Eisteddfodol* dan olygyddiaeth Eifionydd, a cheir pedair ar ddeg o'i gerddi yn yr atodiadau blynyddol hyn i'r hen *Geninen* rhwng 1905 a 1915. Bu hefyd yn gyfrannwr cyson i *Cymru*, cylchgrawn Owen M. Edwards, rhwng 1905 a 1919. Yn wir, ei gyfraniad olaf i *Cymru* yw'r gerdd sy'n dwyn y teitl 'Mae Hedd Wyn?', a gyhoeddwyd yn rhifyn mis Medi 1919. Yn rhyfedd iawn, yn wahanol i'r mwyafrif o feirdd-bregethwyr ei gyfnod, ni chyhoeddodd J. D. Richards gasgliad o'i gerddi yn llyfryn.

Ymadawodd John Dyer Richards â Thrawsfynydd ym mis Ionawr 1918, pan dderbyniodd alwad i fugeilio eglwys yr Annibynwyr ym Moreia, Bedlinog, – ardal wahanol iawn i'r Traws.[38] Symudodd drachefn ym mis Rhagfyr 1922 pan alwyd ef i fugeilio eglwysi Annibynnol Maenygroes a Nanternis yn sir Aberteifi. Yno y bu farw bum mlynedd yn ddiweddarach ar 7 Tachwedd 1927, yn ŵr ifanc hanner cant oed.[39] Crybwyllwyd eisoes mai'r blynyddoedd a dreuliodd yn Nhrawsfynydd oedd cyfnod anterth John Dyer Richards fel bardd ac eisteddfodwr. Yr unig gerdd o'i eiddo y llwyddwyd i'w holrhain, ac sy'n perthyn i gyfnod Bedlinog, yw 'Cân Hiraeth: Tom Matthews', a farnwyd yn orau gan Gwili ym Mhrifwyl Rhydaman ym 1922 ac, y mae'n debyg iddo ymwrthod yn gyfan gwbl â'r awen erbyn diwedd ei oes. Prin, bellach, bod unrhyw werth llenyddol i'w gyfansoddiadau. Cerddi sy'n cynrychioli cyfnod arbennig yn hanes ein llenyddiaeth ydynt, ac oni bai am ei gyfeillgarwch agos â Hedd Wyn, y mae'n fwy na thebyg na fyddai fawr sôn am John Dyer Richards erbyn heddiw. Eithr mae ei yrfa ef ei hun, yn ogystal â'i etifeddiaeth deuluol, yn cynrychioli math arbennig o ddiwylliant Cymraeg a Chymreig, ac y mae'n haeddu ei gofio pe na bai ond am y rheswm hwnnw.

John Dyer Richards ym 1921.

NODIADAU

1. Alan Llwyd, *Gwae Fi Fy Myw: Cofiant Hedd Wyn* (Abertawe, 1991), 67, 71. Cyhoeddwyd y portread, 'Hedd Wyn', yn *Y Geninen*, 36 (Ionawr 1918), 56-9; (Gŵyl Ddewi 1918), 17-23. J. Dyer Richards a benodwyd yn llywydd y cyfarfod a gynhaliwyd i goffáu Hedd Wyn yn Nhrawsfynydd ym mis Medi 1917. Gweler William Morris, *Hedd Wyn* (Caernarfon, 1969), 109.
2. John Thomas, *Cofiant y Parch. T. Rees D.D., Abertawy* (Dolgellau, 1888), 54-5.
3. Thomas Johns, 'Y Parch. D. Eurof Walters', *Tywysydd y Plant*, 73 (Mai 1910), 131; J. Oldfield Davies, 'Y Parchedig D. Eurof Walters, Cadeirydd yr Undeb', *Y Dysgedydd*, 22 (Mehefin 1942), 100-3; 'Y Diweddar Barch. D. Eurof Walters', *ibid.*, (Tachwedd 1942), 189.
4. R. Tudur Jones, *Yr Undeb: Hanes Undeb yr Annibynwyr Cymraeg, 1872-1972* (Abertawe, 1975), 143.
5. Medd yr hanesydd Gomer M. Roberts: 'Cafodd chwaer i mi ei henwi ar ôl y Catherine yma, ac yn ôl a ddeallaf, cafodd fy mam fuwch yn rhodd am wneud hynny'. Gweler 'Llyfrau [John Lewis] Crydd y Pentref', *The Amman Valley Chronicle*, 10 Hydref 1935.
6. John Richards oedd awdur *Hanes Eglwys y Christian Temple [Gellimanwydd], Ammanford* (Rhydaman 1903).
7. 'Cydnabod', 'John Richards, Ammanford', *Y Diwygiwr*, 74 (Chwefror 1910), 65.
8. John Thomas, *Hanes Eglwysi Annibynol Cymru, V* (Dolgellau, 1891), 336.
9. 'Burry Port: Achddu Villa Grammar School', *The Llanelly and County Guardian*, 14 Gorffennaf 1881.
10. Maurice Loader, *Seion, Porth Tywyn, 1875-2000* (Porth Tywyn, 2000), 29. Gweler hefyd, Herman Jones, *Hanes Eglwys Annibynnol Jerusalem, Burry Port, 1812-1962* (Llanelli, 1962), 23-5.
11. 'Round of the Churches: Seion Independent Chapel, Burry Port', *The Llanelly and County Guardian*, 26 Ionawr 1882.
12. Ceir trafodaeth ar ei weithgarwch gwleidyddol, mewn portread ohono gan Thomas Johns, 'Y Parch. E. Richards, Tonypandy', *Tywysydd y Plant*, C.N. 27 (Mehefin 1897), 147-51. Gweler hefyd Chris Williams, *Democratic Rhondda: Politics and Society, 1885-1951* (Cardiff, 1996), 36, 40.
13. Jacob Jones, 'Y Diweddar Barch. Evan Richards, Tonypandy', *Cennad Hedd*, 36 (Mawrth 1916), 73-7.
14. John Thomas, *Hanes Eglwysi Annibynol Cymru, V* (Dolgellau, 1891), 345. Llsgr. Llyfrgell Genedlaethol Cymru, 15508D. D. J. Williams, 'Hanes Coleg Bala-Bangor a'i Athrawon a'i Fyfyrwyr o'i Ddechreuad Hyd y Flwyddyn 1942', 114.
15. Llsgr. Llyfrgell Genedlaethol Cymru, 19981E.
16. Job Richards, *Y Rhawd Gyntav o Gymraeg a Seisneg* (London, 1865), iv.
17. [David Rees], 'Adolygiad: *Y Rhawd Gyntaf o Gymraeg a Seisneg*, (Job Richards)', *Y Diwygiwr*, 30 (Medi 1865), 278-9. Cyhoeddwyd sylwadau mwy canmoliaethus ar y gwaith ar dudalennau'r *Dysgedydd*. 'Credwn', meddai'r adolygydd dienw, 'y dylai pobl ieuainc ein gwlad ymroddi i ddysgu Saesoneg; ac annogwn hwy i ymofyn am law-

lyfryn bychan Mr Job Richards, fel hyfforddydd effeithiol i'r perwyl'. Gweler 'Adolygiadau', *Y Dysgedydd*, 45 (Ionawr 1866), 35.

18. Job Richards, *Y Gwersur Cyntav* (Bath, 1889), iv.
19. 'At Ein Gohebwyr', *Y Tyst*, 28 Rhagfyr 1877, 9.
20. Llsgr. Llyfrgell Genedlaethol Cymru, 16799D.
21. Gweler T. H. Lewis, 'Colofn Hanes a Hynafiaeth: *Log Books* Ysgol Brynmawr, Cross Inn, (1867-1876)', *The Amman Valley Chronicle*, 15 Chwefror 1951.
22. D. Elfryn Thomas, *Y Tabernacl Coed: Canmlwyddiant Eglwys Annibynnol Tŷcroes, Rhydaman, 1876-1976* (Rhydaman, 1976), 12-13.
23. 'Crybwyllion Enwadol', *Y Dysgedydd*, 70 (Chwefror 1891), 88.
24. 'Saron Grand Old Lady. Passing of Mrs Mary Richards', *The Amman Valley Chronicle*, 7 Rhagfyr 1950.
25. 'Rwy'n ddyledus iawn i Mr John Dyer James, Dolgellau, ŵyr Job a Mary Richards, am ymddiried nifer o ddogfennau gwerthfawr i'm gofal, ac am lawer iawn o wybodaeth am deulu'r Waun Lwyd.
26. Gweler er enghraifft John Harris, *Vox Stellarum & Planetarum: Sef, Lleferydd y Ser Gwibiog a Sefydlog; Neu Almanac Gogledd a Deheudir Cymru* (Caerfyrddin, 1794), 5, 7.
27. 'Cân Newydd ar yr Amser', *ibid.*, 1795, 13-14.
28. *Ibid.*, 1796, 8.
29. *Ibid.*, 9.
30. *Ibid.*, 1797, 29-31. Ar Griffith Morgan, gweler Gomer M. Roberts, *Methodistiaeth Fy Mro* (Treforris, 1938), 40-41.
31. J. J. Evans, *Dylanwad y Chwyldro Ffrengig ar Lenyddiaeth Cymru* (Lerpwl, 1928), 130.
32. *Britannus Merlinus Liberatus: Sef Amgylchiadau Tymhorol ac Wybrennol, Neu Almanac ac Ephemeris am y Flwyddyn 1798* (Aberhonddu, 1798), 31.
33. Er enghraifft 'Dala'r Pryf', *Tarian y Gweithiwr*, 7 Gorffenaf 1898; 'Y Dechrau a'r Diwedd', *ibid.*, 18 Awst 1898; 'Y Gerdd Olaf', *ibid.*, 29 Mehefin 1899.
34. Gweler y bennod 'Pregethwyr Cyrddau Mawr a Beirdd Cadeiriog', yn Huw Walters, *Canu'r Pwll a'r Pulpud: Portread o'r Diwylliant Barddol Cymraeg yn Nyffryn Aman* (Abertawe, 1987), 130-200.
35. J. Dyfnallt Owen, *Rhamant a Rhyddid* (Llundain, 1952), 9.
36. D. Huws Jones, 'Y Parch. J. D. Richards', *Tywysydd y Plant*, 75 (Mawrth 1921), 52.
37. *Ibid.*, 53.
38. 'Cyfarfod Ymadawol y Parch. J. D. Richards, Trawsfynydd', *Y Tyst*, 27 Chwefror 1918; 'Moriah, Bedlinog: Cyfarfod Sefydlu', *ibid.*, 27 Mawrth 1918.
39. 'Marw y Parch J. Dyer Richards', *ibid.*, 10 Tachwedd 1927. Cyhoeddwyd teyrnged iddo gan Tom Davies, Llandysul, 'Y Parch. J. D. Richards, Maenygroes a Nanternis', *ibid.*, 17 Tachwedd 1927.

CERDDETAN: GOLWG AR RYDDIAITH AMANWY*

Dau bentref bychan gwledig a chymharol ddiarffordd oedd y Betws a Chross Inn (Rhydaman) yn nhraean cyntaf y bedwaredd ganrif ar bymtheg. Fel 'pleasantly situated village in the picturesque valley of the Aman' y disgrifiwyd Rhydaman ym 1860, ond bymtheng mlynedd yn ddiweddarach, yr oedd y broses o ddiwydiannu'r ardal eisoes wedi cael ei thraed dani o ddifrif.[1] Agorwyd glofeydd newydd yng Nghae'r-bryn, y Betws a Phantyffynnon yn ystod saithdegau'r ganrif, ac yn y man, gwelwyd agor gweithfeydd alcan yn yr un gymdogaeth. O ganlyniad i'r gweithgarwch hwn, tyrrodd nifer o deuluoedd i'r fro o ardaloedd gwledig siroedd Caerfyrddin ac Aberteifi. Yn ddiweddarach, daeth minteioedd o lowyr o Forgannwg i weithio i'r lofa newydd a agorwyd yn y Betws yn ystod nawdegau'r ganrif. O Dreorci a'r cylch y daeth y fintai gyntaf pan ataliwyd pyllau Blaenrhondda, yna, ym 1897, daeth mintai arall o Ferthyr Tudful, Dowlais a Chefncoedycymer. Wedyn ym 1911, adeg streic fawr glofeydd Cwm Rhondda, daeth y drydedd fintai o weithwyr i'r ardal. Cyrhaeddodd dwy don o ogleddwyr i'r fro yn ogystal, – y gyntaf o Flaenau Ffestiniog ym Meirionnydd, yn ystod y nawdegau, a'r ail o gylch Bethesda yn Arfon, adeg streic fawr Chwarel y Penrhyn ar ddechrau'r ugeinfed ganrif.[2]

Rhwng y blynyddoedd 1880 a 1914, felly, y datblygodd y diwydiant glo carreg yn nwyrain sir Gaerfyrddin, a Rhydaman yn brif ganolfan iddo. Ac nid oes ryfedd i ohebydd *The Carmarthen Journal* gyfeirio at yr ardal fel 'cyrchfan pobloedd lawer' mewn adroddiad a gyhoeddwyd yn y papur hwnnw, pan oedd twf y diwydiant glo ar ei anterth:

> Gydag olwynion y gweithfeydd yn myned yn gyflym, cyson a di-dor, a gweithfeydd newydd wedi, ac yn cael eu hagor, y mae dyffryn Aman yn

* Daw nifer o'r dyfyniadau o golofnau Amanwy ei hun yn *The Amman Valley Chronicle*. Nodir dyddiad y rhifyn perthnasol mewn bachau petryal ar ddiwedd pob dyfyniad.

> gyrchfan pobloedd lawer. Cyrchant tuag yma o wahanol rannau o'r wlad, – o siroedd amaethyddol Cymru, o Benfro, Caerfyrddin ac Aberteifi, ac o'r siroedd diwydiannol, o Forgannwg a Mynwy. Y maent, fel y Galileaid gynt, â'u lleferydd yn eu cyhuddo o ba rannau o'r wlad y deuant. Braidd nad yw'r hen drigolion a'r hynafiaid yn ymgolli yng nghanol y newydd-ddyfodiaid, a braidd na thybiem ein bod mewn lle hollol newydd, oni bai bod y Mynydd Du a Mynydd y Betws yn sefyll ar eu sodlau, a'r afonydd Aman, Pedol a Garnant, a'r nentydd Grenig, Nant-y-gath a Berach, ar eu heithaf â'u hwynebau tua'r môr. Mae'r cwbl yn dwyn i gof taw yr un yw'r dyffryn, ond bod datblygiad a chynnydd i'w gweled ar bob llaw.[3]

Yng nghanol y cyffro cymdeithasol hwn y ganwyd David Rees Griffiths ('Amanwy'), ar 6 Tachwedd 1882, ac ef oedd y pumed o ddeg plentyn William a Margaret Griffiths o'r Betws. Hannai teulu ei dad, yn wreiddiol o barthau uchaf Cwmtawe, a dysgodd ei grefft fel gof gyda'i dad-cu yn Ystradgynlais. Bu wedyn yn gweithio yng ngwaith haearn Ynysgedwyn, ger Ystalyfera, cyn iddo gael gwaith ar y rheilffordd yn y Dyfnant, ger Abertawe, a'i ddyrchafu, maes o law, yn orsaf-feistr ym Mhenclawdd ac yn Llansamlet. Ond dychwelodd i'w henfro ychydig yn ddiweddarach, a bu'n gweithio am gyfnod fel gof yng nglofa Glyn-moch, rhwng Cwm-aman a Rhydaman, cyn iddo agor ei efail ei hun yn y Betws ym 1880.

William a Margaret Griffiths, yr Efail, y Betws, rhieni Amanwy.

Yr oedd mam William Griffiths, Susannah Rees, o Dy'n-y-coed, Pont-aman, yn ddoctores gwlad o gryn allu, a'i heli llosg tân yn ddiarhebol drwy'r ardaloedd. Etifeddwyd y ddawn hon gan Jeremiah Griffiths, un o'i meibion, a chymaint oedd y galw am 'eli Jerry' at wella ffelwm, fel y rhoes yntau'r gorau i'w waith fel is-swyddog yng nglofa'r Emlyn, i ganolbwyntio ar ei ddiddordebau llysieuol. Dylifai cleifion ato o bob cyfeiriad i'w gwella o'u hanwylderau, a gwyddys am un meddyg, o leiaf, a yrrai ei gleifion ato, pan fyddai ef wedi methu rhoi triniaeth foddhaol iddynt. Un o ferched plwyf Llanddarog oedd Margaret Griffiths, mam Amanwy, a hithau'n disgyn o linach teulu o wehyddion, â'u gwlanenni'n gyfarwydd i bawb a fynychai ffeiriau Llangyfelach, Caerfyrddin a Llandeilo.[4]

Addysgwyd plant yr Efail yn ysgol ddyddiol pentref y Betws, lle yr oedd John Lewis, gŵr o dueddau Ceredigion, yn brifathro. Ond byr fu arhosiad Amanwy yno gan iddo ddechrau ar ei yrfa yng Ngwaith Ucha'r Betws pan oedd yn ddeuddeg oed. 'Ni bu llawer o gysgu yn fy hanes y noson cyn yr antur fawr, ond bu'n rhaid imi lyncu'r ofnau a thorchi llewys fel pob llanc arall yn y fro', meddai, flynyddoedd lawer yn ddiweddarach. [3 Mawrth 1938] Ei gyflog pan dechreuodd weithio oedd swllt a dwy geiniog y dydd, a hynny mewn cyfnod pan ystyrid fod coron y dydd yn arian da i löwr mewn oed. Araf iawn oedd y fasnach lo yn y cyfnod hwn, fodd bynnag, a'r glowyr yn gweithio am ddau neu dri diwrnod yr wythnos yn unig. Gosodwyd Amanwy i weithio gyda dau löwr profiadol, sef William Evans, Pen-twyn, a Rhys Rees, Waunhelyg. Symudodd o'r Betws i Ddrifft y Parc ddwy flynedd yn ddiweddarach, ond ni fu pethau cystal yno, yn ôl cyfaddefiad Amanwy ei hun:

> Os bu Dartmoor o le i grwt o löwr erioed, Drifft y Parc oedd hwnnw. Rhyw gwmni bychan di-gefn a di-arian a agorodd Ddrifft y Parc, – y bobl hynny a geisiai wneud ffortiwn o'r diwydiant yn gyflym. Elfennol iawn oedd popeth yno. Mae cofio'r llabyddio a fu arnom fel llanciau ifainc yno wedi treiddio'n ddwfn i'm henaid. Yr oedd carto glo o'r tyllau creulon yn ddigon i dorri calon crwt, a rhaid cofio hefyd nad oedd glowyr y cyfnod hwnnw mor ofalus nac mor garedig wrth eu crots â'r glowyr a geir heddiw. [29 Ionawr 1953]

Os byr fu'r cyfnod a dreuliodd yn yr ysgol, cafodd gyfle i ddod i adnabod arweinwyr yr ardal mewn byd ac eglwys ar aelwyd yr Efail. Yma y deuai bechgyn ifainc delfrydgar y fro i drafod a dadlau ynghylch pynciau llosg y dydd, a'r dadleuwr pennaf yn eu plith oedd William Griffiths, y gof ei hun, – yntau'n Rhyddfrydwr cadarn, yn *Gladstonian Liberal* fel y dywedid, ac yn Annibynnwr o argyhoeddiad. 'Byddai'n dda i rai o'n dynion cyhoeddus, ac o bosibl rhai o'n haelodau seneddol, pe baent wedi bod yn ysgol yr Efail am dymor', medd un a'i hadwaenai'n dda.[5]

Yn gynnar ym 1900, penderfynodd Amanwy a rhai o'i gyfoedion fynd i drampo drwy'r cymoedd diwydiannol gan weithio am gyfnodau yn Llanhiddel, Abertyleri ac Aber-carn. Yr oedd yr arfer o drampo, neu o symud o'r naill ardal lofaol i'r llall, yn beth cwbl naturiol ymhlith glowyr yn gyffredinol yn ystod ail hanner y bedwaredd ganrif ar bymtheg. Wedi iddynt fagu profiad yn rhai o byllau bychain maes y glo carreg, arferai rhai o'r glowyr ifainc a dibriod fynd i weithio i lofeydd mwy datblygedig Gwent a Morgannwg. Ac yn Abertyleri y daeth Amanwy i gysylltiad â nifer o ogleddwyr a ddaethai o Lanberis i weithio yn y glofeydd, adeg streic fawr Chwarel y Penrhyn. Yno hefyd y cafodd Sarnicol, y bardd a'r llenor o odre Ceredigion, yn athro ysgol Sul iddo yn un o'r capeli lleol. 'Dyddiau dedwydd oedd y rheini', meddai. 'Gwaith cyson mewn amgylchiadau cysurus yng nglofa'r *Six Bells*, cyflog dda ar ddiwrnod pai, a digon o dân yn y gwaed i gadw bywyd ar garlam yn barhaus. Nid lle i Shirgar dibrofiad oedd Abertyleri y dyddiau hynny, ond cawsom amser nad anghofiwn yn hir yng nghwmni ein gilydd'. [8 Hydref 1942]

Ond dychwelyd i'w gynefin yn y Betws a wnaeth Amanwy a'i gyfeillion yn ddiweddarach, pan gafodd waith yng nglofa Pantyffynnon gerllaw. Erbyn hynny, yr oedd effeithiau'r diwygiad crefyddol yn ysgubo drwy ddyffryn Aman. Profodd Amanwy ei hun o wres y tân hwnnw, fel y tystiodd fwy nag unwaith. Teithiodd ef a thri chyfaill o lowyr i Gasllwchwr ar ddydd Llun Mabon ym 1904 i glywed Evan Roberts y diwygiwr yn pregethu:

> Anghofia i fyth y nos Sul honno o Hydref, pan aeth pedwar ohonom, – pedwar o lowyr ifainc, am dro i'r Betws wedi oedfa'r hwyr. Buom wrthi'n trin a thrafod y bregeth, ac o'r diwedd daeth y Diwygiad i'r sgwrs. Amau dilysrwydd y cyfan oedd y tri ohonom, gan ddweud, 'Twt, twt, fe aiff y tipyn terfysg hwn heibio, fel cawod o law mân, cyn pen fawr o amser'. Ond yr oedd un o'r cwmni heb gael ei argyhoeddi gan ein smaldod difeddwl. Daliai bod rhywbeth mawr ar gerdded. Buom yn chwerthin ar

ei ben, ac yn dannod iddo ei fod yn rhoi gormod o le i'w deimlad. Ond wrth ffarwelio ar sgwâr y pentref, heriodd ni i fynd gydag ef i Gasllwchwr drannoeth, i weld y Diwygiad â'n llygaid ein hunain. Gan fod drannoeth yn ddydd Llun Mabon, a ninnau'n segur, penderfynasom fynd gydag ef i lygad y ffynnon megis, a phrofi drosom ein hunain. Dipyn yn dawel oeddem yn y trên fore trannoeth, er ein bod yn grots direidus yn anterth ieuenctid.

Daethom i Gorseinon tua chanol dydd, a chael y lle yn wag, heb nemor neb ar yr heolydd. Cyn bo hir dyma ni'n cyrraedd capel Bryn-teg, ac wrth nesu at y drws clywem leisiau nifer o bobl ifainc yn gweddïo. Rhaid bod yno chwech neu saith ohonynt yn gweddïo ar yr un pryd. 'Roedd dieithrwch y peth yn ein brawychu. Troisom i dalcen y capel a chael sgwrs dawel yn y fan honno. Cawsom gyngor pendant gan yr hynaf ohonom i beidio â gadael ein teimladau ein trechu, rhag inni wneud ffyliaid o'n hunain yn y capel. Aethom i mewn yn dawel, a chael lle heb fod nepell o'r drws. Nid oedd unrhyw fath o drefn ar y cwrdd, ond ni fynnai neb ymyrryd o gwbl ag anhrefn y cyfarfod. Yng nghanol y gweddïo a'r gorfoleddu, daeth ychydig eiliadau o ddistawrwydd, a theimlem yn dyfod arnom faich o ryw ddylanwad dieithr a oedd yn ein llethu bron. Edrychem ar ein gilydd yn fud heb yngan gair. Tua thri o'r gloch, yng nghanol y canu, daeth Evan Roberts i mewn i'r sêt fawr. Aeth ar ei ddeulin o dan y pulpud ar unwaith, ac unodd ugeiniau i gyd-weddïo ag ef yn dawel a defosiynol. Hyfryd oedd y distawrwydd ar ôl y gorfoleddu mawr.

Cododd y diwygiwr oddi ar ei liniau a dringodd i'r pulpud, a chawsom gyfle i'w weld am y tro cyntaf erioed. Yr unig beth anghyffredin ynglŷn ag ef oedd ei ddau lygad du a oedd yn llawn o dân dieithr. Cododd y Beibl oddi ar astell y pulpud, gan dynnu ei fysedd hir, nerfus drosto, a dechreuodd siarad heb godi ei lais na dangos un math o gyffro mewnol o gwbl. 'Collir dagrau yma'r prynhawn yma, na welwn ni mohonynt, fe ddichon', meddai, 'ond fe'u gwêl Duw hwynt oll, ac fe'u costrelir hwynt bob un. Nid gwendid ond cryfder yw colli dagrau. Os nad ydych wedi wylo gyda'r Efengyl, mae lle i ofni nad ydych wedi dechrau ei byw yn iawn. Plygwch wrth Ei Groes Ef mewn dagrau, ac fe'u costrelir bob un gan angylion Duw'.

Aeth y gynulleidfa yn foddfa o ddagrau a daeth rhyw oleuni dieithr i wyneb y diwygiwr. Pwyntiai â'i fys main o sedd i sedd ar y llofft a'r llawr, ac un ar ôl y llall yn plygu i'r llwch ac yn gweiddi am faddeuant. 'Roedd yn olygfa ryfedd, ond yr oedd yno rywbeth anneffiniol a oedd yn fwy na dim a welem; rhyw ddylanwad dieithr, annirnadwy, a oedd yn pwyso ar

> galon dyn fel plwm Nid oedd fawr o hwyl ar siarad y noson honno. Yr oedd ein profiadau yn rhy ddieithr a chysegredig i'w dweud hyd yn oed wrth ein ffrindiau agosaf.[6]

Cyn diwedd yr wythnos honno, yr oedd grym y diwygiad i'w deimlo yn nhref Rhydaman ei hun, a Bethany, eglwys Nantlais, yn brif ganolfan iddo.[7] Yr oedd Amanwy ar y pryd yn aelod o glwb rygbi tref Rhydaman, ond galwyd cyfarfod brys o aelodau'r clwb, a phenderfynodd y mwyafrif ohonynt na allent ymuno â'u cyd-chwaraewyr mewn gêm fyth eto. Yn wir, yr oedd rhai ohonynt eisoes wedi llosgi eu dillad a'u hesgidiau chwarae, a Bezer Jones, llanc y proffwydwyd iddo ddyfodol disglair fel chwaraewr rygbi, yn eu plith.[8] Fel yr eglurodd y Dr R. Tudur Jones, yr oedd i effeithiau'r diwygiad rai canlyniadau negyddol, yn enwedig felly yn agweddau rhai o'r dychweledigion tuag at adloniant, a thuag at chwaraeon yn fwyaf arbennig. 'Yma', meddai, 'gwelwn y math pietistiaeth oedd yn gweithio gydag argyhoeddiadau anfeiblaidd am natur y berthynas rhwng ffydd a diwylliant'.[9] Ac yn eu hafiaith, yr oedd yn anodd gan rai o'r dychweledigion ieuangaf ffrwyno eu brwdfrydedd, – brwdfrydedd a'i hamlygai ei hun, ar dro, mewn gordeimladrwydd eithafol. Digwyddodd hynny mewn cyfarfod yn eglwys Bethany, Rhydaman, pan oedd y diwygiad yn ei anterth, a'r Pastor Houghton yn bregethwr gwadd. Cofiodd Amanwy am y cyfarfod hwnnw, ddeugain mlynedd yn ddiweddarach. 'Yr oedd y capel wedi ei orlenwi', meddai, 'a bron pawb yn canu neu'n gweddïo'. Yno hefyd, yr oedd Isaac Cynwyd Evans, gweinidog eglwys Gellimanwydd, yntau erbyn hynny'n henwr penwyn a brofodd dywydd caled yn ystod ei oes faith, ac a fu'n weinidog yng Ngellimanwydd am chwarter canrif.

> Yr oedd Cynwyd Evans yn y sedd fawr, yn dawel iawn, heb fod llanw'r teimladrwydd gwyllt yn poeni nemor ddim arno. Cododd ar ei draed a dechreuodd gynghori'r saint mwyaf huawdl oedd yno. Ond yn sydyn, neidiodd un gŵr ar ei draed, gan herio'r hen weinidog, a thaeru na wyddai ef ddim am y *Bywyd* oedd yng Nghrist Iesu. 'Eisteddwch i lawr', meddai, 'ni wyddoch chi ddim am y sicrwydd cadwedigaeth sydd yng Nghroes Crist'. Eisteddodd Cynwyd Evans yn ôl yn ei gadair fel petai'r her wedi ei syfrdanu. Daeth ias o oerni tros bawb, a oedd yn oerach na barrug ar flodau olaf yr haf. Ond ymhen tipyn, cododd y gweinidog, ac aeth dros droeon gyrfa ei fywyd, gan holi a chroesholi ei hun gyda'r

> huodledd rhyfeddaf. Cyn hir, yr oedd y dorf yn ei ddwylo'n llwyr. Gwelsom ugeiniau yn ysgwyd dwylo â'i gilydd, yn wylo ac yn gwenu, a myfyrwyr Watcyn Wyn yn gorfoleddu yng ngoruchafiaeth y gweithiwr digoleg a godwyd yn broffwyd i'r Goruchaf . . . Nid oes dim tebyg yn digwydd heddiw. Y gwir amdani yw nad oes gan neb ohonom gredo gwerth ei hamddiffyn. [12 Gorffennaf 1945]

Yn ystod y blynyddoedd wedi'r diwygiad, bu cryn lewyrch ar fywyd economaidd a chymdeithasol dyffryn Aman. Yr oedd rhyw hyder newydd wedi gafael ym mhobl ifainc y fro, telid cyflogau da yn y glofeydd yn sgîl y galw cynyddol am lo carreg, yr oedd bri ar grefydd, a'r eglwysi'n llawn, a'r ymwybyddiaeth gymdeithasol hithau hefyd ar gynnydd. Yn ystod y cyfnod hwn y dechreuodd Amanwy ymddiddori mewn llenyddiaeth am y tro cyntaf, a hynny o ganlyniad i danchwa a fu yng nglofa Pantyffynnon. Digwyddodd y danchwa ar fore dydd Mawrth, 28 Ionawr, 1908, pan oedd dros ddau gant o lowyr yn gweithio yn y lofa. Anafwyd chwech o'r rheini'n ddifrifol, ac Amanwy yn eu plith, a bu farw dau löwr, un ohonynt – Gwilym, yn frawd iddo.[10] Gwilym, y brawd hynaf, oedd y mwyaf dwys

Glowyr Glofa Pantyffynnon, Rhydaman, 1904.

o deulu'r Efail. Cafodd dröedigaeth yn y diwygiad, ac yn ôl tystiolaeth ei frawd, Jim (yr Aelod Seneddol Llafur dros etholaeth Llanelli yn ddiweddarach), Gwilym a'i cymhellodd i siarad yn gyhoeddus am y tro cyntaf, a hynny ar 'Ddylanwad Cymeriad Da', mewn cyfarfod o aelodau Cymdeithas Pobl Ifainc eglwys Gellimanwydd, Rhydaman, yn fuan wedi'r diwygiad.[11] Daeth D. J. Williams, Abergwaun, i gysylltiad â Gwilym hefyd, pan oedd ef yn gweithio yn un o lofeydd y Betws. Medd ef:

> Yr oedd yn un o'r bechgyn gorau a'r galluocaf o bawb a gwrddais yn ystod fy nghyfnod tan ddaear. Daeth yn drwm o dan effeithiau'r diwygiad, a chofiaf amdano'n dweud wrthyf ryw fore ar y ffordd adref o'r gwaith, mai'r peth a hoffai ef yn fwy na dim y prynhawn hwnnw, fyddai cael cyfle i siarad â'r bobl ar Sgwâr Ammanford, a dweud wrthynt yr hyn oedd yn llosgi yn ei galon ef. I Gwilym Griffiths y bûm i'n ddyledus am ddwyn i'm sylw gyntaf y cylchgrawn wythnosol gwych hwnnw *Great Thoughts*, dan olygiaeth R. P. Downes ar y pryd, cylchgrawn a dderbyniais yn ddifwlch am lawer blwyddyn wedi hynny.[12]

Bu Amanwy yn orweddiog am wythnosau lawer yn dilyn y danchwa, ac yn ystod y cyfnod hwnnw y cafodd fenthyg copïau o *Cymru*, cylchgrawn poblogaidd Owen M. Edwards, ac yr oedd cnewyllyn bychan o garwyr llên a barddas ymhlith ei gyd-weithwyr yng nglofa Pantyffynnon. Yno yr oedd John Harries ('Irlwyn'), yn atalbwyswr yn y gwaith, a William Jones ('Gwilym Myrddin') yn gofalu am y lampau. Yno hefyd yr oedd William Cathan Davies, y gŵr a roes fenthyg iddo ei gopïau o'r hen *Geninen* a'r *Traethodydd*.[13] Ac yr oedd rhai o'r gwŷr hyn yn dribanwyr slic a pharod, ac yn hoff o gellwair â'r awen o bryd i'w gilydd. Canent benillion i'w gilydd, ac i rai o'r troeon trwstan a ddeuai i ran eu cyd-lowyr ym Mhantyffynnon. Swyddogion y glofeydd a ddeuai dan lach y prydyddion hyn gan amlaf, megis y swyddog hwnnw a oedd yn gyndyn iawn i fesur gwaith ei lowyr:

> Mae Bili bach cap lleder
>   Yn gaffer heb ei fath,
> Yn mesur deunaw modfedd
>   Lle dylai fesur llath!
> Ond pan rydd Duw y Barnwr

Ei dâp amdano fe,
Bydd ynte wedi shrinco
Yn ddim wrth borth y ne'.[14]

Ymroddodd Amanwy i ddarllen yn ystod cyfnod ei waeledd. Gadawsai Gwilym, ei frawd, lyfrgell helaeth, a honno'n cynnwys casgliadau o rai o brif gylchgronau gwasg gyfnodol Saesneg y dydd, fel *The Examiner* a *Great Thoughts*, a gweithiau'r Albanwr Henry Drummond. Yna, dechreuodd gystadlu ym mân eisteddfodau a chyfarfodydd cystadleuol cylch dyffryn Aman. Enillodd ei wobr eisteddfodol gyntaf yng Nglanaman, a hynny am gân i 'Seindorf Bres Cwmaman', ac yn ôl ei dystiolaeth ef ei hun, 'o'r awr honno ymlaen ni fu a'm llesteiriai rhag drachtio o winoedd barddoniaeth'. [28 Medi 1950]

Ac yr oedd cryn dipyn o fywiogrwydd llenyddol yn nhref Rhydaman yr adeg hon, a'r bywiogrwydd hwnnw'n bennaf yn troi o gwmpas gweithgareddau Ysgol y Gwynfryn, lle'r oedd cnewyllyn bychan o egin feirdd a llenorion yn cynnal dadleuon, cyfarfodydd llenyddol a darlithiau cyhoeddus. Watcyn Wyn, sefydlydd a phrifathro'r Gwynfryn, fu prif symbylydd y

Prifathro a disgyblion Ysgol y Gwynfryn, Rhydaman, 1914.

John Gwili Jenkins.

gweithgareddau hyn, ac er marw ohono yntau ym mis Tachwedd 1905, parhawyd i gynnal traddodiad llenyddol yr ysgol yn ystod cyfnod John Gwili Jenkins fel prifathro'r sefydliad. Yr oedd Amanwy yn gyfarwydd hefyd â nifer o fyfyrwyr y Gwynfryn; yn wir, yr oedd rhai ohonynt wedi bod yn gyd-weithwyr ag ef yng nglofa Pantyffynnon, cyn iddynt fynd i'r ysgol, – gwŷr fel George Jones o Gefn Cefni, Rhydaman, a adawodd y lofa i fynychu dosbarthiadau'r Gwynfryn, dridiau cyn y danchwa ym Mhantyffynnon, ym mis Ionawr 1908. A dengys y dystiolaeth a gadwyd bod Amanwy hefyd wedi mynychu rhai o gyfarfodydd myfyrwyr Ysgol y Gwynfryn ar ôl y danchwa. Mewn teyrnged a luniodd i goffáu Mary Wyn Williams, merch Watcyn Wyn, ym mis Rhagfyr 1934, cofiodd Amanwy gydag afiaith am rai o'r cyfarfodydd bywiog hynny.

Tua'r adeg hon y penodwyd ef yn is-ysgrifennydd Cymdeithas Cymmrodorion Rhydaman, cymdeithas y digwyddai Gwili fod yn ysgrifennydd iddi ar y pryd. Ac nid bychan fu ei ddylanwad ef ar Amanwy. Medd ef:

> Cyfarfum ag ef gyntaf yng Nghymmrodorion Rhydaman pan oeddwn yn dechrau cellwair â barddoniaeth. Gofynnwyd i Gwili mewn rhyw bwyllgor fod yn ysgrifennydd, ac addawodd wneuthur hynny pe cai fy nghymorth i fel is-ysgrifennydd. Addewais y cyflawnwn fy ngwaith hyd eithaf fy ngallu. A dyna'r fargen orau a drewais erioed. Glöwr ifanc, creithiog oeddwn, wedi meddwi ar farddoniaeth, heb fod gennyf athro i'm tywys o gwbl. Yr oedd cael eistedd ar yr un fainc â Gwili yn golygu cryn lawer i mi. Fy ngwaith oedd gofalu am y rhaglenni a'r posteri. Edrychwn ar Gwili fel hanner duw. Onid oedd wedi ennill y goron yn y Brifwyl, a'i bryddestau ar 'Uffern' a 'Mair Ei Fam Ef' wedi creu cyffro drwy wersyll llenyddol Cymru? Ac 'roedd ei erthyglau yn *Y Geninen* a chyfnodolion ei enwad yn ysgwyd gwreiddiau cedyrn y Ffydd byth a hefyd. Deuthum i wybod fod

> gan Gwili galon gynnes, garedig, a phersonoliaeth a oedd yn brydferth gan ddiniweidrwydd pur. Efallai imi dderbyn ei gydymdeimlad yn haelach na'r cyffredin oherwydd fy mod yn dechrau gwella ar ôl cyfnod o salwch cas. Ond hyd fy medd, nid anghofiaf garedigrwydd Gwili. Ar ôl cyfarfod o'r Cymmrodorion, gafaelai yn fy mraich ac aem i fyny drwy'r lôn fach i'w gartref ar Fryn Mawr. Holai beth oedd gennyf ar y gweill, a hynny bron cyn imi fedru llunio pennill cywir. [20 Gorffennaf 1950]

Rhoddodd Gwili fenthyg copïau o *Leaves of Grass*, Walt Whitman a *Towards Democracy*, Edward Carpenter, i Amanwy, – dau fardd yr oedd bri arbennig ar eu gweithiau ymhlith carfan o Sosialwyr ifainc dyffryn Aman yn ystod y blynyddoedd cyn y Rhyfel Mawr. Syniai'n uchel hefyd am weithiau beirdd Saesneg a ganai yn null Carpenter ym mlynyddoedd cynnar y ganrif, - beirdd fel F. W. H. Myers ac Arthur St John Adcock. Ei hoff feirdd yn Gymraeg oedd T. H. Parry-Williams a T. Gwynn Jones, a chofiai ym mis Awst 1949 am ymateb rhai o'i gyd-weithwyr yng nglofa Pantyffynnon i bryddest Parry-Williams 'Y Ddinas'. 'Mynnai Sosialwyr ifainc fy mro nad oedd gïau a gwaed ym marddoniaeth Cymru', meddai. 'Roedd yn rhy ramantaidd a merchetaidd, o ddim rheswm. Euthum â chopi o'r 'Ddinas' i'r lofa, a'i fenthyca i rai ohonynt. Gafaelodd yn eu dychymyg a'u chwaeth, ac nid oedd derfyn ar eu canmol i'r gerdd. Mae'r copi yn fy meddiant o hyd, wedi ei fodio'n dda gan ddwylo bechgyn y mandrel a'r fwyell'.[15]

Y cyfnod rhwng 1910 a 1925 oedd blynyddoedd anterth Amanwy fel bardd eisteddfodol. Bu'n gystadleuydd brwd erioed, ond yn ystod y cyfnod hwn yr ymroes i gystadlu, nid yn unig ym mân eisteddfodau'r de, ond yn yr eisteddfodau taleithiol a chenedlaethol yn ogystal. Enillasai bum cadair ar hugain mewn eisteddfodau erbyn 1917, ac ymddangosodd cyfrol o'i farddoniaeth, *Ambell Gainc*, o wasg yr *Amman Valley Chronicle* ddwy flynedd yn ddiweddarach ym 1919. Croesawyd y llyfryn gan feirniaid llenyddol y cyfnod, a nifer ohonynt yn sôn gydag edmygedd am ramant bywyd y glöwr a droes at farddoniaeth ar wely cystudd. 'Nis gwn am ddim a fedr godi cymeriad ardaloedd glo de Cymru, yn fwy na dangos y medrant fagu bardd fel hwn', medd Owen M. Edwards, gŵr nad oedd ganddo fawr o olwg ar yr ardaloedd diwydiannol, a llai fyth o ddirnadaeth o natur eu cymdeithas a'u diwylliant.[16]

Erbyn dechrau mis Ionawr 1923 tyfodd rhif y cadeiriau a ddaeth i'w ran drwy gystadlu i gyfanswm o hanner cant a dwy, – a hynny mewn cyfnod pan fesurid llwyddiant bardd wrth nifer ei goronau a'i gadeiriau eisteddfodol. Enillodd dair o'r cadeiriau hyn mewn eisteddfodau a gynhaliwyd dros wyliau'r Nadolig ym 1922, yng Nghilffriw ger Castell-nedd, yng Nglanaman ac ym Mhwllheli. Cyflawnodd gamp gyffelyb ym 1925 pan ddyfarnwyd iddo gadeiriau eisteddfodau Aberffraw, Pontyberem a Llanymddyfri, ar ddydd Llun y Sulgwyn y flwyddyn honno. Medd yntau chwarter canrif yn ddiweddarach, am y dydd Llun cyffrous hwnnw ym mis Mehefin 1925:

> Mae gennyf reswm da dros gofio'r dydd Llun hwnnw; bu hwnnw'n Llun *gwyn* gwirioneddol yn fy hanes. Gweithiwn yn y ffâs lo ym Mhantyffynnon, ond 'roedd y dwymyn gystadlu wedi fy meddiannu gorff ac ysbryd. Bûm yn ddigon beiddgar i gyfansoddi tair pryddest, un ar 'Yr Ymchwilydd am y Gwir' i Eisteddfod Môn yn Aberffraw, un ar 'Yr Antur' i Eisteddfod Llanymddyfri, ac un ar 'Ardderchog Lu'r Merthyri' i Eisteddfod Pontyberem. A'r tair eisteddfod yn cael eu cynnal ar ddydd Llun y Sulgwyn.
>
> Gweithiwn ar bob awr o hamdden a gawn, ac 'roedd gennyf feddwl gweddol uchel o'r tair cerdd, – rhy uchel efallai. Daeth y Llun yn agos a disgwyliwn air i ddweud fy mod wedi cipio un o'r cadeiriau o leiaf, ond nid oedd un newydd yn fy aros nos Fercher na nos Iau. Yr oeddwn erbyn hyn wedi gwangalonni, ac yn hollol ddiobaith am lwyddiant yn yr eisteddfodau. Llusgais adref brynhawn dydd Gwener, ond nid oedd llythyr o fath yn y byd yn f'aros. Eisteddais wrth y bwrdd i fwyta, a chyn imi orffen, wele *delegram* o sir Fôn yn dweud mai fi oedd wedi ennill cadair Aberffraw a'r wyth gini a roed gyda hi. Yn fuan iawn wedyn, wele rywun yn galw â llythyr oddi wrth ysgrifennydd Eisteddfod Llanymddyfri i ddweud fy mod wedi ennill y gadair a thair gini yno. Cyn iddi nosi 'roedd cais o Bontyberem yn gofyn imi ddyfod yno i gael fy nghadeirio.
>
> I Eisteddfod Môn yr euthum i, fy mhriod i Lanymddyfri, a'm hen gyfaill Edgar Bassett i Bontyberem. Y Dr T. Gwynn Jones oedd y beirniad ym Môn, Cynan yn Llanymddyfri a Chledlyn ym Mhontyberem. Ni chofiaf nifer y cystadleuwyr, ond 'rwy'n berffaith sicr nad oedd llai na deg ymhob un o'r cystadleuthau. [19 Ionawr 1950]

Cafodd wobr arall o ddwy gini yng ngŵyl Llanymddyfri am gerdd ymson, a rhwng y cwbl, enillodd gyfanswm o un gini ar bymtheg a thair cadair dderw y dydd Llun y Sulgwyn hwnnw, – swm nid bychan i löwr y dyddiau hynny. Nid oes ryfedd, felly, i rai beirniaid gyhuddo Amanwy o gystadlu gormod yn yr eisteddfodau, ac mai 'casglu cadeiriau', bellach, oedd ei brif ddifyrrwch. Croesodd gleddyfau â Phrosser Rhys ym 1923, er enghraifft, pan dynnodd yntau ei linyn mesur dros 'feirdd yr aml-gadeiriau', yn ei golofn 'Led-led Cymru' yn *Baner ac Amserau Cymru.*[17] Ac am na allai gadw'r holl gadeiriau a enillodd, arferai Amanwy eu cyflwyno'n rhoddion i gapeli ac ysgolion ardal dyffryn Aman. Anrhegodd Prosser Rhys ag un o'i gadeiriau ar briodas y newyddiadurwr, ym 1930, a phrynwyd y gadair a enillodd yn eisteddfod Pontyberem ym 1925 gan Sgotyn mewn ocsiwn yn Grantown-on-Spey yn yr Alban, drigain mlynedd yn ddiweddarach ym 1985.[18]

Y mae un hanesyn diddorol arall i'w adrodd ynghylch eisteddfodau dydd Llun y Sulgwyn, 1925. Wrth iddo ddychwelyd o Aberffraw i Rydaman y dydd Llun hwnnw, bu'n rhaid i Amanwy deithio gyda'r trên o Fangor i Gaer.

> Cofiaf y siwrnai honno'n dda. Digwyddodd tri gŵr ifanc ddyfod i mewn i'r un *compartment* â mi ym Mangor; a thrwm oedd eu hiraeth wrth gefnu ar diroedd Eryri. Tuag ugain oed oedd y tri, ac yr oeddynt yn hwylio i Awstralia i weithio mewn chwarel. Cryn fenter oedd wynebu'r daith, ac yr oedd un ohonynt yn ddagreuol iawn ac yn hiraethus tost. Ceisiai ei ddau gyfaill ei galonogi a gofynasant imi lunio pennill neu ddau iddynt:

Dymuniad Da i Dri Chyfaill
ar eu Taith i Awstralia

Wrth hwylio dros y cefnfor
  I wlad Awstralia bell,
Yn angerdd iach ieuenctid
  I geisio llannerch well;
Na foed i chwi anghofio
  Hen Gymru fach eich gwlad
Lle siglwyd crud eich maboed
  Dan wên eich mam a'ch tad.

Cofiwch am henfro Arfon
  A'i bryniau creigiog hi,
A hedd eich hen gartrefi
  Yn ymyl tonnau'r lli;

A rhoed y nefoedd dirion
I chwi ei bendith lân,
Nes cael dychwelyd eto
I brydferth wlad y gân.

Daeth y penillion syml hyn yn rhwydd, a thybiais na welwn mohonynt byth mwy, ond daeth copi ohonynt yma o dref Caernarfon fore dydd Sadwrn diwethaf, ac arnynt y geiriau hyn: *Written on the train from Bangor to Chester by D. R. Griffiths, ('Amanwy'), for Tom Roberts, Llanrug, Hywel Jones, Llanrug, and Wil Williams, Llanbabo, June 2 1925, on their journey to Australia. Amanwy had just won the chair at the Anglesey Eisteddfod.* Ymhen pum mlynedd ar hugain, wele'r adar crwydr yn dychwelyd i glwydo i dŷ eu perchennog. Dywaid y llythyr a gefais, fod y gŵr ifanc a'u cadwodd ar ei gof, wedi treiglo i'r Unol Daleithiau, ac iddo ddod yn ôl i Gymru yr haf diwethaf. Treuliodd ddiwrnod cyfan yn chwilio amdanaf yn Nolgellau ddydd y coroni, ond methodd â chael gafael arnaf. Ac yr oeddwn yno hefyd, drwy gydol y dydd! Erbyn heddiw y mae wedi dychwelyd i Efrog Newydd. Gresyn na fuaswn wedi cyfarfod â'n gilydd, er na threuliasom mwy na dwy neu dair awr mewn cyfathrach erioed. Mor fach yw'r byd wedi'r cwbl. [19 Ionawr 1950]

Hywel Jones, o Lanrug, a ymfudodd o Awstralia i'r Taleithiau Unedig wedyn, a yrrodd y penillion at Amanwy, ac mae'n ddiddorol sylwi mai Wil Williams, Llanbabo (Deiniolen), oedd yr unig un o'r tri chyfaill a ddychwelodd i Gymru flynyddoedd lawer yn ddiweddarach. Cadwodd yntau benillion Amanwy ar ei gof hefyd, ac adroddodd stori eu cyfansoddi yn ei hunangofiant a gyhoeddwyd ym 1977.[19]

Yr oedd Amanwy hefyd yn athro beirdd, a thyfodd o'i gwmpas gylch bywiog o brydyddion, a phob un ohonynt yn lowyr. Ymunodd ag un o ddosbarthiadau Adran Efrydiau Allanol y Brifysgol yn Rhydaman wedi'r Rhyfel Mawr. Athro'r dosbarth hwnnw oedd y Parchedig John Griffiths, a fugeiliai eglwys Fedyddiedig Ebeneser yn y dref, cyn ei benodi'n Athro

John Griffiths, Rhydaman.

Groeg y Testament Newydd yng Ngholeg y Bedyddwyr, Caerdydd, ym 1925. Brodor o Ben-y-cae ger Rhosllannerchrugog oedd John Griffiths, ardal heb fod yn annhebyg i ddyffryn Aman ei hun, gyda'i phyllau glo, ei thraddodiad cerddorol cyfoethog, a'i diwylliant Cymraeg. Ymhlith aelodau'r dosbarth hwn yr oedd John Harries ('Irlwyn') o'r Betws, John Roberts, Glanaman, a ddaeth i'r amlwg fel adroddwr o'r hen ysgol ar lwyfannau'r Brifwyl, a glöwr yng nglofa Gelliceidrim, a dau o fechgyn ifainc a weithiai ym mhyllau Cae'rbryn a'r Emlyn yn Llandybïe, sef Gomer Morgan Roberts a David Mainwaring. Yr oedd y llanciau hyn eisoes wedi dechrau cystadlu yn eisteddfodau'r fro, a rhoes Amanwy gefnogaeth lwyr iddynt. Ef a gymhellodd Gomer Roberts i ddarllen *Y Llenor* ac i ymroi i'w ddiwyllio'i hun tra y gallai. Pan enillodd y llanc o'r Blaenau ysgoloriaeth i Goleg Fircroft ger Birmingham ym 1923, aeth Amanwy ati'n ddiymdroi i'w gynorthwyo'n ariannol drwy ddewis ychydig ganeuon o'i waith ef ei hun ynghyd â cherddi a chaneuon gan bump o'i gyfeillion, a'u cyhoeddi'n gyfrol wrth y teitl *O Lwch y Lofa: Cyfrol o Ganu Gan Chwech o Lowyr Sir Gâr.*[20] Cafodd y gyfrol groeso gan feirniaid llenyddol y dydd, a chanodd T. Gwynn Jones gerdd fechan i'r 'chwe bardd o lowyr a gyhoeddodd lyfr prydyddiaeth':

> Ni wn gelfyddyd torri'r glo na'i dynnu,
> A fferrai'r byd o annwyd o'm rhan i;
> Dysgasoch chwi gelfyddyd iaith, er hynny,
> Ni byddai'r byd heb lyfrau, o'ch rhan chwi;
> Nid oes i mi ond darn celfyddyd hen
> Wrth ŵr a godo lo, a gadwo lên.[21]

Pan fu farw David Mainwaring (Dai Manri), un o feirdd *O Lwch y Lofa*, ym mis Ebrill, 1941, ysgrifennodd Amanwy at Gomer Roberts, yn awgrymu y dylid cyhoeddi llyfryn o deyrnged i'w cyfaill. 'A gawn ni, y pump sy'n fyw o awduron *O Lwch y Lofa*, lunio llinell neu ddwy er cof amdano, a'u cyhoeddi gyda'i gilydd?'[22] Flwyddyn yn ddiweddarach, ym mis Ebrill 1942, yr ymddangosodd llyfryn bychan yn dwyn y teitl *Blodeuglwm Serch Gan Bump o'i Gyfeillion, er Cof am David Mainwaring, Pen-y-groes, Sir Gaerfyrddin*, ac ynddo deyrngedau a cherddi gan y pum bardd.

Ar wyliau yn Llanwrtyd. Amanwy yw'r cyntaf ar y chwith yn y rhes flaen, a'i gyfaill David Mainwaring ('Dai Manri') sydd ar y dde yn y rhes gefn.

Ychydig wythnosau'n ddiweddarach, derbyniodd Amanwy bum copi o gywydd marwnad T. Gwynn Jones i Ddafydd Manri, a hynny yn llaw'r bardd ei hun:

In Memoriam: Dafydd Manri

1941

Mewn gwâr ran ym Mhen-y-groes
Ai yn un deupen einioes –
Gwawr ieuanc gwŷr o awen,
O gywir dras gwarder hen;
Cyd-ddysgu, cyd-ganu gynt –
O! hanes chwech ohonynt!
Ond ar y chwech y doi'r chwâl –
Ni bu afiaith heb ofal!

Yn ôl o greulon alaeth
Mewn awr ddu Manri a ddaeth,
Ei ddwyn cyn diwedd einioes
I lwybr a haul bore oes, –
Dewr hyder am adferiad
O nych hir . . . a hyn ni chad.

Er mor drist a fu'r marw draw
Yn nwst y dref annistaw
A'i ddwyn yn niwedd einioes
I dir ei wlad wedi'r loes.
Balm ar drallod oedd dodi
Awenydd hardd i'w nawdd hi,
Hi ry nawdd tirion iddo,
Un a fu ran o'r hen fro,
A'i awen ef yn ei waith
Yn rhan o rin yr heniaith.[23]

Cafodd gyfle pellach i noddi rhai o feirdd a llenorion ieuangaf yr ardal ar ôl ei benodi'n brif ofalwr adeiladau newydd Ysgol Ramadeg Dyffryn Aman, a agorwyd yn Rhydaman ym 1928. Canodd glodydd crwt ifanc o'r enw Meurig Evans ym mis Mawrth 1929, gan ddarogan y 'bydd yn werth gwylio ei dwf fel bardd ac ysgolhaig yn y dyfodol'. [14 Mawrth 1928] A chofiodd Meurig Evans yntau, hanner can mlynedd yn ddiweddarach ym 1979, am ddylanwad Amanwy arno:

> Mewn ysgol deuluol ei nodwedd, a'r Gymraeg yn iaith gyntaf y mwyafrif o'r disgyblion, 'roedd cael Amanwy yn fraint amhrisiadwy i ni a oedd yn hoff o farddoni a llenydda. Adwaenai ef y plant i gyd, a gallai gydymdeimlo â'r ymdrech a oedd yng nghalonnau'r rhieni i weld llwyddiant eu plant, a'r pwyslais amlwg ar arholiadau fel y prif gyfrwng i wella eu byd yn y dyfodol, a'u cadw rhag disgyn i'r lofa. Yn ystod yr awr ginio caem ni'r beirdd a'r llenorion egwyl gydag ef yn y coridor neu yn ei ystafell fach i drafod ein gwaith pan fyddai cystadleuaeth eisteddfodol mewn capel neu neuadd yn yr ardal. Brydiau eraill byddai'n trafod barddoniaeth gyda'r disgyblion, a synhwyrid ar unwaith ei wybodaeth o lenyddiaeth Gymraeg a Saesneg. Mynegai ei farn a'i ragfarn, gan sôn weithiau am bryddest neu soned a oedd ar y gweill ganddo.[24]

Dychwelodd Meurig Evans i'w hen ysgol, fel pennaeth yr Adran Gymraeg yno, ym 1947, ac fel geiriadurwr a gramadegydd y gŵyr Cymru gyfan amdano erbyn hyn. Bu Amanwy yn gefnogol hefyd i ddau lanc arall o'r fro, sef Ken Etheridge, yr arlunydd a'r dramodydd, a D. Eirwyn Morgan, Prifathro Coleg y Bedyddwyr ym Mangor, yn ddiweddarach. Ond prif fai Eirwyn Morgan, oedd ei fod yn ymhél yn ormodol â gwleidyddiaeth, – a gwleidyddiaeth y Blaid Genedlaethol at hynny. 'Hoffem yn fawr weld Eirwyn yn ymryddhau oddi wrth ddylanwad y Blaid Genedlaethol', medd Amanwy, pan wobrwywyd y llanc am gyfres o ysgrifau yn yr Eisteddfod Genedlaethol yng Nghaerdydd ym 1938. 'Gŵyr ef yn dda na chynhyrchodd propagandayddion unrhyw gyfnod, lenyddiaeth gwerth sôn amdani'. [3 Tachwedd 1938]

Daeth Amanwy yn agos i'r brig yng nghystadlaethau'r Brifwyl fwy nag unwaith, ond boddi yn ymyl y lan fu ei hanes bob tro. Bu ennill yn yr Eisteddfod Genedlaethol yn uchelgais ganddo er y dauddegau cynnar pan roes T. Gwynn Jones ganmoliaeth i'w bryddest 'Yr Ynys Unig', yng Ngŵyl yr Wyddgrug ym 1923, gan honni ar yr un pryd, mai eiddo Amanwy oedd cerdd lanaf a chynilaf y gystadleuaeth. Ystyriai W. J. Gruffydd, yntau, fod pryddest Amanwy i'r 'Hyfryd Lais', yn un o'r ddwy gerdd orau yn Eisteddfod Wrecsam, ddeng mlynedd yn ddiweddarach. Ac er nad oes modd cadarnhau'r ffaith, gan fod rhai o'i bryddestau eisteddfodol bellach wedi eu colli, y mae'n debyg iddo gystadlu'n aml yng nghystadlaethau'r Brifwyl yn ystod yr un mlynedd ar ddeg rhwng 1923 a 1932.

Fe'i siomwyd droeon, felly, yn ei ymgais i ennill y goron genedlaethol, ond y siom fwyaf, yn ddiau, oedd dod mor agos at ennill coron Eisteddfod Aberafan ym 1932, pan ddyfarnwyd ei bryddest 'A Ddioddefws a Orfu', yn orau gan Gynan, ond yn ail gan Wil Ifan a Charadog Prichard.[25] 'Amheuaf a ddeuaf mor agos i ennill y goron genedlaethol fyth mwy', meddai wythnos yn ddiweddarach. [4 Awst 1932] Eithr nid cyfres o siomedigaethau cystadleuol yn unig a ddaeth i'w ran. Yn wir, ni chafodd Amanwy ond un ergyd ar ôl y llall yn ystod yr ugain mlynedd ar ôl y danchwa ym Mhantyffynnon, ym 1908. Bu farw ei wraig, Margaret, o'r darfodedigaeth ym 1910, gan adael dau blentyn bychan, Ieuan a Gwilym. Ailbriododd y bardd â Mary Davies o'r Dyfnant, ger Abertawe, ym mis Medi 1918, ond dair blynedd wedyn, ym mis Ebrill 1921, bu farw Ieuan wedi cystudd maith a chaled, ac yntau ond yn ddeuddeg oed.[26] Chwe blynedd yn ddiweddarach, sylweddolwyd bod Gwilym hefyd yn dioddef o'r un clefyd â'i fam. Yr oedd y mab yn fachgen addawol, â'i fryd ar yr offeiriadaeth, ond drylliwyd ei gynlluniau dros dro, a phenderfynodd Amanwy, ar gyngor meddyg, dreulio cyfnod gyda Gwilym yn Ne Affrica. Ym mis Awst 1929, trefnodd nifer o gyfeillion y bardd, a Gwili yn eu plith, sefydlu cronfa ariannol i'w cynorthwyo gyda chostau'r daith, a hwyliodd y tad a'r mab i Dde Affrica, gan dreulio cyfnodau yn Cape Town ac yn ucehlderau'r Karoo.[27]

Dychwelodd Amanwy i Gymru yn nechrau mis Chwefror 1930, ond arhosodd Gwilym yn Ne Affrica am gyfnod o dair blynedd a hanner. Wedi iddo ddychwelyd i'r Betws, enillodd ysgoloriaeth werth £50.00 yn flynyddol, i'w alluogi i astudio yng Ngholeg Dewi Sant yn Llanbedr Pont Steffan, a gobeithiai, yn ddiweddarach gael ei urddo'n offeiriad. Ond fe'i gorfodwyd i ddychwelyd adref o'r Coleg pan oedd yn ei drydedd flwyddyn, ac yno y bu farw ym mis Mehefin 1935, yn saith ar hugain oed. Siglwyd Amanwy i'w waelodion. 'Bellach wele freuddwydion darn gwynnaf ein hoes fel peiswyn ar chwâl y gwynt', meddai mewn llythyr at Gomer Roberts ar y pryd.[28] Ac er iddo barhau'n ffyddlon i'w gapel a'r ysgol Sul yn eglwys Gellimanwydd, Rhydaman, gan ei ethol yn un o swyddogion yr eglwys ychydig yn ddiweddarach, mae'n debyg i'r ffydd a'i cynhaliodd drwy'r profedigaethau hyn raddol wanhau. Ac adlewyrchir hyn yn themâu'r farddoniaeth a luniodd yn ystod y cyfnod hwn.[29]

Dywed Aneirin Talfan Davies, yn *Crwydro Sir Gâr*, mai Amanwy, yn anad neb arall, a gynrychiolai binacl diwylliant dyffryn Aman. 'Yr oedd yn enghraifft odidog o'r gwerinwr diwylliedig, ac yn ei fywyd ef, cawn ddarlun o frwydrau a dyheadau'r glöwr', meddai.[30] Bu tuedd i ramantu cryn dipyn ynghylch hanes bywyd Amanwy, a hynny hyd yn oed yn ystod oes y bardd ei hun. Profodd o galedi a chwerwedd bywyd, a chafodd fwy na'i haeddiant o gystudd ac afiechyd. Y mae'n wir bod hanes ei fywyd a'i aml dreialon, a fu'n destun ffilm ddagreuol a phoblogaidd, yn darllen fel nofel ramant, ond eithriad, ac eithriad amlwg iawn, ymhlith prydyddion dyffryn Aman oedd Amanwy. Yr oedd yn llawer mwy uchelgeisiol na'r un o'i gyd-feirdd o lowyr yn yr ardal, ac mae safon ei gynnyrch barddol yn rhagori cryn dipyn ar eiddo'i gyfoedion. Dichon mai fel bardd y gŵyr y Cymro cyffredin amdano erbyn heddiw, ond i drigolion dyffryn

Aman, yr oedd hefyd yn llenor ac yn golofnydd papur newydd heb ei ail.

Bum mlynedd wedi'r danchwa yng nglofa Pantyffynnon, gwahoddwyd Amanwy i gyfrannu colofn Gymraeg i'r *Herald of Wales*, y newyddiadur wythnosol a gyhoeddid yn Abertawe, ond a oedd iddo gylchrediad helaeth yng nghymoedd diwydiannol gorllewin Morgannwg a dwyrain sir Gaerfyrddin. Cyhoeddwyd ysgrifau'r golofn hon – 'Nodion o Finion Aman' – dan y ffugenw 'Ioan Gellimanwydd', rhwng 22 Mawrth a 21 Awst 1915, a phytiau o newyddion am fân ddigwyddiadau lleol a gafwyd ynddi gan fwyaf. Go brin y rhoddai colofn glecs fel hon fawr o gyfle iddo ymarfer ei ddoniau llenyddol fodd bynnag, ond ym mis Medi 1927, ac yntau bellach wedi gadael glofa Pantyffynnon, ar ei benodi'n brif ofalwr yr Ysgol Ramadeg newydd a godwyd yn Rhydaman, cyhoeddwyd ei gyfraniad wythnosol cyntaf yn *The Amman Valley Chronicle*, sef newyddiadur wythnosol dyffryn Aman a'r cylch. Ceir amlinelliad o amcan 'Colofn Cymry'r Dyffryn' fel y gelwid hi, yn y gyntaf a gyhoeddwyd ar 29 Medi 1927:

> Credwn ei bod yn llawn amser i ni fel Cymry dyffryn Aman wneuthur ein rhan i gadw ein heniaith yn fyw rhwng hen fynyddoedd y fro. Gobeithiwn y bydd y golofn hon o ryw help i'r amcan hwnnw. Gwnawn ein gorau i groniclo ffeithiau a fydd o ddiddordeb i bawb. Deallwn y danfonir y *Chronicle* led-led daear i blant dyffryn Aman sydd ar wasgar. Yn sicr, bydd yn dda ganddynt gael gair am eu henfro yn iaith eu hynafiaid.

'Y Cerddetwr' (yn arwyddocaol iawn) oedd ffugenw'r colofnydd, a 'cherddetan', chwedl yntau, a wnâi yn ei golofn. Cymerai ofal arbennig i beidio â gorlwytho'r golofn a chynhyrchu cyfres o draethodau diflas a diddychymyg. 'Rhyw golofn glebran yw hon yn hytrach na cholofn newyddiadurol', meddai ym 1942. [26 Tachwedd 1942] Ond yr oedd cwmpas diddordebau Amanwy yn eang. Trafodai bob math o bynciau, megis crefydd a llenyddiaeth, gwleidyddiaeth a materion diwydiannol. Bryd arall, cymerai gerdd gan fardd cyfoes a'i dadansoddi, ei gwerthfawrogi a'i beirniadu, ond dichon mai ei atgofion am ei blentyndod, a'r cyfnod a dreuliodd fel glöwr yn y Betws, yn ogystal â'i bortreadau bywiog o rai o gymeriadau'r fro, yw ei ddarnau gorau.

Soniwyd eisoes i Amanwy a'i fab Gwilym ymweld â De Affrica ym 1929, ond parhaodd i gyfrannu i'r *Chronicle* drwy gydol y cyfnod a dreuliodd yno. Yn wir, lluniodd gryn hanner dwsin o erthyglau ar gyfer y golofn rhwng mis Medi 1929 a mis Chwefror 1930, a'u hanfon i swyddfa'r papur newydd yn Rhydaman. Hanes y fordaith, a'r hyn a welodd y tad a'r mab ar eu teithiau, a geir yng ngholofnau'r cyfnod hwn. Cymysg, a dweud y lleiaf, oedd eu cyd-deithwyr ar fwrdd y llong, yn ôl tystiolaeth Amanwy. 'Mae yma nifer o Saeson', meddai, 'y mwyafrif yn gwisgo mentyll y llywodraethwyr, yn ffroenuchel a sarrug'. Rhoddwyd Amanwy a Gwilym i rannu caban â phedwar Albanwr – 'a'r pedwar yn gwmni rhagorol'. Ond 'roedd mintai o Iddewon o Lithuania ar fwrdd y llong hefyd, a'r rheini ymhlith y bobl fwyaf anwar a welodd Amanwy erioed. Cyraeddasant Teneriffe ymhen ychydig ddyddiau, ac yna Ynys Ascension a St Helena, – 'ynys arw'r olwg arni, a gynnau llywodraeth Prydain i'w gweld drwy hollt pob craig a chilfach'. [10 Hydref 1929] Yno y cyfarfuasant â dau swyddog o Fyddin yr Iachawdwriaeth, – y naill o'r Ynyshir, a'r llall o Gwm Rhondda, a'r ddau ar eu ffordd i Dde Affrica. Terfynwyd y daith yn Cape Town yn gynnar ym mis Hydref, a bu'r ddau yn lletya gyda Rees Samuel a'i deulu yn Port Elizabeth, – yntau'n frodor o'r Betws ac yn gyfaill ysgol i Amanwy.

Oddi yno wedyn i dref Cradock ar ucheldera u'r Karoo, a chwrdd â mintai o Gymry Cymraeg, sef teuluoedd o Gil-y-cwm yn y de, Rhuthun a Llanrug yn y gogledd. O ddarllen colofn 'Cymry'r Dyffryn' dros y cyfnod hwn, mae'n amlwg mai'r hyn a greodd yr argraff ddyfnaf ar Amanwy a'i fab, oedd cyflwr enbyd brodorion De Affrica. Medd ef:

> Mae'n sicr ddigon fod y wlad mewn penbleth mawr parthed helbul y dyn du. Daw i'r golwg mewn pob cylchgrawn a phapur newydd yno, ac ni chynhelir cyfarfod cyhoeddus yn unlle heb i'r mater gael ei drafod. Gwesgir y dyn du i'r llaid yma, ac ni wêl ei ormeswyr ddim o'i le yn hynny. Ar ein ffordd adref, cawsom ddeuddydd o hamdden yn Cape Town, ac aethom o gwmpas y dref yng nghwmni rhai o'n cyd-deithwyr.
>
> 'Roeddem yno ar Ddydd Calan [1930] ac ar y *parade*, – parc bychan yng nghefn y dref. Yno y gwelsom dorf enfawr o'r brodorion a rhyw hanner dwsin o'u harweinwyr ar lwyfan. 'Roedd yno frwdaniaeth mawr ac areithio ysgubol. Siaradodd dau yn Saesneg, – y naill o Durban a'r llall o Pretoria, a chlywsom waeth Saesneg fil o weithiau ar strydoedd Rhyd-

aman ar achlysuron tebyg. Comiwnyddion rhonc oedd y ddau, yn hawlio iawnderau i'r dyn du. Yn anffodus, mynnodd un o'n cwmni amau'r siaradwr fwy nag unwaith, a dywedwyd wrthym yn swrth ddigon am ei gwân hi. Gwnaethom hynny gyda'r parodrwydd mwyaf. 'Roedd cynhadledd i'w chynnal drannoeth – *The United Coloured Races Conference*, a disgwylid cynrychiolwyr yno o bob rhanbarth o'r byd. 'Roedd o leiaf tair mil o bobl yn y cyfarfod y buom ni ynddo.

Onid yw'r hen fyd yma mewn trybini diderfyn? Ofer breuddwydio am gadw brodorion De Affrica, neu unrhyw wlad arall, mewn gefynnau yn hir. Ac os yw'r Efengyl a bregethir o bulpudau Rhydaman yn wir, rhaid bod llwybr gwaredigaeth yn aros y dyn du fel pob dyn arall. 'O ddedwydd ddydd, pa bryd y daw?' [30 Ionawr 1930]

George Davison.

'Chwithig i ŵr a roes sylw i broblemau cymdeithasol ei wlad, fydd dygymod ag arferion De Affrica', medd Amanwy am gyflwr y wlad adfydus honno ym 1930. Yr oedd yr ymwybyddiaeth wleidyddol yn amlwg iawn ymhlith bechgyn teulu'r Efail, ac yr oedd yn nyffryn Aman ei hun nifer o wŷr a goleddai syniadau blaengar ddigon o ran dysgeidiaeth gymdeithasol. Ym 1913 prynodd George Davison, miliwnydd a chyfarwyddwr cwmni Kodak, adeilad yr hen ficerdy yn Rhydaman, a'i roi at wasanaeth y gwŷr hyn i gynnal eu cyfarfodydd. Yn y man, daeth y Tŷ Gwyn, fel y'i gelwid, yn ganolfan i sosialwyr cynnar y fro, a cheir tystiolaeth i Noah Ablett, T. Rhondda Williams, T. E. Nicholas a'r brodyr Stet a Ben Wilson o Berkeley, California, annerch yr aelodau yno o bryd i'w gilydd.[31] Fodd bynnag, yr oedd cryn anniddigrwydd ymhlith nifer o drigolion yr ardal ynglŷn â rhai o weithgareddau aelodau'r Tŷ Gwyn yn Rhydaman. Yn wir, ysgrifennodd Amanwy ei hun yn ei golofn glecs yn *The Herald of Wales*, yn dilyn cyfarfod a fynychodd yn y Tŷ Gwyn, mai 'gwae'r dydd pan fydd y syniadau a bregethwyd yno y noson honno wedi meddiannu gwerin Cymru'.[32]

Aelodau o'r Tŷ Gwyn, Rhydaman.

Yr oedd yr Efail hefyd yn fan cyfarfod cyfleus i nifer o sosialwyr ifainc y fro, – bechgyn fel y brodyr Evan ac Edgar Bassett, Harry Arthur a D. R. Owen o'r Garnant. Daeth Edgar Bassett yn brif oruchwyliwr siop y *Co-operative* yn Rhydaman, ac fel 'Bassett y *Co-op*' yr adwaenid ef gan drigolion y dref.[33] Er ei fod yn un o feibion y Parchedig David Bassett, gweinidog eglwys y Bedyddwyr yn y Gadlys, Aberdâr, ac yn frawd i'r Parchedig D. J. Bassett, bugail eglwys Edge Lane, Lerpwl, yr oedd yn gas gan Edgar Bassett grefydd gyfundrefnol. Fel Jim Griffiths, mab yr Efail, perthynai Bassett i'r fintai fechan o sosialwyr y fro a adawodd y capeli. 'Ni soniwn air am ei weledigaeth wleidyddol', medd Amanwy wrth ei goffáu yn y golofn ym 1949. 'Cytunasom i anghytuno'n bendant ar y pwnc hwnnw, ac yr oedd hynny'n well na ffugio rhyw agosatrwydd mewn delfrydau nad oedd yn bodoli o gwbl'. [27 Ionawr 1949]

Edgar Bassett, Rhydaman.

Yn yr Efail, hefyd, y daeth Amanwy i gysylltiad â Tom Dafen Williams, brodor o Langennech, a ddaeth i weithio i lofa Pantyffynnon gerllaw. 'Ef oedd brenin y cwmni bob amser', meddai amdano, 'a deuai ei chwerthin mawr i mewn atom ni i'r gegin fach yn aml. Nid oedd gennym ni fawr o ran yng nghyfrinachau'r I.L.P. o gwbl, er i Tom Dafen geisio perswadio 'nhad i ymuno â'r mudiad newydd droeon'. [3 Chwefror 1938] Yr oedd Tom Dafen Williams hefyd yn adroddwr llwyddiannus yn yr eisteddfodau, a bu ef ac Amanwy yn tramwyo'r gwyliau cystadleuol hyn gyda'i gilydd droeon. Eithr pylu a wnaeth diddordebau eisteddfodol Tom Dafen yn y man, wrth iddo ymroi fwyfwy i wleidydda. Fe'i hetholwyd yn gadeirydd pwyllgor gwaith glofa'r Betws, ac fe'i carcharwyd yn dilyn y terfysgoedd a fu yn Rhydaman yn ystod haf 1925.[34] Etholwyd ef wedyn yn aelod o'r cyngor lleol, a daeth yn un o brif golofnau'r mudiad Llafur yn yr ardal. Bu farw yn hanner cant oed ym mis Ionawr 1938, yn dilyn damwain yng nglofa'r Betws, a chanodd Amanwy y soned hon i'w goffa:

Hen Arwr
Tom Dafen Williams

Arwr fy henfro hoff a'th greithiau glas
  Yn huawdl dystio ar dy ruddiau gwelw,
Mor drom yw'r doll a delir gan dy dras
  I foddio trachwant rheibus duwiau elw;
Amled, a'r dydd yn nos dan gwmwl trais
  Yr ymwregysaist gynt i ddial cam,
Ac angerdd proffwyd cadarn yn dy lais,
  A'r mellt ar dy wefusau'n eirias fflam.
Boed fud y gŵr na wybu wewyr mawr
  Dy galon o weld Rhyddid yn ei gwaed,
A'r gelyn cyfrwys ambell oriog awr
  Yn sathru hawl Gweriniaeth dan ei draed.
Cwsg bellach, cwsg. Rhoed iti'r dwyfol hedd
Sy'n eiddo i bob dewr yng ngweryd bedd.

Crybwyllwyd eisoes bod cryn lewyrch ar fywyd diwydiannol dyffryn Aman yr adeg hon, a chyfnod cyffrous iawn ydoedd ar lawer cyfrif. Profodd yr ardal o ddiwygiad crefyddol grymus iawn yn ystod y blynyddoedd

1904-1905, a gellir ymglywed ag asbri a bywiogrwydd y cyfnod hwnnw yng ngeiriau Amanwy ei hun, a gyfrifai'r blynyddoedd cyn y Rhyfel Mawr yn oes aur bywyd diwylliannol y fro. Medd ef ym 1950:

> Cofio yr oeddwn y noson o'r blaen am y blynyddoedd 1905-1912, blynyddoedd y dadeni mawr yn Rhydaman. Yr oedd storm y diwygiad wedi mynd heibio a phawb yn chwilio am sylfeini cadarn i'w bywyd. Rhai ohonom yn y capel, mewn cymdeithas ac yn yr ysgol Sul, ac eraill mewn pleidiau gwleidyddol, megis y Blaid Lafur a oedd yn dechrau ymunioni a chyrraedd oedran siarad y dyddiau hynny. Yr oedd grym i fywyd ac awch ar feddwl y cyfnod hwnnw. Pa le bynnag y troech, dadlau yr oedd yr ifanc, chwilio a threiddio am lwybr i lawnach a thecach bywyd.
>
> Cofiaf yn dda am ddosbarth ysgol Sul capel Gellimanwydd, y cyfnod hwnnw. Yr oedd rhai o'r bechgyn dipyn yn orthodocs eu credoau, a'r lleill yn feiddgar, yn hawlio mai arloeswr cymdeithasol oedd y Crist. 'Rhowch i'r bobl fara!', oedd gwaedd un rhan o'r dosbarth. 'Rhowch inni weledigaeth ar y Groes', oedd gweddi'r rhan arall. Dyddiau bendigedig oedd y rheini. Dyddiau'r oriau byw mewn byd a bywyd. [19 Hydref 1950]

Eithr dirywio'n raddol a wnaeth bywyd economaidd dyffryn Aman ar ôl y Rhyfel Mawr, ac wedi'r cythrwfl a fu rhwng gweithwyr a meistri maes y glo carreg ym 1925, a'r Streic Fawr a'i dilynodd, flwyddyn yn ddiweddarach, bu'n rhaid i drigolion dyffryn Aman wynebu tlodi a dirwasgiad y tridegau. 'Nid oes ddiwedd ar y cymylau duon a gwyd dros ein dyffryn y dyddiau hyn', medd ef ym 1928. 'Caeir glofa ar ôl glofa ac nid oes le gan weithiwr i droi ei wyneb am ddiwrnod o waith. Wele ein rhan yn ysbail y Rhyfel Mawr'. [2 Chwefror 1928] Ac ni bu Amanwy yn ôl rhag traethu ei farn yn gwbl ddiflewyn ar dafod ar gyflwr gweithwyr dyffryn Aman a'r cylch yn ystod y tridegau. Fe'i cyffrowyd ym 1934, er enghraifft, pan dalodd ymddiriedolwyr yr Amgueddfa Brydeinig gan mil o bunnoedd am y *Codex Sinaiticus*. 'Gwaedda'r bobl am fara wrth y cannoedd a'r miloedd yn ein gwlad, a rhydd y llywodraeth iddynt hen Feibl yn goch gan waed gormeswyr. I'r neb sydd yn berchen tipyn o ddychymyg, mae'r peth yn alaethus o greulon', oedd ei farn ddiamwys. [11 Ionawr 1934]

Ac er cyfaddef ohono fwy nag unwaith nad oedd ganddo fawr o ddiddordeb mewn gwleidyddiaeth fel y cyfryw, gellir canfod nodyn o bropaganda gwleidyddol mewn nifer o'i gerddi, yn ogystal ag yn ei ysgrifau newyddiadurol. Bu gan Amanwy ei argyhoeddiadau a'i ddaliadau pendant erioed; ac yr oedd ganddo'i ragfarnau hefyd. Gallai fod yn ŵr eithriadol o ystyfnig pan ddewisai, ac yr oedd ei dymer wyllt yn ddihareb ymhlith bechgyn a merched Ysgol Ramadeg Dyffryn Aman. Gwae'r neb a ddeuai dan ei fflangell pan gythruddid ef, a chafodd gyfle i dynnu'i linyn mesur dros bynciau llosg y dydd yng ngholofn 'Cymry'r Dyffryn' fwy nag unwaith. Fe'i cyffrowyd yn arw ym mis Hydref 1935, er enghraifft, wrth iddo weld effeithiau diweithdra ar deuluoedd ei fro ei hun:

> Ynfytyn hurt yw'r neb a gred fod gweithwyr gwlad yn mynd i ddioddef o oes i oes tan rhaib a thrachwant cyfalafwyr nad oes ddiwedd i'w gwanc am gyfoeth. Aeth cyfalafiaeth yn fethiant echrydus. Ni chafodd fwy o gyfle erioed nag ym Mhrydain Fawr, eithr ni welir ond annibendod lle bu'n cerdded drymaf. Ewch i'r Rhondda a Chaerdydd, i gymoedd Morgannwg a Mynwy, ardaloedd a fu'n creu miliwnyddion lawer cyn hyn, ac ni chewch yno ond bywyd yn cerdded yn ei gadachau, a'r tipiau sbwriel fel hen alarwyr mud yn gwylio ôl-lewyrch y gogoniant coll yn ffoi dros y gorwel.
>
> Nid oes eisiau mynd i'r Rhondda; dewch i'n dyffryn ni, a chewch yr un olygfa. Bu yma gyfalafwyr o'r Almaen, Lloegr, Ffrainc a'r Alban, yn casglu eu ffortiynau, ac yna'n ffoi fel adar rhag drycin, heb falio ffyrling am y gweithwyr a'u gwnaeth yn gyfoethog. Ewch i fynwentydd y dyffryn a darllenwch y cofnodion am y llu a laddwyd ac a gladdwyd i greu cyfoethogion digydwybod. Claddwyd digon o ddyheadau ac egnion ieuainc yn ein dyffryn ni i wneuthur paradwys o'r hen ardal annwyl. A Mamon cyfalaf, – yn y ffurf erchyllaf arno – a dorrodd eu beddrodau, cyn i'r gwlith ddiflannu oddi ar flagur eu bwriadau, a chyn i'w breuddwydion droi'n brydferthwch bywyd. [14 Hydref 1935]

Cyfeiriodd Amanwy ei hun at y lleddfu a fu ar ei argyhoeddiadau crefyddol yn ystod yr union gyfnod hwn, a daethai i gredu bellach mai trwy gyfrwng gwleidyddiaeth yn unig y gellid sicrhau gwell trefn ar gymdeithas. Etholwyd ei frawd Jim i gynrychioli etholaeth Llanelli yn Nhŷ'r Cyffredin ym mis Mawrth 1936, sedd a ddaliodd dros y Blaid Lafur am bedair blynedd ar ddeg ar hugain, ac afraid dweud i Amanwy roi cefnogaeth gyson iddo drwy gyfrwng colofn Gymraeg y *Chronicle.* Ymunodd â mintai o gyfeillion o'r etholaeth i hebrwng Jim i Dŷ'r Cyffredin am y tro cyntaf ym mis Ebrill 1936, ac yno y cyfarfu â Dewi Emrys, – yntau yn ei afiaith o gael cwrdd â chriw o Gymry o fro'r sosban.

Ym mis Rhagfyr 1927 y cyfeiria at y Blaid Genedlaethol am y tro cyntaf, a hynny wrth drafod araith y Capten R. T. Evans (yr ymgeisydd Rhyddfrydol yn etholaeth Dwyrain Caerfyrddin), mewn cyfarfod yn Llanwrtyd, lle y condemniodd benderfyniad y Blaid i beidio ag anfon ymgeiswyr llwyddiannus i Dŷ'r Cyffredin. 'Ni chreodd y Blaid Genedlaethol yr un cynnwrf yn nyffryn Aman hyd yn hyn', meddai. 'Credaf fod grymusach apêl yn egwyddor eang seiat y cenhedloedd'. [15 Rhagfyr 1927] Ac ni welai Amanwy unrhyw obaith i'r Blaid Genedlaethol tra daliai'r awenau i fod yn nwylo Saunders Lewis. 'O'r braidd y medr gwerinwr gytuno â'i ysbryd a'i ddaliadau cyfyng, ceidwadol ef ar rai pethau', oedd ei sylw ym 1935. 'Ni chyffyrddodd ag ymyl gwisg y problemau economaidd sydd yn pryderu gweithwyr gwlad gyfan mewn undim a welais mewn print o'i weithiau. Gŵr y traddodiadau yw ef'. [16 Gorffennaf 1931] Ond mwy ymfflamychol o lawer oedd ei sylwadau ym mis Ionawr 1932:

> Soniais o'r blaen nad oedd y Blaid yn ymddiddori o gwbl ym mrwydrau cyffredin pobl am eu bara a chaws. Ni chymerodd gweithwyr y de na'r gogledd (yn ôl y pleidleisiau a gafodd cludwyr baner y Blaid yn yr etholiad ddiwethaf), nemor ddim diddordeb yn eu gwaith o'r cychwyn cyntaf. Beth a dâl sôn am enaid, gwareiddiad a thraddodiadau cenedl wrth bobl sydd yn ymladd beunydd beunos i gael deupen y llinyn ynghyd? Rhaid cael rhywbeth mwy ymarferol o gryn dipyn cyn y deffroir gweithwyr gwlad. Fe gymer gweithwyr Cymru ddiddordeb ym mhethau'r Blaid pan ddysgont y ffordd i ddioddef dros eu delfrydau. Pan fydd gwaed yn cochi llwybrau'r Athro Saunders Lewis a'i gyfeillion ar eu ffordd i nef eu gweledigaeth, fe ddeffry gwerin gwlad, a thalu sylw i'w brud am Gymru gyfan hunan-lywodraethol. Os na ddaw hynny, nid oes obaith i'r Blaid lwyddo. Nid am ddim y try gweithwyr y de o rengoedd y dewrion sydd yn ymladd ym mrwydrau cymdeithasol y dydd. [14 Ionawr 1932]

Bedair blynedd yn ddiweddarach, a helynt Penyberth a llosgi'r Ysgol Fomio yn Llŷn yn ei anterth, yr oedd Amanwy yn fawr ei ofid ynghylch tynged D. J. Williams, Abergwaun. 'Y mae'n un o'r cymeriadau llonnaf a naturiolaf yn y wlad. Nid oes gysgod coegni na snobyddiaeth o fath yn y byd yn agos ato. Gŵyr ddigon am galedi bywyd y gweithiwr hefyd i fod mewn cydymdeimlad ag ef. Yn wir, y mae'n ymgnawdoliad o fywyd gorau sir Gâr'. [26 Tachwedd 1936] Pan garcharwyd Saunders Lewis, Lewis Valentine a D. J. Williams ym 1937, sefydlodd Amanwy gronfa ariannol yn nhref Rhydaman i gynorthwyo Siân, priod D. J., er na fynnai gymeradwyo gweithred yr un o'r tri. Yn wir, pan gyhoeddwyd llythyr yr Athro W. J. Gruffydd – 'Trin Cymru Fel Ci', yn *Y Brython*, ym mis Ionawr 1937, yn condemnio symud yr achos o Gaernarfon i Lys yr Old Bailey, tynnodd Amanwy nyth cacwn am ei ben pan gyfeiriodd at lythyr Gruffydd fel 'Natsïaeth yn ei holl ogoniant', ac at ei awdur fel 'ailymgnawdoliad o Hitler ei hun'. Ac fel y dengys yr ohebiaeth hon yng ngholofnau'r *Brython*, rhwng misoedd Chwefror ac Ebrill 1937, gallai Amanwy fod yn wirioneddol gas mewn dadl pan gynhyrfid ef. Yr hyn a'i cythruddodd yn fwy na dim oedd beirniadaeth W. J. Gruffydd ar fethiant Aelodau Seneddol Llafur Cymru (yr oedd ei frawd Jim bellach yn eu plith) i godi eu lleisiau o blaid y tri. Hyn a'i cymhellodd i ysgrifennu'r geiriau a ganlyn yn ei golofn, ym mis Medi 1937:

> Rhoddwyd nifer o deyrngedau [yn y wasg] i lawer a fu'n garedig i'r 'Tri Gwron', chwedl y papurau, yn ystod ac wedi eu carchariad. Ni welsom air o ddiolch er hynny, i nifer o Aelodau Llafur y de a fu wrthi'n ddygn ar hyd yr amser yn ceisio gwneuthur llwybr D. J. Williams yn rhydd i ail ymafael yn ei swydd fel athro. Er hynny, y mae'n werth dodi'r peth ar gof a chadw. Bu tri neu bedwar o Aelodau Seneddol y de yn egniol iawn yn eu ffordd dawel i gadw'r gŵr hawddgar o Rydcymerau yn ei swydd. Clywsom fod llawenydd mawr yn un o ystafelloedd Tŷ'r Cyffredin pan ddaeth un hen arwr yn ôl o'r Weinyddiaeth Addysg un prynhawn, â'r newydd da fod D. J. i gadw ei dystysgrif fel athro. Tebyg na chânt air o ddiolch gan y Blaid Genedlaethol am eu gwaith, ond nid ydynt yn hidio llawer am hynny. [30 Medi 1937]

A chystal cyfaddef nad oedd gan Amanwy fawr o feddwl o Saunders Lewis, beth bynnag. Gŵr oedd ef a fu'n 'byw yng nghysgod y mans, – yn rhy bell oddi wrth fywyd pob dydd pobl gyffredin, ac ni chlywodd guriadau calon fawr gwerin Cymru erioed.' [3 Tachwedd 1938] Diddorol yw ei sylwadau ar yr helynt a gododd pan gollodd Saunders Lewis ei swydd fel darlithydd yn Adran y Gymraeg, Coleg y Brifysgol, Abertawe, ar ei ryddhau o garchar:

> Y mae dyrnu mawr ar Goleg Abertawe yn diswyddo Saunders Lewis. Y mae'n amlwg ei fod yn athrylith yn ei briod faes, – nid oes amheuaeth am hynny. Fel pob dyn o athrylith, diau ei bod yn anodd ganddo ffitio i mewn i gyfundrefn addysg y coleg. Wedi'r cwbl, rhaid i bob gwaith gael gaffer, a rhaid i'r neb a fyn fod yn llwyddiant ufuddhau i hwnnw. Adwaen yr Athro Henry Lewis, pennaeth yr Adran Gymraeg, yn dda, ac mae'n fonheddwr yn yr ystyr orau. Cefais brofion droeon ei fod mewn cydymdeimlad llwyr â dyheadau gweithwyr y cylchoedd. Onid mab i weithiwr ydyw ef ei hun? Diau bod llawer yn teimlo y byddai'n gall ganddynt ymddiried yn noethineb Dr Lewis nag yn llawer o'r rhai sydd mor barod i'w feirniadu weithion. [30 Medi 1937]

Cafodd gryn ysgytwad pan ddarllenodd *Monica*, nofel Saunders Lewis, yn gynnar ym 1931. Rhoes ei farn amdani yn ei golofn ym mis Chwefror y flwyddyn honno:

> Methwn yn lân a deall beth oedd ym mryd Saunders Lewis wrth gyhoeddi hon. Astudiaeth mewn realaeth noeth ar brofiadau gwraig feichiog ydyw, a chasglodd yr awdur gymaint o fudreddi ag a fedrai at ei waith. Gwelsom rai yn gweiddi ei bod yn waith artistig. Hwyrach ei bod, od oes fodd adeiladu teml ar fudreddi bywyd. Dywedaf yng ngeiriau cyfaill wrthyf: 'Y mae gennyf ormod o barch i'r fam â'm dug, i dreulio f'amser uwch y fath ysbwriel'. Os yw hwn yn ddarlun cywir o fywyd trigolion Rhiwbeina a'r Mwmbwls, Duw a helpo'r anffodusion sy'n trigo yno. Bydd disgwyl eiddgar am y nofel nesaf o'i eiddo wedi'r drychineb hon. [12 Chwefror 1931]

Ac er cyfaddef ohono ym mis Rhagfyr 1931 bod ganddo gryn feddwl o W. J. Gruffydd fel beirniad llenyddol, digiodd Amanwy wrtho yntau hefyd ym 1932. Er ei fod yn fab i chwarelwr, ac yn gwybod am gyflwr y gweithiwr, 'o'r braidd y cydnebydd fod ambell gini yn help i weithiwr cyffredin yn yr eisteddfodau lleol'. [21 Ebrill 1932] Bu rhyw fath o gyfathrach rhyngddo a Iorwerth Peate yn ystod y tridegau cynnar, ac wrth iddo adolygu *Y Cawg Aur a Chaniadau Eraill*, ym 1933, cyfaddefodd ei fod yn ddyledus i'r bardd 'am hyfforddiant yn y gelfyddyd o lunio caneuon â graen arnynt'. [29 Mehefin 1933]. Bu'n gyfeillgar iawn â Gwenallt yn ystod yr un cyfnod, ac arferai'r bardd alw yng nghartref Amanwy yn

Rhydaman o bryd i'w gilydd. Ond oerodd y cyfeillgarwch hwnnw'n ddiweddarach, a bu cryn helynt rhwng y ddau ym Mhrifwyl Caerffili ym 1950, pan ganmolodd Gwenallt y Prifardd Gwilym R. Tilsley am beidio â rhoi lle yn ei awdl fuddugol i'r 'Glöwr', i 'or-gynefindra dagreuol areithiau James Griffiths'. Pwdodd Amanwy, a gwrthododd rannu llwyfan â Gwenallt mewn seiat holi a gynhaliwyd ar y maes yn ystod yr ŵyl. Ond yr hyn a'i cythruddodd yn fwy na dim oedd sylwadau Gwenallt yn ei feirniadaeth ar gystadleuaeth yr englyn yn yr un eisteddfod, ar ansawdd y papur a ddefnyddiwyd gan rai o'r cystadleuwyr – 'y papur rhataf yn siop Woolworth', medd ef. Ymatebodd Amanwy rai wythnosau'n ddiweddarach:

> Oni chamsyniwyf, mab i weithiwr cyffredin yng ngwaith dur Pontardawe yw'r beirniad. Sgwn i a oedd gan ei dad bapur glân pan fuasai'n llunio pwt o lythyr at ffrind? Beth yw'r snobyddiaeth academig hwn sydd yn gwneud plant y werin yn elynion iddi? Pa siawns sydd gan was fferm neu ffermwr i brintio ei bennill pedair llinell ar bapur o fath arbennig? Ond dyna ddigon. Cyhoedded Pwyllgor Eisteddfod Llanrwst pa fath ar bapur y dylai cystadleuydd ei ddefnyddio yno yr haf nesaf, a chnoed pawb ei gil ar y ffaith ei fod yn perthyn i ddiwylliant esgeulus ac i genedl siabi. [14 Medi 1950]

Daeth T. J. Morgan dan ei lach ym 1938, a hynny am ei sylwadau ar gyfrol John Davies, – *Bywyd a Gwaith Moses Williams* – mewn adolygiad o'i eiddo a gyhoeddwyd yn *Y Llenor:*

> Y mae'n amheus a fu dim mor ddichwaeth mewn cylchgrawn erioed. Nid amau cywirdeb yr adolygiad a wnawn, ond amheuwn gywirdeb ysbryd yr adolygydd yn fawr. Gweithiwr ar y rheilffordd yw John Davies, yr awdur, a fu'n *signalman* am amser yn Bridgewater, lle bu Moses Williams yn bwrw darn o'i oes. Yn ei oriau hamdden, bu'n ymchwilio i hanes yr ysgolhaig hwn o Gymru, a gwelodd bwyllgor Gwasg Prifysgol Cymru yn dda i argraffu ei waith yn gyfrol. Mae Mr T. J. Morgan M.A. yn ymhyfrydu wrth flingo John Davies o bob rhin a allai fod yn perthyn iddo fel hanesydd, ac o bob daioni a chywirdeb a ddichon fod yn ei lyfr.
>
> Pa hyfrydwch a gaiff gŵr a gafodd gyfleusterau addysg gorau'r wlad, mewn dipio ei bin ysgrifennu mewn finegr fel hyn? Ni welsom neb yn ymhyfrydu fel T. J. Morgan mewn dweud pethau bach pitw am waith

> gweithiwr diwylliedig. Y mae gan Mr Morgan adolygiad hefyd ar lyfr Caradog Prichard, *Canu Cynnar.* Methodd yn druenus yn ei ddehongliad o'r bryddest 'Y Gân Ni Chanwyd'. Y mae mwy nag un glöwr yn nyffryn Aman a allai roi gwers iddo ynglŷn ag ystyr y gân ardderchog hon. [10 Chwefror 1938]

Bu T. Gwynn Jones, ar y llaw arall, yn arwr mawr ganddo erioed; wedi'r cyfan, onid oedd y bardd mawr ei hun yn ŵr digoleg fel Amanwy yntau? Gwynn Jones hefyd a ddyfarnodd dair o'i gadeiriau i'r bardd-löwr, a hynny mewn eisteddfodau ym Môn, Manceinion a Glynceiriog, a bu cyfathrach agos rhwng Amanwy a'i arwr ar hyd y blynyddoedd. Arferai ymweld â'r bardd pan âi i Aberystwyth ar ei wyliau, ac ef i Amanwy, 'er amlyced ei dras fonheddig, oedd y caredicaf o holl feirdd Cymru at weithiwr o fardd neu lenor'. [24 Mawrth 1949] Derbyniodd Amanwy wahoddiad i ganu cerdd goffa i T. Gwynn Jones pan fu farw ym 1949, ac fe'i cyhoeddwyd yn *Y Llenor* y flwyddyn honno.[35]

Ond mae'n amlwg y teimlai Amanwy mai un o feirdd y cyrion ydoedd, ac nad oedd iddo ei le ymhlith y frawdoliaeth farddol a gyfarfyddai ar faes yr Eisteddfod Genedlaethol o flwyddyn i flwyddyn, i dynnu eu llinyn mesur dros gyfansoddiadau'r ŵyl. Sylweddolai hefyd ei fod yn perthyn i garfan fechan o feirdd a oedd yn prinhau yng Nghymru, yn enwedig yn yr ardaloedd diwydiannol, ac mai 'ceiliogod y colegau', gweinidogion ac athrawon, bellach, a gipiai'r prif wobrau yn yr eisteddfodau lleol a chenedlaethol fel ei gilydd. Medd ef ym mis Tachwedd 1931:

> Y mae un mater y dylai rhywun ei godi i'r gwynt cyn gynted ag y bo modd. Hwnnw yw'r duedd sydd gan rai ysgolheigion i fesur safonau yr Eisteddfod Genedlaethol yn ôl eu llinynnau arbennig hwy eu hunain. Chwarddant am ben cynnyrch prydyddion gwerinol ein gwlad, gan ledawgrymu mai o'r Brifysgol y daw cyfoeth llên dyfodol Cymru. Mae W. J. Gruffydd, Saunders Lewis ac eraill, yn bur chwannog i anghofio o ba graig y'u naddwyd ynglŷn â'r mater hwn. Sefydliad y werin yw Eisteddfod Genedlaethol Cymru. Gofaled y doeth na throir hi yn llawforwyn i'r Brifysgol.
>
> Mae'n llawn bryd i'r bobl hyn ddangos tipyn o gydymdeimlad â gwerin syml ein gwlad. Cyfaddefwn bod W. J. Gruffydd a Saunders Lewis wedi cyflawni campweithiau llenyddol, – a chawsant gyfle braf i wneud hynny. Ni weithiant ond ychydig oriau'r dydd, a chânt dreulio'r rheini

> mewn awyrgylch sydd yn bur ffafriol i eneidiau a rydd eu bryd ar fynegi eu gweledigaeth mewn llenwaith. Cânt wyliau braf hefyd, a hamdden i ddewis a throsi pob dim. Cadwed Eisteddfod Genedlaethol Cymru ei nodweddion gwerinol, neu fe dderfydd amdani. Os aiff ei llên dan driniaeth meddygon y prifysgolion yn llwyr, yna ni ellir disgwyl ond esgyrn sychion. [13 Tachwedd 1930]

Canodd yr un gân droeon yn ystod y blynyddoedd dilynol, a chwynodd yn arw, ym mis Awst 1941, am na chafodd y prydydd cyffredin o Gymro le o gwbl yng ngweithgareddau'r Eisteddfod a gynhaliwyd yn Hen Golwyn y flwyddyn honno. 'Eisteddfod anweringar iawn oedd hon', meddai. 'Cyfyngwyd y cwbl ymron i bobl y colegau; hyd yn oed yn y seiat lenyddol ni chlywyd llais neb llai nag athro neu bregethwr'. [28 Awst 1941]

Ar wahân i T. Gwynn Jones, nid oedd gan Amanwy fawr o amynedd â gwŷr academaidd o gwbl. Cyfeiriodd yn sarhaus ddigon at 'geiliogod' a 'chywennod' y colegau dro ar ôl tro yn ei golofn, er cyfaddef ohono, ym mis Gorffennaf 1951, na theimlai'n eiddigeddus wrthynt o gwbl. Rhoes fynegiant i'r teimladau hyn mewn cerdd o'i eiddo sy'n dwyn y teitl 'Cyffes', lle digwydd y llinellau hyn:

> Gwybyddwch ysgolheigion,
>   Mewn oes mor ffals a chwim
> Nad yw eich geiriau gweigion
>   Yn mennu arnaf ddim;
> Ofered yw eich ffrystio
>   Yn wyllt, a chodi crach,
> Ni'm rhwystrwch fyth rhag tystio
>   Fy serch at Gymru fach.
>
> Mae'n wir na weithiais erddi
>   Mewn hen femrynnau briw,
> A chasglu yn ei gerddi
>   Drysorau llun a lliw;
> Ond gwn im weini cysur
>   I'r brydferth lawer tro
> Yn rhuthr y briffordd brysur,
>   A llwch y talcen glo.[36]

Gwelai'r Brifwyl yn troi'n 'forwyn fach' i'r Brifysgol, ac ofnai mai gwŷr gradd yn unig a fyddai'n barddoni ac yn llenydda yn Gymraeg cyn pen fawr o dro. Teimlai hefyd fod nifer o feirdd a llenorion Cymru wedi eu dychrynu rhag gosod pin ar bapur gan ofn yr academyddion, a hyn a'i cymhellodd, mae'n debyg, fel aelod o bwyllgor lleol yr Eisteddfod Genedlaethol, pan gynhaliwyd y Brifwyl yn Llandybïe ym 1944, i awgrymu y dylai awdurdodau'r ŵyl sefydlu cystadleuaeth flynyddol ar gyfer y rheini na chawsant addysg coleg. Derbyniwyd yr awgrym, codwyd cronfa o fil o bunnoedd, a sefydlwyd cystadleuaeth 'Gwobr Llandybïe'. Meddai:

> Rhyw gadw'r drws yn gilagored a wnaethpwyd yn y gorffennol i'r gweithiwr Cymreig – y dalent a roes i'r genedl ei diarhebion a'i phenillion telyn. Agorer ef led y pen heddiw. Rhodder iddo'r cyfle i ddangos ei ddawn gynhenid ef ei hun ym mhrifwyl ei wlad.[37]

Un arall a alwai'n gyson gydag Amanwy ar ei aelwyd yn Rhydaman oedd Dewi Emrys. Parhaodd eu cyfeillgarwch am oes gyfan, a phan glywodd Amanwy fod rhyw walch yn cardota ar hyd strydoedd y fro ym 1936, gwylltiodd yn gacwn, a datgan:

> Deallwn fod rhyw rôg yn tramwy'r ardaloedd y dyddiau hyn gan glebran o ddrws i ddrws mai ef yw Emrys James, y bardd. Y mae eisiau i rywun gydio yng ngwegil y gwalch. Bu yn Llandybïe, Pen-y-groes a'r Gorslas yn huawdl iawn ei leferydd, ond gwybydded pawb nad Dewi Emrys mohono. Mae Emrys yn trigiannu yn Llundain; cefais lythyr oddi wrtho yr wythnos ddiwethaf, ac nid yw ei fyd mor ddrwg ag y tybir gan rai. Doniol iawn i mi yw clywed rhai yn codi ysgerbydau gorffennol Emrys i'r amlwg o hyd, fel petaent yn ymhyfrydu yn y gwaith o daro dyn ar lawr. [27 Awst 1936]

A gallai Amanwy wylltio cystal â neb pan gythruddid ef. 'Yr oedd ynddo ddeuoliaeth ryfedd', medd un o'i nithoedd amdano. 'Ni welais mewn un dyn erioed dynerwch fel ei dynerwch ef, – tynerwch a darddai o ffynnon ddofn ei ddynoliaeth iach. Ar y llaw arall yr oedd yn ofnadwy o wyllt ei dymer, yn daranau a mellt i gyd, a gellid ei gyffroi gan bethau bach, dibwys ar dro'.[38] Eithr nid dibwys o gwbl yn ei olwg oedd anrhydedd y glöwr, – y glöwr crefyddgar, diwylliedig a oedd yn aelod ffyddlon o'i gôr ac yn selog ym mhob eisteddfod a chyngerdd gysegredig. Yr oedd y glöwr hwnnw hefyd yn ŵr a ymfalchïai yn ei waith fel crefftwr, oblegid yn y cyfnod cyn mecaneiddio'r diwydiant glo, ystyrid galwedigaeth pob glöwr profiadol yn grefft. Ond diflannodd yr elfen hon gyda dyfodiad technegau newydd o weithio'r glo yn ystod y tridegau. Medd Amanwy ym 1944:

Amanwy tua 68 oed.

> Bu cyfnewidiadau mawr yng ngwaith y glöwr y blynyddoedd diwethaf hyn, a chollwyd i raddau yr hamdden prin, oedd yn rhoi awch a blas ar fywyd y crefftwr yn y lofa. Daeth y peiriant i gaddug y talcen glo, a datblygodd hwnnw'n feistr ar y glöwr. Mewn nifer o lofeydd, diddymwyd y cymhellion a fu'n deffro edmygedd a diddordeb y gweithiwr da. Nid oes ddiwedd ar rif y peiriannau a ddefnyddir o dan y ddaear heddiw. Peiriannau sy'n tynnu'r tramiau, peiriannau sy'n torri'r glo, a pheiriannau sy'n tyllu yn y graig. Lle bu'r glöwr yn un o ddau, yn trin rhyw ddeuddeg llath o'r wythïen gynt, ceir mintai yn trin o bedwar ugain i ganllath o'r glo. Ac nid ei drin ychwaith, oherwydd cyn amled a pheidio, bydd peiriant y torrwr glo wedi bod yno o'u blaen y noson cynt, yn torri'r glo yn barod iddynt. Ofnaf na fu dyfodiad y peiriant yn gwbl fendithiol i lowyr Cymru. Aeth agosatrwydd y gyfathrach a fu'n bodoli rhwng dau, yn gleber a gwaedd mintai o weithwyr sydd yn gymharol ddieithr i'w gilydd. Yn hytrach na bod yn gymeriad unigol, arbennig, a'i sawdl ar lawr daear, yn meddwl trosto ei hun, aeth yn un o dorf, er mawr golled i gymdeithas orau ei fro, ac i Gymru gyfan. Ac ni welir y newid yn amlycach mewn unlle nag yn ardal y glo carreg. Yr oedd gan lowyr ardal y glo carreg nifer o gwstwmau ardderchog, a pherchid y rheini gyda sêl a oedd yn agos at bod yn grefyddol. Y mae'n werth dwyn ar gof rai ohonynt. Pwy fyth a anghofia Gŵyl Fabon, sef y Llun cyntaf o bob mis a gedwid yn rhydd rhag galwadau'r lofa? Ar y diwrnod hwnnw y caent gyfle i gynnal cyfarfodydd,

> a chymdeithasu â glowyr ardaloedd eraill. Y diwrnod hwnnw hefyd y caent gyfle i gynnal eisteddfod a chymanfa, i ddodi'r ardd yn y gwanwyn, ac i gynaeafu gwair eu tyddynnod yn yr haf. Collwyd mwy nag wyth awr o seibiant y mis pan gipiwyd hwnnw oddi ar y glöwr. [30 Mai 1940]

Glöwr yr eisteddfod a'r gymanfa, felly, oedd glöwr Amanwy, a phan ddrylliwyd y ddelwedd hon gan Kitchener Davies yn ei ddrama *Cwm Glo*, a farnwyd yn orau ym Mhrifwyl Castell-nedd ym 1934, ffromodd Amanwy gan roi rhwydd hynt i'w ddicter yn ei golofn yn y *Chronicle.* Bwriad Kitchener Davies oedd darlunio argyfwng materol a moesol cymdeithas ddirwasgedig, fel honno a geid yng Nghwm Rhondda yn ystod y tridegau, a barnodd beirniaid y gystadleuaeth bod y ddrama'n anaddas i'w pherffomio oherwydd ei moesoldeb amheus. Ond ei pherfformio a wnaed pan aethpwyd â hi ar daith gan Gwmni Drama Abertawe ym 1935. Daeth i dref Rhydaman fel rhan o weithgareddau Wythnos Ddrama'r cylch yn gynnar y flwyddyn honno; fe'i gwelwyd hi gan Amanwy ac ymatebodd fel hyn:

> Paham y mae'n rhaid i ddramodydd o allu Mr Kitchener Davies liwio'r graig y nadded ef ohoni â huddygl uffern? Yr wyf o leiaf yn taflu ei her yn ôl i wyneb yr awdur, ac yn haeru na welais erioed, er imi weithio rhai blynyddoedd ym Morgannwg a Mynwy (a hynny yn nyddiau hectig ieuenctid), ddim mor aflan â glowyr ei ddrama ef. Y mae'n anfri ar bobl, sydd, ar gyfartaledd yn gymeriadau cedyrn, i'w portreadu, megis ag y gwnaethpwyd yng *Nghwm Glo.* Na feier Caradoc Evans mwy am *My People* a *Capel Seion.* Dyma chwaer unfam undad i'w nofelau yng *Nghwm Glo.* [14 Chwefror 1935]

A rhaid oedd iddo gyfeirio, yn ôl ei arfer, at 'geiliogod y colegau':

> Ac onid oes yng nghylchoedd academig Cymru fywyd lawn mor aflan ag a geir ymysg y glowyr? Dyna'r chwedl a glywir led-led gwlad. Anodd gennym gredu – ac ni chredwn fyth – y gall glowyr y Rhondda syrthio mor isel â Dai Dafis, hyd yn oed yn y wasgfa ddiwydiannol a ddaeth arnynt. Hwyrach y try rhyw ddramodydd ei sbienddrych i gyfeiriad ein colegau, a chael yno lawer o aflendid fel y'u ceir ymysg y glowyr.

Bu'n rhaid atal perfformiad o'r ddrama yn Llandybïe, flwyddyn yn ddiweddarach pan esgynnodd nifer o lowyr o'r ardal i'r llwyfan a thorri ar draws yr ail act. 'Da iawn, fechgyn', ebe Amanwy, 'hyderwn y gwêl glowyr pob ardal arall lle y chwareir y ffieiddbeth hon eu ffordd yn glir i ddilyn esiampl glowyr Llandybïe. Wele gyfle i'r glöwr ddangos nad oes arno gywilydd o'r graig y'i nadded ohoni'. [2 Ionawr 1936] Ac yr oedd teyrngarwch at y graig y'i naddwyd ohoni yn eithriadol bwysig i Amanwy. Yr oedd yn rhaid, wedi'r cyfan, gynnal y ddelwedd boblogaidd a rhamantus o'r glöwr bucheddol fel penteulu gweithgar, capelgar ac eisteddfotgar, – y math o löwr a gynrychiolid gan Amanwy ei hun, mewn gwirionedd. Pan roddwyd hergwd i'r ddelw sanctaidd honno, ni allai Amanwy ond protestio ac ymateb fel y gwnaeth. Ac nid oedd y ffaith fod Kitchener Davies, awdur y ddrama, yn genedlaetholwr, fawr o help i'w achos ychwaith. Ond os drylliwyd y ddelw o'r glöwr derbyniol a pharchus gan Kitchener Davies ym 1935, fe'i hailorseddwyd ychydig dros bymtheng mlynedd yn ddiweddarach adeg dathliadau Gŵyl Brydain ym 1951, fel y cawn weld ymhellach, yn y man.[39]

Er iddo drafod gwleidyddiaeth yn ei golofn fwy nag unwaith, o safbwynt lleol a chenedlaethol y gwnâi hynny gan amlaf, a phur anaml y mentrai i ymdrin â gwleidyddiaeth ryngwladol. Ond un pwnc a'i poenai'n fawr, yn enwedig yn ystod y tridegau, pwnc y dychwelodd ato droeon, oedd cyflwr Yr Almaen a thynged yr Iddew. Ceir y cyfeiriad cyntaf ganddo at erlid yr Iddewon ym mis Mawrth 1933, a dyna hefyd oedd pwnc y golofn y mis Mai dilynol:

> Parhau mae erledigaeth y Naziaid yn yr Almaen, a'r Iddewon yn dioddef yn greulon yn ôl pob hanes. Teflir pob anfri posibl arnynt, ac nid oes ball ar waradwydd gwlad gyfan tuag at blant Abraham. Anodd deall pethau, a'r gwir yw na wyddom ond y nesaf peth i ddim am yr hyn sy'n digwydd yno. Cawsom ymgom yn ddiweddar â gŵr sydd yn bur gyfarwydd â'r Almaen. Yr oedd ef yn chwannog i gefnogi'r Almaenwyr, a mynnodd nad oedd yr Iddewon erioed wedi delio'n anrhydeddus â'r gwledydd a roddodd nodded iddynt yn nydd y dymestl. Ni wisg yr Iddewon iau gymdeithasol unrhyw wlad lle y byddont. Myn yr Iddewon gadw eu hunaniaeth, er eu bod yn byw tu mewn i ffiniau gwlad arall, a derbyn breiniau'r genedl honno. Buont yn ofnadwy o rymus yn yr Almaen dros rai cenedlaethau bellach. Cipiasant swyddi'r wlad o'r bron, hyd yn oed yn yr uchel lysoedd. Rheolant ddiwydiannau aneirif yno, a gofalant am eu brodyr yn

> y ffydd bob amser. Wedi galanastra'r Rhyfel Mawr, collodd uchelwyr yr Almaen eu cyfoeth, ond, yn rhyfedd iawn, cadwodd yr Iddewon eu gafael arno, gan ychwanegu at eu heiddo, hyd yn oed yng nghanol y cyfwng. [4 Mai 1933]

Mae'n fwy na thebyg mai ei gefnder, y Dr Tom Hughes Griffiths, oedd y gŵr a fu'n traethu ei lên ynghylch tynged yr Iddewon yn Yr Almaen. Yr oedd ef, un o feibion Jeremiah Griffiths, y llysieuydd y crybwyllwyd eisoes am ei eli llosg tân enwog, yn ddarlithydd gyda Mudiad Addysg y Gweithwyr, ac yn economegydd a dreuliodd gyfnodau yn Yr Almaen. Yr oedd hefyd wedi priodi ag Almaenes, a gwyddai dipyn am hanes diweddar y wlad. Bu'n darlithio ar ddatblygiadau gwleidyddol Yr Almaen i aelodau o'i ddosbarthiadau ym maes y glo carreg, gan ddatgan ei fod o blaid rhai o bolisïau'r Natsïaid.[40] 'Mae ganddo ei hawl i fynegi ei farn ar y mater', meddai Amanwy. 'Ond rhaid mai'r gyfran o waed yr Hughesiaid sydd yn ei wythiennau a gofleidiodd ddelfrydau Hitler. Mae'r gyfran arall sydd ynddo, sef gwaed y Griffithsiaid, yn sicr o gondemnio unrhyw fath o unbennaeth'. [26 Hydref 1933] Y mae'n deg nodi hefyd i Tom Hughes Griffiths newid ei farn am 'yr anialwch awdurdodaidd a thotalitaraidd' a grewyd yn Yr Almaen gan Hitler, fel y gwelir yn ei lyfryn *Efengyl Hitler*, a gyhoeddwyd yn nghyfres 'Pamffledi Heddwch' Coleg Harlech ym 1940. Yr oedd cysgod rhyfel yn drwm dros y wlad ym mis Mawrth 1938, a bu hynny'n fodd i ddeffro yn Amanwy nifer o atgofion am y Rhyfel Mawr. Medd ef:

> Nid anghofir fyth y wefr drydanol oedd yn beichio'r awyr yn y dyddiau cyntaf hynny ym mis Awst 1914. Treiglodd llanw anorthrech o wladgarwch dros y wlad gan dreiglo i bob congl a chell, o gyngor i eglwys, o ysgol i goleg, ac o lofa i waith alcan. 'I lawr â'r gelyn', oedd y gri, a llamodd ieuenctid dyffryn Aman i ddwyn arfau ar alwad y llywodraeth. Aeth nifer mawr ohonynt i'r gad o ran egwyddor. Credent yn achos Prydain, a pharod oeddynt i aberthu eu bywydau dros eu mamwlad mewn rhyfel a oedd i roddi terfyn ar bob rhyfel. Bu hwyl anghyffredin ar ricriwtio dros rai misoedd, ond daeth trai ar lanw'r gwladgarwch, ac nid oedd pobl bellach, mor eiddgar am wisgo caci. Dan orfod y cefnai'r bechgyn ar eu cartrefi cyn hir, ac nid oedd gyfaredd mwyach yng ngalwad corn y gad. Erbyn 1916 a 1917 yr oedd baich ofnadwy'r Rhyfel yn fwrn ar y wlad. Nid oedd

> aelwyd heb rywun yn perthyn iddi yn y ffosydd, a thorrai'r mamau eu calonnau mewn hiraeth a phryder am eu meibion. Wedi i'r ansicrwydd a'r gofidiau barhau am bedair blynedd, daeth y Cadoediad. Bu gorfoledd mawr dros dro, ond gorfoledd wedi ei dymheru â hiraeth oedd hwnnw. Yr oedd gormod o fechgyn y lle yn gorwedd yn ffosydd Ffrainc a Fflandrys a Mesopotamia i lawenychu, hyd yn oed yn awr y fuddugoliaeth. Ond yng nghanol y cwbl, safodd un grŵp bach yn heddychwyr trwyadl, hyd yn oed yng nghanol y berw gwylltaf. Pan oedd pawb a phopeth yn fud, mynnai nifer o aelodau ifainc yr I.L.P. gyhoeddi bod rhyfel yn annynol a chythreulig. Cynhaliwyd cyfarfodydd yn Neuadd yr Iforiaid, ac anogwyd y bobl ieuainc i adael y gwŷr mawr i ymladd eu brwydrau eu hunain. Nid hawdd oedd gwneuthur hyn, a chafodd amryw ohonynt lawer cernod a sen am sefyll dros eu hargyhoeddiadau. [24 Mawrth 1938]

Trawodd Amanwy dant eithriadol o ddigalon yn ei golofn ym mis Medi 1938. Yr oedd y sefyllfa yn Ewrop wedi gwaethygu gymaint erbyn hynny, gyda'r Rhyfel Cartref yn Sbaen yn ei anterth, a dau o fechgyn Rhydaman wedi eu lladd yno. Ar ben hynny yr oedd arweinwyr y gwledydd yn paratoi at gyflafan fawr arall yn Ewrop, ac ni welai Amanwy unrhyw obaith am waredigaeth:

> Anodd iawn yw casglu meddyliau ynghyd, a'u dodi ar bapur heno. Daeth cwmwl dros fywyd. Nid oes undyn nad yw'n gwingo'n dawel, o deimlo'r dynged sydd yn araf gau amdanom. Fel yr elo dyn yn hŷn, daw i deimlo mor arwynebol yw ein gwareiddiad. Nid oes gennyf mo'r gallu na'r tueddfryd i fanylu ar y gweithredoedd cibddall a'n dug i ymyl y fagddu. Ond yr oedd gwrando araith Hitler neithiwr, er na ddellais air ohoni, yn ddigon i beri'r hunllef ar y gorau ohonom. Y mae meddwl fod pennaeth gwlad fawr fel yr Almaen yn ymollwng i nwydau mor wallgof, yn syfrdanu dyn. Duw a waredo'n gwareiddiad rhag dyfod i fachau arweinwyr mor ddienaid. [29 Medi 1938]

Gwireddwyd ei ofnau mewn llai na blwyddyn pan dorrodd rhyfel arall yn Ewrop, a pharhaodd i gynnig ei sylwadau ar hynt a helynt y drin tan 1945. Ond ar wahân i ddadansoddi materion gwleidyddol a chymdeithasol, adolygu llyfrau a chylchgronau'r dydd, trafod pynciau llenyddol ac eisteddfodol, cafodd Amanwy gyfle, drwy gyfrwng colofn 'Cymry'r Dyffryn', i draethu'n huawdl ar faterion lleol yn ogystal. Llwyddai i dynnu nyth cacwn am ei ben yn dilyn y sylwadau hyn yn bur aml, fel y gwnaeth ym 1927 a'i golofn brin yn dri mis oed. Cystwyo athrawon ifainc Rhydaman am eu difaterwch ynglŷn â'r Gymraeg a wnaeth bryd hynny. Medd ef:

> Y mae yma ddigon o le i weithio ar ran y Gymraeg. Hyd yn hyn, ni chymer ein hathrawon ieuainc yr un diddordeb ym mhwnc yr iaith. O leiaf, dyna'r argraff a edy eu lleferydd ar feddwl dyn. Pan gwrddont ar y ffordd adref o'r ysgol ddyddiol, Saesneg yw iaith eu hymddiddanion yn ddieithriad. Gresyn clywed pobl eang eu dylanwad yn anghofio eu dyletswydd fel hyn. Dibristod llwyr ar eu rhan sydd i gyfrif am eu hoerfelgarwch. Cofiaf imi sôn am hyn mewn cinio Gŵyl Ddewi yn Rhydaman. Cododd rhywun i'm condemnio'n arw, gan awgrymu nad oedd gennyf sail i'm hymosodiad. Drannoeth euthum i ymyl clwyd ysgol y gŵr bonheddig, a chlywais Saesneg mor fras â chawl sir Ddinbych ar wefusau ei athrawon, ac ar ei wefus yntau hefyd! Doniol i mi oedd gwrando gwragedd gweinidogion yr Annibynwyr yn siarad Saesneg â'i gilydd adeg cynnal cyfarfodydd yr Undeb yn Rhydaman yr haf diwethaf. Ni chlywyd ac ni chlywir y fath Saesneg anniben fyth, namyn yn Petticoat Lane ar fore Sul. [10 Tachwedd 1927]

Dirywiad y Gymraeg yn Rhydaman, oedd ei destun, naw mlynedd yn ddiweddarach ym 1936:

> Ysywaeth, ni cheir cymaint o siarad Cymraeg ar yr heolydd heddiw ag mewn cyfnodau a gofiwn yn Rhydaman. Rhyw glebran Saesneg – a hwnnw'n Saesneg coch iawn – y bydd y mwyafrif o'n pobl ifainc. Yn wir, dyna'r ffasiwn. Bydd clustiau dyn yn twymo wrth glywed y potsh ieithyddol mwyaf ofnadwy a glywodd dyn yn disgyn dros wefusau bechgyn a merched ifainc y fro. Ac wrth gwrs, ni fedr neb berthyn i ddosbarth *elite* y dref heb fedru browlian Saesneg o ryw fath. Mae rhai o'r ladis hyn yn credu bod siarad Saesneg yn beth anhepgor i'w dosbarth hwy. Dyma'r unig ffordd y medrant ddangos eu bod yn perthyn i'r *elite.* Cedwch eich clustiau'n agored yn siopau ac ar strydoedd Rhydaman, neu yng nghyntedd-oedd ein capeli, ac fe gewch glywed y cleber mwyaf swancyddol a grewyd erioed. [5 Mawrth 1936]

Tynnodd ei ysgrafell dros gynghorwyr tref Rhydaman yn ei golofn fwy nag unwaith, a chystwyodd weinidogion y fro, gan gynnwys ei weinidog ef ei hun, y Parchedig Ddr D. Tegfan Davies, yn ogystal. Gallai Tegfan Davies draethu'n huawdl, ond yn faith eithriadol pan ddewisai, a hynny'n ddieithriad mewn iaith goeth a blodeuog, – yn enwedig mewn angladdau. 'Ewch i angladd yn yr ardal hon, a gwrandewch ar y sothach dienaid a draethir yn y gwasanaeth, os bydd ychydig o weinidogion ymneilltuol yno', meddai Amanwy ym 1927. 'Onid aeth y peth yn gellweirus a dichwaeth y tu hwnt i eiriau? Gymaint yn fwy gweddus yw gwasanaeth syml a dwys y fam Eglwys'. [24 Tachwedd 1927] Ni allai Amanwy ymatal rhag traethu ei farn pan fynnai, er bod lle i ofni y gwnâi hynny heb feddwl am y canlyniadau bob amser; ond yr oedd yr elfen fyrbwyll hon yn rhan annatod o'i gymeriad. Ac fe gafodd materion crefyddol gryn sylw ganddo yn ei golofn dros gyfnod maith o flynyddoedd, a chronicl trist o ddirywiad araf a chyson Ymneilltuaeth yn nyffryn Aman a'r cylch yw swm a sylwedd y nodiadau hyn. Fe'i magwyd mewn cymdeithas lle'r oedd bri ar grefydda, a hynny yng nghyfnod anterth y cyrddau pregethu a'r cymanfaoedd mawrion. Soniai'n fynych am y cyrddau hynny pan ddeuai rhai o hoelion wyth y gwahanol enwadau i wasanaethu yng nghapeli'r fro, a thrafodai gynnwys eu pregethau yn ei golofn yr wythnos ddilynol yn ddieithriad. Ym 1917 sefydlodd W. Nantlais Williams gynhadledd flynyddol yn eglwys Bethany, Rhydaman, gyda'r amcan o ddyfnhau bywyd ysbrydol dychweledigion y diwygiad. Bu Amanwy, fel un o'r rhai a ddaeth dan ddylanwad y diwygiad hwnnw, yn ymwelydd cyson â 'Chynhadledd y Sulgwyn', fel y daethpwyd i'w hadnabod, a chyfeiriodd at ei gweithrediadau fwy nag unwaith yn ei golofn.

Fodd bynnag, yr hyn a'i cynhyrfodd yn fawr ym mis Mai 1932 oedd ymweliad carfan o genhadon ar ran y *Protestant Truth Society* â thref Rhydaman ym mis Ebrill y flwyddyn honno. Sefydlwyd y gymdeithas hon gan John Kensit ym 1889, gyda'r amcan o amddiffyn yr Eglwys Anglicanaidd rhag defodaeth Babyddol ac Ucheleglwysig. Dull arferol Kensit o weithredu oedd protestio'n gyhoeddus, a thorri ar draws gwasanaethau crefyddol mewn eglwysi Anglo-Gatholig. Daeth y gweithgarwch hwn i'w anterth yn niwedd nawdegau'r bedwaredd ganrif ar bymtheg, pan ddechreuodd Kensit a'i ganlynwyr, arfer dulliau eithafol a threisgar er hyrwyddo'u hamcanion, drwy gynnal cyfarfodydd milwriaethus yn yr awyr agored, ymosod ar eglwysi, a tharfu ar wasanaethau ordeinio offeiriaid Anglo-Gatholig yn esgobaethau Llundain a Lerpwl. Nid oes ryfedd, felly, i John Kensit ac aelodau o'r *Protestant Truth Society* ennyn gwrthwynebiad mawr, nid yn unig ymhlith Pabyddion ac Anglo-Gatholigion, ond ymhlith Anglicaniaid Efengylaidd yn ogystal. Nid yw'n gwbl annisgwyl bod terfysgoedd yn bethau cyffredin yng nghenadaethau Kensit. Y diwedd fu iddo gael ei daro gan ddarn o haearn mewn terfysg felly gan dorf o Babyddion ym mis Medi 1902, ac iddo farw y mis dilynol.[41] Cenhadon ar ran y gymdeithas hon a ddaeth i Rydaman ym mis Ebrill 1932. Clywodd Amanwy hwy yn traethu un noson ar fuarth Ysgol y Cyngor yn y dref, a chroniclodd ei sylwadau ar yr hyn a glywsai, yr wythnos ddilynol:

> Diflas o beth yw gwrando ar ambell laslanc dibrofiad yn taflu anfri ar eneidiau a fu mewn gwewyr mawr cyn troi at Eglwys Rufain. Ni chlywais ddim i'w gyffelybu â haerllugrwydd y bachgen ifanc a fu'n traethu ar ran mudiad y *Kensitites* ar iard Ysgol y Cyngor yn Rhydaman, ers tro byd. Ac 'roedd crechwen rhai o'i ganlynwyr yn ddigon i rewi gwaed dyn. Nid oedd rheswm na boneddigeiddrwydd yn arthio'r gŵr ifanc pan soniai bod y Cardinal Newman, Sant Thomas Aquinas, ac eraill a adawodd eu coffa yn berarogl i saint yr oesoedd, yn *'liars, deceivers'* a *'perverters of the truth'*. Druan bach! Ie, bach, bach hefyd. Nid Cristnogaeth yw peth fel hyn. Deallwn ei fod yn proffesu ei fod yn sicr o'i gadwedigaeth. Popeth yn dda, eithr fe ddylai gofio nad oedd hynny'n rhoi hawl iddo glebran dwli am eneidiau a chwysodd waed wrth ymgodymu â pherthynas yr enaid â Duw. A chofied y sawl a gafodd y fath hwyl wrth wrando truth y gŵr ifanc hwn am Newman, na ddylent ganu ei emyn *'Lead kindly light'* fyth mwy. Buom yn ffodus iawn yn nyffryn Aman i gadw casineb rhag halogi ein perthynas fel sectau crefyddol. Mawr hyderwn y cawn ras i gredu'r gorau am ein gilydd yn y dyfodol eto. [5 Mai 1932]

Yn naturiol ddigon, wrth iddo heneiddio, tueddai fwyfwy i edrych yn ôl i'r gorffennol, i gyfnod ei fachgendod yn y Betws, a'i ieuenctid yn y lofa. 'Hawdd troi dail hen lyfr atgof, mae gerwinder yr hen fyd yn melysu gwinoedd y dyddiau gynt', medd ef ar 24 Rhagfyr 1931. 'Heno ddiwethaf, wrth syllu i'r tân, aeth pasiant o ddigwyddiadau heibio heb na si na sain'. Bryd arall, dyry inni ddarluniau byw iawn o rai o gymeriadau'r ardal, am ryw ddigwyddiad cyffrous neu dro trwstan. Ac yn y darnau hunangofiannol ac atgofus hyn y cawn Amanwy y rhamantydd ar ei orau. Dyma ef ym 1948 yn sôn am Nadolig ei blentyndod ar aelwyd yr Efail:

> Dwfn oedd ein cwsg ym mwthyn to cawn yr Efail ar fore'r Nadolig. Nid oedd tinc y morthwyl i'w glywed ar yr eingion i'n dihuno. Ond cyn i'r wawr dorri, byddem i lawr wrth dân y gegin, a rhywun yn gwylio trosom, a'i threm yn llonnach nag arfer wrth iddi frysio i drefnu brecwast i'w phlant. Byddai 'nhad yntau yn ei gadair gefn yn smocio'n drwm, a rhyw foddlonrwydd yn tirioni ei bryd. Cyn hir clywem siarad brwd ar yr heol, a rhaid oedd mynd i weld pwy oedd yn pasio. Pobl yr eglwys oeddynt ar eu ffordd i wasanaeth y plygain. Gwelem hwynt yn dod yn gwmnïoedd bychain, llawen a siaradus, yn gwanu drwy'r gwyll wrth ddringo'r llwybr troed o bompren sigledig Aman. Cyn hir clywem fintai arall yn dod o gyfeiriad Pen-twyn. 'Roedd lanterni lawer ar ffyrdd y plwyf y bore hwnnw. Tawelai'r siarad ac aem ninnau'n ôl i glydwch yr Efail. Ond ar fyr o dro wele'r ffyddloniaid yn dychwelyd o'r eglwys, ac yn cynnal seiat ar dro Hewl Pen-twyn yn ymyl yr Efail.
>
> Caem ninnau fwynhau ein borebryd, ond ychydig oedd ein anrhegion y dyddiau hynny. Byddem yn hongian ein hosanau, ond ni chaem ond ychydig o afalau America, ambell oren a chnau, ynddynt. Ond 'roedd gennym galonnau llawn bob un ohonom. Drwy'r bore, byddem yn gwrando'r gof yn cyfarch alltudion y pentref a ddaeth adref dros y gwyliau. Bechgyn cyhyrog yr Argoed a'r Gilfach a ddaeth yn ôl o'r gweithie. Toc deuai'n amser cinio. Yr oedd hen drawstiau'r gegin wedi eu cuddio â chelyn, a chân yng nghalon ac ar wefus pob un ohonom. Ni raid sôn am y wledd a gaem; yr oedd mwy na digon i'r taeraf ohonom, – a thipyn dros ben hefyd. Crwydrem y lôn a glannau Aman y prynhawn, a dychwelyd cyn nos i gysgod yr Efail. A gaiff plant yr hen ddyffryn annwyl gwell Nadolig eleni? Go brin, er amled yr arian a gaiff eu gwario ar gownteri llwythog siopau'r fro. [23 Rhagfyr 1948]

Cymerai Amanwy gryn ddiddordeb mewn chwaraeon hefyd, a bu ar un adeg yn aelod o dîm rygbi'r Betws. Dilynai hynt a helynt tîm rygbi Rhydaman yn ogystal, a bu ganddo gysylltiad agos â chlwb rygbi'r dref am flynyddoedd lawer. Mae'n debyg mai'r blynyddoedd cyn y Rhyfel Mawr oedd y cyfnod mwyaf llwyddiannus yn hanes y clwb hwnnw. Yr oedd cyffro ac effeithiau pietistaidd diwygiad ysbrydol 1904-05 wedi lleddfu cryn dipyn erbyn hynny, ac ailsefydlwyd y clwb rygbi ym 1907. Ond y ddwy flynedd rhwng 1913 a 1915 oedd cyfnod mwyaf cyffrous y clwb, pryd y cafwyd y chwarae brwd rhwng tîm y dref a thîm Resolfen yn nyffryn Nedd. Achosodd y chwaraeon hyn frwdfrydedd mawr ymhlith cefnogwyr y ddau dîm, ychydig fisoedd cyn dechrau'r Rhyfel. Ni sgoriwyd yr un pwynt yn erbyn tîm Rhydaman ar ei faes ei hun yn ystod y tymor hwnnw, a daliai'r hyn a elwid yn *ground record.* Fodd bynnag, yr oedd gan dîm Resolfen record debyg. Ar Chwefror 28, 1914, daeth tîm rygbi Resolfen ynghyd â rhai cannoedd o'i gefnogwyr i'r ornest fawr gyntaf yn Rhydaman, eithr gwŷr Rhydaman a gariodd y dydd, gan lwyddo i gadw'r *ground record* yn ogystal. Ar y dydd Sadwrn canlynol, Mawrth 7 1914, daeth tro bechgyn Rhydaman i fynd i ddyffryn Nedd i wynebu gwŷr Resolfen unwaith yn rhagor. Trefnwyd trên sgyrsion arbennig i gludo cefnogwyr y dref i Resolfen, – tuag wyth gant ohonynt i gyd. Cafodd bechgyn Rhydaman fuddugoliaeth fawr arall y diwrnod hwnnw eto, – gan lwyddo i dorri *ground record* eu gwrthwynebwyr yn y fargen. Wedi'r gêm, dosbarthwyd rhai cannoedd o gardiau coffa er cof am dîm Resolfen ymhlith trigolion dyffryn Nedd, a'r geiriau toddedig a ganlyn wedi eu hargraffu arnynt:

In Loving Memory of
Dear Resolfen
Who Passed Away Under Trying
Circumstances March 7 1914

Cwsg yn dawel hoff Resolfen
  Yn nhawelwch dyffryn Nedd,
Wylo'n hidl mae dy geraint
  Mewn anobaith uwch dy fedd.
Cafodd bechgyn braf Rhydaman
  Arnat fuddugoliaeth lawn,
A thra pery Nedd i lifo
  Bydd dy goffa'n hyfryd iawn.

Rest in peace Oh! glorious record
  'Neath Resolfen's muddy sward,
Laughing gibe and boastful swanking
  Ever wins its fine reward;
Useless was thy feeble struggle
  With the boys from Aman's glen,
Sweet remembrance lingers mournful
  By thy silent grave, – Amen.

Llwynog

Amanwy, fel y gellid ei ddisgwyl, oedd awdur y farwnad hon, ac fel hyn yr edrydd ef hanes ei chyfansoddi yn ei golofn:

> Y nos Wener cyn y gêm honno yn Resolfen, 'roeddwn wedi mynd gyda'm dau grwt bach, pedair a chwech oed, i sinema White's, – y siew goed honno a safai lle mae'r *Palace Cinema* heddiw. 'Roedd hwnnw'n drip wythnosol gennym o'r Betws. Tua chanol y llun, a minnau'n chwerthin yng nghwmni'r plant, dyma'r *compere* yn dod i'r llwyfan ac yn dweud bod eisiau Dai Rees Griffiths (Amanwy) y tu fa's i'r siew ar unwaith. Bûm bron â llewygu, ond cefais rywun i edrych ar ôl y plant, – ac allan â mi. Pwy oedd yno ond Mr Fox, rheolwr Banc Lloyds, ac un neu ddau aelod o dîm rygbi Rhydaman. Bachwyd fi ar unwaith, a dodwyd y mater ger fy mron yn ddioed.
>
> 'Disgwylwch 'ma, Amanwy', mynte Mr Fox. 'Ry'n ni'n mynd i whado Resolfen yn glwt fory, a 'rwy'n mo'yn i chi 'neud dou bennill bach i ddodi ar *fourning card* heno. Mae gweithwyr Vaughan y printer yn aros i brinto'r cardie. Gwnewch ddou bennill bach, – un Cwmrag ac un Sisneg'.
>
> Ceisiais innau ddweud nad oeddwn mewn hwyl y noson honno, ond ni thyciai ddim. Soniais drachefn am y ddau grwt bach yn y siew. O! fe ofalent hwy amdanynt. A rhaid oedd ufuddhau.
>
> 'O'r gore', meddai Mr Fox, 'dewch lawr i'r *Telegraph* gyda fi, ac fe gewch chi'r *long room* i chi'ch hunan'. Euthum i lawr yn ei fraich hyd at siop Commerce House, ond methais ag anghofio'r ddau grwt, ac yn ôl â mi i'r siew gan addo gwneud fy ngorau yno. Cefais damaid o bapur a phensil o rywle, ac yno y bûm yn fy nghwrcwd yn llunio'r ddau bennill. 'Roedd Mr Fox wrth ddrws y siew pan ddaeth y terfyn, ac argraffwyd y penillion y noson honno i'w dosbarthu yn Resolfen brynhawn drannoeth. Trosodd Mr Fox ei enw o'r Saesneg i'r Gymraeg i ddodi danynt, sef 'Llwynog'. Dyna'r stori'n fratiog. [27 Chwefror 1941]

Doniol hefyd yw hanes y tân a ddigwyddodd yn eisteddfod flynyddol Gerasim, Cwmgerdinen, tua 1912, ac Amanwy ymhlith y beirniaid, ac nid llai cyffrous yw hanes ei wyliau yn Aberaeron rai blynyddoedd yn ddiweddarach, pan fu ef a mintai o fechgyn y Betws yn agos at foddi pan fu eu cwch bron â suddo yng nghanol y môr. [26 Gorffennaf 1945]

Lluniodd Amanwy, dros y blynyddoedd, ddegau lawer o ysgrifau coffa i'w gyfoedion a'i gyfeillion, yn saint ac yn bechaduriaid, yn fonedd a gwreng fel ei gilydd, – a'u cyhoeddi yng ngholofn 'Cymry'r Dyffryn'. A gallai ddarlunio cymeriadau yn ddeheuig, fel y dengys ei bortreadau bywiog o rai o gymeriadau'r fro, gwŷr fel Joseph Thomas, y siopwr, er enghraifft, a etholwyd yn faer y Betws yn un o ffeiriau'r pentre yn nawdegau'r bedwaredd ganrif ar bymtheg; neu Jim Darbyshire, brodor o sir Gaerhirfryn, a ddaeth i weithio i lofa'r Betws gyda mintai o lowyr o Wigan ar droad y ganrif:

> Claddwyd yr hen Jim Darbyshire y dydd Sadwrn diwethaf ym mynwent eglwys San Mihangel. Bu nifer o hen weithwyr y Betws yn dweud wrthyf 'Dod air miwn am yr hen Ddarby'. O'r gorau fechgyn, wele flodyn er cof am yr hen Jim.
>
> Bu'n gaffer dros lofeydd y Betws am gyfnod hir, a chadwodd ei barch ar hyd y blynyddoedd. Ei duedd ef oedd edrych gormod ar y gwin pan fyddai'n goch, ac eto mae hiraeth dwys ar ei ôl mewn llawer cylch yn Rhydaman. Gŵr plaen ei air a thwym ei galon oedd ef, a hwyrach i lawer cymeriad coch gael cysgod da dan ei adenydd. Ond cafodd gweithwyr y Betws amser braf ar y cyfan, pan oedd ef yn llywodraethu.
>
> Enillodd Darbyshire gyflog dda – gwariodd y cyfan fel dŵr. Wedi iddo golli ei le fel swyddog yng nglofa'r Betws, daeth pobl Rhydaman i wybod ei fod yn gymeriad y gellid dibynnu ar ei air. 'Roedd yn onest iawn yn y fasnach gwerthu glo a gychwynnodd, a gofalai ar ei eithaf fod pawb, yn dlawd a chyfoethog, yn cael bargen deg ganddo. Hwyrach na ddeallodd anianawd y Cymro, ond fe'i cofir yn hir am ei garedigrwydd a'i haelioni diball i bobl y lle. [8 Chwefror 1934]

Lluniodd ysgrifau tebyg i gyn-gydweithwyr iddo o lofa'r Betws, i garedigion llên a barddas ei ardal, ac i'w berthnasau a'i anwyliaid yn ogystal. Ei gefnder, David John Griffiths, yn wreiddiol o Dy'nycoed, Pontaman, oedd gwrthrych y teyrngedu ym mis Tachwedd 1936, ac mae'n amlwg bod Amanwy wrth lunio'r coffâd hwn yn troedio'n ysgafnach nag arfer wrth iddo bwyso a mesur ei eiriau'n ofalus. Medd ef:

> Daeth y newydd i'w frodyr a'i chwiorydd ganol y mis diwethaf am farwolaeth David John Griffiths. Collwyd ei wyneb o'r fro ers blynyddoedd lawer, ac mae ei hanes mor rhamantus fel nad oes fai arnaf am adrodd ychydig ohono. Glöwr oedd yng nglofa'r Betws, a buom yn cydweithio dros beth amser, yn ddau gefnder yn yr un talcen. Ond torrodd y Rhyfel Mawr allan, aeth D.J. i'r fyddin, a chafodd ei hun yn y ffosydd yng ngogledd Ffrainc. Bu drwy lawer brwydr chwerw yno, ond

> yn sydyn diflannodd, ac nid oedd yn bosib cael gair o'i hanes. Er holi ac ysgrifennu llawer, nid oedd sôn am David John yn unlle.
>
> Aeth y Rhyfel heibio, ac ymhen rhai blynyddoedd daeth gair i Dy'nycoed yn dweud fod D.J. yn fyw. Mawr oedd ein llawenydd, ond yr oedd tristwch hefyd, pan ddeallwyd nad oedd modd iddo ddod adref. Yr oedd eisoes wedi priodi â Ffrances ac yn byw yn Ffrainc. Bellach y mae'n cysgu yn ymyl tŵr eglwys wledig yng ngogledd y wlad. Paham y bu iddo gefnu ar ei gatrawd ym merw'r frwydr? Ni ŵyr neb. Dichon iddo weld mor ddienaid hollol oedd y Rhyfel, iddo chwilio am fwlch i ddianc drwyddo, a bu'n ffodus.
>
> Petai'r awdurdodau wedi ei ddarganfod, ni fyddai hynny wedi peri dim loes iddo. Canys fe safai â'i gefn at y mur i herio ergydion y milwyr â chuwch ar ei eiliau. Dyna'r math o gymeriad ydoedd. Ef oedd Stoic y Griffithsiaid. Boed ei hun yn dawel yn yr allfro bell. [5 Tachwedd 1936]

A dyna'r cyfan. Mae'n sicr bod yma stori wirioneddol ddiddorol, ond os gwyddai Amanwy ei dirgelion hi, dewisodd beidio â datgelu dim o'i manylion. Eithr mae'n demtasiwn dychmygu a fu gan Amanwy, a Jim ei frawd, berthnasau o blith y Ffrancod, ac a wyddai'r rheini tybed rywbeth am eu cefndryd Cymreig, – am ddoniau barddol y naill a galluoedd diplomataidd y llall?

Soniodd Amanwy yn ei golofn ym mis Awst 1946 ei bod yn hen bryd i rywun fynd ati i lunio drama basiant ar fywyd glöwr maes y glo carreg. Fel y gwyddys bellach, ni ddaeth dim o'r awgrym hwnnw, ond pan ofynnwyd i Aneirin Talfan Davies lunio stori ar gyfer ffilm i gynrychioli Cymru yng Ngŵyl Brydain ym 1951, penderfynodd mai trwy bortreadu bywyd y glöwr y gallai gyfleu darlun o'r 'werin' Gymraeg ar ei gorau. Gwyddai Aneirin Talfan stori bywyd Amanwy yn dda, – y siomedigaethau a'r profedigaethau a ddaeth i'w ran, a'r nawdd a roes ef a'i gyd-weithwyr i'r Gomer Roberts ifanc, ac aeth ati'n ddioed i baratoi defnyddiau ar gyfer y ffilm. Gwnaed y ffilm honno – *David*, gan Paul Dickson ym 1951, ac Amanwy ei hun a gymerodd y brif ran ynddi. Cafwyd y sôn cyntaf am y ffilm yng ngholofn Cymry'r Dyffryn ym mis Medi 1950:

> Unwaith mewn oes y daw llong dyn i harbwr, a bydd yn methu'n lân a deall pa fodd y daeth drwy'r stormydd a'r cerynt. Y peth mwyaf a ddigwyddodd imi erioed oedd cael fy newis yn destun ffilm ar gyfer Gŵyl

> Brydain. Ni freuddwydiais am y peth erioed. Nid oes yn hanes fy mywyd ddim nas ceir yn hanes cannoedd o'm cydweithwyr. Y mae aelodau Cyngor Prydain yn darparu pedair ffilm ar gyfer Gŵyl Brydain y flwyddyn nesaf, un ar Ogledd Iwerddon, un ar Sgotland, un ar Loegr ac un ar Gymru. Mae gan Gymru aelodau ar y Cyngor hwn, – pobl fel Wyn Wheldon, Wyn Griffith, ac A. G. Prys-Jones. Credodd y panel hwn mai'r ffordd orau o bortreadu bywyd Cymru oedd gwau stori bywyd un o'i thrigolion, ac wrth drafod y mater, fe'm henwyd i. Heb yn wybod imi, danfonodd Aneirin Talfan Davies fraslun o'm hanes i'r panel hwn. Boddhawyd yr aelodau ynddo, a'r peth nesaf oedd derbyn llythyr yn gofyn imi gwrdd â chyfarwyddwr un o gwmnïau ffilmiau Llundain ac Aneirin ap Talfan. Felly y bu, a bu'n rhaid imi adrodd hanes fy mywyd yn weddol lawn wrthynt. Mae pethau wedi dod i fotwm, megis, erbyn hyn. Y mae'n anrhydedd ac, yn gyfrifoldeb mawr. [28 Medi 1950]

Ar ei hymddangosiad, cafodd gryn glod a sylw gan y wasg Gymraeg a Saesneg fel ei gilydd.[42]

Y glöwr delfrydol wrth gwrs, yw David, – y glöwr prin ei addysg a'i gyfleusterau, ond a wnaeth yn fawr o'i gyfle i ddod ymlaen yn y byd ac i ddringo'n gymdeithasol, a hynny drwy lenydda, a barddoni a chystadlu yn yr eisteddfodau. A hyn oll yn wyneb caledi a thrasiedïau teuluol. Dyma'r union math o weithiwr y gwnaeth Amanwy ei orau glas i'w anrhydeddu a'i amddiffyn mewn cerdd ac ysgrif drwy gydol ei oes, a dichon mai'r cyfle a gafodd i ailorseddu'r glöwr arwrol hwn oedd awr anterth ei fywyd. Daeth ag ef i sylw ehangach o lawer nag a allai colofn Gymraeg y *Chronicle* fyth ei gwneud, a chafodd wefr arbennig ym mis Gorffennaf 1951, pan aeth i Lundain a chael ei gyfarch yng ngorsafoedd y rheilffyrdd yno gan bobl hollol ddieithr iddo, a'i gwelodd ar y sgrîn fawr. Dangoswyd y ffilm ddwy ar hugain o weithiau yn nhref Rhydaman yn unig erbyn mis Tachwedd 1951, er mawr foddhad i Amanwy:

> Daw llythyrau yma o bob cwr o'r wlad, a chaiff y bobl sy'n alltudion o ddyffryn Aman fwynhad mawr wrth ei gweld. Bu rhaid ei hail ddangos mewn nifer o fannau yng Nghymru. Deallaf nad unrhyw gamp o eiddo'r actorion sydd yn y ffilm sydd i gyfrif am hyn. Nid oedd nemor un ohonom yn gyfarwydd â chrefft o'r fath. Ceisiasom fod yn naturiol, a dyna'r cwbl. [22 Tachwedd 1951]

Amanwy fel 'Dafydd Rhys' yn y ffilm 'David'.

Yr oedd enw Amanwy eisoes wedi dod yn gyfarwydd i'r Cymry darllengar cyn i'r ffilm ymddangos ym 1951, oblegid bu hefyd yn gofalu am un o golofnau'r *Cymro* er mis Mawrth 1949, pan oedd y papur hwnnw dan olygyddiaeth John Roberts Williams. Ychydig a soniai am ddyffryn Aman yn y golofn honno, colofn a oedd yn dwyn y teitl 'O Gwm i Gwm', a phytiau ar bynciau'r dydd yw ei nodwedd amlycaf. Ond trafodai wleidyddiaeth o bryd i'w gilydd, megis y gwnaeth pan ddewiswyd y Parchedig D. Eirwyn Morgan yn ymgeisydd seneddol dros Blaid Cymru ym 1949. 'Er inni fod yn ffrindiau cywir am dros ugain mlynedd a mwy', meddai, 'eich twyllo a wnawn petawn yn sôn fy mod yn dymuno'n dda iddo'.[43] A chroesodd gleddyfau â rhai o wŷr amlyca'r genedl yn y golofn hon eto. Hwyrach mai'r ffrwgwd fwyaf oedd honno a fu rhyngddo a'r Dr Iorwerth C. Peate, rai misoedd cyn ei farw. Yn ystod haf 1953 cafodd Dr Peate fenthyg dyddiadur gŵr a fu'n llygad-dyst i rai o ddigwyddiadau mwyaf cyffrous adfywiad ysbrydol 1904-05. Fe'i cyfieithodd i'r Gymraeg a'i gyhoeddi ar dudalennau'r *Dysgedydd*, misolyn yr Annibynwyr Cymraeg, a oedd ar y pryd dan olygyddiaeth y Parchedig Iorwerth Jones, Ystalyfera.[44] Cafodd y dyddiadurwr argraff anffafriol iawn o'r diwygiad, ei gyfarfodydd, a'r diwygiwr ei hun, a rhoes enghreifftiau yn ei ddyddiadur o ymddygiad y mwyaf brwdfrydig o'r dychweledigion. Nid yw'n syndod i'r erthyglau hyn gyffroi Amanwy, o gofio iddo ef ei hun brofi peth o wres yr adfywiad hwnnw. Mynegodd ei safbwynt yn ddigon clir unwaith yn rhagor, a hynny yn ei golofn yn *Y Cymro:*

> Ni chefais fy nghythruddo'n fwy ers hir amser nag yn y gyfres o dair ysgrif – 'Dyddiadur Diwygiad' a olygwyd ac a droswyd i'r Gymraeg gan y Dr Iorwerth Peate. I ba ddiben y cyhoeddir dyddiadur yr anghrediniwr hwn yn y dyddiau adwythig hyn a ddaeth ar eglwysi'r wlad? Nid oedd Diwygiad 1904-05 yn ddim ond storm o deimladrwydd arwynebol yn ôl cyfaill Dr Peate. Ni ddarllenais ddim yn fwy gwawdlyd oddi ar dyddiau'r Diwygiad ei hun. Efallai bod galw am ysgrifau o'r natur hyn, ond yn bendifaddau nid ym mhrif gylchgrawn yr Annibynwyr y mae eu lle. Syndod i mi, ac i filoedd o edmygwyr Dr Peate, yw ei weld yn pardduo – neu o leiaf, yn gyfrwng i bardduo gwerin Cymru. A gwneir llawer gormod o hyn ym mhulpudau'r Annibynwyr heddiw yn enw moderniaeth a'r ymchwil am y Gwir. Mae perygl ein bod yn mynd yn rhy glyfar ein pennau, ac anghofio'r galon wrth sôn am Ddiwygiad 1904-05.[45]

Ceir yn yr ysgrifau amrywiol hyn, unwaith yn rhagor, ddarlun gwerthfawr o gyfnod arbennig ym mywyd Cymru. Yr oedd John Roberts Williams wedi sylwi ar golofn 'Cymry'r Dyffryn' yn y *Chronicle*, a sylweddolodd mai colofn debyg, yn trafod materion cyfoes, oedd ei angen ar *Y Cymro* i ehangu ei gylchrediad yng nghymoedd diwydiannol y de. Medd yntau:

> Gan fy mod yn ddarllenwr mawr ar bapurau newydd, cefais afael ar yr *Amman Valley Chronicle* pan oeddwn ar fy nheithiau yn y de, a sylwi ar golofn Gymraeg Amanwy. Dyma'r union beth yr oeddwn yn chwilio amdano, sef rhywun o'r ardal a fedrai ysgrifennu, ac ysgrifennu'n dda, golofn a fyddai o ddiddordeb arbennig i'r cymoedd yn ogystal â bod o ddiddordeb cyffredinol. Nid oeddwn yn adnabod Amanwy, er fy mod yn adnabod ei frawd Jim yn bur dda. Cefais afael arno yn gwbl ddidrafferth am ei fod yn ofalwr yn yr ysgol. Fe'i cefais yn ŵr hynaws a hawddgar, hawdd mynd ato, a'i wneud yn gyfaill.

> Fe gytunodd ar unwaith i ymgymryd â'r gorchwyl wythnosol yma. Ni roddwyd unrhyw gyfyngiadau arno. Dim ond apelio arno am golofn ddarllenadwy, hyn a hyn o hyd, a oedd yn llais o'r cymoedd, ond heb fynd i groniclo manion nac ymboeni am briodasau, marwolaethau, enillwyr eisteddfodau etc. Ni bu sôn am wleidyddiaeth, am ei fod yn deall mai'r unig beth yr oedd yn ei bropagandeiddio oedd cylchrediad *Y Cymro.* Amdano fel gohebydd, ni fu gen i le i gwyno. Yr oedd yn gyson, yn ddibynnol, yn ehangu peth ar orwelion daearyddol; yr oedd yn llenor yn ogystal â bardd.[46]

Trawyd Amanwy yn sâl yng nghanol mis Mai 1953, a threuliodd gyfnod yn Ysbyty Treforys. Cryfhaodd wedi'r driniaeth a gafodd yno, ond daeth yn amlwg erbyn dechrau mis Rhagfyr bod yr hen glefyd wedi ailgydio ynddo ac nad oedd gwella iddo. Aethpwyd ag ef i Ysbyty Middlesex ganol mis Rhagfyr, ond parhaodd i gyfrannu ei golofnau wythnosol i'r *Chronicle* a'r *Cymro* drwy gydol y cyfnod hwn. Fel hyn yr ysgrifennodd i'r *Chronicle* ar ddechrau mis Rhagfyr:

> Cystal imi ddweud yn awr bod yma le ardderchog i ŵr a gais wella o'r dolur sy'n ei frifo. Er hynny daw ambell bwl o hiraeth droswyf ar dro. Af dan driniaeth lawfeddygol yr wythnos nesaf, ond gwn na phery fyth y ddu dymhestlog nos. Seiliaf fy ffilosoffi ar stori a glywais gan Cynwyd Evans, pan oedd yn weinidog yng Ngellimanwydd, Rhydaman. Sôn yr oedd am fam yn golchi ei phlentyn ar nos Sadwrn, a hwnnw'n crio am fod sebon wedi mynd i'w lygaid. 'Sgrech di faint a fynnot', meddai'r fam, 'ond mi fynna i dy gael yn lân'. Cofion twymgalon atoch oll, yn enwedig gleifion fy henfro. Bellach rhaid casglu'r nerth a feddwyf ar gyfer dydd Mawrth nesaf. [10 Rhagfyr 1953]

Rhoes wybod i'w ddarllenwyr wythnos yn ddiweddarach na chafodd y llawdriniaeth ddisgwyliedig wedi'r cyfan, a hynny am fod cyflwr ei frest mor wael. 'Mae'n amlwg nad ydynt yn gyfarwydd â glowyr yma', meddai, 'ond nid oes le i wahaniaethau mân yn nheyrnas poen. Tynn ef y cryfaf ohonom i lefel y gwannaf yn aml. Ie, meistr creulon ond teg yw poen. Ond rhaid tewi, mae'r gloch yn canu a'r golau i'w ddiffodd'. [17 Rhagfyr 1953] Y rhain oedd ei eiriau olaf yng ngholofn 'Cymry'r Dyffryn', oblegid bu farw ar 27 Rhagfyr 1953.

Prin bod angen dweud fod Amanwy yn bersonoliaeth gymhleth, a'i fod, fel pob un ohonom, yn amherffaith ddigon, ond cawn gip yn ei ysgrifau ar gyfoeth a thlodi'r bywyd diwydiannol yn nyffryn Aman a'r cylch dros gyfnod o hanner can mlynedd. Yr oedd oes aur bywyd diwydiannol a diwylliannol y fro eisoes wedi dechrau dirywio pan gychwynnodd ar ei yrfa fel colofnydd yn y *Chronicle*, ond cofiai ef y dyddiau da, pan delid cyflogau uwch na'r cyffredin yn y glofeydd, pan oedd yr ardal yn gyrchfan pobloedd, a phan oedd cryn lewyrch ar y bywyd crefyddol a llenyddol. A cheir yn ei golofnau stôr o wybodaeth i'r hanesydd llenyddol a chymdeithasol fel ei gilydd. Maes y glo carreg oedd ei filltir sgwâr, ac er iddo ef ei hun orfod gadael y lofa, ni chefnodd arni erioed. Glowyr maes y glo carreg oedd ei arwyr mawr, ac fe'u hamddiffynnodd rhag pob ymosodiad gan neb pwy bynnag. Achubodd eu cam ar bob cyfle ac achlysur, ac i'r bobl hynny na wyddent ddim oll, ac na falient lawer am hynny, eglurodd Amanwy iddynt mewn geiriau plaen, a llym ar dro, beth oedd union bris y glo.

NODIADAU

1. *The Illustrated Guide to the Llanelly, Llandilo and the Vale of Towy Railways* (Llanelli, 1860), 17.
2. Ar dwf diwydiannol yr ardal gweler Ioan Mathews, 'Maes y Glo Carreg ac Undeb y Glowyr', yn Geraint H. Jenkins, gol., *Cof Cenedl: Ysgrifau ar Hanes Cymru, VIII* (Llandysul, 1993), 133-64.
3. 'Cyrchfan Pobloedd', *The Carmarthen Journal*, 14 Chwefror, 1908.
4. Ar y cefndir teuluol gweler y bennod 'Roots' yn James Griffiths, *Pages From Memory* (London, 1968), 1-12.
5. William Evans, 'William Griffiths y Gof', *The Amman Valley Chronicle*, 16 Chwefror 1928. Gweler hefyd 'Betws Grand Old Man', *ibid.*, 9 Chwefror 1928.
6. 'Fy atgofion am y diwygiad', nodiadau darlith a ddiogelir ymhlith papurau Amanwy yn Adran y Casgliadau, Llyfrgell Genedlaethol Cymru.
7. Edrydd W. Nantlais Williams hanes y diwygiad yn Rhydaman, yn ei hunangofiant, *O Gopa Bryn Nebo* (Llandysul, 1967), 61-9.
8. J. D. W[illiams], 'Mr Bezer Jones, Rhydaman', *Y Goleuad*, 6 Ebrill 1966. Gweler hefyd David Smith a Gareth Williams, *Fields of Praise: The Official History of the Welsh Rugby Union, 1881-1981* (Cardiff, 1980), 127.

9. R. Tudur Jones, *Ffydd ac Argyfwng Cenedl. 2: Dryswch a Diwygiad* (Abertawe, 1982), 220. Gweler hefyd Idem, *Ffydd ac Argyfwng Cenedl. 1: Prysurdeb a Phryder* (Abertawe, 1981), 96-103.
10. 'Explosion at Ammanford', *South Wales Daily News*, 29 Ionawr 1908. Ceir adroddiad o'r cwêst a gynhaliwyd ar gyrff y ddau löwr a laddwyd yn *ibid.*, 12 Chwefror, 6 Mai 1908.
11. Llyfrgell Genedlaethol Cymru, Papurau James Griffiths E1/13, 13.
12. D. J. Williams, *Yn Chwech ar Hugain Oed* (Aberystwyth, 1959), 151-2.
13. Enillodd Irlwyn Ysgoloriaeth Roseberry i Goleg Ruskin, Rhydychen, i astudio economeg a phynciau cymdeithasol. Etholwyd ef yn aelod o'r Cyngor Sir ym 1936, a bu'n Gadeirydd y Cyngor ym 1958. Yn Sosialydd o argyhoeddiadau cryfion, canodd nifer o gerddi milwriaethus i'w canu yng nghyfarfodydd protest glowyr maes y glo carreg. Cyhoeddwyd *Y Byd a'r Betws*, sef detholiad o'i gerddi, ym 1958. Yr oedd Gwilym Myrddin, yntau, hefyd yn fardd toreithiog, a chyhoeddwyd cyfrol o'i gerddi wrth y teitl *Cerddi Gwilym Myrddin* ym 1948. Bu W. Cathan Davies yn drysorydd cyfrinfa glowyr Pantyffynnon, ac yn aelod o Gyngor Tref Rhydaman am flynyddoedd. Bu farw ym mis Mai 1929, a chyhoeddodd Amanwy deyrnged iddo yng ngholofn 'Cymry'r Dyffryn', 23 Mai, y flwyddyn honno.
14. 'O Gwm i Gwm', colofn wythnosol Amanwy yn *Y Cymro*, 29 Ebrill 1949. Diogelodd Amanwy nifer o'r penillion a'r rhigymau hyn a'u cyhoeddi o bryd i'w gilydd yng ngholofn 'Cymry'r Dyffryn'. Gweler er enghraifft 23 Hydref 1941.
15. 'O Gwm i Gwm', *Y Cymro*', 5 Awst 1949.
16. 'Ambell Gainc', *Cymru*, 56 (1919), 146. Ceir sylwadau tebyg gan Ddyfnallt, Gwili, Ben Davies a Phedrog, yn *The Amman Valley Chronicle*, 17, 24 Ebrill, 1 Mai, 10 Awst 1919.
17. Ceir ymdriniaeth â'r helynt yn Huw Walters, *Canu'r Pwll a'r Pulpud. Y Traddodiad Barddol yn Nyffryn Aman* (Abertawe, 1987), 260-1.
18. Fe'i cafwyd ymhlith dodrefn ac eiddo'r cerddor Rae (Horatio) Jenkins, a fu'n arweinydd Cerddorfa Gymreig y B.B.C. Bu ef farw yn ei gartref yn Grantown-on-Spey ym mis Mawrth 1985. Brodor o'r Betws, Rhydaman, oedd Rae Jenkins, ac mae'n dra phosib i Amanwy gyflwyno cadair Pontyberem iddo fel anrheg briodas. Ceir hanes yr ocsiwn yng ngholofn *Westgate*, 'Wales and the World', *The Western Mail*, 5 Medi 1985.
19. Wil Williams, *Hiraeth y Chwarelwr* (Bangor, 1977), 12-13. Diolchaf i Mr Dafydd Whiteside Thomas am fy nghyfeirio at y ffynhonnell hon.
20. Edrydd Gomer M. Roberts yr hanes yn 'Ar Ôl Angladd Amanwy', *Y Genhinen*, 4 (Gwanwyn 1954), 88-93.
21. T. Gwynn Jones, 'Cyffes', *Manion* (Wrecsam, 1932), 72.
22. Llsgr. Llyfrgell Genedlaethol Cymru, 21065E. Llythyrau at Gomer M. Roberts, rhif 85.
23. Cyhoeddwyd y cywydd ynghyd â llythyrau oddi wrth T. Gwynn Jones, Iorwerth C. Peate, Dewi Emrys a Wil Ifan yng ngholofn 'Cymry'r Dyffryn', 30 Ebrill 1942.
24. H. Meurig Evans mewn llythyr at yr awdur, dyddiedig 24 Chwefror 1979.
25. Cyhoeddwyd y bryddest ynghyd ag awdl anfuddugol Tom Parry, 'Mam', ychydig wythnosau wedi'r eisteddfod, yn *Cerddi'r Lleiafrif* (Aberystwyth, 1932).

26. 'Angladd Ieuan Griffiths', *The Amman Valley Chronicle*, 14 Ebrill 1921.
27. Casglwyd cyfanswm o £102-11-00 gan bobl dyffryn Aman ar gyfer y gronfa, a chyflwynwyd y dysteb i Gwilym yn nechrau mis Medi 1929. Gweler yr adroddiad 'Tysteb Gwilym Griffiths', *ibid.*, 19 Medi 1929.
28. Llsgr. Llyfrgell Genedlaethol Cymru, 21065E. Llythyrau at Gomer M. Roberts, rhif 80.
29. Ceir trafodaeth fanwl ar natur ei ganu yn Huw Walters, *op. cit.*, 250-79.
30. Aneirin Talfan Davies, *Crwydro Sir Gâr* (Llandybïe, 1955), 283.
31. Gweler T. Brennan, 'The White House', *The Cambridge Journal*, 7 (1953-1954), 243-8; T. Brennan, E. W. Cooney, H. Pollins, *Social Change in South West Wales* (London, 1954), 27-8, 149-50. Ar George Davison (1856-1930), gweler Brian Coe, 'George Davison: Impressionist and Anarchist', yn Mike Weaver, gol., *British Photography in the Nineteenth Century* (Cambridge, 1989), 215-41; Idem, *The Birth of Photography: The Story of the Formative Years 1800-1900* (London, 1989), 107.
32. 'Nodion o Finion Aman', *The Herald of Wales*, 1 Tachwedd 1913.
33. Chwaer iddo oedd Huldah Bassett a fu'n athrawes Gymraeg yn y Barri a Thregŵyr, cyn ei marwolaeth ym 1982.
34. Am helyntion 1925 yn Rhydaman, gweler Hywel Francis, 'The Anthracite Strike and Disturbances of 1925', *Llafur*, 1 (May 1973), 15-28.
35. 'Er Cof am Thomas Gwynn Jones', *Y Llenor*, 28 (Haf 1949), [Rhifyn Coffa Thomas Gwynn Jones], 62-3.
36. Gomer M. Roberts, gol., *Caneuon Amanwy* (Llandysul, 1956), 67.
37. 'Gwobr Llandybïe: Anerchiad ar ran Pwyllgor Llên Eisteddfod Genedlaethol 1944'. Dogfen a geir ymhlith papurau Amanwy yn Llyfrgell Genedlaethol Cymru. Gweler hefyd Huw Walters, 'Stori Gwobr Llandybïe', *The South Wales Evening Post*, 19 Rhagfyr 1974. Diddymwyd rheolau'r gystadleuaeth a'i phrif amcan ym 1975.
38. May Harries, 'Dai: Portread Buddugol Eisteddfod Gellimanwydd, Rhydaman, 1972'. Traethawd ym meddiant teulu Amanwy.
39. Ceir ymdriniaeth lawn ag agwedd Amanwy tuag at *Cwm Glo* gan Manon Rhys, 'Atgyfodi Cwm Glo, Kitchener Davies', yn Hywel Teifi Edwards, gol., *Cwm Rhondda* (Llandysul, 1995), 276-300. Gweler hefyd y bennod 'Nid Bachan Budur yw Dai', yn Hywel Teifi Edwards, *Arwr Glew Erwau'r Glo: Delwedd y Glöwr yn Llenyddiaeth y Gymraeg, 1850-1950* (Llandysul, 1994), 179-208; Alan Llwyd, 'Herio Dannedd y Corwynt. J. Kitchener Davies: Helynt *Cwm Glo* (1934)', yn *Rhyfel a Gwrthryfel: Brwydr Moderniaeth a Beirdd Modern* (Abertawe, 2003), 347-59.
40. Ceir cip ar syniadau T. Hughes Griffiths ar gyflwr Yr Almaen yn ei erthygl 'Hitleriaeth, neu Sosialaeth Genedlaethol Yr Almaen', *Yr Efrydydd*, 10 (Chwefror 1934), 122-7. Bu farw Tom Hughes Griffiths yn henwr 82 mlwydd oed yn niwedd mis Medi 1973. Gweler Gomer M. Roberts. 'Dr T. H. Griffiths, Caerfyrddin', *Seren Cymru*, 12 Hydref 1973.
41. 'Kensit's gift for self-advertisement, his refusal to compromise, and his unvarnished language made him the despair of the episcopate, a frequent embarrassment to respectable Evangelicals, and the champion of Protestant opinion', medd Martin Wellings

amdano yn ei bennod, 'The First Protestant Martyr of the Twentieth Century: The Life and Significance of John Kensit (1853-1902)', yn Diana Wood, gol., *Martyrs and Martyrologies* (Glasgow, 1993), 354-5. Gweler hefyd G. I. T. Machin, 'The Last Victorian Anti-ritualist Campaign, 1895-1906', *Victorian Studies*, 25 (Spring 1982), 277-302.

42. Adroddir hanes y ffilm gan Dave Berry yn *Wales and Cinema* (Caerdydd, 1994), 246-9; Jeffrey Richards, *Films and British National Identity From Dickens to 'Dad's Army'* (Manchester, 1997), 221-2; Hywel Teifi Edwards, *Arwr Glew . . .*, 68-70; Gwenno Ffrancon, '"Y Graith Las ar Gynfas Arian": Delweddau Dirweddol o'r De Glofaol?', yn *Cyfaredd y Cysgodion: Delweddu Cymru a'i Phobl ar Ffilm, 1935-1951* (Caerdydd, 2003), 162-89; Eadem, '"Y Graith Las ar Gynfas Arian": Delweddu'r Glöwr Cymreig ar Ffilm, 1935-1951', yn Geraint H. Jenkins, gol., *Cof Cenedl: Ysgrifau ar Hanes Cymru, XIX* (Llandysul, 2004), 163-92.
43. 'O Gwm i Gwm', *Y Cymro*, 8 Ebrill 1949.
44. Iorwerth C. Peate, 'Diwygiad Evan Roberts', *Y Dysgedydd*, 133 (Mawrth 1953), 65-67; (Ebrill 1953), 88-91; (Mai 1953), 113-16.
45. 'O Gwm i Gwm', *Y Cymro*, 29 Mai 1953. Cyhoeddwyd hefyd dan y teitl 'Amddiffyn y Diwygiad', yn *Y Dysgedydd*, 133 (Awst 1953), 177-9.
46. John Roberts Williams mewn llythyr at yr awdur, dyddiedig 10 Medi 1979.